Franck Thilliez

Né en 1973 à Annecy, Franck Thilliez, ancien ingénieur en nouvelles technologies, vit actuellement dans le Pas-de-Calais. Il est l'auteur de *Train d'enfer pour Ange rouge* (2003), *La Chambre des morts* (2005), *Deuils de miel* (2006), *La Forêt des ombres* (2006), *La Mémoire fantôme* (2007), *L'Anneau de Moebius* (2008) et *Fractures* (2009). *La Chambre des morts*, adapté au cinéma en 2007, a reçu le prix des lecteurs Quais du Polar 2006 et le prix SNCF du polar français 2007.
Franck Thilliez a publié *Le Syndrome [E]* (2010), *[Gataca]* (2011) et *Atom[ka]* (2012) – trois enquêtes réunissant à nouveau Franck Sharko et Lucie Henebelle – ainsi que *Vertige* (2011), *Puzzle* (2013), *[Angor]* (2014), *Pandemia* (2015), *REVƎЯ* (2016) et son dernier roman *Sharko* (2017), tous parus chez Fleuve Éditions et traduits dans le monde entier. L'ensemble de ses titres, salués par la critique, se sont classés à leur sortie dans la liste des meilleures ventes.

Retrouvez l'auteur sur sa page Facebook :
https://fr-fr.facebook.com/Franck.Thilliez.Officiel

REVƎR

DU MÊME AUTEUR
CHEZ POCKET

TRAIN D'ENFER POUR ANGE ROUGE
DEUILS DE MIEL
LA CHAMBRE DES MORTS
LA FORÊT DES OMBRES
LA MÉMOIRE FANTÔME
L'ANNEAU DE MOEBIUS
FRACTURES
LE SYNDROME [E]
[GATACA]
VERTIGE
ATOM[KA]
PUZZLE
[ANGOR]
PANDEMIA
REVЭЯ

TRAIN D'ENFER POUR ANGE ROUGE / DEUILS DE MIEL
(en un seul volume)

LA CHAMBRE DES MORTS / LA MÉMOIRE FANTÔME
(en un seul volume)

LE SYNDROME [E] / [GATACA] / ATOM[KA]
(en un seul volume)

LA FORÊT DES OMBRES / L'ANNEAU DE MOEBIUS
(en un seul volume)

L'ENCRE ET LE SANG
avec Laurent Scalese

FRANCK THILLIEZ

REVER

Pocket, une marque d'Univers Poche,
est un éditeur qui s'engage pour la préservation
de son environnement et qui utilise du papier fabriqué
à partir de bois provenant de forêts gérées
de manière responsable.

ISBN : 978-2-266-27654-2

Cher lecteur,

La lecture d'un thriller est un voyage qui doit vous emmener loin sur les grands territoires du suspense et de la peur. Sur ces terres que je connais bien à présent, je serai votre guide. Petit avertissement : ce voyage est temporel. L'incroyable histoire d'Abigaël Durnan oscille entre décembre 2014 et juin 2015, c'est-à-dire qu'il y aura une alternance de chapitres sur ces deux périodes. Merci de tenir compte des précieuses indications situées au début de certains chapitres, elles sont importantes pour que tout se passe dans les meilleures conditions. La petite goutte noire vous indiquera le moment où se déroule l'action.

Vous verrez, lors de votre lecture, que l'on passe du chapitre 56 au chapitre 58. Cela est normal et ne gênera aucunement votre compréhension de l'histoire, et je vous donne rendez-vous à la fin du roman pour en découvrir la raison.

Êtes-vous correctement équipé ? Au calme, lumières allumées, une petite musique en fond sonore, pourquoi pas ? Alors préparez-vous à plonger, comme Abigaël, dans les replis les plus sombres de l'esprit humain.

PROLOGUE

D'une main tremblante, Abigaël Durnan sortit une Marlboro de son paquet et la planta entre ses lèvres. Le déclic provoqué par le briquet Zippo monopolisa son attention. Elle ne fumait pas, mais elle avait appris à voir, écouter, sentir comme nul autre, et cette fois encore, chaque détail de son environnement revêtait son importance.

Autour d'elle, le triage-lavoir abandonné brûlait. Les flammes rouges couraient comme des dizaines de diables le long des murs crasseux. Ils croquaient les poutres usées, jonglaient avec les braises, crachaient leurs rouleaux de fumée noirâtre. Plus aucun moyen de redescendre par l'escalier en feu ni aucune autre issue. Abigaël se retrouvait piégée ici, à plus de quinze mètres de haut au milieu de nulle part, et personne n'entendrait ses cris. Bientôt, elle brûlerait vive.

Elle s'attarda sur la forme de ces langues affamées, leur couleur, cette danse courbe et esthétique qu'elles esquissaient. Elles lui paraissaient si réelles, si vivantes, et tellement difficiles à simuler. Comment son esprit pourrait-il les avoir créées avec autant de précision ? Purement impossible.

Abigaël remonta la manche de son sweat et dévoila son avant-bras droit marqué de pointes d'aiguille et, surtout, de cinq cercles bruns. Des cratères retroussés, profonds, semblables à des pustules. Chacune de ces brûlures de cigarette l'avait guidée jusqu'à l'ultime rendez-vous, aidée à tracer son chemin, indice après indice, comme les cailloux blancs du Petit Poucet. Mais, contrairement au conte de Perrault, l'histoire risquait de mal se terminer.

Les réponses se cachaient entre ces murs, quelque part. Il fallait une dernière cicatrice afin d'en finir une fois pour toutes. Les morsures du feu dans sa chair étaient fiables, tout comme les curieux tatouages nichés les uns sous les autres à l'intérieur de sa cuisse droite, auxquels elle se raccrochait chaque fois qu'elle doutait.

Qui est Josh Heyman ?
Découvrir les démons de JH
JH connaît intimement Léa et Arthur. Comment ?
Léa aurait dû être la 4

Une poutre s'effondra et provoqua le rire des diables. Le bois râlait, le bâtiment gémissait de part en part et ne tarderait pas à se recroqueviller sur elle, comme une main carbonisée. Il fallait en finir. Abigaël pompa fort sur le filtre et fit rougeoyer l'extrémité du tabac. L'approcha de son poignet et trouva une petite place, entre marques d'aiguille et brûlures précédentes.

Si la douleur était absente, alors rien de tout cela n'aurait jamais existé. Abigaël ne se serait pas levée ce matin-là en sang, avec la poitrine lacérée. Ni dans un lavoir en flammes, mais allongée sur son lit, lovée sous ses draps, plongée dans un rêve incroyablement élaboré. Côté positif des choses : elle ne flamberait pas comme une vulgaire poupée de chiffon.

Et dans le cas où la douleur se manifestait, Abigaël se tenait face à quelque chose d'impossible. Un paradoxe lié à son accident de voiture et aux sombres secrets que cachait son père.

Alors, lavoir en flammes, ou rêve d'un lavoir en flammes ?

Tandis que le feu agile s'exhibait autour d'elle, elle inspira, ferma les yeux et, comme elle l'avait déjà fait à cinq reprises ces derniers jours, écrasa le bout incandescent sur son bras.

1

6 décembre 2014
L'ACCIDENT

25 juin 2015
LE LAVOIR EN FLAMMES

15 juin 2015

10 jours plus tôt.
Journal des rêves d'Abigaël Durnan.

Rêve n° 297, le 15 juin 2015
Mon père me disait toujours qu'il y a deux façons de regarder une palette de bois. La première, comme une palette de bois. La seconde, comme la résultante du génie des narcotrafiquants : ce que le cerveau perçoit comme cet objet bien identifié pour le transport se trouve être dix kilos de cocaïne auxquels de brillants chimistes ont donné l'odeur, l'apparence et le toucher d'une palette de bois. C'est ce qui rend le trafic de drogue aussi difficile à enrayer. Insufflée dans les objets qui nous entourent, tellement courants et évidents, on finit par ne plus la voir.
J'aurais pourtant aimé dire à mon père que le

cerveau humain est bien plus fourbe dans le domaine des rêves que dans celui du trafic de drogue. En effet, il nous pousse à croire que le rêve est la réalité, même lorsqu'on est poursuivi par un dinosaure. Durant le sommeil, le cerveau se piège lui-même en permanence, il essaie de déjouer tous les stratagèmes du rêveur le plus cartésien. Einstein, tout comme Newton ou Descartes ont un jour cru pouvoir se jeter d'une falaise et voler. Et ils l'ont fait.

Pour la plupart des gens, le rêve s'arrête au réveil. Mais pour moi, distinguer le rêve de la réalité est devenu chaque jour plus compliqué. Car ces derniers temps, même éveillée, je dois sans cesse m'assurer que je ne rêve pas. Être bien certaine que, ce que mes yeux voient, ce que mes oreilles entendent EST *la réalité.*

Depuis que « ça » a empiré, j'ai toujours une aiguille sur moi. Et quand je me pose la question « Est-ce que je rêve ou pas ? », je me plante la pointe de cette aiguille dans la peau. Je ne saigne jamais dans mes rêves, c'est quelque chose dont je me suis rendu compte il y a longtemps. C'est donc un peu comme une faille dans mon subconscient : si je me pique et que je saigne, c'est que je suis dans la réalité et non en train de dormir. Évidemment, je ne pense jamais à me piquer dans mes rêves et donc je ne sais pas que je rêve, c'est là toute la perversité. Ici, dans la réalité, mes bras sont criblés de petites pointes.

Mon discours ressemble à celui d'une folle, mais je ne suis pas folle, croyez-moi. Parce qu'un fou n'aurait pas conscience de tout cela.

Il est 5 h 08 du matin, le 15 juin, je viens de me piquer, et une petite pointe de sang apparaît sur mon pouce, coule, tombe sur le bureau. Je sais donc, en écrivant ces lignes, que je suis bien éveillée, parfaitement consciente de mes actes.

Je suis dans la réalité. C'est important pour la suite.

Réalité, réalité, réalité, réal…

2

Son stylo venait de la lâcher, là, subitement. Abigaël avait appris à se méfier des coïncidences : ses rêves en raffolaient. Elle regarda la petite pointe de sang sur le bureau, toucha, renifla. L'odeur cuivrée, cette texture, cette couleur… Impossible d'être encore dans un rêve.

Après ces vérifications, à la lueur de sa petite lampe, elle tira un autre stylo du tiroir et poursuivit son récit.

Venons-en au rêve que je viens de faire : je suis debout dans la chambre de ma fille Léa, à côté de son grand lit vide. Les draps sont défaits. Un ventilateur en bois tourne au-dessus de ma tête. Avec la vitesse des pales se dessine une inscription en arc de cercle : « Perlette d'Amour. » C'est le petit surnom que je donnais à Léa, et qu'elle détestait tant.

En face de moi, trois enfants se tiennent par la main au milieu de la pièce et forment une ronde en chantant « Croquemitaine ».

On me dit que ça se passe dans ma tête,
On me dit que je vais perdre la tête,

Mais moi je sais que c'est sous mon lit,
J'ai peur que ce soit ma dernière nuit...

Les trois enfants sont terrorisés, leurs voix tremblent, ils chantent et tournent très vite (pas aussi vite que le ventilateur, mais presque) pour se rassurer. Ils ne font pas attention à moi. Je reconnais Alice, Victor et Arthur, les enfants kidnappés. Arthur porte son maillot de foot de l'équipe de France, le numéro 9. D'ailleurs, cette fois encore, tous les enfants disparus portent les vêtements du jour de leur enlèvement.

Il manque une gamine – la quatrième môme kidnappée aux longs cheveux blonds, comme ma fille, dont on ne connaît toujours pas l'identité et que les équipes de gendarmerie ont prénommée Cendrillon –, et je sais où elle se cache. Je me baisse et la trouve recroquevillée sous le lit. Cette fois encore, elle n'a pas de visage. C'est comme si ses traits étaient comprimés derrière un bas opaque. Elle a un aspect effrayant.

Cendrillon serre contre sa poitrine le petit chat noir en peluche de ma fille. Ce n'est pas la première fois qu'elle vole des objets de Léa (cf. rêves nos 232, 216, 198 et 181, pour les plus récents). Elle est agressive, et comme je connais ses réactions à force d'en rêver, je préfère ne pas la provoquer. Je me relève. La ronde des enfants a disparu, mais leurs voix continuent à chanter les paroles de « Croquemitaine » :

... Toutes les nuits, je vis l'horreur
Toutes les nuits, je me réveille en sueur
Toutes les nuits m'arrachent le cœur
Toutes les nuits, je me réveille, j'ai peur...

Toujours dans le rêve, je sors de la chambre de mon ancienne maison d'Hellemmes et me retrouve alors ici, dans le salon de l'appartement lillois de mon compagnon Frédéric. Je me dirige vers la chaise sur laquelle je suis assise en ce moment même. J'extrais du tiroir le cahier sur lequel je suis en train d'écrire, je l'ouvre et je me mets à noter une succession de lettres. Je me rappelle le début de la séquence, « puellasine ». Après, impossible de me souvenir.

Alors que j'écris (toujours dans le rêve), je sens une vibration autour de moi, je regarde le lustre qui se balance d'avant en arrière, la lampe qui s'allume et s'éteint, comme s'il y avait des micropannes de courant. Ce sont les signes que LA voiture approche, que l'accident mortel va arriver, et je panique. Dans chaque nouveau cauchemar où la berline noire avec le phare avant gauche défaillant est présente, l'expérience de mes rêves précédents se renforce un peu plus. Je sais donc que, quel que soit l'endroit où je me cache, la voiture de mon père finira toujours par me foncer dessus. Que l'accident et ma mort sont inévitables.

La plupart du temps, quand je suis en proie à une vive émotion, comme une peur intense, je tombe par terre, incapable de bouger (cataplexie). Cela m'arrive aussi dans mes rêves. Mais cette fois, je reste là, debout, et j'attends en tournant sur moi-même rapidement, au milieu de la pièce : je me dis que, d'où qu'il surgisse, mon père va me reconnaître et que, peut-être, il ne cherchera pas à me tuer. Il me racontera alors ce qui s'est réellement passé, la nuit du 6 décembre 2014, il y a environ six mois. La nuit où ma vie s'est brisée.

Mais bouger est de plus en plus difficile, je regarde au sol, mes pieds se changent en racines qui me figent. Des branches poussent de mes bras, je me transforme en arbre. Mes lèvres se fossilisent dans le tronc, me voilà incapable de crier. La berline arrive, droit devant, et fonce sur moi en accélérant. À travers le pare-brise, je vois le grand sourire de mon père.

Rêve terminé. Je me suis réveillée en sursaut, j'avais mal au cœur tant il battait fort et vite. Je ne sais pas combien de temps je suis restée assise dans le lit, sans bouger, pour me dire que tout ceci n'était qu'un rêve.

QUE ÇA N'ÉTAIT PAS RÉEL !

Fred était tourné dans son coin, je ne l'ai pas réveillé. Je me suis levée et suis venue à ce bureau afin de noter ce cauchemar. J'ai ouvert mon cahier jusqu'au rêve précédent, le 296, et tourné la page, m'apprêtant à y inscrire tout ceci.

J'ai bien cru faire un arrêt. Sur cette page censée être vierge était noté de ma main :

« puellasineorevobissalutemdat »

J'ai reconnu le début de séquence (puellasine) que je venais d'écrire sur ce même cahier dans *mon rêve. C'est à ce moment que je me suis piqué le doigt. Je voulais m'assurer que je ne rêvais plus. Le sang a coulé, la séquence de lettres était toujours là, face à moi, bien réelle. Je savais cela impossible, et pourtant... Est-ce que je m'étais levée pendant mon sommeil, dans une espèce d'état second, pour y inscrire ce message ? Une sorte de crise de somnambulisme ?*

Cette séquence, je l'ai regardée d'un peu plus près,

et j'ai ressenti comme un frisson : elle me disait quelque chose. J'ai alors compté le nombre de lettres. Il y en avait vingt-huit.

Vingt-huit... Un nombre gravé au fer rouge dans ma tête, à cause de l'affaire Freddy. Il y a environ deux mois, les gendarmes ont retrouvé l'un des quatre enfants enlevés (le seul retrouvé à ce jour). Le kidnappeur lui avait tatoué vingt-huit lettres partout sur le corps. On s'est dit que l'homme qu'on traquait voulait nous laisser un message par l'intermédiaire du môme, mais on a eu beau se creuser la tête, on n'a jamais compris la signification de ces lettres. Elles formaient sûrement un code, une phrase, mais laquelle ?

En découvrant donc cette séquence dans mon cahier ce matin, j'ai regardé les photos punaisées au tableau de liège en face de moi. Surtout celles du gamin rescapé prises par le médecin ; j'ai comparé méticuleusement chacune des vingt-huit lettres gravées sur ses bras, ses jambes, son dos, sa nuque avec celles que je venais de noter sur le cahier : elles étaient identiques. Pas dans le même ordre, certes, mais identiques.

J'ai relu la séquence inscrite sur la page de mon carnet. Des mots semblaient se détacher de l'amalgame de lettres : puella, salutem… *C'était du latin, langue que j'avais étudiée à l'école.*

À l'aide d'Internet, en tronçonnant la séquence au bon endroit, j'ai obtenu une phrase qui m'a retourné l'estomac lorsque je l'ai traduite. Une énigme vieille de deux mois, tatouée sur le corps d'un môme kidnappé, venait de trouver sa solution de la façon la plus étrange qui soit. Par un rêve.

Freddy, ce sinistre kidnappeur qu'on traquait depuis plus d'un an, nous laissait un message des plus curieux. Et j'ai l'impression qu'il faisait référence à la gamine de mes cauchemars.

> « Puella sine ore vobis salutem dat »
> *« La petite fille sans visage vous salue. »*

3

6 décembre 2014
L'ACCIDENT

25 juin 2015
LE LAVOIR EN FLAMMES

5 décembre 2014

— Qui est Freddy ?

La psychologue Abigaël Durnan se tenait debout dans l'ancienne salle des infirmières de l'hôpital psychiatrique de Bailleul, face à une équipe de dix gendarmes tous assis autour de la table. Pour cette espèce de grand oral que chacun attendait, elle s'était habillée en conséquence : chemisier crème, tailleur gris clair, foulard assorti et une paire d'escarpins confortables à talons droits.

Les participants disposaient devant eux d'un dossier d'une quarantaine de feuilles agrafées. Par une petite fenêtre ovale, Abigaël pouvait observer sa fille assise sur un lit dans une vieille chambre, pianotant sur sa tablette numérique. Cette « caserne » temporaire n'était certainement pas le lieu le plus épanouissant qui soit pour une ado de 13 ans, mais, en raison d'une grève dans l'Éducation nationale, Abigaël lui avait promis de l'emmener à Lille après la réunion pour faire un peu de shopping. De surcroît, un incendie d'origine accidentelle avait ravagé une partie des locaux de la véritable caserne de gendarmerie – la plus grosse du nord de la France – et contraint plus d'un tiers des effectifs, soit quatre cents gendarmes, à déménager quelques mois plus tôt dans cet ancien établissement psychiatrique à l'abandon, que les hommes appelaient la « Veuve folie ».

— Je vous ai remis à chacun un bilan le plus complet possible de mes ultimes analyses. Comme vous le savez, il tient compte des derniers éléments en notre possession, s'appuie sur la relecture minutieuse des dossiers criminels, des PV d'auditions, de l'observation des photos et de tous les éléments importants qui ont trait à l'enquête Freddy. Cette nouvelle synthèse a été longue à établir, j'en suis désolée, mais l'affaire a un caractère exceptionnel et je ne voulais omettre aucun détail. Je vous fais oralement un résumé succinct de ce bilan que je vous invite, évidemment, à lire au plus vite.

La psychologue échangea un regard avec le gendarme Frédéric Mandrieux, visage de plâtre et cernes de plomb. Après ces mois difficiles et infructueux, les enquêteurs de la section de recherches affectés à l'équipe Merveille 51 avaient une vraie gueule de bois. Cet individu surnommé Freddy leur donnait du fil à retordre.

— Il est toujours bon de se remémorer les faits, poursuivit Abigaël sans baisser le ton. Nous sommes le 5 décembre 2014 et, à ce jour, trois enfants ont été enlevés. Alice, Victor et Arthur ont disparu dans cet ordre-là. Alice Musier, 14 ans, est la première victime. Issue d'une famille de classe moyenne, elle a disparu à Suippes, petite ville de la Marne à une quarantaine de kilomètres de Reims le 3 mars 2014, il y a de cela neuf mois, entre l'arrêt de bus et son domicile, distants de seulement six cents mètres...

Neuf mois... ça faisait neuf mois que cette affaire agitait la presse et secouait l'opinion publique. *Mère Nature a accouché d'un monstre,* pensa le capitaine de gendarmerie Patrick Lemoine, le directeur d'enquête, en triturant son alliance.

— ... Un témoin affirme avoir vu l'adolescente discuter avec un homme portant casquette et combinaison grise, genre uniforme EDF, à proximité du petit parking de La Poste, qu'Alice traverse chaque fois qu'elle rentre de son école de danse. Témoignage flou à cause de l'obscurité et de la distance, mais les recoupements avec les deux kidnappings suivants indiquent clairement que Freddy est un homme blanc, taille approximative un mètre quatre-vingts, entre 30 et 50 ans. Je pencherais davantage pour la trentaine ou la quarantaine, les raisons sont clairement expliquées dans le rapport. Freddy se déguise, se grime, a parfois la barbe, les cheveux longs, et d'autres fois un bonnet, des lunettes, une écharpe, ce qui nous empêche d'avoir une description fiable. Vous trouverez d'autres détails dans le document, mais vous les connaissez déjà pour la plupart. Fait très important : on a son profil génétique, qui reste inconnu du FNAEG[1]. Par contre, pas d'empreintes digitales, il porte sans doute des gants, dispose également d'une tenue du style agent EDF,

1. Fichier national automatisé des empreintes génétiques.

donc, et d'un K-Way de La Poste. Faute de témoignages, il nous a été impossible de cerner le type de véhicule qu'il conduisait.

Son téléphone portable vibra. Elle le sortit de sa poche, constata avec surprise que son écran indiquait « Papa », le mit en mode avion et le posa sur la table, troublée. Son père, qui vivait à plus de trois cents kilomètres de là, ne lui avait donné aucune nouvelle depuis plusieurs mois. Pour quelle raison appelait-il ? Elle resta concentrée sur son exposé.

— Ensuite… Victor Caudial, 13 ans. Fils unique d'une mère caissière et d'un père inconnu, il a été enlevé le 7 juin 2014, à Amboise, proche de Tours, soit trois mois après Alice. Un samedi soir au domicile familial. Sa mère le laisse toujours seul ce jour de la semaine pour aller au cinéma avec une copine. Pas d'effraction, mais un peu de mobilier renversé dans le salon : Freddy est entré, Victor s'est débattu en vain, mais il a blessé son agresseur. C'est là qu'on a pu récupérer l'ADN inconnu dans du sang qui n'appartenait pas à Victor. L'analyse de son profil Facebook révélera une correspondance entre le gamin et une certaine Justine Coiffard, adolescente de 13 ans fictive…

Abigaël échangea un regard avec la gendarme Gisèle Terrier, future retraitée, la seule touche féminine du groupe d'enquêteurs. Une féminité toute relative. Des airs de statue de l'île de Pâques, avec son front haut, ses yeux enfoncés dans leurs orbites. Gisèle avait fait ces découvertes et creusé la piste des réseaux sociaux. Les deux femmes s'appréciaient et travaillaient souvent de concert.

— … On retrouve également notre kidnappeur caché derrière l'identité d'un prétendu Greg Pacciarelli sur le Facebook de la première victime, Alice. Par Internet, Freddy a pu collecter un tas d'éléments sur le quotidien de ces deux enfants, cerner leurs habitudes. Quand il a enlevé Victor à son domicile, il savait qu'il ne serait pas dérangé. Il savait également que, chaque lundi soir, Alice rentrait de son club de danse avec une amie, mais que les deux jeunes filles se séparaient à quelques rues seulement de leur domicile respectif, et qu'Alice passait par ce fameux parking.

Elle se dirigea vers une grande carte de France accrochée au mur et pointa avec son crayon les différents lieux. Une dizaine de paires d'yeux semblaient la dévorer. On la regardait comme si elle était une clé sur le point d'ouvrir un coffre. Elle n'était pas une clé mais plutôt un foret de perceuse. Parce que c'était ça, son talent, percer le coffre des esprits humains les plus perturbés, ceux qu'on a du mal à forcer. En l'occurrence, des criminels.

— Petite ville proche de Reims pour Alice, Amboise pour Victor, et Nantes pour Arthur, troisième et dernière victime, disparu alors qu'il se rendait à vélo à son entraînement de foot. Pas de Facebook pour lui, trop jeune, juste une tablette numérique connectée qui ne nous a révélé aucune intrusion de Freddy. Grande distance entre les villes, des familles avec des statuts sociaux et des situations différentes.

— D'après les éléments en notre possession, les enfants ne se connaissaient pas, nous avons fait le tour, répliqua Frédéric Mandrieux. Écoles, colonies de vacances, clubs divers…

Abigaël réajusta l'étole autour de son cou pour éviter de laisser à découvert la petite plaie circulaire, semblable à celle qu'aurait laissée un tube d'acier chauffé à blanc sur sa peau, et placée juste sous sa pomme d'Adam. Une sorte de troisième œil hypnotique.

— Nous l'avons surnommé Freddy, en référence au croquemitaine Freddy Krueger, personnage de fiction maléfique qui vient rendre visite aux enfants la nuit pour les terroriser. Les trois enfants ont été kidnappés une fois le soir venu. Mais surtout, ces enlèvements sont la première étape d'un processus criminel plus élaboré en rapport avec l'univers de ce célèbre croquemitaine. Dans les jours qui suivent chaque kidnapping, Freddy nous livre une macabre mise en scène dans une forêt du nord de la France.

Avec son stylo, elle pointa un à un les endroits des découvertes.

— Il fabrique une espèce d'épouvantail cloué à un arbre, en utilisant les vêtements de sa victime précédente, jusqu'aux chaussures. Ces vêtements sont lacérés de coups de griffes – comme le grand gant métallique de Freddy Krueger – et tachés du sang de leur propriétaire, d'une façon très particulière, comme si notre homme donnait un grand coup de pinceau imprégné de sang, en diagonale et dans l'air, et que les gouttes venaient frapper le vêtement.

Elle mima le geste.

— Comme ça… Contrairement aux apparences, je pense qu'il n'agit aucunement sous l'effet de la colère. Il est plutôt question de mise en scène, comme je l'ai dit. Sur les deux épouvantails retrouvés, le nombre de coups de griffes est globalement le même, le faisceau de gouttes est toujours identique. Même inclinaison, même geste. Il y a là un aspect mécanique, répétitif, dépourvu de la moindre émotion : notre homme sait se contrôler. Autre caractéristique de cet épouvantail qui nous est livré : sa tête faite avec un sac en toile est coiffée de la chevelure de l'enfant tout juste enlevé. Sur cette tête artificielle, notre kidnappeur dessine au marqueur noir un visage effrayant. Grands yeux noirs en forme d'étoile, grandes dents, nez crochu…

— Pourquoi il fait ça ? demanda Frédéric Mandrieux. Je veux dire, cet épouvantail qu'il cloue à un arbre.

— Tout d'abord, ça lui évite de livrer les cadavres et lui permet d'entretenir le doute tout en instaurant une scène cauchemardesque, semblable à une vraie scène de crime. « Les enfants que je détiens sont-ils morts ou vivants ? » Il est question de pouvoir, de domination. Mettez-vous à la place des parents, imaginez leur souffrance quand ils découvrent sur les photos les vêtements de leur enfant lacérés et maculés de leur sang. Ces familles endurent une douleur inimaginable. Alice a disparu depuis neuf mois et vous avez constaté, il y a encore peu de temps, l'état psychologique de sa mère…

Patrick Lemoine avait affronté la pauvre femme, réduite à l'ombre de son ombre. Dans les cas de disparition, les parents des victimes ne dormaient plus, dépérissaient. Certains voulaient tout donner pour connaître la vérité et étaient même prêts à être confrontés au pire, pourvu qu'ils sachent. L'espoir et le temps qui passait les consumaient à petit feu.

— Freddy s'amuse, il nargue, continua la psychologue, le doigt brandi. Jamais il ne livre la moindre information sur le fait que les enfants soient vivants ou pas. « Je suis celui qui dirige, j'ai le pouvoir de vie ou de mort sur les enfants. Comme le croquemitaine, je suis celui qui est venu les chercher à la nuit tombée, et vous n'avez rien pu faire. Vous êtes responsables et, moi, j'ai le pouvoir sur vous... » En constituant cet épouvantail, il crée un être hybride, sans identité propre, mi-monstre, mi-humain, personnage de cauchemar androgyne, qui pourrait témoigner d'une orientation sexuelle comme l'homosexualité ou la bisexualité...

Le silence régnait au sein de la Veuve folie. Abigaël ne put réprimer un bâillement. Avant de poursuivre, elle but une gorgée d'eau pour cacher un soudain malaise, mais les échanges de regards entre gendarmes en disaient long. Pour avoir souvent travaillé avec elle, ils savaient que le sommeil allait très vite l'emmener sur ses rivages sombres. Abigaël était sûre qu'ils prenaient déjà les paris dans leurs têtes : Quand s'endormirait-elle ? Dans trente secondes ? Deux, cinq minutes ?

Elle maintint la barre, l'attention ne devait surtout pas se relâcher :

— Les témoignages concernant notre homme divergent parfois : Freddy se déguise, sûrement pour passer inaperçu, mais peut-être aussi parce qu'il se sent mal dans sa peau. Il n'assume pas son statut, le refoule, il se considère sans doute comme un inadapté. Cette colère sur le visage fabriqué pourrait être le reflet de ce qu'a été sa propre enfance. Lui aussi a été le fils d'un père, d'une mère, mais peut-être n'a-t-il pas eu de famille au sens affectif du terme, contrairement à ses victimes. En tout cas, je pense qu'il a subi un traumatisme grave dans sa prime jeunesse. Un isolement, une maltraitance... Pensez au sang et aux coups de griffes. Cet épouvantail, c'est une partie intime de sa personnalité qu'il nous livre, une facette de son visage… Pour ces multiples raisons, je pense qu'il agit seul. Sa quête est trop personnelle, elle ne concerne personne d'autre que lui. Elle le touche au plus profond de sa construction d'être humain.

Nouveau bâillement, zygomatiques en folie. Abigaël sentit cette fois un intense engourdissement jusqu'à l'extrémité de ses doigts. Il fallait que le couperet tombe maintenant, au beau milieu de la réunion.

— Désolée, mais je vais devoir baisser le rideau quelques instants.

Elle vit un gendarme scruter discrètement l'heure et sourire. Celui-là avait dû gagner son pari.

— Ça tombe bien, fit Lemoine en se levant. On va faire une pause et fumer une cigarette ou deux en attendant.

Abigaël bouillait de colère, mais ne le montra pas. Petite croix sur ses notes, remerciements sobres et excuses auprès de ce concentré de testostérone. En sortant rapidement de la pièce, elle en voulut à son corps déréglé, à sa fichue maladie du sommeil. Pourquoi en plein milieu de son exposé ? Pourquoi pendant le moment le plus important de ses dernières semaines de travail ?

Elle alla vite s'isoler dans une chambre, ferma la porte, s'allongea sur un vieux matelas, le visage tourné vers le plafond, les mains croisées sur la poitrine, tel un cadavre dans son cercueil. La Veuve folie lui offrait le gîte. Elle relativisa : au moins, elle était dans un lit et non pas au milieu d'une grande surface ou cachée dans les toilettes de son cabinet de consultation, tandis qu'un patient l'attendait dans un fauteuil.

Elle fermait à peine les yeux qu'une grande cape noire vint la recouvrir. Toujours le même tissu opaque lui écrasant le visage, cette même sensation d'étouffer une fraction de seconde, avant que son diaphragme se relâche et que sa respiration, quasi instantanément, passe en mode automatique.

Un claquement de doigts plus tard, elle dormait profondément, plongée en plein sommeil paradoxal : celui des rêves et des cauchemars.

4

Retour dans le groupe douze minutes plus tard, batteries rechargées, col de chemisier ajusté. Les gendarmes étaient au courant de sa narcolepsie. Ils savaient que, parfois, Abigaël avait besoin de s'isoler pour se reposer et étaient toujours impressionnés par la vitesse à laquelle le sommeil l'ensevelissait. C'était comme débrancher la prise d'un aspirateur en marche.

Ils n'ignoraient pas non plus que sa maladie et le traitement médicamenteux pour en atténuer les effets laminaient ses souvenirs les plus anciens – ceux de son enfance, pour le moment –, mais n'altéraient nullement ses capacités de jugement et de logique. En trois ans, Abigaël les avait aidés à résoudre six affaires de disparitions et de meurtres. Certains esprits moqueurs disaient que le sommeil lui portait conseil, or elle excellait surtout dans son job et ne lâchait rien. On la surnommait Tsé-Tsé au sein de la section de recherches.

Un coup d'œil à ses notes, repérage de la petite croix, rappel des dernières phrases.

— Bon… Je n'ai malheureusement pas eu la vision du visage de Freddy, il faudra encore quelques siestes.

Rires. Les discussions cessèrent, et elle capta de nouveau toute l'attention des enquêteurs.

— Revenons-en aux choses sérieuses. Nous parlions donc de cet épouvantail. Il est aussi une projection de l'enfant kidnappé. C'est à cet assemblage de paille et d'habits que notre homme s'en prend, c'est lui qu'il lacère, qu'il imprègne de sang. À travers lui, il nous montre sa colère et sa détermination. Il nous provoque, nous défie, il veut nous faire peur. C'est pour cette raison que je pense que les enfants sont encore vivants. Mais je vous demande, évidemment, de prendre cette information avec toutes les précautions qu'il faut.

— Les trois enfants, tu dis ? répliqua Lemoine. Même la première disparue, Alice ?

— Probablement… Il nous aurait sans doute livré les corps, sinon. Pourquoi aurait-il pris la peine de les cacher et de nous exposer ce simulacre ?

C'était sans doute une bonne nouvelle mais qui ne faisait que renforcer le sentiment d'impuissance des équipes.

— Ce n'est pas un délinquant ordinaire, il n'est pas dans le fichier ADN et n'a sans doute, de ce fait, jamais été confronté à la justice, même pour de petits délits, et c'est ce qui le rend aussi insaisissable. Il est comme vous et moi. Tant qu'il n'aura pas rempli la première partie de sa mission, qu'il ne sera pas arrivé au compte de quatre, comme il nous l'a signalé dans une lettre, il maintiendra ces enfants en vie. Il veut les quatre avant de passer à l'étape suivante. Si on tient pour vrai le contenu de la missive qu'il nous a adressée, il lui en reste un à kidnapper.

Patrick Lemoine se leva et se dirigea vers la cafetière. Il remplit des gobelets.

— Vivants, putain !

— À prendre avec des pincettes, je vous le répète. Mais je préfère que vous connaissiez le fond de ma pensée.

Patrick était un vieux de la vieille, mais il n'arrivait pas à imaginer une chose pareille. S'en prendre à des enfants revenait à violer toutes les règles qui faisaient de nous des êtres humains. Quel sort ce prédateur réservait-il aux petites victimes ? Il distribua un café à chacun. Les nombreux mégots écrasés dans une assiette en carton ressemblaient à des mouches mortes. Tout était mort ici : ces murs, ces chambres, ces couloirs… La Veuve folie pourrissait de l'intérieur.

— Qu'est-ce qu'on fait avec les parents ? demanda Frédéric Mandrieux. On leur annonce qu'il y a une possibilité que…

— Non, coupa Patrick Lemoine. Ce nouveau profil doit rester strictement confidentiel, et rien n'est sûr. Je ne veux surtout pas leur donner de faux espoirs. Il n'y aurait rien de pire… Non, rien de pire.

Il se leva, s'approcha de la carte, lui aussi. Observa les lieux qu'il connaissait par cœur.

— On arrive aux alentours de quatre-vingt-dix jours depuis l'enlèvement du dernier gamin, Arthur. Il est fort probable qu'on trouve un nouvel épouvantail bientôt, cette semaine ou la suivante. Et qu'on soit face à une ultime disparition. Ça fera quatre. Quatre mômes volatilisés dans la nature. Contrat rempli par Freddy. Et ensuite, qu'est-ce qui va se passer ? C'est quoi, sa prochaine étape ?

Les enquêteurs avaient tendance à oublier qu'elle

n'était ni magicienne ni voyante et que, en dehors des affaires criminelles, elle recevait des patients dans son cabinet comme n'importe quel autre psychologue. Son terrain, c'étaient avant tout des connaissances en psychiatrie criminelle, en médecine légale, en police judiciaire. Du sang, des tripes. Du concret, comme eux.

— Malheureusement, je n'en sais rien. J'ignore la place des enfants dans son plan et la raison pour laquelle il a besoin d'eux, tout comme ce qu'il leur fera par la suite.

Il y eut un silence d'outre-tombe. Ils blablataient dans cette pièce alors que des enfants vivaient l'enfer. Parfois, Abigaël imaginait des mômes recroquevillés dans des cages, nus et suspendus à trois mètres de hauteur. D'autres fois, elle les voyait couchés à même le sol, la peau noire, tremblants, alignés comme des sardines.

— Il y a un contraste géographique flagrant entre les lieux des enlèvements et les endroits où l'on retrouve les mises en scène. Freddy va chercher ces enfants-là en particulier, il les sélectionne, connaît leurs habitudes mais pas trop, sinon il aurait pris beaucoup moins de risques pour Alice. Il frappe presque par opportunité au moment du rapt, mais pas pour autant dans la précipitation. Il connaît un minimum de choses sur eux grâce aux réseaux sociaux, sans les connaître par cœur. Ça signifie qu'il ne vit pas dans la proximité de ces enfants. Il habite ici, au nord de Paris, là où il place ses épouvantails après chaque rapt. Pourquoi va-t-il chercher ces enfants si loin ? Pourquoi cette sélection précisément ? Les a-t-il croisés à un moment donné de sa vie ? Freddy a-t-il été un itinérant qui a traversé chacune de ces villes, rencontré ces enfants et qui a fini par s'établir dans le Nord ?

— Genre forain, tu veux dire ? hasarda Frédéric.

— Pas nécessairement, il peut très bien être instituteur, contremaître, médecin, commercial et avoir la bougeotte. En tout cas, aujourd'hui, il a une situation stable, n'est pas marginal. Avant chaque rapt, il dort peut-être à l'hôtel quelques jours, mange et dîne au restaurant proche des lieux des enlèvements. Ou alors, il a un véhicule adapté, camping-car, camionnette aménagée dans laquelle il mange des sandwiches…

— Faut qu'on continue à creuser par là, signifia Lemoine à ses collègues.

Abigaël approuva. Mener une enquête était un éternel recommencement, une plongée sans cesse renouvelée au cœur d'une fractale : plus on descendait dans le détail, plus ce détail s'enrichissait de nouvelles pistes à explorer, jusqu'à tomber sur un autre détail, et ainsi de suite. Et les assassins les plus retors se repliaient au fond de la fractale, attendant qu'on vienne les en déloger.

— La régularité de ces enlèvements – tous les quatre-vingt-dix jours environ – résulte peut-être d'une contrainte liée au travail. Elle pourrait par exemple correspondre à des périodes pendant lesquelles il se rend disponible pour commettre ses méfaits.

— Des congés…

— Peut-être, mais des congés en dehors des périodes scolaires, vu les dates des enlèvements. Ce qui me laisse penser encore une fois qu'il est célibataire, sans contrainte familiale. Il peut sortir le jour comme la nuit sans attirer l'attention. Il est très ordonné, obsessionnel. Les épouvantails sont réalisés avec minutie, les cheveux des victimes coupés à la tondeuse, collés avec précision, mais il laisse quelques cheveux avec les bulbes pour qu'on puisse faire des analyses ADN. Il connaît notre métier, et il aime prendre son temps dans la préparation de ce rituel. Il doit exercer une profession qui demande du contrôle, de la maîtrise, une profession où les émotions n'ont pas leur place. J'en ai établi une liste non exhaustive dans le rapport. D'ordinaire, il y a une montée en puissance dans les pulsions de ces individus, une accélération de leur passage à l'acte qui leur fait commettre des erreurs. Pas ici. Il est réglé comme une horloge suisse et suit des rails sans les quitter. L'intervalle entre les kidnappings lui permet de ne pas être repéré, de laisser « la tension » et « l'attention » retomber. C'est ce qui le rend aussi redoutable. Soyez certains que son véhicule est entretenu avec soin, que l'endroit où ces enfants sont enfermés est parfaitement sécurisé, insonorisé. Il habite la campagne plutôt que la ville.

— Pourquoi ?

— Parce que aujourd'hui, on vit dans un monde où tout est filmé et se voit. Combien recevez-vous d'appels par jour, de gens qui sont persuadés que leur propre voisin est Freddy ? Quelqu'un qui vit seul et décharge trop de nourriture de son coffre est suspect aux yeux des voisins, comme l'est un individu qui sort la nuit. J'habite une maison à la périphérie d'une petite ville et, l'autre jour, un voisin est venu frapper parce que mes volets étaient encore fermés à 10 heures alors que, d'ordinaire, je les ouvre systématiquement aux alentours de 6 heures. Il voulait s'assurer que tout allait bien et que… je ne m'étais pas endormie pour toujours. Plaisanterie mise à part, ce que je veux dire, c'est que, vu l'envergure de notre affaire et le nombre d'enfants retenus, Freddy aurait été filmé, dénoncé, tout ce que vous voulez. Il ne serait pas en train d'agir librement après si longtemps.

Abigaël jeta un regard à ses notes et revint vers son auditoire.

— Dernier point important. Vous avez reçu cette missive juste après le premier rapt : « Il y en aura trois autres. Pas un de plus, pas un de moins. » On a formellement identifié l'écriture d'Alice. Freddy l'a fait écrire pour qu'on le prenne très au sérieux, pour nous montrer qu'il est maître du destin de la gamine. Il veut qu'on s'intéresse à lui, qu'on le traque.

— Il veut l'artillerie lourde, lâcha Frédéric Mandrieux.

— Et il l'a. Mais pour le moment, il est plus malin que nous tous réunis.

Ils échangèrent encore une bonne heure sur d'autres points de l'enquête, auxquels Abigaël apporta un éclaircissement nouveau. Elle parlait de Freddy comme d'un membre de sa famille. Elle avait besoin de cette proximité pour traquer sa bête noire, l'objet de ses cauchemars, celui entré dans sa maison – son esprit – et qui dormait à ses côtés chaque fois qu'elle se couchait seule dans son lit. Paradoxalement, il était aussi le quidam qu'on pouvait croiser à la boulangerie ou dans une grande surface. Une silhouette sans visage. Un membre de la famille anonyme. La famille Merveille 51.

C'était Abigaël qui avait suggéré ce nom d'équipe, Merveille 51. *Merveille*, parce que la première enfant disparue s'appelait Alice, 14 ans, blonde aux yeux bleus, très mignonne, et qu'elle ressemblait à l'Alice de Lewis Carroll. *51*, parce que la gamine avait été portée disparue dans la Marne, à quelques dizaines de kilomètres de Reims. Le nom de l'équipe – également le nom officieux de l'affaire – devait suggérer quelque chose d'affectif dans la tête des enquêteurs, contrairement à Freddy. Une façon de penser à Alice en permanence et d'avoir de l'attachement pour elle. De la considérer comme leur propre enfant.

La psychologue salua les gendarmes et regarda sa montre : avec Léa, elles allaient pouvoir attraper le bus de 12 h 22 en direction de Lille-Centre pour aller déjeuner et faire les magasins. Tout en écoutant le message de son père sur son répondeur, elle rejoignit sa fille qui s'impatientait franchement. Elle raccrocha, contrariée. Elle n'avait rien dit à Léa mais avait prévu un tas d'activités pour le week-end : cinéma, cacahuètes grillées sur la Grand-Place, tour de grande roue, musée d'histoire naturelle… À cause de ce coup de fil, rien ne s'annonçait comme prévu.

— Désolée pour le shopping, mais c'est râpé, ma Perlette d'Amour.

— Tu déconnes, m'man ?

— Ton grand-père est parti en début de matinée d'Étretat, il va arriver pour 15 heures. Il veut nous emmener ce week-end dans un Center Parcs. Qu'est-ce que t'en penses ?

Léa afficha un grand sourire, dévoilant le discret fil de fer qui guidait la croissance de ses dents.

— Un Center Parcs ? C'est génial, ça.

— Oui, c'est génial. Le Père Noël est de retour…

5

C'étaient d'étranges photos signées Abigaël Durnan qu'on remarquait en premier lorsqu'on pénétrait dans son bureau, une petite pièce mansardée adjacente à sa chambre à coucher. Chacune d'entre elles résultait de dizaines d'heures de travail, à traiter numériquement des photos issues de banques de données, faire des montages, imprimer, découper, coller. Elles étaient encadrées et alignées à mi-hauteur sur les murs. Des fresques démentes, cauchemardesques. Une femme sans bras au visage de chien, aux jambes brisées façon puzzle, qui brûlait dans l'orage comme un oiseau de feu. Des jumeaux albinos, figures nacrées et cheveux blancs plaqués, leurs corps d'anges lardés de cicatrices, de clous, de lames de rasoir, flottant juste au-dessus de la surface d'une eau noire comme de l'huile de vidange. Un peu plus vers le fond, l'ombre gargantuesque d'un bâtiment fouetté par la pluie, sans doute un manoir ou un vieil hôpital psychiatrique, traversé de centaines d'épées géantes et d'éclairs.

L'eau, le feu, les cassures, les cicatrices, chaque fois. Mort et vie s'épousant dans un baiser fougueux. Avec les jeux d'éclairage et d'ombres, ces œuvres démentes glaçaient le sang et semblaient avoir été créées par un psychotique. Or elles sortaient juste du cerveau d'une femme de 33 ans, diplômée en criminologie et en psychologie, titulaire du certificat d'études pénales, experte auprès des tribunaux de Lille et Douai. Phobique de l'eau – mer et piscine – et narcoleptique.

Au fond de l'antre, punaisées sur un tableau rectangulaire situé au-dessus d'une table en teck plaquée contre un mur, des photos d'enfants. Et il ne s'agissait pas de montages, cette fois. Un patchwork de sourires francs, de frêles silhouettes, de postures juvéniles. Ici, une gamine – Alice – assise au pied du phare de Ploumanach, dents blanches et innocence sous le soleil. Là, un garçon – Arthur – en tenue de footballeur, un ballon signé Zidane sous le bras. Des tranches de vie et des moments d'intimité qui, dans un monde normal, n'auraient jamais dû sortir du cercle familial. Mais en ce mois de décembre 2014, on ne vivait plus dans un monde normal depuis bien longtemps, et Abigaël le savait mieux que quiconque. Ce bureau, ces visages, ces livres sur les pires criminels de la planète, ces armoires fermées à clé, débordantes d'affaires toutes plus sordides les unes que les autres en étaient les témoins criants.

— Il est 3 heures du mat, Abi, c'est l'heure. Léa nous attend.

Abigaël était assise face aux visages d'enfants qu'elle connaissait par cœur – Arthur, avec sa petite mèche blonde et son nez retroussé, Victor, avec ses taches de rousseur semées sur ses pommettes hautes et son front, Alice, la belle Alice, d'une beauté d'héroïne de conte… –, quand la voix de son père résonna aussi fort que celle sortie d'un mégaphone. La preuve qu'elle somnolait, à la frontière entre le rêve et l'éveil. Roulement de nuque. Yves se tenait sur le seuil du sanctuaire, s'interdisant d'y pénétrer. Il fixait les photos surréalistes que sa fille fabriquait avec patience – et non sans talent – depuis quelques années, retranscrivant les scènes effroyables de ses cauchemars.

— Prends ta valise, fit-il en se frottant les épaules comme pour se réchauffer. On se met en route. Le chalet est réservé au Center Parcs pour 9 heures.

En deux ans seulement, Abigaël avait vu son père décrépir. Dix kilos en moins, les joues creusées, le crâne chauve, loin de cette brosse militaire portée durant ses années de service au sein des douanes françaises. À 56 ans, il en paraissait aisément dix de plus.

— Je ne sais pas si c'est une bonne idée, papa. Tu débarques hier avec, bille en tête, l'idée d'aller dans ce Center Parcs je ne sais où. Je travaille sur une grosse affaire et…

— Une grosse affaire que les gendarmes traînent depuis des années, si j'ai bien compris.

— Pas des années, papa. Neuf mois. Exactement neuf mois depuis le premier rapt, celui de la petite Alice. C'est elle, là, sur la photo.

Yves fixa le portrait de la gamine et détourna les yeux.

— Je te demande juste un week-end. Deux petits jours. Lundi matin, tu seras au travail et, moi, je serai reparti. Tu peux bien m'accorder ça, non ? Un peu de temps avec ma fille et ma petite-fille, loin de… de tous ces visages. Bon sang, Abi, comment tu peux travailler dans un endroit pareil ?

— Le lieu où je bosse n'est pas le sujet. Le sujet, c'est : tu débarques, tu nous offres un week-end et, après, on ne te revoit plus pendant des mois. Quand t'étais douanier, c'était pareil. Tu disparaissais, comme ça, sans jamais rien expliquer.

— J'étais en opération et…

— … et nous, on t'attendait avec maman. Mais maintenant, tu n'es plus en opération. Et visiblement, les vieilles habitudes ont la vie dure.

Décelant de la peine sur le visage de son père, elle modéra ses propos : mieux valait ne pas le contrarier avant la route.

— Très bien, on va au Center Parcs. Léa est contente que tu sois venu et, même si je ne le montre pas, moi aussi.

Elle se dirigea vers sa chambre et fit sa valise. Contrairement à son bureau, la pièce ressemblait à un intérieur de congélateur. Murs et plafond blancs, lit monoplace au centre, ampoule nue, pas de décoration. Abigaël ne voulait prendre aucun plaisir à être ici. Cet endroit n'était pas celui où elle dormait, mais celui où elle cédait la place à sa narcolepsie.

Dans ses bagages, elle rangea, au-dessus d'un roman policier et à côté de ses médicaments, un cahier et un stylo.

— On avait dit pas de boulot.

— Ce n'est pas du boulot, c'est un journal. Un cahier de souvenirs et de rêves, plus précisément. Une idée de ma neurologue.

— Tu transposes déjà tes cauchemars en photos. Pourquoi les écrire, maintenant ?

— Je t'expliquerai…

Yves poussa un soupir.

— Ta narcolepsie ? Le traitement est pourtant efficace, non ?

— Il l'a été pendant dix ans. J'ai encore deux ou trois envies de dormir journalières, je n'ai plus que quelques cataplexies occasionnelles mais… depuis quelque temps, il y a certains phénomènes nouveaux assez inquiétants. Il va sûrement falloir adapter la posologie de mes médicaments.

Les cataplexies étaient l'un des principaux symptômes de la narcolepsie. Très différentes des envies de dormir, elles se manifestaient par des pertes instantanées du tonus musculaire à n'importe quel moment de la journée et sans altération de la conscience. Abigaël pouvait être au cœur d'une discussion et, la seconde d'après, se retrouver au sol, incapable de bouger pendant plusieurs minutes, bien qu'elle fût éveillée et consciente. Il suffisait qu'elle ressente une émotion très vive – joie, tristesse – pour que cela ait des chances de se produire, sans être pour autant systématique. De ce fait, elle évitait de conduire – surtout lorsque Léa l'accompagnait – et se déplaçait en transports en commun, principalement en bus et en taxi.

À cause de ces cataplexies, son enfance avait été un enfer. À 13 ans, elle avait coulé comme une brique au fond de la mer. Arrêt du cœur, son petit corps qui s'arc-boute sous les électrochocs, réanimation aux portes de la mort. À 15 ans, suite à une chute de vélo, elle s'était planté le tube d'acier du guidon dans la gorge et avait été à deux doigts de se déchirer le larynx. À 19, explosion du genou. Os irrécupérable. Chutes, accidents, blessures. Son corps relatait l'histoire de sa maladie, à grand renfort de cicatrices, de fractures, de plaques métalliques. Durant ses années d'école, elle avait traîné tous les surnoms : Trakéo, Machine, Frankenstein, Miss Puzzle.

Heureusement, avec son traitement et l'évolution des recherches sur la narcolepsie, les cataplexies s'étaient raréfiées, les chutes avaient presque cessé, Abigaël avait pu mener une existence quasi normale à partir de 19 ans, faire ses études à Lille et obtenir ses diplômes tout en élevant seule sa fille. Léa était née de l'aventure d'un soir avec un autre étudiant qui n'avait pas souhaité reconnaître l'enfant. Abigaël aimait sa fille. Léa… Son défi, son médicament, le fruit de son combat, de sa colère. Un doigt d'honneur à la narcolepsie.

Père et fille rejoignirent Léa dans la cuisine où elle buvait un verre de lait. Ils chargèrent les valises dans le coffre de la berline noire, transis par un froid à couper les jambes. Au dernier moment, Léa courut jusqu'à la maison et ressortit avec une peluche de chat noir abîmée. Un doudou offert par sa mère à sa naissance, qu'elle ne quittait jamais même si, au seuil de l'adolescence, elle en avait presque honte. Dans ces moments-là, Abigaël se rassurait : sa fille – sa grande Léa qui voulait grandir trop vite – restait une enfant.

Léa ouvrit le verrou de sa valise rose aux motifs à fleurs, y glissa la peluche et la referma. Puis elle enfonça la clé dans sa poche.

— Ah, les préados et leur culte du secret, fit Abigaël avec un sourire. On ne va rien te voler, tu sais ?

Léa lui adressa une petite grimace pour la narguer et s'engouffra dans la voiture. Abigaël espérait que ce week-end les rapprocherait, toutes les deux. Ce salopard de Freddy était pire qu'un amant. Elle s'installa à côté de son père qui avait déjà mis le contact.

— Ton phare avant gauche ne fonctionne pas.

— Tu vas dire à tes collègues gendarmes de m'arrêter pour ça ?

Yves essayait de plaisanter, mais l'humour d'un douanier se résumait à des blagues qui ne faisaient rire que d'autres douaniers. Abigaël se tourna vers sa fille.

— Mets ta ceinture, Perlette d'Amour chérie.

Léa cala un oreiller entre sa tête et la portière en grimaçant.

— C'est quoi ça, « Perlette d'Amour » ?

— C'est notre petit truc rien qu'à nous... Elle a horreur que je l'appelle comme ça et elle est susceptible en ce moment. Ça sent l'ado amoureuse...

Yves se retourna.

— C'est vrai, ça ?

— N'importe quoi, grogna Léa. Elle délire, comme d'hab.

Yves mit le chauffage à fond. Il démarra. En route, il ouvrit une Thermos de café brûlant et en versa dans un gobelet en plastique, qu'il tendit à sa fille.

— Tiens, bois une goutte, ça te réchauffera. Il fait un de ces froids...

Abigaël prit le gobelet et jeta un coup d'œil en direction de son père.

— Qu'est-ce qui se passe, papa ? T'as changé, c'est dingue. T'as perdu du poids, t'as l'air fatigué.

— Ça va.

— Pourquoi t'as démissionné ?

— Et toi, pourquoi tu me parles de ça maintenant ?

— Parce que je n'ai jamais pu avant.

— J'avais 54 ans. J'en avais marre des douanes,

des missions, des planques. Combattre le trafic de drogue, c'est vider l'océan avec une petite cuillère. Et un jour, ça te… (Il ravala sa rancœur.) Enfin bref, à cause de ce fichu métier, je ne t'ai pas vue grandir, et aujourd'hui… c'est impossible de percer la coquille qui t'entoure. Je n'arrive plus à me rapprocher de toi.

Abigaël remarqua le léger tremblement de ses mains sur le volant.

— Je suis bien dans ma petite maison de pêcheur. C'est pas loin de la mer, je me repose, je vivote. Ça me va, tu sais.

— Et tu lâches à quelques années seulement de la retraite ?

— On verra bien si tu seras encore psy quand t'auras mon âge. En tout cas, j'espère que tu comprendras avant moi qu'il y a d'autres choses à faire dans la vie qu'écouter les plaintes des gens et se battre contre des moulins à vent. Que tu sois là ou pas, les crimes, les trafics existeront toujours.

— Mais au moins, j'aurai apporté ma petite pierre à l'édifice. J'aurai été utile et peut-être que j'aurai sauvé quelques vies.

Les yeux d'Yves s'évadèrent vers le rétroviseur en direction de sa petite-fille.

— Elle te ressemble tellement. C'est toi que j'ai l'impression de voir quand tu étais jeune. Même physique, même caractère.

Abigaël eut un regard triste. Son père le remarqua.

— Qu'est-ce qu'il y a ?

— Depuis quelques mois, j'ai fait un tas de tests, d'examens. Je ne voulais pas t'en parler sans être certaine mais… il se passe quelque chose de grave…

— Explique.

— Au fil du temps, certains de mes souvenirs les plus anciens s'effacent par blocs plus ou moins importants. Il y a un tas de trous dans mes souvenirs d'enfance. Je me vois encore bien à mes 13, 14 ans. Mais avant, tout est flou.

— Mon Dieu…

— Ma neurologue pense que c'est peut-être le Propydol qui cause ces dégâts sur le long terme, mais elle n'en a aucune certitude, il n'y a jamais eu d'autre cas avéré. Comme si chaque goutte de ce médoc détruisait une infime partie de ma cervelle, s'attaquait aux neurones comme de l'acide et déconnectait définitivement les souvenirs. On cherche des solutions. Mais pour l'instant, j'ai besoin de ce médicament, sinon, je fais dix cataplexies par jour et je ne peux plus vivre. C'est l'une des raisons pour lesquelles je note mes souvenirs et mes rêves. Ça me permet de tenir un cahier de ma vie. De mettre sur papier les jours qui s'écoulent. Pour plus tard au cas où ça empirerait, tu comprends ?

Son père eut à son tour le regard triste. Il préférait intérioriser, absorber et éviter les mots. De ce fait, elle aussi se tut et observa la route, avec une telle peur de l'avenir, de cette maladie imprévisible nichée au fond de son cerveau. Que sommes-nous, sans mémoire, sans souvenirs, sans le rappel de ces visages, de ces voix qui ont accompagné nos existences ? Juste un point sur la courbe du temps ? Une fleur qui a éclos, mais sans parfum ni couleur ? À 50 ans, ne saurait-elle plus qui elle était avant ? Aurait-elle oublié toute la jeunesse de Léa ? La grossesse, la naissance, les premiers anniversaires ? Elle fixa la lumière des phares, se comparant à cette route éclairée sur trente mètres.

Un bloc d'asphalte sombre, dont la trace s'effaçait dans l'obscurité au fur et à mesure que la voiture avançait.

Son père releva ses manches pour conduire – malgré tout, Abigaël se rappelait qu'il avait toujours fait ça, hiver comme été, et elle remarqua les nombreuses traces de piqûres sur ses avant-bras. Ça ne collait pas à son physique de guerrier. Elle préféra ne rien dire mais se promit de mettre les choses au clair un peu plus tard, persuadée que ce week-end était un prétexte et qu'il avait, lui aussi, quelque chose de grave à leur annoncer.

6

Aux alentours de 3 h 25, ils quittèrent la petite ville d'Hellemmes, département du Nord. Des cristaux de glace s'accrochaient aux cyprès et scintillaient sur la route. Direction l'est. Le Center Parcs se situait à Hattigny, à plus de quatre cent cinquante kilomètres de là. Cette nuit, Abigaël voulait rester éveillée le plus longtemps possible et n'avait pas pris sa solution buvable de Propydol. Ce médicament à la prescription très encadrée était de l'oxybate de sodium, un narcotique qu'on pouvait assimiler à du GHB, une drogue bien connue des milieux de la nuit, associée au viol. À chaque prise, Abigaël diluait cinq gouttes dans un verre d'eau, pas une de plus, pas une de moins. Le Propydol la plongeait dans les limbes environ un quart d'heure après absorption, et ce sur une durée de quatre à cinq heures. À raison de deux prises égales par nuit, elle dormait d'un sommeil réparateur et, surtout, ne subissait plus que des cataplexies occasionnelles, tout au plus une ou deux par semaine. Restaient ces besoins de microsiestes irrépressibles, mais qu'elle avait appris à gérer.

Un peu plus tard, elle sentit des changements de

rythme dans le régime moteur. Ils n'étaient déjà plus sur l'autoroute. Yves plissait les yeux pour essayer d'y voir quelque chose. Après cette journée humide, des nappes de brume s'enchaînaient mais, à cet endroit, il n'y avait pas de verglas.

— Je cherche de l'essence. On a fait à peine vingt bornes, mais j'ai préféré sortir parce que, sur l'autoroute, la prochaine station est à quarante kilomètres.

Abigaël jeta un œil au voyant d'essence allumé.

— Quoi ? On n'a fait que vingt bornes ?

— Il y a un bled à six ou sept kilomètres, on trouvera bien une pompe ouverte. Fichu brouillard. Je déteste le Nord rien que pour ça.

Il faisait une chaleur de four désormais dans la voiture. Abigaël se recroquevilla plus encore. Elle avait ôté ses vieilles Dr. Martens et regroupé ses jambes sur le siège et, malgré la ceinture qui lui barrait le torse, elle se sentait bien, comme enveloppée dans une doudoune. Le sommeil pesait sur ses épaules.

Son père arrivait à un embranchement en Y, face à un panneau triangulaire jaune « TRAVAUX ROUTE BLOQUÉE ». Une petite lumière d'avertissement orange clignotait et proposait un itinéraire de déviation. Abigaël n'avait à présent plus la force de parler, écrasée par l'envie de dormir.

— La ville est annoncée à quatre kilomètres, fit Yves. Si on prend le détour, je ne sais pas où ça va nous mener.

— Tu n'as pas de GPS ?

— Non, je déteste ces engins. Tant pis. Les ouvriers ne bossent pas la nuit, je présume.

Son père contourna le panneau posé au milieu de la chaussée et s'engagea sur la route déserte et interdite à la circulation. Ses paupières papillotèrent et s'ouvrirent en grand lorsqu'elle aperçut soudain une forme dans l'éclat des phares. Il s'agissait d'une silhouette recourbée, de taille humaine, les oreilles en pointe. Entourée de brume.

— Freine !

Yves donna un brusque coup de freins. Puis il se pencha vers sa fille.

— Qu'est-ce qui se passe ?

Abigaël sortit en chaussettes et regarda derrière elle, fouettée par des échardes de glace. Une borne kilométrique blanc et rouge sourdait de l'herbe sur le bas-côté, telle une tombe celtique. Elle indiquait « KM 12 ». Aucune trace de la silhouette. Les arbres dépouillés, le macadam fendillé, un silence de mort. Elle fit le tour de la voiture sans noter le moindre choc ni la moindre tache de sang. Yves était sorti, lui aussi.

— Abi ? Tu m'expliques ?

— Tu n'as rien vu ? Une présence ?

— Non.

Abigaël remonta dans la voiture et poussa un profond soupir lorsque son père se rassit à ses côtés.

— Tu peux te remettre en route.

Le véhicule toussa et démarra. Abigaël se retourna pour s'assurer que sa fille allait bien et fut surprise de voir que Léa dormait à poings fermés. Elle enclencha sa ceinture de sécurité, entendit le déclic caractéristique, encore toute retournée par cette brusque interruption de leur voyage.

— J'ai vu une espèce d'animal étrange, comme... un renard qui se tenait debout. C'est ce qu'on appelle une hallucination hypnagogique. Une incursion d'image de rêve dans la réalité, si tu veux.

— Les fameux phénomènes nouveaux, c'est ça ? En plus de ta mémoire qui flanche ? Mince, tu traînes ta narcolepsie depuis tes 8 ans. Pourquoi tu développes ce truc vingt-cinq ans plus tard ?

— On n'en sait rien, ma neurologue n'a pas d'explication. Le phénomène des images hypnagogiques m'arrive heureusement assez rarement. Quand je suis fatiguée et dans la phase d'endormissement, des personnages surgissent devant moi. J'étais en taxi, l'autre fois, et j'ai cru que le chauffeur allait écraser une femme qui poussait un landau. Il m'a prise pour une dingue. Mais c'est la première fois que je vois une sorte d'animal hybride monstrueux. D'ordinaire, ce sont des êtres humains. Des hommes, des femmes, en pyjama ou costume-cravate, qui traversent la route.

— Comme sur certains de tes photomontages ?

— Exactement, oui…

Un ancien douanier d'un mètre quatre-vingt-cinq, au visage de brique, aux mains comme des battoirs, qui vous regarde sans rien dire… Abigaël éprouva le besoin de se justifier.

— Je ne suis pas schizophrène, papa, d'accord ? D'autres narcoleptiques ont aussi ces visions hypnagogiques. Tout va bien. Enfin, façon de parler. A posteriori, je suis consciente que ces images et ces bruits sont des hallucinations. Si j'avais été à ta place, j'aurais donné un grand coup de freins parce que, au moment où je visualise ces images, je n'ai ni conscience de m'endormir ni le moyen de savoir si ces silhouettes sont vraies ou non. Je veux dire, un animal ou quelqu'un aurait très bien pu traverser la route devant nous. Tu comprends ?

— Je crois, oui. Et ça t'arrive n'importe quand ? Le jour, la nuit ?

— Surtout la nuit, et lorsque je suis fatiguée, je te l'ai dit. L'affaire sur laquelle je travaille me met sur les rotules. On peut être narcoleptique et complètement crevée. Question perversité, cette maladie détient la palme.

Yves gardait la mine grave, les yeux rivés à la route. Sa fille avait tellement souffert par le passé, avant qu'on comprenne pourquoi elle se blessait si souvent, qu'on lui diagnostique la narcolepsie et trouve le traitement approprié. Les spécialistes, les centres du sommeil, les traitements... Sans oublier l'incompréhension des gens, les moqueries de ses camarades de classe lorsqu'elle s'endormait partout ou s'effondrait par terre, le regard fixe comme une truite qu'on vient d'assommer d'un coup de pierre.

— Fichue maladie. Tout ça doit être tellement pénible. Merde, Abigaël, je suis désolé.

— Faut pas...

En dépit de ce qui venait d'arriver, Abigaël bâilla longuement, écrasée par un poids sur la nuque, des picotements au bout des doigts. La narcolepsie se réveillait tel un poison se répandant en elle. La jeune femme n'avait pas pris son Propydol, mais le sommeil avait décidé de la kidnapper, la privant de toute possibilité de résistance.

— Dans deux minutes, je dormirai parce que mon corps l'a décidé.

— Tu veux un autre café ?

— Je pourrais en boire une citerne que ça n'y

changerait rien. Navrée, papa, tu vas devoir faire un paquet de kilomètres tout seul…

Le voyant d'essence émit un long bip.

— … À condition qu'on ne tombe pas en panne sèche avant, ajouta-t-elle. Tu pourras mettre la ceinture de sécurité à Léa quand tu seras arrêté ? Je viens de voir qu'elle l'avait ôtée. Et je ne suis pas sûre de tenir éveillée jusque-là.

— Ne t'inquiète pas, je vais m'en occuper.

Abigaël tenta de garder les yeux ouverts. Dehors, la brume jaillissait de la forêt comme des langues d'iguanes. Au-dessus, les frondaisons ployaient, enfonçant toujours plus le véhicule dans un gouffre de ténèbres. La jeune femme se demanda où ils étaient précisément et dans quelle direction roulait son père. Son cerveau tournait à présent au ralenti, enroulé dans une sorte de coton. Elle ne voyait que les bandes blanches défiler sous la berline, des panneaux qui avertissaient de la traversée d'animaux sauvages et une longue ligne droite. Il glissa sans doute un CD dans le lecteur, parce que sa chanson favorite *California Dreamin'* envahit l'habitacle. Tellement écoutée qu'Abigaël la connaissait par cœur. Ça aussi, elle l'oublierait peut-être, un jour… *I stopped into a church, I passed along the way.*

Les notes paraissaient de plus en plus lointaines, perdues dans les méandres de son subconscient. Ses paupières pesaient des tonnes, elle parvenait à les lever par intermittence, voulait résister au moins jusqu'à la station-service, mais le serpent de la narcolepsie ouvrait grande sa gueule pour l'avaler.

Elle se focalisa sur l'ombre, une trentaine de mètres devant eux. Au milieu de nulle part, sur cette route en travaux, un véhicule semblait à l'arrêt. Yves doubla rapidement l'utilitaire rangé sur le bas-côté. Dans un sursaut de lucidité, Abigaël regarda le Kangoo noir aux phares éteints.

— On aurait dit qu'elle avait un problème, cette voiture. Pourquoi tu ne t'es pas arrêté ?

Yves ne répondit pas, et Abigaël n'attendit pas de réponse, en proie au grand serpent. Dans sa torpeur, tandis que son corps tout entier se mettait en veille, elle devina le virage qui se profilait. Les voix des chanteurs s'élançaient en chœur, la musique la berçait. *Oh, California dreamin' (California dreamin').*

La dernière image qu'Abigaël vit avant que le reptile n'abatte ses mâchoires fut celle de plusieurs troncs noirs qui se dressaient dans le virage, à tout juste quelques mètres.

Le choc fut inévitable.

7

Abigaël Durnan se réveilla en sursaut, prête à pousser un cri.

Le départ en pleine nuit, la recherche d'essence au milieu des bois, puis l'accident. Elle percevait encore chaque détail du cauchemar avec précision. Il fallait noter rapidement l'histoire dans son cahier. Lorsque sa vue devint moins trouble, elle discerna les murs blancs, le téléviseur accroché en hauteur, la petite fenêtre sur le côté…

Et sentit très vite l'odeur des antiseptiques.

Abigaël ne comprenait pas la raison de sa présence dans une chambre d'hôpital. Elle se redressait à peine qu'une porte s'ouvrit sur une femme en blouse blanche, la quarantaine, coupe au bol d'un blond cendré.

— Bonjour, madame Durnan, je suis le docteur Laëtitia Libert. Nous sommes le samedi 6 décembre 2014, il est 11 h 05. Vous êtes dans le service de traumatologie de l'hôpital Roger-Salengro de Lille.

— Le… service de traumatologie ?

— Nous recevons ici une bonne partie des accidentés de la route. Comment vous sentez-vous ?

— Ça va, je… Qu'est-ce que vous dites ? Les accidentés de la route ?

Le médecin consulta une feuille accrochée au bout du lit, puis la remit à sa place. Mains en peau de lézard, visage en berne, les traits tirés de ceux qui travaillent trop.

— Vous vous en êtes sortie miraculeusement. Hormis quelques coupures de verre sur le visage, une légère hypothermie et un hématome au niveau de la poitrine, le scanner n'a révélé aucune lésion interne. Nous avons également fait des radios de votre squelette. Votre dossier signale que vous êtes narcoleptique. Il a fallu faire le tri entre vos fractures anciennes, vos plaques aux radius droit et gauche, votre prothèse au genou, mais nous n'avons rien décelé de récent. Vos os, vos ligaments ont visiblement bien tenu le coup.

Abigaël porta les mains à ses pommettes, à son front, sentit les pansements, la douleur à chaque pression sur sa peau. Elle toucha son poignet : sa montre avait disparu.

— Elle, par contre, était brisée, fit le médecin. Elle ne fonctionne plus, mais on pourra vous la restituer, si vous voulez.

Abigaël tourna la tête vers le couloir d'où provenaient des voix, devinait des silhouettes derrière la porte entrouverte.

— Ma fille et mon père… Où sont-ils ?

Le médecin prit une profonde inspiration.

— Ils n'ont pas survécu à l'accident. Je suis désolée.

Abigaël ne comprit pas ce que cette femme lui

racontait ni ce qu'elle-même faisait à l'hôpital. Oui, il y avait bien eu cet étrange rêve, mais…

Pieds nus, en chemise de nuit jetable, elle se redressa et mit une main sur sa poitrine en feu. Au niveau de la porte, elle tomba sur le gendarme Frédéric Mandrieux accompagné d'un autre collègue en tenue. Mines grises, plombées.

— Frédéric, qu'est-ce qui se passe ? Où est-ce qu'ils sont ?

Elle n'attendit pas la réponse, passa devant les deux hommes et longea le couloir, jetant un œil dans les chambres voisines. Gueules cassées, momies aux jambes prises dans des arceaux, elle connaissait la chanson. Elle avait l'impression de flotter au-dessus du sol, que son corps naviguait en pilotage automatique. Ils lui avaient peut-être injecté quelque chose, péthidine, codéine, morphine…

— Papa ? Léa ?

Une infirmière s'interposa poliment et lui bloqua le passage. Non, décidément, elle n'y comprenait rien. Lorsqu'elle se retourna, Frédéric la prit dans ses bras et la serra fort contre lui sans rien dire.

L'estomac noué, les organes en vrac, quelque chose l'empêchait de se laisser envahir par le chagrin. Ce couloir, ces chariots, ces gens estropiés, tout ce qu'on lui racontait ne pouvait pas être vrai, c'était juste un cauchemar de plus, une production atroce de son esprit dans son sommeil. Elle s'écarta de lui, retourna vers le lit dans un état second, s'assit sur le matelas et fixa Frédéric.

— Un… Un accident ? Qu'est-ce… qui s'est passé ?

Le gendarme en uniforme accompagnant Frédéric

Mandrieux s'approcha. Il scruta brièvement la cicatrice circulaire sur son cou – elle attirait le regard comme un aimant – puis, gêné, la fixa.

— Je suis le brigadier Barteli. Nous avons reçu un appel à la gendarmerie de Saint-Amand à 6 h 37 ce matin. Des ouvriers qui travaillaient sur le tronçon fermé de la route D151 ont signalé un grave accident au niveau d'un virage, à trois cents mètres de la borne kilométrique 12. Je suis très vite arrivé sur place. Les pompiers et le SMUR étaient déjà présents, la brigade accident n'a pas tardé à nous rejoindre. Le véhicule, une Volvo noire immatriculée 76, avait vraisemblablement… (il marqua une pause)… percuté un arbre, avant de faire un tête-à-queue pour finir contre un autre tronc plus enfoncé dans la forêt.

Cette fois, Abigaël sentit les vannes s'ouvrir. Larmes chaudes sur ses joues meurtries. Le gendarme n'en menait pas large. Il lança un regard à Frédéric avant de poursuivre.

— On vous a retrouvée inconsciente dans les feuilles, à environ cinq mètres du véhicule. Malgré le sang sur votre visage, vous respiriez et avez immédiatement été emmenée à l'hôpital.

— Mon père… Ma fille…

Frédéric s'approcha et prit le relais. Sa voix tremblait d'émotion.

— L'information est remontée jusqu'à moi quand on a découvert le nom du chauffeur. Yves Durnan… J'ai foncé sur les lieux, Abigaël. Et… j'ai vu ce qui restait de la voiture…

Il baissa la tête, fixa ses chaussures quelques secondes, puis revint vers la jeune femme.

— As-tu le moindre souvenir de l'accident ?

— Non, non…

— La brigade accident essaie de retracer en ce moment même les circonstances du drame. Les équipes pensent que… qu'Yves a traversé le pare-brise ; son corps gisait contre un arbre. Quant à Léa, elle… (profond soupir)… avait traversé la voiture de l'arrière vers l'avant. La voiture était vieille, sans airbag. Vu l'état du véhicule, impossible que tu sois sortie toute seule après l'accident. Pour le moment, on ne comprend pas bien comment tu as pu te retrouver dehors, presque indemne.

Abigaël avait l'impression qu'il parlait en morse. Les sons résonnaient dans sa tête comme des coups de marteau.

— … Tu ne présentes aucune fracture du crâne, juste quelques éclats de verre sur le visage. Tu as eu la chance de ne percuter aucun obstacle et d'atterrir sur un sol relativement mou.

— La chance…

Abigaël se recroquevilla sur son lit et se mit à trembler très fort. Puis, brusquement, elle se redressa en titubant et voulut foncer dans le couloir mais, cette fois, le médecin ne la laissa pas faire. Face à son agressivité soudaine et ses hurlements, une infirmière arriva et lui fit une injection dans le bras. Quelques minutes après, elle ne vit plus que des formes troubles, des ombres qui passaient dans son champ de vision, des mots qu'on prononçait et qu'elle ne comprenait pas.

Léa… Papa… Morts tous les deux…

Quand elle recouvra ses esprits, les ténèbres avaient relayé la lumière. La chambre baignait dans une moiteur de jungle, alors que le givre s'accrochait à la vitre de la fenêtre. De petits pétales de glace s'ouvraient les uns à côté des autres comme des fleurs maudites. Combien de fois avait-elle émergé dans ce genre d'endroit, plus jeune, après des opérations chirurgicales interminables ? Sa mémoire ne savait plus vraiment, mais son corps, lui, se rappelait.

Frédéric se tenait assis près d'elle, les mains pendant entre ses grandes jambes écartées. Ses courts cheveux bruns, d'ordinaire si bien coiffés, partaient dans tous les sens. Il réfléchissait. Abigaël le fixa de longues secondes sans parler.

— Tout ça, c'est pas vrai, Frédéric. Dis-moi que c'est pas vrai, qu'il ne leur est rien arrivé.

Le gendarme se leva et se dirigea vers la fenêtre. Il pouvait observer des cadavres, assister à des autopsies. La mort, dans toute sa crudité, ne lui faisait pas peur. Mais la détresse des gens, ce vide abyssal qui se diluait dans leurs pupilles après un drame… ça, il ne le supportait pas. Abigaël n'était plus psychologue, ce soir. Ni mère, ni fille. Mais une victime malheureuse dont le monde se réduisait à un paquet de ruines.

— Une enquête décès a été ouverte par le procureur, elle est diligentée par Pascal Palmeri, de la brigade accident de Saint-Amand. J'aimerais que tu répondes à quelques questions. Que tu… nous aides à comprendre ce qui s'est passé. C'est très important.

Elle acquiesça sans desserrer les lèvres. Le cœur brisé, à l'image de ses os.

— Donc, vous rouliez sur cette route au milieu des bois, dans une zone interdite à la circulation.

— On était en route pour le Center Parcs, on n'avait plus d'essence, papa est sorti de l'autoroute. Il voulait… je ne sais pas, gagner la première ville.

Je dormais à moitié, je n'avais pas l'esprit très clair. Il y avait cette déviation, papa ne voulait pas perdre de temps.

— Alors il s'engage tout de même, malgré les panneaux d'avertissement. Il se dit qu'il pourra passer parce que c'est la nuit. Et ensuite, quoi ? Un animal ? Un autre véhicule ?

— Je ne sais plus, tout est flou. C'est pas possible, Frédéric…

Elle sombrait de nouveau. Frédéric s'approcha, il hésita, puis lui passa la main dans les cheveux. Il la retira rapidement.

— C'est important, Abigaël. Pas la moindre idée de ce qui a pu vous faire manquer le virage ?

Elle ne répondit pas, ses pensées étaient semblables à des flaques d'encre. Pleurer lui donnait mal au crâne. Cette nuit l'avait amputée des deux tiers de sa chair, de son être. Orpheline et sans enfant. Juste un point inutile, une étincelle de vie perdue entre deux mondes.

— Abigaël, écoute-moi bien. Vous étiez trois dans la voiture.

— On était trois. On est trois… Papa, Léa et moi.

— Yves, Léa et toi. Tu voyages avec un homme qui a travaillé plus de vingt-cinq ans dans les douanes, capable de s'énerver comme jamais quand un automobiliste ne met pas son clignotant, et aucun d'entre vous ne porte sa ceinture de sécurité ?

— Léa dormait, elle l'avait enlevée pour être plus à l'aise, mais on devait la lui remettre à la station-service. Je crois que… papa avait sa ceinture.

— Tu crois ou tu en es certaine ?

— Pourquoi il ne l'aurait pas mise ? C'était toujours lui qui me disait de…

Elle secoua la tête, marqua un long silence avant de poursuivre.

— Moi, je l'avais. J'en suis sûre.

— Tu n'aurais pas pu être éjectée du véhicule si ça avait été le cas.

Abigaël se prit la tête entre les mains et fit un douloureux effort de mémoire. Elle se rappelait cette silhouette mi-homme, mi-animal en travers de la route, son tour du véhicule pour se rendre compte que cette espèce de créature informe n'était qu'une hallucination. Mais avait-elle effectivement remis sa ceinture une fois remontée à bord ? Malgré les paquets de clous sous son crâne, elle essaya de visualiser la scène. Le bois, le froid, les phares. Léa qui dormait à l'arrière. Oui… Elle se rappelait, elle entendait encore le déclic de sa ceinture. Elle l'avait bien mise en travers de son torse, aucun doute là-dessus.

— Je suis toute cassée de l'intérieur à cause de chutes, il n'y a plus un os normal là-dedans, pire qu'un puzzle. Et là, une voiture percute un arbre, et je m'en sors sans une égratignure ? Tu me parles d'un accident dont je n'ai pas le moindre souvenir. Cette ceinture, je l'avais, j'en ai la certitude. Rien de ce qui est arrivé n'est normal. Où sont Léa et mon père ?

— À l'IML. C'est mon frère qui va les prendre en charge.

L'institut médico-légal se tenait à quelques kilomètres, pas loin de l'entrée de Lille, le long d'une bretelle d'autoroute. En quelque sorte, la seconde maison des enquêteurs de la section de recherches de Villeneuve-d'Ascq.

— J'y vais.

— Non, ce n'est pas une bonne idée. Ils sont méconnaissables et…

— Tu ne comprends pas ? Je dois les voir.

Frédéric lui posa une main sur le bras, alors qu'elle s'apprêtait à quitter la chambre malgré l'avis du médecin.

— Tu es pieds nus et en chemise de nuit. Il fait moins cinq degrés dehors. Laisse-moi au moins aller te chercher des vêtements et t'accompagner.

8

Abigaël s'immobilisa net, une fois les portes de l'institut médico-légal franchies. L'odeur de cadavre eut l'effet d'un électrochoc et lui fit réaliser qu'elle n'était pas en plein cauchemar. Parce que le temps se prolongeait, parce que les événements logiques se succédaient, implacables, pareils à des dominos chutant les uns après les autres. Parce qu'elle avait conscience de tout. Tout, absolument tout, au détail près, était cohérent.

— Alors, c'est vrai… Tout est vrai. Ils sont morts, Frédéric ?

Elle plaqua une main contre le mur, sa tête tournait.

— Tu ne tiens plus debout, on a fait une bêtise en venant ici, répliqua-t-il. On va retourner à l'hôpital. On va prendre soin de toi, d'accord ?

— Je veux les voir… Ma petite fille… Ma Léa… C'est ton frère qui s'occupe d'elle, tu m'as dit. C'est bien… C'est bien que ce soit lui.

Frédéric était conscient qu'il ne la ferait pas plier. On ne tord pas facilement une barre de fer.

— Il est dans la deuxième salle avec le responsable d'enquête. Je les ai prévenus qu'on allait passer.

J'ai aussi expliqué à Palmeri ce que tu m'as raconté tout à l'heure sur les circonstances de l'accident.

Abigaël trouva le courage de se redresser et de s'avancer dans ce vieux couloir sombre et gris, sans fenêtre, pareil à un tunnel séparant deux mondes : celui de la lumière et celui des ténèbres.

Nicolas Thévenin, le garçon de morgue, les attendait avant le sas. Un type costaud d'une trentaine d'années, des lunettes à monture rectangulaire, un bouc taillé au cordeau, des yeux noirs très rapprochés. Il gérait les entrées et sorties des cadavres, répondait aux demandes des légistes. Un concierge macabre qui passait plus de temps avec les morts qu'avec les vivants. Abigaël croisait parfois ce type sans le voir, mais, cette fois, elle eut un regard pour lui, cherchant un peu d'espoir, une étincelle de bienveillance. Il avait reçu les corps de sa famille. Il les avait sans doute rangés, quelques heures plus tôt, dans des tiroirs de morgue, comme on remise une vieille paire de chaussettes au fond d'une commode. Elle cherchait du soutien mais ne lut, dans ses yeux, qu'une froideur coutumière. Cet homme avait-il un cœur ?

Thévenin ouvrit la porte.

— Le docteur Mandrieux vous attend.

Il les accompagna en silence dans la salle d'autopsie, où il faisait presque aussi froid que dehors. Ça puait la mort, la chair rance, l'intérieur d'estomac. Hermand Mandrieux était le portrait craché de son frère Frédéric, avec cinq ans de plus. Une belle ride lui barrait le front comme le souvenir d'un coup de machette. À 40 ans, il était l'un des deux médecins légistes qui exerçaient dans cet IML vétuste, aux salles d'autopsie d'un autre âge. Cette fois-là, il avait le visage chauffé à blanc, les lèvres fines comme des lames de scalpel. Deux autres individus droits comme des piquets se tenaient à ses côtés, l'adjudant Pascal Palmeri, en charge de l'enquête, et l'un de ses collègues. Avant toute chose, les hommes firent part à Abigaël de leur tristesse et de leur soutien.

Elle resta figée à l'entrée de la pièce, les bras le long du corps. Elle connaissait ces lieux morbides, elle souhaitait toujours, dans la mesure du possible, assister aux autopsies liées à ses affaires. Il lui était même arrivé de plaisanter ici, de rire, histoire de décompresser, parce que cette garce de mort ne se laissait pas facilement regarder et que, parfois, il fallait avoir les tripes bien accrochées.

Au milieu de la salle, sur des tables en acier, reposaient deux formes sous des draps bleus, une grande et une plus petite. La lampe Scialytique positionnée au-dessus laissait peu de place aux ombres, hormis dans les plis du tissu. Ce trop-plein de lumière cisaillait les rétines et avait quelque chose d'irrespectueux.

Deux pas en avant... Abigaël avait déjà assisté à une reconnaissance de corps, la dernière datant de l'année précédente. La scène imprégnait encore son esprit : elle, silencieuse dans un coin, à observer un homme qui s'avançait vers la table pour identifier sa femme retrouvée mutilée dans le canal de la Deûle. Une impression de violer son intimité par sa simple présence. Ces moments-là ne devraient pas se partager, or ce jour-là, c'était elle qui subissait. Qu'est-ce qu'elle fichait dans ce trou à cadavres ? La veille au soir, Léa choisissait encore le pantalon qu'elle allait prendre pour le Center Parcs.

Pourquoi ne lui avait-elle pas bouclé sa ceinture de

sécurité ? Elle avait mis la sienne, entendu le déclic avec certitude. Pourquoi ne pas avoir été capable de protéger sa fille ?

Le légiste fit le tour de la table et vint à sa rencontre.

— Il faut que je te prévienne : le choc a été d'une extrême violence.

Sa voix se différenciait des autres jours, beaucoup moins assurée, et Abigaël l'entendit soupirer. Elle fixa les draps, là où était censée se trouver la tête de son père. Elle approcha une main vers le haut et souleva. L'horreur. Un amas sanguinolent, un relief déchiré, criblé de verre et de métal, qui la poussa à détourner les yeux. Après quelques secondes, le légiste remit le drap en place et désigna de petits tubes emballés dans des scellés, posés sur une paillasse en retrait. Certains portaient un bouchon violet : destinés à la toxicologie.

— Même si l'identification est difficile, la science les identifiera formellement. J'ai procédé à des prélèvements de cellules dans leur bouche, en présence de l'adjudant Palmeri et du brigadier Lebon, qui vont transmettre les écouvillons au laboratoire de police scientifique pour une analyse et une comparaison ADN.

— Il y avait trois valises dans le coffre du véhicule, intervint Palmeri. La vôtre, celle de votre père et celle de votre fille, je présume.

Abigaël revit Léa lui sourire, râler, la charrier. Un kaléidoscope d'images, de sons qui semblaient jaillir d'une télé grésillant au fond de son esprit.

— Il va falloir que vous nous confirmiez rapidement que les bagages leur appartenaient. Ensuite, nous ouvrirons ces valises et récupérerons de l'ADN sur leurs brosses à dents ou à cheveux, afin de le comparer avec celui des scellés. Pardon d'être aussi procédural dans un moment pareil, mais nous devons être certains des identités.

Il sortit de sa poche un sachet avec une petite clé.

— Cette clé ouvre la valise rose avec les motifs à fleurs. On l'a trouvée dans la poche du blouson de… (Il hocha le menton vers l'autre drap.) Ces valises vont évidemment vous être restituées avec l'intégralité de leur contenu.

Autres images : Léa, mettant la clé de sa valise rose dans sa poche, après avoir rangé son chat en peluche. Le légiste l'amena à l'extrémité opposée de la première table, là où reposait le corps le plus grand, là où elle avait soulevé le drap.

Papa.

— Il portait un pantalon de flanelle gris, une ceinture Hugo Boss noire avec un écusson doré sur la boucle, détailla le légiste. Une chemise bleue, une paire de…

— Oui, oui, il portait ça, le coupa Abigaël. Cette ceinture, je la lui avais offerte il y a longtemps. Il gagnait pas des fortunes, mais il a toujours aimé les belles pièces. Il travaillait encore aux douanes à l'époque et…

Le légiste lui tendit un Zippo arborant la gravure d'une pièce d'échecs : le fou.

— Je me suis dit que t'aimerais le récupérer. Il l'avait sur lui.

Abigaël fit tourner le briquet entre ses doigts. La sensation de serrer un glaçon. Son père ne s'en séparait jamais. Il avait fait graver le fou parce qu'il était un redoutable joueur d'échecs – il ne lui avait pourtant jamais appris à jouer. Elle souleva le drap par le bas, cette fois. Un pied seulement était chaussé d'une de ces bottes en peau qu'il affectionnait tant. Son père et ses airs de justicier, droit dans ses grolles… Elle remonta jusqu'au torse, vit de nouveau les traces de piqûres sur les avant-bras meurtris et rigides. Le tissu lui donna l'impression de lui brûler les doigts, elle le relâcha, tandis que ses yeux s'embuaient.

— C'est bien lui, c'est mon père. Yves Durnan.

Dans la pièce, tout le monde voulait en finir au plus vite. Le silence, perturbé par le froissement du tissu et le ronflement de la climatisation, battait dans les tempes.

Abigaël se décala vers la seconde table et resta figée face au drap. Celui-là, elle ne se sentait pas capable de le soulever. Un geste tellement illogique, inhumain. Hermand Mandrieux vint juste à ses côtés.

— Tu veux que je le fasse ?

— S'il te plaît…

Le légiste s'exécuta. De longs cheveux blonds encadraient un faciès broyé, méconnaissable. L'empreinte en négatif d'un tronc d'arbre. Abigaël, encore une fois, ne put supporter ce maelström d'horreur. Elle tourna la tête et capta un échange de regards entre Frédéric et son frère. La pitié suintait par tous les pores de leur peau.

— Elle avait un signe distinctif sur sa cheville droite, détailla Abigaël. Un petit tatouage semi-permanent en noir et blanc, celui d'un chat. Elle voulait ça pour ses 13 ans. Je n'étais pas vraiment pour, mais ce tatouage devait disparaître d'ici à quelques semaines. Et puis, je voulais lui faire plaisir, à ma petite fille. Ses copines en avaient toutes et… elle aimait tellement les chats. Oh, mon Dieu…

Abigaël mit ses poings fermés devant sa bouche. Chaque inspiration lui déchirait la poitrine. Puis elle se dirigea vers l'autre extrémité de la table, souleva le drap en douceur, dévoilant deux jambes nues et féminines. Des jambes de gamine, blanches comme du talc. Sur la cheville droite, le tatouage du petit chat avec ses oreilles bicolores.

Abigaël sentit ses muscles la lâcher et s'effondra.

9

Deux heures plus tard, Frédéric sortit de l'hôpital Roger-Salengro et retourna voir l'adjudant Palmeri, qui fumait une cigarette light devant l'institut médico-légal. Les deux gendarmes ne se connaissaient pas, leurs brigades étant éloignées d'une trentaine de kilomètres. Courts cheveux grisonnants, petit et dynamique, Palmeri était surnommé Bip-Bip par ses collègues. Un sobriquet qu'il avait toujours détesté.

— Qu'est-ce que ça donne ?

Emmitouflé dans un gros bombers, Frédéric ôta ses gants de cuir et alluma une cigarette à son tour. La coulée de goudron au fond de sa gorge ne l'apaisa même pas. Il fumait trop, son père et son grand-père étaient morts d'un cancer des poumons, et son héritage se résumait à cette fichue clope qui lui collait aux lèvres comme la lèpre.

— Elle est dans les vapes, ils lui ont administré des calmants en attendant sa prise en charge par un psychologue.

— Une psy qui va se faire soigner par une psy… ça fait partie des questions à la con que je me pose toujours. Est-ce qu'un médecin s'ausculte lui-même, par exemple ? Ou est-ce qu'un dentiste va chez le dentiste ?

Il regarda quelques secondes le bout rougeoyant de sa cigarette.

— Une cigarette se consume bien toute seule... Enfin bref, tout ça est si triste. Fichue journée, hein ?

— L'horreur, vous voulez dire.

On approchait de 22 heures, il faisait un noir de fond de mine, le vent gonflé par les plaines du Nord piquait aux doigts et aux oreilles. Au loin, on distinguait la bretelle d'autoroute et une poignée d'entrepôts frigorifiques. Du béton, de la tôle, de la viande froide, partout. Un endroit sans âme, déprimant. Approprié, finalement.

Palmeri souffla sa fumée par le nez.

— Elle a beau être psy, elle va avoir beaucoup de mal à s'en remettre. Dans ces moments-là, on n'est plus rien. Elle a de la famille pour la soutenir ?

— Personne. Sa mère est décédée il y a longtemps, elle est fille unique.

Palmeri observa les volutes grises se disperser dans l'air.

— J'en ai vu à la pelle, des accidents, les traumatismes des survivants sont parmi les plus difficiles à traiter.

— Le syndrome du survivant... On se sent coupable d'exister, on revit les dernières heures, les dernières minutes, encore et encore, en essayant d'élaborer des scénarios qui auraient permis d'éviter le drame. « Si on était partis deux minutes plus tard... », « S'il n'avait pas plu ce jour-là... », « Si j'avais changé ce fichu clignotant », ou « Si on n'était pas passés par cette putain de route en travaux ».

Frédéric pensait déjà aux jours à venir. De véritables jalons d'horreur. Qu'allait devenir Abigaël, seule chez elle ? Et puis Noël arrivait dans trois semaines. Moment de joie et de partage dans la plupart des familles.

— Abigaël n'est pas juste une collègue de travail. Elle est la fille d'un homme qui, un jour, m'a sauvé la vie.

— Yves Durnan… Un ancien douanier, c'est ça ?

— Il bossait à la DOD, oui, la direction des opérations douanières. Spécialisé dans le trafic de drogue. Un gars de terrain qui a participé à de beaux coups. Vous savez, ces cartels ultraviolents qui touchent de plus en plus la France… Je pense qu'il était usé, il a tout lâché il y a deux ans. Il ne me l'a jamais dit, mais il devait avoir pas mal d'argent de côté. On n'arrête pas comme ça à deux ans de la retraite.

— Les fameuses saisies douanières… Voiture, mobilier, cash planqué sous le matelas… Et comment il vous a sauvé la vie ?

Frédéric s'en souvenait comme si c'était hier. Douze ans plus tôt, les services de la DOD avaient sollicité une équipe de deux gendarmes pour une simple visite à domicile, à une dizaine de kilomètres du port de Dunkerque. Les douaniers soupçonnaient un type du nom de Chambert de cultiver du cannabis chez lui et d'en refourguer sur une aire d'autoroute de l'A25, rien de bien méchant. Il s'agissait d'une intervention de routine dans une vieille ferme. Frédéric bossait alors à la petite brigade de proximité de Worhmout, un bled à une soixantaine de kilomètres de Lille. De l'action au rabais. Ses premières armes. Rencontre entre la force et l'expérience dans le narcotrafic d'un côté, et le jeune gendarme qui débute de l'autre.

Frédéric avait été impressionné par Yves. Un type tout en muscles et en nerfs – un vrai buffle échappé de Tanzanie – qui en avait vu et savait où frapper. Le genre de gars qui, même bouche fermée, se fait comprendre. Les quatre hommes avaient cogné à la porte, Chambert n'avait pas opposé de résistance et les avait laissés entrer. Frédéric devait veiller à ce que la compagne du trafiquant, à moitié shootée et vautrée sur le canapé, ne s'agite pas trop, tandis que son collègue gendarme et les douaniers découvraient une serre intérieure chauffée, éclairée, envahie d'une centaine de plants de cannabis. Une belle usine à rêves.

Il avait fallu une fraction de seconde pour que la petite amie sorte une arme planquée entre deux coussins – un MR 73 au numéro de série effacé – et tire sur Frédéric une première fois à l'épaule gauche, lui arrachant un bout d'os. L'instant d'après, un projectile fusant à près de trois cent cinquante mètres par seconde avait explosé le tibia d'Yves, qui arrivait. Puis la fille s'était effondrée, une balle du revolver d'Yves dans la tête. Elle avait 22 ans, et l'autopsie avait révélé qu'elle était enceinte de quatre mois.

— On a passé trois semaines à l'hôpital dans la même chambre, conclut Frédéric. Moi, ça allait, mais lui, il s'est retrouvé avec une plaque métallique au tibia. Depuis ce temps-là, on ne s'est plus quittés. Il avait beaucoup de connaissances, alors, il y a trois ans, peu de temps avant qu'il démissionne, il m'a trouvé une bonne place à la section de recherches de Lille. Là où sa fille venait bosser régulièrement en tant qu'experte en criminologie. Il m'a fait promettre de veiller sur elle s'il lui arrivait quelque chose, un jour. Je suis un gars de parole, je vais essayer d'honorer cette promesse.

— C'est beau et triste, votre truc.

Palmeri tira une dernière taffe et écrasa son mégot dans le cendrier sur pied proche de l'entrée.

— Bon, pour en revenir à nos moutons, j'ai eu les dernières conclusions de ma brigade dépêchée sur les lieux. Tout d'abord, la D151. Elle est limitée à quatre-vingt-dix kilomètres/heure et infranchissable deux kilomètres au-delà de l'accident. La route est en réfection sur un tronçon de six cents mètres. Plus d'asphalte, engins techniques encombrant la voie. Bref, s'il était allé plus loin, Yves Durnan aurait finalement été obligé de faire demi-tour.

— Triste ironie du sort… Comme vous dites, s'ils n'étaient pas passés par là…

— Le compteur de vitesse était bloqué sur quatre-vingt-cinq kilomètres/heure. Durnan roulait un poil en dessous de la vitesse autorisée.

— Il était sans doute prudent à cause des travaux annoncés.

— Oui, d'autant plus qu'il régnait un noir absolu dans cette forêt. Il n'y avait pas de verglas, mais des nappes de brouillard, d'après les bulletins météo locaux.

— Des conclusions se profilent déjà ?

— Pas encore. Il y a plusieurs hic dans cette histoire. Le premier, c'est que les techniciens n'ont relevé aucune trace de freinage sur les lieux de l'accident. Pourtant, à première vue, les freins semblent fonctionnels, l'expertise nous en dira plus. La voiture est allée tout droit, sans freiner, donc, pour percuter le premier arbre venu. Et pas le petit modèle d'arbre...

Frédéric s'appuya contre le mur, une main au front. Après une journée pareille, il avait la tête farcie.

— Il s'est peut-être endormi au volant ? Une brume trop épaisse ? Un moment d'inattention ? Abigaël Durnan et sa fille dormaient, elles n'ont pas pu être vigilantes.

— Oui, oui, c'est le genre de déduction logique qui tient la route, d'autant plus que, à cause des travaux, les panneaux de signalisation et les bandes réfléchissantes indiquant le virage avaient été retirés. Il avait peut-être consommé de l'alcool ?

— Yves ? Il ne buvait jamais. Et puis, ils avaient du chemin à faire.

— Nous verrons avec les examens toxicologiques. Mais il y a un deuxième hic, plus gros celui-là : l'histoire des ceintures de sécurité. Vous en voyez souvent, vous, des accidents où aucun des passagers ne porte sa ceinture ?

— Pourtant Abigaël affirme avoir bouclé la sienne. Elle est catégorique là-dessus.

— Nos experts aussi sont catégoriques. Elle a cru l'avoir mise, mais c'est physiquement impossible. Elle a forcément été éjectée, car vu la compression de la tôle, toute sortie après l'accident est exclue. Elle se trompe.

Emmitouflé dans une grosse parka militaire, le garçon de morgue sortit à ce moment-là et regagna sa voiture. Il leur adressa un bref salut. Palmeri le regarda disparaître dans l'obscurité.

— Je ne sais pas comment ce type fait pour tenir le coup. La semaine dernière, il y a eu un incendie en banlieue de Lille. Un immeuble a pris feu, et je crois qu'une vingtaine de corps sont arrivés ici, direct dans ses bras grands ouverts.

— Je sais. Les gendarmes étaient sur le coup. Des victimes intoxiquées par les gaz, brûlées... Des adultes, des enfants, même des familles complètes...

— Vous imaginez son boulot ? Ranger des corps dans des tiroirs, les sortir, nettoyer la merde après les autopsies...

Frédéric imaginait bien, oui, mais parfois, leur métier ne valait guère mieux. Il revint à leur affaire.

— ... D'accord, Abigaël Durnan pense avoir mis sa ceinture, mais elle ne l'a pas fait. Elle a peut-être cru le faire, elle était à moitié endormie. De surcroît, elle souffre de troubles du sommeil, ça a peut-être joué.

— Cela nous mène justement au troisième hic.

— Un troisième hic ?

— Elle, pardi ! Abigaël Durnan. Mais bordel de Dieu, vous avez vu la voiture, comme moi. Elle ressemblait à un confetti. Elle a percuté un arbre à quatre-vingt-cinq kilomètres/heure ! À cette vitesse-là, tout ce qui est vivant est normalement pulvérisé. Comment cette femme a-t-elle pu se sortir d'un truc pareil avec juste quelques éclats de verre et un hématome à la poitrine ? Pas un seul os cassé, pas la moindre plaie ouverte !

Palmeri posa une main sur la poignée de la porte d'entrée.

— Il y a quelque chose de pas logique, là-dedans. Et bien sûr, elle ne se souvient de rien, pas même du moment de l'accident.

Frédéric fronça les sourcils.

— Qu'est-ce que vous voulez dire par là ?

— Moi, rien. Mais l'expert en accidentologie aura probablement une bonne explication. En tout cas, je l'espère, je pars aux Antilles la semaine prochaine, ça fait trois ans que je n'ai pas pris de vraies vacances. Bon, il faut que je retourne voir votre frère et mon collègue. Je déteste assister aux autopsies…

— Personne n'aime ça.

L'adjudant parvint à sourire. Frédéric comprit mieux pourquoi on l'appelait Bip-Bip. Il affichait des dents si petites qu'elles restaient au ras de ses lèvres et faisaient ressembler sa bouche à un bec.

— Vous avez sacrément raison. Au fait, votre affaire des trois enfants disparus, ça avance ? Je suis la presse mais on n'a plus beaucoup de nouvelles depuis quelque temps.

Frédéric éprouvait l'envie de lui répondre que jamais un dossier ne leur avait donné autant de difficulté, qu'ils en étaient réduits à attendre que le kidnappeur se manifeste de nouveau et que, justement, d'après son mode opératoire, il devrait enlever un autre enfant dans les jours à venir, mais il se contenta d'un mouvement de menton poli, avant de s'éloigner. Il allait rentrer chez lui, s'envoyer un grand verre de Lagavulin et se gaver de glace au caramel avec une cuillère à soupe, jusqu'à vomir ses tripes au fond des toilettes.

10

6 décembre 2014
L'ACCIDENT

25 juin 2015
LE LAVOIR EN FLAMMES

16 juin 2015

Abigaël ignorait qu'en ce moment même elle rêvait.

Dans son songe, elle évoluait dans une de ces rues étroites et pavées, mal éclairée, qui s'enfonçait dans la gorge du Vieux-Lille. De part et d'autre se compressaient bars, échoppes anciennes et petites boutiques de luxe dont les rideaux de fer tombaient comme des mâchoires carnassières. Tout semblait figé dans le temps, sans vie, sans mouvement. Au-dessus, une langue de ciel noir se frayait un chemin entre les toitures en tuiles et zinc des immeubles. Des nuages galopaient et semblaient tous converger vers un même point.

Abigaël marchait rapidement sans oser se retourner, le menton avalé par le col de son trench-coat. Seule dans la nuit, elle dépassa le musée des Assiettes cassées, puis une librairie, Diagonale 151. Entre ses mains, un roman, *La Quatrième Porte*. Abigaël le serrait contre elle de toutes ses forces, comme si c'était son bien le plus précieux.

Elle bifurqua dans une ruelle si étroite qu'elle aurait pu toucher les façades de chaque côté rien qu'en écartant les bras. Ensuite, elle se mit à courir le plus vite possible. D'autres pas que les siens claquèrent sur les pavés. Un croquemitaine l'avait prise en chasse. Un vulgaire assemblage de bois, de métal, traversé d'échardes, d'éclats de fer, de clous géants. Ses membres étaient maintenus les uns aux autres par de grossiers rivets, des bouts de ficelle. Une toile de sac, sur laquelle étaient dessinés des yeux en colère, un nez, une bouche avec trois rangées de dents tranchantes, bringuebalait au-dessus de ses épaules. Il tenait une faux rouillée dans sa main gauche. Il courait bien plus vite, brassant l'air avec son instrument mortel.

Shhhh... Shhhh... Shhhh...

Abigaël poussa un cri et se focalisa sur le bout de la voie. Une fillette était assise contre le mur de droite, en tailleur. Longs cheveux blonds en chignon, mains sales, genoux croûtés de sang. Sur ses jambes, une bande dessinée : *XIII*. Et pas de visage. Juste une surface lisse, rosée, qui semblait molle.

La gamine lui donna un papier sur lequel était inscrit un code : 10-15-19-8. Abigaël le fourra dans sa poche et hésita une fraction de seconde. Tendit la main.

— Viens ! Viens avec moi !

Mais la petite sans visage ne bougeait pas. Et le croquemitaine approchait à grands pas, avec ses chaussures trouées et sa lame courbée en mouvement.

Abigaël pouvait-elle abandonner la petite, la laisser entre les griffes du monstre ?

Le livre était plus précieux. Il fallait le préserver, coûte que coûte.

Abigaël s'enfuit, prit à gauche. Un coup sur son omoplate droite l'électrisa. Une main passa par-dessus son épaule, tenta de lui arracher son livre. Le croquemitaine haletait dans son cou, mais il se retrouva bloqué par l'étroitesse de la voie. Abigaël força, ses épaules frottaient contre les façades, y laissant des lambeaux de peau. Une fois de profil, elle poursuivit sa course en pas chassés. Au fil de sa progression, les murs se rapprochaient. Elle se retrouva comprimée au point de ne plus pouvoir tourner la tête, sa cage thoracique étant près d'exploser.

Mais le croquemitaine l'avait imitée et rattrapée.

Elle vit alors une lame passer devant sa gorge.

Abigaël ouvrit soudain les yeux et porta les mains à son cou en hoquetant.

— Ça va, madame ? fit une voix.

Un quai de gare longeait la grande vitre contre laquelle la tête d'Abigaël dodelinait. Sur le fauteuil d'en face, une dame d'une soixantaine d'années, un magazine sur les genoux. Des gens debout, disposant leurs bagages dans les compartiments appropriés.

Abigaël s'était endormie dans un train. Et elle serrait entre ses mains le roman de son rêve, *La Quatrième Porte*. Glissé à l'intérieur, un billet à destination de Quimper. Elle n'y comprenait plus rien. Pas le moindre souvenir d'être montée dans ce TGV. L'heure indiquait 21 h 50.

— Quand part le train ?

— D'un instant à l'autre. Enfin, normalement.

Abigaël se leva et jeta un œil dans les rangements du dessus.

— Vous savez si j'avais des bagages ?

— Vous dormiez déjà quand je suis arrivée.

Elle descendit sur le quai. Coup de sifflet, départ du train, direction Rennes puis Quimper…

Qu'est-ce que cela signifiait ? Elle se raccrocha à son livre. D'où venait-il ? Comment était-elle arrivée à la gare de Lille-Europe ? Et pourquoi vouloir se rendre à Quimper ? Elle n'avait jamais fichu les pieds dans cette ville du fin fond de la Bretagne.

Il fallait se calmer, faire le point. Elle tenait peut-être une explication à cette situation aberrante. La seule plausible. Une fois sur un banc, elle sortit de sa poche une aiguille rangée dans un petit sachet stérile. Elle la planta dans la peau entre le pouce et l'index. Une petite goutte de sang perla comme une bulle de réalité, ce qui la déstabilisa complètement.

La présence de sang signifiait qu'elle ne rêvait pas.

Fred aurait forcément une explication à lui fournir. Elle chercha son téléphone portable, en vain. Où étaient son sac, ses papiers ? Une agression ? Un vol ? Un mauvais coup qui lui aurait volé la mémoire ? Elle s'empressa de sortir de la gare.

Des ombres chinoises circulaient encore dans les rues de la ville. Abigaël gagna la rue Faidherbe, traversa la Grand-Place, puis affronta une partie du Vieux-Lille avant de s'enfoncer dans une impasse, au bout de la rue Danel. Direction le quatrième étage d'un immeuble. Elle glissa la clé dans la serrure, mais la porte n'était pas verrouillée.

— Fred ?

De la musique provenait d'une autre pièce. La veste de son compagnon était posée sur l'accoudoir du canapé, et le téléviseur fonctionnait en sourdine. Abigaël abandonna son livre sur la table basse du salon et se précipita dans le couloir. L'air de la chanson se précisa. Une boule d'émotion dans la gorge. *He knows I'm gonna stay. Oh, California dreamin'.*

La musique dans l'habitacle de la voiture de son père juste avant l'accident… Grande douleur au ventre, envie de vomir. Les paroles lui cisaillaient les chairs comme une torture. Abigaël plaqua les mains sur ses oreilles et continua à avancer. L'intensité des paroles croissait. Ça provenait de la chambre à coucher. Abigaël y pénétra, découvrit les chaussettes et le jean de Frédéric au sol. Un homme se tenait de dos, recroquevillé en chien de fusil sur le lit. Plus fort, plus grand que Frédéric. L'individu dormait et n'entendait pas le radio-réveil.

— Qui êtes-vous ?

Abigaël s'approcha. Ses mots se figèrent à la vision du sang au niveau de l'oreiller. Elle se courba au-dessus du lit en hurlant.

L'homme était immobile, les yeux fixes, la gorge tranchée.

Il ouvrit soudain les yeux et tendit la main vers elle en souriant.

Cet homme, c'était son père.

11

On such a winter's day (California dreamin')
On such a winter's day

Abigaël ouvrit les yeux, pour de bon cette fois.

Allongée dans un lit, sous les couvertures.

Elle inspira un grand coup, comme remontée d'une apnée *no limit*. Taie d'oreiller trempée. Dans un grognement, Frédéric écrasa du plat de la main le radio-réveil qui diffusait à plein volume *California Dreamin'*. Il regarda l'heure et grimaça – 7 heures –, encore à moitié endormi. Des larmes creusaient des routes de sel sur les joues de sa compagne.

— T'as pleuré ?

Abigaël posa les yeux sur son compagnon, comme on jauge un revenant. Elle se serra contre lui, à la fois soulagée et terrorisée. Elle venait de faire l'un de ces horribles rêves imbriqués, de ceux où l'on croit qu'on se réveille alors qu'on dort encore, bien au chaud sous la couette. Et son songe avait naturellement intégré dans son scénario la musique diffusée à l'instant par la radio.

Ses doigts parcouraient les bords de la cicatrice qui mangeait l'épaule gauche de Frédéric.

— Dans mon rêve, je me suis réveillée dans un train, je sortais d'un autre rêve dans lequel j'étais poursuivie par un croquemitaine complètement démantibulé. Puis je suis venue ici, dans la chambre. Mon père occupait ta place. Il était égorgé dans notre lit, mais il vivait. Encore une fois, il souriait. Il sourit tout le temps, dans mes rêves.

Abigaël reprenait pied dans la réalité, petit à petit. Les ultimes notes de la chanson des The Mamas and the Papas la hantaient encore.

— Je déteste te retrouver dans cet état, fit Frédéric.

Il la câlina encore quelques minutes. Il avait d'immenses yeux noirs attentionnés. Abigaël aimait s'y perdre. Avec délicatesse, elle se détacha de lui, mit sa robe de chambre par-dessus sa nuisette et se leva, tout endolorie.

Depuis quelques semaines, elle ne dormait plus dans un aquarium aux murs blancs mais dans un chouette endroit à la tapisserie gris et noir, façon rayures de zèbre, et face à de grandes photos d'animaux de la savane. Ici, chez Frédéric, ça sentait l'Afrique, les ocres poussiéreux, le sable brûlant, la rupture violente avec les briques rouges du Nord et l'humidité des pavés. Abigaël s'y était faite. De toute façon, elle aurait très bien pu dormir sur un tapis de clous, le Propydol l'assommait.

Les chaussettes et le jean de Frédéric gisaient par terre, exactement comme dans son rêve. Les objets, leur position, leur état : tout était rigoureusement identique. Elle se précipita dans le salon. La veste de son compagnon recouvrait l'accoudoir du canapé. Elle avait encore le souvenir tellement précis d'être entrée par cette porte, quelques instants plus tôt ! Une action ancrée dans sa mémoire, comme si c'était…

Réel…

Abigaël porta une main à son front. Les images continuaient à s'entrechoquer telles des particules électriques. Elle se rappelait : la fillette sans visage avec la bande dessinée de *XIII* sur les genoux, les rues du Vieux-Lille, la poursuite dans des venelles. Puis le billet pour Quimper, le TGV… Et ce livre… Celui qu'elle serrait contre sa poitrine. *La Quatrième Porte.*

Consciente qu'il s'agissait encore une fois d'une invention de son esprit durant le sommeil, elle fouilla parmi les magazines et papiers posés sur la table basse. Frédéric apparut dans son dos, il s'étira comme un chat.

— Qu'est-ce que tu cherches ?

— Un livre, un roman. Sûrement policier. *La Quatrième Porte*, ça te dit quelque chose ?

— Rien du tout. T'as regardé dans la bibliothèque ?

Elle se précipita vers la bibliothèque pleine à craquer de romans en tout genre et d'ouvrages de criminologie. Abigaël avait toujours été une grande dévoreuse de livres et s'était remise à la lecture quelques semaines après l'accident. Un moyen comme un autre de combler les vides. Frédéric, lui, revendait régulièrement des bouquins, histoire de gagner un peu de place et de récupérer de l'argent, tandis qu'Abigaël contrebalançait chaque fois avec des achats compulsifs.

Il partit préparer le café dans la cuisine réaménagée pour une vie en couple – plus grande table, plus grandes casseroles… – tout en la regardant faire.

— C'est un livre présent dans tes rêves ?

— Oui, on essayait à tout prix de me le dérober.

Je le serrai contre moi. Je venais de la gare Lille-Europe. Je l'ai rapporté ici, je l'ai posé sur cette table. Peut-être un livre que j'ai déjà lu. J'en lis tellement que je ne me souviens jamais des titres.

— Et qu'est-ce que tu faisais à Lille-Europe ?

— J'étais dans un train en partance pour Quimper. Je te l'ai dit, je me réveillais d'un autre rêve. Enfin, c'est compliqué.

Elle préféra ne pas entrer dans les détails, ses rêves imbriqués étaient de vrais casse-tête. Elle alla s'asseoir au bureau aménagé dans un coin du salon. Derrière l'écran de l'ordinateur, contre le mur, s'étalaient des dessins, des graphiques avec des horaires, une carte de la région avec des trajets surlignés. Abigaël avait créé un ersatz de son ancien environnement. Tout tournait autour de l'accident, six mois plus tôt, et de l'affaire Freddy. À droite se trouvaient les objets les plus importants des dernières semaines, eux aussi liés d'une façon ou d'une autre à ces événements. Sa montre brisée lors de l'accident… Une lettre manuscrite de sa fille… Bref, les résultats de ses investigations personnelles. Pour finir, dans un coin, étaient empilés les cadres contenant les étranges photos de ses cauchemars. Frédéric les trouvait « singulières » et avait préféré ne pas les accrocher. Non pas qu'une foule s'empressât ici – il recevait très peu –, mais son appartement restait le seul endroit où il pouvait se préserver de la crasse extérieure. Il disait souvent que, si on laissait les affaires en cours entrer chez soi, on en venait à dormir avec son flingue.

Abigaël considéra l'ensemble durant quelques secondes puis sortit son cahier de rêves. Elle nota « Rêve n° 298, le 16 juin 2015 » et commença à écrire.

Ses poils se hérissaient tant ses songes l'imprégnaient encore. Elle recopia le code donné par la petite fille. 10-15-19-8… Une combinaison ? Frédéric s'approcha avec deux tasses de café bien fort. Le shoot obligatoire avant d'attaquer la journée. Il posa les tasses, lui prit la main et remonta la manche de sa robe de chambre.

— Les marques d'aiguille sont de plus en plus nombreuses. Ça commence à me faire vraiment peur.

Abigaël s'empara d'un paquet d'aiguilles à coudre rangées dans le tiroir du bureau et les observa avec attention.

— Je me suis piquée avec une aiguille dans mon propre rêve. Et j'ai saigné, alors que d'ordinaire, dans les rêves, je ne saigne jamais. Ça signifie que mon inconscient a trouvé la parade. Je n'ai plus de test de réalité fiable. Ça veut dire que, même maintenant, je pourrais être en train de rêver. Mon fichu cerveau en serait bien capable.

— Un rêve imbriqué dans un rêve, lui-même imbriqué dans un autre ? Façon *Inception* ? Et toi, tu serais une espèce de Leonardo DiCaprio se promenant de rêve en rêve et qui finit par douter de sa propre existence ?

— Comment savoir ? Comment me prouver que ce bureau, cette chaise sont bien réels ? Que *tu* es bien réel ? Mes rêves sont puissants, Frédéric. Bien plus que les tiens, tu sais ?

Frédéric dirigea la main d'Abigaël vers sa barbe naissante.

— Et là, tu rêves ? Tu sens ma peau, tu entends les crissements de mes poils quand tu passes tes doigts sur mon visage ?

— Oui, mais…

Il la déplaça sur sa poitrine. Abigaël sentit les palpitations.

— Et là, tu rêves aussi ? J'ai une âme et un cœur, Abigaël. Je ne suis pas juste un personnage de cauchemar.

— Ce n'est pas ce que je voulais dire.

Il fixa sa tasse de café et la fumée qui s'en échappait.

— Je ne suis même pas sûr que tu aies des sentiments pour moi. Parfois, je me demande si tu ne restes pas auprès de moi juste pour me remercier de t'avoir soutenue et arrachée à ta bouteille de vodka.

— Ne dis pas ça. Je ressens des choses.

— Des choses ? C'est quoi, des choses ?

— Tu sais que c'est très compliqué avec ce qui s'est passé. Il faut du temps. Et tu fais preuve d'une patience extraordinaire. T'es vraiment quelqu'un de bien, Fred. Tout ça va se débloquer bientôt, j'en suis sûre.

— En tout cas, je vais prendre un rendez-vous en urgence chez ta neurologue. Faut que tu passes des examens approfondis pour qu'on comprenne ce qui t'arrive et pourquoi tu en viens à te piquer partout avec des aiguilles à cause de tes problèmes de sommeil. Et cette fois, je t'accompagnerai.

— Ce n'est pas nécessaire, je te promets. Et tu sais, je me suis toujours débrouillée seule.

— Mon père aussi, il disait ça. Il n'a jamais voulu qu'on l'aide, ni passer d'examens. Pas nos affaires, qu'il marmonnait toujours en mâchouillant ses caramels mous. On a dû le traîner à l'hôpital et, quand on a eu les premiers résultats, le crabe avait tellement pondu dans ses poumons qu'il n'y avait plus de place pour une seule cellule saine.

Il fit rouler une cigarette entre ses doigts, l'observa quelques secondes, la rempocha.

— Je ne veux plus que tu me tiennes en dehors de tout ça. Cette maladie, elle est une partie de toi. Elle fait que tu es notre Tsé-Tsé, une sacrée bonne psychologue qu'on apprécie tous, et plus particulièrement moi.

Elle lui sourit.

— Oui, je sais, je n'ai pas grand-chose pour plaire, poursuivit-il. Je passe mes journées dans la merde des gens, je mange dans les casseroles, j'avale des kilos de glace au caramel que je vais vomir dans les toilettes, parce que ça me fait du bien. Je n'écoute pas d'opéra, je ne vais pas au théâtre ni dans les musées et, avec les femmes, on ne peut pas dire que je sois le plus doué de ma génération. Mais je suis amoureux. Et je veux juste comprendre ce qui t'arrive. *Capisce ?*

Il ouvrit grands ses yeux de chat. Abigaël succomba.

— *Capisce.*

12

Ils burent leurs cafés dans la bonne humeur. Mais Abigaël en revint à ses cauchemars, notamment celui de la veille. La ronde des enfants dans la chambre… Cendrillon cachée sous le lit… Cette phrase écrite dans son cahier de rêves : *Puella sine ore vobis salutem dat…*

— Comment tu expliques ce qui s'est passé hier matin ? demanda-t-elle.

Elle lui montra la séquence de lettres notée sur le cahier.

— « La petite fille sans visage vous salue. » Lettre pour lettre, l'énigme écrite par Freddy sur le corps de Victor il y a deux mois.

Frédéric avait l'air contrarié, à présent. Il revoyait les images du môme rescapé, amaigri, retrouvé deux mois plus tôt, errant au bord de la route, avec ces étranges tatouages sur tout le corps.

— Ce sont juste des rêves qui sont de plus en plus nombreux et envahissants, je n'ai pas d'explication.

— Je rêve depuis deux mois d'une petite fille sans visage, Fred, au point que je pense à elle toute la journée. La première fois, elle est apparue dans un tiroir du congélateur et a essayé de me noyer. Puis elle s'est cachée partout, sous le lit, dans les placards…

Abigaël tira une photo de sa collection de cauchemars. On y voyait, dans des tons sépia, une fille aux longs cheveux blonds avec un sac en toile sur la tête à l'extrémité nouée autour de son cou. Des veines bleutées dévoraient son corps et affleuraient à la surface de sa peau. Elle se tenait au milieu des flammes, bras écartés, comme crucifiée, mais ne brûlait pas. Abigaël caressa le visage masqué.

— Elle a peur, est agressive et ne se trouve jamais bien loin des trois autres gamins kidnappés… Elle revient presque chaque fois, dans chaque cauchemar, elle ne me lâche plus. Elle était encore là cette nuit, elle tenait une BD de mon père, tu sais, *XIII* ? Comment Freddy peut-il parler de cette *petite fille sans visage* ? On dirait que… je sais pas, qu'il est entré dans mes rêves. Comment il peut savoir ?

— Il ne peut pas savoir parce qu'il est humain. Il est fait de chair et d'os, comme toi et moi.

Abigaël posa la photo sur le bureau et lui tendit un papier.

— Dans le rêve, cette petite fille m'a donné un code à déchiffrer, on dirait. Regarde.

Fred lut. 10-15-19-8.

— Abi… Freud et compagnie, c'est pas vraiment mon truc mais, comme tout le monde, je me suis coltiné l'*Interprétation des rêves* au lycée, le truc à te dégoûter de l'école, soit dit au passage. Et je crois que si tes rêves ont fabriqué la petite fille sans visage, c'est parce qu'on sait qu'il y a quatre enfants kidnappés, mais seulement trois identifiés. Ton esprit est obsédé par l'affaire Freddy, tu y as, comme nous tous, passé des jours et des nuits, à scruter chaque indice, chaque détail, à faire des hypothèses… Ton cerveau a simplement matérialisé ce quatrième enfant anonyme, Cendrillon, sans lui donner de visage. J'ai bon, mademoiselle la psy ?

Elle scruta ses grands yeux noirs, tandis qu'il hochait la tête vers la photo.

— C'est cette môme aux cheveux blonds qui continue à venir te hanter dans tes rêves, malgré le temps qui passe. Tout ça est finalement assez logique. Et le fait que Freddy ait écrit cette phrase sur le corps de Victor, eh bien… je n'en sais rien.

— J'ai le sentiment que quelque chose, au fond de moi, est en train de mener l'enquête depuis que j'ai arrêté de travailler avec vous. Peut-être que la petite fille sans visage finira par en avoir un ? Peut-être qu'on découvrira enfin qui est Cendrillon ?

— On ne l'a jamais identifiée. Ces tatouages, ça prouve seulement que Freddy s'amuse avec nous, qu'il veut monopoliser nos forces, nos ressources pour rien. Ce n'est qu'un de ses fichus tours de passe-passe de plus. Ce salopard nous fait perdre notre temps.

Frédéric alla fumer à la fenêtre, pensif. À son arrivée à la section de recherches, il avait rêvé de ce genre d'affaire, lui, le petit gendarme de campagne, fils, petit-fils de marins-pêcheurs (et ça aurait sans doute été son destin, reprendre la barre du *Bartavelle*, si son père n'était pas mort). Des journées qui se résumaient à courser des scooters ou interpeller des alcooliques. À présent, il se rendait compte à quel point ses rêves étaient loin de la réalité. L'affaire Freddy, ça revenait à aller chaque jour au bureau, la gueule en berne, affronter le vide sidéral du dossier.

Derrière lui, Abigaël manipulait la montre cassée lors de l'accident.

— Tu vas faire remonter l'info à Lemoine sur la résolution des tatouages ?

— C'est déjà fait. Ses yeux sont sortis de ses orbites quand je lui ai expliqué la façon dont tu avais résolu le truc : par un rêve. Mais une fois la surprise passée, c'est vite retombé. On s'attendait à tellement plus… « La petite fille sans visage vous salue… » En l'état, ça ne nous apprend rien. Ni sur les motivations de Freddy ni sur l'endroit où il retient les trois enfants. Encore une piste qui tombe à l'eau.

Abigaël se concentra de nouveau sur son cahier, y nota la suite de ses rêves imbriqués avec la plus grande attention, consignant chaque détail. Frédéric s'apprêtait à se rendre au travail lorsqu'elle releva la tête de ses quatre pages de notes. Il piocha un paquet de Marlboro dans une cartouche posée juste à côté de l'ordinateur et embrassa Abigaël brièvement.

— Pas de bêtise avec les aiguilles, d'accord ?

— Je crois que je vais essayer de rouvrir un cabinet de consultation à Lille. J'ai besoin de sortir d'ici, de voir des gens, de m'investir dans quelque chose, ou je vais devenir dingue.

— C'est une bonne idée, si tu t'en sens capable, mais prends ton temps pour bien réfléchir, d'accord ? Les blessures sont encore fraîches. Bon, j'y vais, et je m'occupe du rendez-vous avec la neurologue.

Une fois seule, Abigaël fixa longuement son cahier de rêves, cette mise à plat de son inconscient, de ce foisonnement d'images et de scénarios qu'elle vivait une fois endormie. Quels secrets cachait son sommeil ? Que cherchait à lui raconter son esprit à travers ses rêves ?

Elle sortit les cinq autres cahiers de rêves du tiroir. Ils étaient numérotés, comprenaient des morceaux de vie, des éclats du passé, mais surtout des centaines de pages de récits, tous plus fous et illogiques les uns que les autres. Ces cahiers étaient peut-être une clé qui lui permettrait de comprendre tous les points noirs de son existence, des six derniers mois. Son père et ses mensonges… L'accident… L'enquête des disparus et les événements étranges qui l'accompagnaient…

Abigaël ouvrit son logiciel de retouche d'images, un navigateur avec une banque de photos, et se mit au travail. Elle allait matérialiser son dernier cauchemar : la petite fille sans visage, assise dans une rue étroite, la BD *XIII* sur les genoux… Le croquemitaine aux membres cassés et aux articulations rivetées à sa poursuite. Elle pensa qu'il faudrait faire apparaître le code donné par la fillette : 10-15-19-8. Qu'est-ce qu'il pouvait bien signifier ? Une idée lui vint alors : remplacer le nombre par la lettre correspondante de l'alphabet : A=1, B=2…

Elle décrypta J-O-S-H. Josh. Un prénom masculin. Qui était-ce ? Quelqu'un de son passé ? Du collège ou du lycée ? Une connaissance de son père ? Elle avait peut-être connu un Josh dans sa jeunesse, mais avec sa mémoire qui flanchait…

Elle ajouterait donc JOSH à la représentation de son cauchemar.

Deux heures plus tard, elle abandonna son travail et se rendit dans la salle de bains. Ça sentait l'eau de Cologne Farina dont Frédéric s'aspergeait les joues – il se rasait encore à l'ancienne, avec un coupe-choux à la châsse en ivoire, gravé des initiales FM, Frank Mandrieux, son père. La porte de l'armoire à pharmacie était entrouverte, on y voyait les petits flacons de Propydol, ce médicament qui sauvait Abigaël autant qu'il la détruisait. Elle fronça les sourcils : avait-elle encore oublié de la refermer ? Une fois poussée, la porte se rouvrit toute seule : elle fermait mal. Abigaël força et tourna le petit loquet pour la bloquer.

Elle contempla son visage de craie dans le miroir, passa ses doigts dans ses longs cheveux noirs jamais coupés depuis l'accident. Pointes abîmées et sèches. C'était dans ce genre de détails – une ridule en plus au coin de l'œil, une infime tache brune sur le dos de la main – que le temps creusait sa route perverse. *Quand j'aurai 18 ans, tu seras vieille, maman.* Léa aimait la taquiner ainsi. Abigaël entendait encore si distinctement le son de sa voix. Sa fille n'aurait jamais 18 ans.

Tandis que l'eau de la douche coulait, elle ôta sa robe de chambre et sa nuisette. Le serpent narcolepsie l'avait mordue de part en part, transformant son corps en spectacle morbide, une foire aux cicatrices, surtout au niveau des articulations. Un *freaks* des temps modernes. Frédéric n'avait jamais posé de questions, il l'avait accueillie telle qu'elle était, avec le même respect qu'on peut avoir en foulant pour la première fois une terre inconnue.

Avant d'entrer dans la douche, elle vit, avec le jeu de miroirs créé par celui fixé au mur et celui de l'armoire à pharmacie, une grosse tache violacée sur son omoplate droite.

Exactement là où, dans son rêve, le croquemitaine l'avait frappée.

13

— Ça y est, elle est en train de s'endormir.

Frédéric se tenait aux côtés d'Aude Denis, la neurologue qui suivait Abigaël depuis quelques mois. Une fois informée pour les piqûres d'aiguille, la spécialiste lui avait donné un rendez-vous en urgence et demandé de se rendre non pas au centre du sommeil où elle consultait d'ordinaire mais, ici, dans l'unité de neurologie de l'hôpital Roger-Salengro.

De l'autre côté de la vitre, Abigaël était allongée dans un scanner TEP, une grosse machine cylindrique bourrée de technologie. La jeune femme serrait dans son poing un capteur. Depuis quelques secondes, la pression sur ce dernier diminuait, ce qui montrait qu'elle s'endormait.

Aude Denis jeta un coup d'œil aux écrans qui affichaient sous différentes coupes et en temps réel les activités du cerveau d'Abigaël. Puis elle opéra les derniers ajustements. Frédéric fixait sur un moniteur le visage de sa compagne qu'une caméra filmait.

— Hier, elle m'a appelé au travail toute paniquée, en me parlant d'un bleu sur l'omoplate droite. C'était vrai, j'ai vu cet hématome quand je suis rentré.

D'après elle, ce bleu proviendrait de ses rêves. Elle a été frappée exactement au même endroit par un personnage imaginaire, un croquemitaine, alors qu'elle dormait.

Il lui tendit la création en cours d'Abigaël, imprimée le matin même.

— Ce n'est pas tout à fait terminé, mais elle travaille sur cette horrible scène depuis hier matin.

— Elle m'a déjà montré ses créations. C'est très sombre, mais elle est douée.

Il pointa le personnage aux membres désarticulés, lardés de corps étrangers, qui tenait sa grande faux.

— C'est lui qui l'a frappée dans le rêve. Quand elle s'est réveillée, toujours selon elle, le coup était là. Comme si le rêve avait réellement eu un impact physique. Vous avez déjà rencontré ce genre de cas ?

Aude Denis considéra longuement la photographie, puis prit quelques notes sur un cahier. Derrière elle, le tracé de l'électroencéphalogramme s'excitait.

— Des espèces de stigmates, des blessures qui apparaîtraient spontanément, vous voulez dire… ? Jamais. Elle aurait pu se faire ça toute seule ?

— Compte tenu de l'emplacement, ça me semble difficile. Et puis, elle s'en serait souvenue, non ? Vu la taille de l'hématome, ça a dû lui faire un mal de chien.

La neurologue resta dubitative.

— Désolée, je n'ai pas d'explications scientifiques.

Elle finit par désigner le visage d'Abigaël sur l'écran.

— Voilà, elle dort. Regardez ses yeux, ils bougent très rapidement sous ses paupières. Ce sont des REM, des mouvements oculaires rapides, qui n'interviennent que durant le sommeil paradoxal.

— J'ai déjà vu ça. C'est très impressionnant.

Aude Denis était une femme de petite taille, avec de fins sourcils arqués et un faciès tout en rides. Frédéric ne sut pourquoi, mais il pensa à Lucy, l'australopithèque.

— Vous n'êtes jamais venu à un rendez-vous au centre. Elle refuse de vous parler de sa maladie, je présume ?

— Elle est très pudique là-dessus. Quand elle travaillait en tant qu'experte à la gendarmerie, elle ne parlait jamais de ses problèmes à personne. Il y avait bien ses siestes pendant les réunions, elle allait dormir quelques minutes, puis elle revenait comme si de rien n'était. Certains de mes collègues prenaient ça à la rigolade, ils pensaient que ce n'était qu'une sorte de simulation, un truc de psy.

— La narcolepsie est une maladie que les gens ont beaucoup de mal à comprendre. Six mois après, comment surmonte-t-elle l'épreuve de l'accident ?

— Il y a des hauts et des bas. Parfois, elle a les idées très noires, un comportement borderline, genre, j'ai envie de sauter par la fenêtre et, d'autres fois, ça va beaucoup mieux. Vous savez sûrement qu'elle a tout plaqué, mais elle envisage de rouvrir un cabinet. Et elle va le faire très vite, j'en suis certain. Parce que, quand elle a une idée en tête…

Il désigna l'écran du menton.

— Alors comme ça, elle est déjà en train de rêver… ?

— Oui. C'est l'une des caractéristiques principales de son trouble. Vous devez savoir qu'il y a différentes étapes du sommeil : somnolence, lent léger, lent profond, profond, puis paradoxal, qui intervient en fin de cycle, environ une heure et demie après l'endormissement… Mais chez Abigaël, malgré le traitement, quelques endormissements irrésistibles surviennent n'importe quand dans la journée et la plongent aussitôt en sommeil paradoxal. Elle se met alors à rêver, à peine après avoir fermé les yeux.

La spécialiste considéra les différents moniteurs qui représentaient des plans animés du cerveau d'Abigaël. Un feu d'artifice coloré y explosait. Aude Denis pointa un doigt sur l'un des moniteurs.

— Les zones liées aux stimuli extérieurs et au décodage des scènes visuelles complexes sont hyperactives. L'amygdale et l'hippocampe lui procurent en ce moment même des émotions très fortes.

Toutes les courbes s'excitaient. Frédéric regardait les mouvements de l'électroencéphalogramme grandir et se resserrer, comme si l'appareil de mesure devenait fou. Les yeux d'Abigaël roulaient sous leurs paupières à une vitesse folle.

— Ce n'est pas normal, tout ça, docteur. Qu'est-ce qui se passe ?

— Elle vit son rêve à plein régime. Différentes zones de son cerveau communiquent entre elles, il y a des échanges intenses qui, chez vous comme chez moi, n'existent pas. Tout se passe comme si elle était éveillée. Elle rêve mais, en ce qui la concerne, c'est la réalité, et de façon beaucoup plus forte que pour n'importe lequel d'entre nous. Dans les rêves, trop instables, on ne peut jamais lire ou écrire, les décors changent sans cesse. Mais Abigaël, elle, m'a déjà dit qu'elle y parvenait. Dans ses rêves, elle appuie sur un interrupteur, et la lumière s'allume, contrairement à vos rêves et aux miens. De plus, d'après ce que je vois ici, elle semble capable de juger, de réfléchir, d'analyser.

— Alors, c'est pour cette raison qu'elle se pique avec des aiguilles ? Pour être certaine de ne pas rêver ?

— Oui. Pour essayer de différencier rêve et réalité. Il faut vraiment tenter d'imaginer ce qu'elle vit : si vous étiez à sa place, notre discussion, tous ces examens, toutes ces machines pourraient être le fruit de votre imagination. Et vous vous réveilleriez dans votre lit, dans quelques minutes, avec l'impression que tout ceci était vrai.

Frédéric posa une main à plat sur la vitre. Abigaël se tenait juste là, à quelques mètres, mais son esprit voguait peut-être à des milliers de kilomètres.

— C'est terrible.

— Ça l'est d'autant plus que ses rêves sont rarement agréables. Tout la ramène à sa propre histoire, à l'accident, à ses phobies, notamment à sa peur panique de se noyer, à votre affaire de kidnapping.

— Et puisque c'est tellement intense, un coup porté sur elle dans son rêve ne pourrait-il pas avoir une réelle répercussion sur son physique ? Je suis bien le dernier à croire à ce genre de choses, mais j'ai déjà entendu que l'esprit pouvait agir sur le corps.

— Vous en revenez à cette histoire d'hématome... Bien sûr, il se produit un tas d'échanges neurophysiologiques durant les rêves, le corps réagit en conséquence : suées, chair de poule. Mais pas au point de provoquer de telles lésions.

— Et pourtant, le coup est bel et bien là...

Comment on peut enrayer ce mal qu'elle se fait avec les aiguilles ?

— Êtes-vous sûr qu'Abigaël prend correctement son traitement ? Son Propydol, notamment ? Cinq gouttes vers 22 heures, puis une autre prise dans la nuit lorsqu'elle se réveille. De mauvais dosages pourraient la déstabiliser à ce point, amplifier la force de ses rêves…

— Il me semble, oui. Elle fait toujours ça dans la salle de bains. Ses médicaments, c'est son territoire secret et je ne me suis jamais vraiment posé la question. Ça fait tellement d'années qu'elle ingurgite toutes ces substances qui lui détruisent la mémoire.

La neurologue soupira.

— Le Propydol est malheureusement la seule molécule capable de lui offrir une vie normale. Sans ce traitement, elle…

— Je sais, trancha Frédéric. J'ai vu ses cicatrices, j'ai senti les plaques sous sa peau. C'est ou perdre la mémoire, ou ne plus pouvoir sortir de chez elle parce qu'elle tombe en cataplexie n'importe où, toutes les deux heures. L'autre jour, ça lui est arrivé dans la cuisine, je l'ai rattrapée de justesse. Sans ça, elle se serait fracassée sur le carrelage.

Le tracé de l'encéphalogramme retrouva soudain une cadence moindre. Treize minutes après l'endormissement, Abigaël sortit de sa somnolence diurne et ouvrit les yeux. Elle respira fort et regarda autour. La spécialiste appuya sur un bouton.

— Tout va bien, Abigaël. C'est le docteur Denis. Vous êtes à l'intérieur d'un scanner dans l'unité de neurologie, vous vous rappelez ?

— Euh… oui…

— Un technicien va venir, ne bougez pas.

Aude Denis coupa le son. Elle mit les mains dans son dos et regarda sa patiente sortir du scanner.

— Je vais analyser toutes ces données, mais ces piqûres avec des aiguilles m'inquiètent. Elles sont quand même nombreuses. Et puis, il y a cette histoire d'hématome, à présent…

De nouveau, elle considéra le cliché de la scène cauchemardesque.

— Comme si ses rêves prenaient de plus en plus le pas sur sa vie réelle. Si ces signes empirent, nous essaierons de trouver une solution pour éviter qu'Abigaël ne finisse par se faire vraiment mal.

— Par « solution », vous entendez…

— … la psychiatrie.

14

6 décembre 2014
L'ACCIDENT

25 juin 2015
LE LAVOIR EN FLAMMES

6 février 2015

Tandis qu'un agent immobilier faisait visiter sa maison d'Hellemmes à un acheteur potentiel, Abigaël s'était enfermée dans la chambre de Léa. Elle n'y était venue qu'une fois en deux mois : quelques jours seulement après être sortie de l'institut médico-légal. Frédéric l'avait aidée à choisir les vêtements de la fillette pour la crémation.

Après l'accident, elle avait pu compter sur Frédéric à maintes reprises. Y compris durant la période délicate des fêtes de fin d'année. Il avait reporté les agapes avec les collègues ou sa mère afin d'être à ses côtés. Noël, Nouvel An à s'enterrer dans ses regrets, à maudire le monde et à se sentir responsable. Sans son aide et son appui, tout aurait été bien pire aujourd'hui. Si tant est que *pire* existe.

Deux mois pendant lesquels Abigaël avait tout lâché.

Son métier, ses relations, ses sorties. Quand Frédéric n'avait pas été là – c'est-à-dire souvent –, elle avait pris sa voiture et roulé sur des routes désertes, à défier la mort, la tristesse de l'opéra *Rinaldo* à fond dans les haut-parleurs. Elle se terrait aussi dans son bureau sans fenêtre, à déformer des visages, à déchirer des chairs, à fusionner ADN, végétation et acier sur son écran d'ordinateur, à fracasser des bagnoles virtuelles contre des arbres, le tout imprimé en grand format, puis elle laissait sa tête tomber sur le clavier, comme ça, en cataplexie, et se gavait de Propydol, d'alcool, mélangés à toutes sortes de pilules colorées. Elle vivait et revivait la scène d'ouverture d'*Apocalypse Now* – pourquoi celle-là, elle l'ignorait – où Martin Sheen, enfermé dans sa chambre de Saïgon, est dévoré par les démons, tournant sur lui-même dans un drôle de ballet hypnotique. La démence à l'état pur. Abigaël s'était *vraiment* vue faire la même chose, dans la même moiteur, au milieu de sa chambre, et ça n'était pas un rêve. Elle avait touché du bout du doigt la queue fourchue de la folie.

Retour dans la chambre de Léa. Un index fatigué qui glisse sur un meuble. Une fine couche de poussière commençait déjà à se former sur les reliefs. Comment imaginer vendre le lit dans lequel Abigaël avait vu grandir Léa ? Ou cette petite table de nuit sur laquelle sa fille avait eu pour habitude de poser ses bijoux fantaisie ? Sa psychologue lui avait conseillé de ne garder que quelques objets auxquels tenait Léa et de se débarrasser du reste. Eh bien, sa consœur pouvait aller se faire foutre ! Toute la chambre respirait la présence de la petite.

Abigaël ouvrit un tiroir où sa fille stockait ses

lettres, des poésies : les confessions d'une jeune fille à qui il arrivait deux ou trois fois par mois de ramasser sa propre mère à la petite cuillère, au bas d'un escalier, au milieu de la cuisine, en pleine crise de cataplexie. Une fille mère, mûre, aboutie, déjà grande dans sa tête. Abigaël parcourut quelques lettres, la larme à l'œil.

Aujourd'hui, je ne sais jamais comment je retrou-
[verai maman,
Ça peut frapper le matin, le soir, parfois c'est violent,
J'ai la haine contre cette maladie,
Et cette paralysie qu'on appelle cataplexie.

Tu m'as portée en toi,
Couchée pendant neuf mois,
Et quand plus tard tu me serrais dans tes bras,
C'était allongée au sol pour pas tomber plus bas.

Ton corps est une blessure,
Et moi, je n'ai pas une égratignure.
Tu as su me protéger, m'aider à grandir,
Je t'aime trop pour te voir partir...

Elle remit le papier en place, au fond du tiroir, et abandonna ses lectures. Chaque mot écrit par sa fille la frappait en plein cœur. Insupportable.

Elle s'intéressa aux valises cabossées, récupérées dans le coffre de la voiture en miettes et restituées par la brigade de Saint-Amand, trois jours après l'accident. Pas encore eu le courage de les ouvrir. Palmeri lui avait rendu la clé de Léa permettant de déverrouiller la valise rose à fleurs. Elle la sortit de sa poche et l'inséra dans la serrure, puis fit glisser la fermeture. Les affaires de Léa étaient en vrac, les techniciens de la Scientifique avaient fouillé les bagages pour en extraire la brosse à dents et la brosse à cheveux et réaliser les analyses ADN croisées qui avaient formellement confirmé les identités des cadavres.

Avec des gestes délicats, elle posa les vêtements, le maquillage, la boîte à bijoux sur le lit. Explosion de souvenirs, de sons, d'odeurs. Les larmes coulaient sans véritable envie de pleurer. Le mélange médicaments/alcool créait parfois de curieuses réactions. Ces derniers temps, Abigaël se rendait chez sa neurologue non pas pour être soignée, mais pour obtenir les précieuses ordonnances et le sésame pour les médocs. Une vraie junkie. Et elle s'y rendait en voiture. Si elle crevait en route, tant mieux.

Ensuite, elle s'occupa de la valise de son père, dont l'état témoignait encore de la violence du choc. Les fermetures avaient néanmoins résisté. Elle en tira de nombreux vêtements, la trousse de toilette, trois BD de *XIII*, ce personnage énigmatique tatoué de ce nombre sur la clavicule, amnésique, sans identité. Yves avait été un fan de la première heure de cette série. Même si elle n'avait pas vu beaucoup son père, Abigaël savait d'où lui venait son goût de la lecture. Peut-être oublierait-elle ça aussi, un jour.

Une photo dépassait de l'une des bandes dessinées intitulée *L'Appât*. Sur le cliché servant de marque-page, on voyait un poisson-lune couvert d'épines, photographié en gros plan. Abigaël trouva cela très bizarre. Pourquoi son père avait-il photographié cet animal de si près, lui qui ne prenait jamais de photos ? Et pourquoi s'en servait-il comme marque-page dans une bande dessinée ? Elle retourna le cliché. Il était écrit, au feutre noir et en diagonale :

J'espère que tu trouveras la vérité, autant que je souhaite que tu n'y arrives jamais...

Qu'est-ce que son père voulait dire ? De quelle vérité parlait-il ? Était-ce à elle qu'il s'adressait ? Elle regarda de nouveau le curieux poisson, une espèce d'oursin avec des nageoires, sans comprendre. Elle posa la photo sur le lit, intriguée, et eut envie d'un verre. Vodka-glaçons-citron. Mais il valait mieux attendre que le visiteur et l'agent immobilier dégagent de chez elle avant de piquer du nez.

Dans une pochette de la valise se trouvait aussi un porte-clés en forme de gouvernail de navire avec trois clés. Sur l'une d'entre elles, un papier collé : « 14, chemin des Haules, Étretat. » L'adresse de la maison qu'il louait, depuis sa démission des douanes... Abigaël était déjà allée là-bas. Un petit terrier pour un homme habitué à vivre seul. Elle avait d'ailleurs reçu un appel du propriétaire quelques jours auparavant, l'invitant à venir récupérer les affaires de son père. Rendez-vous fixé au lendemain ; il y aurait peut-être quelques souvenirs à glaner.

La deuxième clé ressemblait à celle d'un garage ou d'un cadenas. Sur le dessus, la gravure *Matriochka* : le nom des poupées russes. Pouvait-il y avoir un lien avec le message précédent ? Son père avait-il volontairement laissé cette clé ?

La troisième était un double de la clé de voiture.

La voiture... Un bloc de tôle froissée... Quelques jours après la double crémation, Abigaël avait voulu voir des clichés de l'accident pour essayer de comprendre le miracle de sa survie.

Faute de témoins et tenant compte des données en sa possession, Palmeri était arrivé à la conclusion que, à cause du brouillard, de l'absence de signalisation liée aux travaux et sans doute d'un manque d'attention à ce moment-là, Yves n'avait pas vu le virage au bout de la longue ligne droite. L'enquêteur avait résolu le casse-tête des ceintures de sécurité par le fait qu'Abigaël avait eu une hallucination visuelle, à quelques centaines de mètres de l'accident : elle était sortie du véhicule, Yves aussi, et ils n'avaient pas mis leurs ceintures en remontant, perturbés par cette étrange vision. Quant à Léa, elle n'avait pas bouclé la sienne pour pouvoir dormir dans une position plus confortable.

Conneries ! Abigaël avait toujours soutenu qu'elle portait sa ceinture cette nuit-là. Peut-être qu'elle perdait la mémoire de sa jeunesse, qu'elle était narcoleptique et qu'on pouvait lui mettre sur le dos toutes les saloperies de délires qu'on voulait, mais elle savait exactement ce qu'elle avait fait. Même si le rapport de gendarmerie mentionnait cette triste vérité : « Abigaël Durnan ne portait pas sa ceinture de sécurité. »

Il existait forcément une explication qu'Abigaël n'avait pas encore réussi à trouver.

15

Elle resta longtemps plongée dans ses pensées et ses souvenirs. L'expert en accidentologie, à grand renfort de dessins et d'hypothèses, avait avancé l'idée d'une possible éjection entre les deux chocs successifs contre les arbres. Une chance sur dix mille de survivre, or les probabilités étaient faites pour être déjouées.

Bref, tout ce fouillis d'explications la laissait très sceptique.

Elle inspecta la trousse de toilette d'Yves. Son éternel rasoir à main, du savon, la vieille brosse à dents et le peigne noir… Elle disposa l'ensemble sur le lit, ajouta le Zippo avec la gravure du fou. Cette poignée d'objets constituait le portrait de son père, finalement. Un type de l'ombre, qui fumait pas mal, se contentait du minimum, parlait à l'économie et qui, aussi loin qu'Abigaël s'en souvenait, n'était jamais à la maison.

Elle s'en voulait tellement quand elle se rendait compte que la disparition d'Yves ne lui faisait pas aussi mal au cœur que celle de Léa. Son père était presque devenu un étranger, ces dernières années. Elle ne se le rappelait plus dans sa prime jeunesse, ne le voyait plus la prendre sur ses genoux ni jouer avec elle… Était-ce parce qu'il ne l'avait jamais fait, ou parce qu'elle ne s'en souvenait pas ?

L'autopsie n'avait révélé aucune maladie, ni tumeur au cerveau ni organe mal en point. Quant aux traces remarquées sur les avant-bras de son père… le médecin n'avait rien pu en déduire. Ça ressemblait à des marques caractéristiques de toxicomane, mais les analyses toxicologiques n'avaient décelé aucune trace de stupéfiant. Et puis, son père, se droguer ? Aussi crédible qu'un Amish jouant à Candy Crush. Peut-être ces traces étaient-elles dues à l'injection de médicaments non détectés dans les analyses sanguines standard. Il aurait sans doute fallu creuser davantage, réaliser d'autres examens pour comprendre…

Un mystère de plus, auquel elle n'aurait jamais la réponse.

Ses yeux revinrent sur le contenu de la valise de sa fille, avec l'étrange impression qu'un élément n'était pas à sa place. Ou, plus précisément, que quelque chose manquait. Elle essaya de réfléchir, mais son esprit naviguait en plein brouillard. Elle dormait comme une enclume, faisait des rêves de plus en plus bizarres et avait en permanence la sensation de flotter.

On frappa. L'agent immobilier, Guillaume Morel, lui fit un bref sourire et s'écarta pour laisser entrer le visiteur. Ce dernier, la quarantaine, une bouche longue et fine, des traits sud-américains, lui adressa un hochement de tête, puis se positionna au milieu de la chambre.

— Elle est parfaite. Combien de mètres carrés, vous m'avez dit ?

— Seize, répliqua l'autre. Sans compter la surface du dressing intégré dans la cloison.

Il s'approcha de la fenêtre qui donnait sur le jardin, se dirigea vers le dressing pour l'ouvrir. Abigaël se précipita et lui posa une main sur le poignet.

— C'est à ma fille. N'y touchez pas !

L'agent immobilier se racla la gorge. Les deux hommes sortirent de la chambre, poursuivant leur conversation. Abigaël se prit la tête entre les mains, consciente de sa réaction inappropriée. Le visiteur devait la prendre pour une barge, surtout après la visite de sa chambre à coucher, aussi chaleureuse qu'un bloc de chirurgie. Frédéric avait peut-être raison : le meilleur traitement était sans doute de reprendre le travail à leurs côtés, de continuer à traquer Freddy, mais Abigaël ne s'en sentait pas encore le courage. Ça ne faisait que deux mois. Comment enquêter sur des enfants disparus alors que…

18 h 10. L'agent était reparti et Frédéric n'allait plus tarder. Il lui rendait visite trois fois par semaine. Elle avait refusé de le voir au début mais, désormais, elle appréciait sa venue. Elle lui préparait un café, ils discutaient un peu… Puis, vers 22 heures, après son départ, elle engloutissait vite fait un truc sorti du congélateur et avalait un dernier verre de vodka mélangé au Propydol. Un cocktail sacrément efficace qui l'assommait jusque tard le lendemain. Même pas besoin de se lever la nuit pour prendre la seconde dose censée prolonger son sommeil.

Elle se servit vite un fond d'alcool, coupé avec de la glace et beaucoup de citron, histoire de se retourner l'estomac. Deux petites gorgées, papilles en éveil, le tourbillon des molécules carbone, hydrogène, oxygène savamment associées pour déclencher la production de dopamine. Circuit de la récompense activé, cerveau heureux. Pas besoin de boire davantage. Quelques secondes plus tard, elle se sentit voguer tel un voilier sur une mer d'huile.

Elle alla chercher son ordinateur portable et, installée devant la fenêtre qui donnait sur le jardin, le posa sur ses genoux. Elle entra la marque notée sur l'une des clés, Matriochka, dans un moteur de recherche. Après un rapide tri et des pages et des pages sur les poupées russes, Abigaël tomba sur les bateaux de plaisance Matriochka. Aucun souvenir que son père en possédât un ni qu'il fût particulièrement féru de bateau ou de navigation. Et puis, ça devait coûter bonbon, ce genre d'engin. Si Yves avait été propriétaire d'un navire, le notaire lui en aurait parlé, non ? Et pourtant, le porte-clés en forme de gouvernail…

Elle leva les yeux de l'ordinateur, pensive, fixant le petit porte-clés. « J'espère que tu trouveras la vérité, autant que je souhaite que tu n'y arrives jamais… » Pouvait-il y avoir un rapport avec un bateau ?

Le doigt parcourant la cicatrice circulaire de son cou, elle regarda ensuite par la fenêtre, l'esprit flottant. Son carré de pelouse poussait en pagaille, en proie aux mauvaises herbes. La silhouette d'un chat se dessina sur la palissade. Abigaël le regarda évoluer de longues minutes sous la lueur des lampadaires quand, soudain, un déclic se fit dans sa tête. Elle se rua dans la chambre de sa fille. Observa les éléments posés sur le lit.

Où était la peluche de Léa ?

Elle souleva les vêtements, en vain. Sa fille l'avait pourtant glissée dans sa valise juste avant le départ pour le Center Parcs. Elle était même retournée la chercher dans la maison, Abigaël en avait la certitude.

Elle composa le numéro de téléphone de Palmeri et, après quelques mots, lui demanda s'ils avaient trouvé un chat noir dans l'une des valises, dans le coffre ou à proximité du véhicule. Le chef de la brigade accident de Saint-Amand réfléchit à voix haute, compulsa quelques notes et répondit par la négative. Sans lui donner davantage de précisions sur les raisons de son appel, Abigaël raccrocha et porta les mains à son visage. Elle n'y comprenait plus rien. Si la peluche était rangée dans la valise de Léa avant l'accident mais plus après, alors quelqu'un l'avait forcément prise.

Elle se rua sur les affaires de Léa éparpillées sur le lit. S'il manquait le chat, peut-être que… Elle souleva un pantalon bleu ciel, à la recherche d'un autre pantalon, celui à carreaux rouges et blancs que sa fille avait aussi décidé d'embarquer pour le week-end. Tous les vêtements se retrouvèrent sens dessus dessous sur le couvre-lit.

Pas de pantalon à carreaux.

Abigaël fut prise d'une brutale panique, persuadée que *quelqu'un* avait fouillé les valises avant l'arrivée des secours. Il ne manquait rien dans la sienne, et elle ignorait pour celle de son père.

« Vous vous en êtes sortie miraculeusement. Hormis quelques coupures de verre sur le visage, une légère hypothermie et un hématome au niveau de la poitrine, le scanner n'a révélé aucune lésion interne. »

La voix du médecin de l'hôpital Roger-Salengro tournait en boucle dans sa tête. Il planait tant de mystères autour de l'accident. Que s'était-il passé, cette nuit-là, durant sa période d'inconscience dans les feuilles ? Comment la peluche et le pantalon avaient-ils pu disparaître de la valise fermée à clé ?

Comment Abigaël s'était-elle retrouvée à cinq mètres du véhicule sans blessure grave, sans fracture et sans avoir pu sortir du véhicule après le choc ?

Son téléphone sonna. Frédéric. D'après le bruit de fond, il était en voiture.

— Je ne passerai pas aujourd'hui, fit-il d'une voix nerveuse. Lemoine vient de m'appeler. Freddy a recommencé, Abigaël. Il nous a livré son dernier paquet.

16

Chaque fois qu'il arrivait sur une scène de crime ou qu'il assistait à une autopsie, le capitaine de gendarmerie Patrick Lemoine ôtait son alliance et la rangeait au fond de la poche de son pantalon. Il ne parlait jamais de ses affaires criminelles à sa femme, encore moins à ses deux adolescents, et trouvait sans doute dans ce geste un moyen supplémentaire d'éloigner sa famille des horreurs que lui imposait son métier.

En ce début de soirée de février 2015, il faisait partie des premiers arrivés dans la forêt. Les arbres étaient dépouillés, noirs, brûlés par le froid, jetés là comme une armée de squelettes venus d'outre-tombe. Le sol craquait sous ses pas. Une couche de givre cristallisait l'ensemble et figeait toute tentative de vie. Patrick aimait la nature mais, depuis qu'il travaillait sur l'affaire Freddy, il détestait les forêts.

Le directeur d'enquête s'était déplacé avec son directeur des opérations, Arnaud Nowicki, un quarantenaire d'origine polonaise, ainsi que deux gendarmes de son groupe. Frédéric Mandrieux, quant à lui, ne tarderait pas. Les équipes de la brigade locale discutaient plus loin avec les promeneurs qui les avaient prévenus. De puissants halogènes éclaboussaient d'une lumière crayeuse les environs. Les gars de la Scientifique étaient en train de disposer des bandes jaune et noir « GENDARMERIE NATIONALE » autour des lieux du « crime », si l'on pouvait parler de crime.

Face à la dizaine d'hommes sur place, se dévoilait une scène particulièrement sordide. Pas de cadavre, mais des vêtements de garçon bourrés de paille, pour leur donner du volume, et cloués contre un large tronc afin de former un épouvantail. Il s'agissait cette fois d'un tee-shirt bleu et blanc de l'équipe de France de foot, affublé du numéro 9 « Olivier Giroud », d'un pantalon de jogging noir et d'une paire de baskets en 33. Des gouttes de sang barbouillaient le maillot, comme projetées d'un mouvement brusque. Le vêtement était laminé d'entailles, la plupart au niveau de la poitrine. Un sac de toile bourré lui aussi de paille et cloué au niveau des extrémités faisait office de tête. Des yeux en forme d'étoiles, une bouche avec des dents acérées et un nez crochu avaient été dessinés au marqueur noir.

Cette tête démoniaque était coiffée d'une chevelure. Vraisemblablement humaine. Pas un scalp, mais les enquêteurs estimaient que Freddy utilisait une tondeuse pour raser le crâne de ses petites victimes. Cette fois-ci, les mèches de cheveux, collées sur la toile, étaient blondes et raides. Leur longueur laissait présager l'appartenance à une fille.

Vêtements de garçon, cheveux de fille.

Patrick Lemoine et ses hommes découvraient cette fresque d'horreur pour la troisième fois en un peu plus d'un an. Il se rappela la première découverte, qui remontait à juin 2014, soit huit mois plus tôt :

forêt de Raismes. On avait retrouvé les vêtements d'une fille – une robe tachée de sang, un tee-shirt traversé de coups de lame, des souliers, des chaussettes – disparue trois mois auparavant. Elle s'appelait Alice. Son sang imprégnait les habits, mais des cheveux étrangers coiffaient une tête faite avec un sac de toile. On découvrirait plus tard que ces cheveux appartenaient à Victor, 13 ans, porté disparu la veille de la sinistre découverte.

Alice, Victor et Arthur...

Trois prénoms qui tournaient en boucle dans la tête de Patrick, de jour comme de nuit. Des mômes, bordel ! Comment rentrer chez soi en laissant leur histoire sur le pas de la porte ou au fond d'une poche ? Comment regarder ses propres enfants sans penser à eux ? Malgré tous ses efforts, sa relation avec sa femme s'envenimait, par manque de communication, parce qu'il gardait tout pour lui, parce qu'un cadavre mutilé ou une victime violée, ça ne se partage pas avec la famille au moment du repas dominical. *Tu me passes le poulet ? Au fait, on a retrouvé une femme tuée à coups de hache ce matin dans sa maison.* Ses propres ténèbres le rongeaient de l'intérieur.

— Va pas falloir traîner, fit-il en regardant le ciel noir et en sentant le vent forcir. On va encore avoir droit à cette saleté de neige fondue qui va tous nous transformer en glaçons. Y en a ras le bol de ce temps de merde.

Sous ses ordres, le directeur des opérations passa tous les coups de fil nécessaires pour déployer des hommes et des moyens techniques dans les heures à venir. Aux premières lueurs du jour, le lendemain, la forêt, les étangs, les fossés allaient être ratissés, à la recherche d'un corps. Jusqu'à présent, il n'y avait jamais eu de cadavre, mais Patrick Lemoine ne voulait rien négliger. Vu la pression sur ses épaules et l'envergure nationale de l'affaire, il ne *pouvait* rien négliger.

Il entendit le bruit d'une voiture. À une centaine de mètres, le long d'un chemin forestier qu'on devinait à peine à travers les arbres, il aperçut Frédéric, le petit gars de Wormhout. Patrick aimait son calme et sa discrétion. Mandrieux n'était pas le genre à la ramener en permanence. Pas non plus le génie qu'on trouve dans les séries télé, mais il faisait le job, vite et bien, voilà tout.

— Une nouvelle disparition a été signalée ? demanda Frédéric en jetant un regard à la scène macabre.

— Rien n'est encore remonté jusqu'à nous. Mais il est fort probable que ce genre de mauvaise nouvelle tombe bientôt.

Frédéric s'approcha jusqu'aux bandes jaune et noir délimitant la scène et observa l'épouvantail. Les vêtements, le sac en toile, les longs cheveux anonymes et blonds qui le coiffaient… On aurait dit l'œuvre d'un dément.

— Ce sont apparemment des cheveux de fille, nota-t-il. Ça veut dire que Freddy la tient déjà et que, si tout ça se confirme, on en sera à quatre disparitions.

— Il a atteint son quota.

Frédéric avait en tête, mot pour mot, le message reçu par la brigade quelques jours après la première disparition : « Il y en aura trois autres. Pas un de plus, pas un de moins. » Il se rappelait parfaitement les propos de ses coéquipiers, leur colère à l'époque, et leur certitude à tous – lui y compris – de coincer

Freddy avant qu'il recommence. La fougue du débutant qui croit qu'il va changer le monde. Une belle désillusion.

Il observa avec attention les têtes des clous qui servaient à maintenir l'ensemble. Des clous de 110, neufs et standard, sans doute les mêmes que ceux des épouvantails précédents. Il en était à un point tel qu'il pouvait donner le prix du paquet de cent et énumérer tous les magasins de la région où l'on vendait ce genre de quincaillerie.

Il se tourna vers la route.

— C'est la D151. Ça ne te dit rien ?

Lemoine haussa les épaules. Frédéric pointa le doigt vers un virage.

— Ça devrait. L'accident qui a tué le père d'Abigaël et sa fille a eu lieu à même pas cent mètres dans le virage que tu aperçois là-bas.

17

Patrick Lemoine accueillit la nouvelle de Frédéric avec un calme apparent.

— On m'avait dit que l'accident s'était produit du côté de Saint-Amand, mais je n'avais pas en tête l'endroit exact. Cent mètres, tu dis ?

Alors que le directeur des opérations restait sur place, Frédéric, armé d'une lampe, emmena son chef ainsi qu'un de ses collègues à travers les bois, jusqu'au virage meurtrier. Les travaux étaient terminés depuis une vingtaine de jours. Les panneaux signalant le virage avaient été remis en place, mais les arbres portaient encore les stigmates du choc. Écorce arrachée, branches cassées. Patrick Lemoine fixa l'endroit d'où ils venaient.

— C'est vraiment pas loin. Et quand a eu lieu l'accident, déjà ?

— Il y a deux mois, jour pour jour. Le 6 décembre.

Lemoine se massa les mâchoires, contrarié.

— Il y a des centaines de kilomètres carrés de forêt dans la région. J'ai du mal à croire à un simple hasard.

Il tapota brièvement sur l'épaule de l'un de ses subordonnés, Tom Castillo, à peine 35 ans, quatre ans de section de recherches derrière lui. Dans leur groupe, on l'appelait le Furet.

— Tu prends une torche et tu jettes un œil dans le coin ? Personne ne se promène ici à pied, normalement, ni si près de la départementale. Il n'y a pas de trottoir, c'est dangereux… Fais un premier tour et signale aux gars de la Scientifique tout ce qui traîne : mégots, déchets, empreintes fraîches. On cherchera plus en détail demain, quand il fera clair. Freddy est peut-être venu faire un tour juste ici, sur le lieu de l'accident, avant d'aller installer les vêtements de l'épouvantail. Et me demande pas pourquoi, je n'en sais rien.

Le Furet alla chercher une lampe et se mit à l'ouvrage, tandis que Patrick et Frédéric retournaient à proximité du périmètre de sécurité. De loin, on avait l'impression d'avoir affaire à un vrai cadavre d'enfant. Les techniciens d'identification cernaient cet épouvantail d'angoisse, prélevaient des cheveux, emballaient les chaussures posées au pied de l'arbre. D'autres prenaient des photos sous tous les angles. Chaque geste était appliqué, précis, comme les pas des danseuses du Bolchoï. D'ailleurs, ces hommes, avec leurs vêtements de papier souples, leurs courbures, leurs gestes ralentis, donnaient l'impression de danser.

Les mains dans les poches, Lemoine manipulait son alliance avec nervosité.

— Ça ressemble aux vêtements d'Arthur… Probable que ce soit son sang sur les vêtements… La mère avait signalé qu'il portait un maillot de foot de l'équipe de France le jour de sa disparition. Le numéro 9.

Comme pour les cas précédents, Frédéric était

persuadé qu'ils ne trouveraient rien d'autre que ce que Freddy avait bien voulu leur laisser : une clé imaginaire qui ouvrait une infime parcelle dans son esprit tordu.

Le propriétaire présumé des habits, Arthur Willemez, 9 ans, avait été porté disparu cinq mois plus tôt, le 5 septembre 2014, à Nantes. Il se rendait à vélo à son entraînement de foot comme chaque vendredi, à 19 heures. Un gamin sans histoire, bien connu du quartier, serviable. Il n'habitait qu'à trois kilomètres du stade et traversait toujours une parcelle de champ boisée pour aller plus vite. On n'avait retrouvé que son sac de sport et son vélo enfouis sous des buissons. La police judiciaire de Nantes avait immédiatement pris le dossier en charge. Le portrait du gamin, habillé en vêtements de foot, avait circulé dans tous les commissariats et casernes de gendarmerie de France. On l'avait aussi vu à la télé dans le cadre de l'Alerte enlèvement.

Trois jours après la disparition d'Arthur, l'équipe de la section de recherches de Lille découvrait, dans une forêt du Nord, à cinq cents kilomètres de Nantes, un épouvantail constitué de vêtements masculins tachés de sang, d'une tête en toile de sac coiffée de cheveux dont certains avec bulbes, après analyses ADN, se révélèrent masculins. Au bout d'une dizaine de jours, les gendarmes du Nord découvrirent que c'étaient ceux d'Arthur Willemez, le môme disparu à Nantes. Quant aux vêtements tachés, ils appartenaient à l'enfant kidnappé à Amboise trois mois plus tôt, qui s'appelait Victor.

Alice, Victor et Arthur...

Frédéric travaillait sur sa première disparition d'enfants, et rien ne lui avait semblé aussi difficile moralement. Le pire n'était ni les horaires sans limites, ni les déplacements, ni les recherches. Mais le sentiment d'être un brin d'herbe dans une tornade. Se retrouver là, face à un épouvantail en plein milieu d'une forêt, et ne rien pouvoir faire d'autre que de maudire l'auteur d'une telle monstruosité.

Des cris tirèrent le gendarme de ses pensées. Le collègue qui fouillait aux abords de la route leur signalait d'approcher. Frédéric et Patrick se précipitèrent. Tom Castillo se trouvait pile au niveau de l'accident, dans le virage meurtrier, à quelques mètres seulement du tronc à l'écorce arrachée. Il éclaira un arbre épargné, un peu en retrait.

— Regardez.

Les deux enquêteurs avancèrent et découvrirent l'inscription gravée dans l'écorce, à environ un mètre cinquante du sol.

3H43

Lemoine resta pensif quelques secondes.

— Tu crois que c'est Freddy qui a fait ça ?

— Qui d'autre ?

Le chef s'épongea le front, dont la sueur commençait à geler, puis leva les yeux vers le ciel noir et menaçant.

— OK, on ne touche à rien. Faut faire quelques relevés ce soir avant qu'on se prenne la neige fondue sur le coin du nez. Fais vite venir un technicien.

Castillo s'éloigna. Le directeur d'enquête fit crisser les poils de son bouc.

— C'est tordu. On dirait bien un œil, non ? Pourquoi cette espèce de taré aurait gravé un œil sur les lieux d'un accident ? Il voudrait nous indiquer qu'il a vu quelque chose ? Il aurait vu quelque chose à 3 h 43, cette nuit ?

Frédéric marcha vers la route. Il laissa une voiture passer, puis se plaça au milieu de l'asphalte, les yeux rivés vers son chef. Le premier arbre percuté par la voiture, la nuit du 6 décembre, se trouvait à deux mètres sur sa gauche. Lemoine le rejoignit, mais il resta sur le bas-côté.

— On dirait que ça te parle.

Frédéric marcha vers lui.

— Oui, ça me parle. 3 h 43, je crois que c'est l'heure où a eu lieu l'accident d'Abigaël.

18

Abigaël franchit la barrière de la caserne de gendarmerie avec une boule dans la gorge. Le planton installé dans la guérite la reconnut et lui adressa un petit signe de la tête. Elle alla vite se garer sur l'un des parkings presque vide, sortit et rasa les murs de la Veuve folie.

Elle avait toujours détesté cet endroit gris, austère, digne d'un mauvais film d'horreur. Ce vieux concentré de folie, né au début des années 1900, n'était qu'une solution intermédiaire pour les gendarmes. Glauque, certes, mais pratique, avec ses bâtiments administratifs, sa trentaine de pavillons reliés entre eux par des galeries couvertes, ses « appartements » pour les pensionnaires des classes supérieures. Il se prévalait même d'un grand parc. La Veuve folie, malgré son vieil âge, tentait encore de séduire.

Abigaël marchait sans faire de bruit. Hors de question de croiser des connaissances, des gendarmes qui la disséqueraient des yeux et exprimeraient leur compassion pour la perte de sa fille et de son père. Marre de la pitié des autres.

Elle avala un bonbon à la menthe pour masquer son haleine – elle avait bu un seul verre dans la soirée mais la vodka imprégnait encore sa langue – et pénétra dans l'un des nombreux pavillons que l'on appelait encore, il y a une dizaine d'années, « asile d'aliénés ». La Veuve folie avait bercé de ses bras maigres les pathologies les plus lourdes, et souvent de façon un peu brutale : elle détestait ses propres enfants. Abigaël se sentait franchement mal à l'aise en passant devant les pièces où l'on voyait encore des camisoles de force empilées ou des lits avec des sangles de contention, ou ces grandes salles de douches vides.

Elle longea les chambres abandonnées, entraperçut quelques relations dans des anciens bureaux de médecins et bifurqua vers l'espace des infirmières. Leur espace. Arrêt devant la porte d'entrée bleue, placardée d'une feuille blanche indiquant « ÉQUIPE MERVEILLE 51 ». Elle inspira profondément et se demanda, face à l'inscription, qui était le plus à plaindre : elle, avec son père et sa fille décédés, ou les parents des kidnappés, qui vivaient dans la terreur, l'ignorance depuis plusieurs mois, avec la peur collée au ventre de voir le cadavre de leur enfant derrière chaque porte qu'ils poussaient. Quel avait été leur Noël, à eux ? Avaient-ils acheté des cadeaux ? Les avaient-ils déposés au pied du sapin ?

Elle faillit faire demi-tour, prendre sa bagnole et bouffer l'asphalte jusqu'à ce que *ça* arrive. Difficile d'être entre ces murs, de penser à tous ces mômes disparus, de raviver la plaie qui lui brûlait autant le ventre que ses vodkas-citron. À travers ces enfants, il y avait toujours un éclat de Léa. Un sourire, un regard, un pli de lèvres…

Malgré tout, elle frappa deux coups et poussa la porte. Même dans le couloir qui menait à la pièce centrale, des notes, des photos, des relevés, des plans envahissaient les murs. Cet espace était leur sanctuaire, leur cocon, le lieu où ils mangeaient, buvaient, dormaient parfois. Ils ne constituaient pas seulement une équipe, mais une famille qui vivait sous le même toit et dédiée à une cause unique : retrouver l'ordure qui détenait ces mômes.

Lorsqu'elle entra dans l'ex-infirmerie transformée en centre de commandement, les regards se tournèrent dans sa direction. Frédéric, le chef Patrick Lemoine et Gisèle, leur technicienne *anacrim*... Arnaud Nowicki et les deux autres gendarmes de la famille – de *sa* famille – étaient probablement encore avec les gendarmes de Saint-Amand. Dans un souci d'efficacité, une partie des opérations – surtout celles de recherches, de fouilles... – serait menée depuis l'autre caserne.

Patrick lui fit la bise.

— Merci d'être venue.

Abigaël salua ses deux autres équipiers et resta quelques secondes dans les bras de Gisèle, qui lui tapotait le dos.

— Ça fait du bien de te revoir, ma petite Tsé-Tsé...

Les visages pesaient, abîmés par la fatigue et les journées trop semblables. Deux mois sans mettre les pieds ici, mais ça aurait pu être la veille : rien n'avait changé, hormis de la paperasse en plus. Frédéric se dirigea vers la petite cuisine où l'on entendait le bruit de la cafetière qui fonctionnait.

— Je fais du café. Tu en veux, Abigaël ?

— Une tisane, plutôt.

Abigaël ôta son bonnet, son écharpe, son manteau et s'installa à la grande table encombrée de papiers et d'ordinateurs. Des photos des trois disparus étaient accrochées partout et, seule grande nouveauté, un rectangle blanc avec un point d'interrogation symbolisait une quatrième victime.

Le chef d'équipe n'avait rien voulu lui révéler au téléphone. Elle lut quelques notes inscrites au marqueur sur le tableau. « Identification des vêtements par les parents d'Arthur en cours », ou encore « Réquise de trois plongeurs pour demain ».

— Alors, ça y est, vous avez retrouvé l'épouvantail d'Arthur… souffla-t-elle.

— On attend la confirmation des parents pour les habits de foot, mais visiblement, tout concorde, répliqua Gisèle. Pointure, marque, description de ses affaires. Les probabilités pour que ce soit lui sont très fortes.

Gisèle était une de leurs meilleures analystes *anacrim*. Quarante ans de boutique, mariée, quatre enfants, elle vivait à quelques kilomètres à peine de la Veuve folie et venait à vélo. L'une des seules, d'ailleurs, à trouver un avantage à ces nouveaux locaux plus proches de chez elle. Elle pianotait sur son ordinateur, maîtrisant à la perfection le logiciel Analyst's Notebook, dans lequel on entrait systématiquement tous les paramètres, toutes les données, les témoignages, procès-verbaux, de l'affaire Merveille 51. Aujourd'hui, rien que pour leur dossier, des milliers d'informations s'y entrecroisaient. Gisèle n'allait jamais sur les scènes de crime, elle ne devait surtout pas s'impliquer émotionnellement dans l'enquête, mais garder un œil froid sur toutes les données, afin de repérer les incohérences ou, au contraire, les points communs qui permettraient de faire avancer le dossier.

Une aide inestimable pour Abigaël et les gendarmes qui l'entouraient.

— On connaît l'identité du nouveau môme kidnappé ? demanda Abigaël.

Son chef secoua la tête. Il posa une photo du nouvel épouvantail devant la psychologue.

— Pas encore. Il y a eu une disparition inquiétante signalée depuis deux jours, mais elle n'est pas liée à notre affaire. On a envoyé les cheveux de l'épouvantail pour l'analyse ADN. Sait-on jamais.

Abigaël considéra le cliché, mais le reposa vite sur la table car ses doigts tremblaient. Le maillot de l'équipe de France… Le numéro 9… Les petites baskets… Elle bloqua sur la longue chevelure blonde, sans doute féminine, collée sur la tête en toile : celle de la nouvelle victime kidnappée, encore anonyme.

— Ils sont blonds et longs. Comme ceux de Léa.

Patrick récupéra la photo quand il vit les yeux d'Abigaël s'emplir de tristesse. Frédéric revint avec les tasses et des parts de tarte à la rhubarbe sorties d'un petit réfrigérateur acheté sur une brocante.

— C'est Gisèle qui l'a faite.

Les gendarmes n'avaient pas mangé depuis midi et, même sans avoir faim, un peu de sucre les ferait tenir. Gisèle adressa un sourire timide à Abigaël.

— Fais-lui honneur. Je suis à la retraite depuis hier.

Abigaël se leva et vint de nouveau se serrer contre Gisèle.

— Je suis désolée, Gisèle, j'avais complètement oublié.

— Y a vraiment pas de mal. Mais comme tu vois, je m'accroche ici comme une moule sur son rocher.

Abigaël se rassit et fut étonnée de voir la rapidité

avec laquelle les sons, les odeurs, les emplacements de chacun lui redevenaient familiers. Comme si ces deux mois d'absence n'avaient jamais existé.

— Pourquoi je suis là ?

— Viens voir.

Abigaël s'approcha de la grande carte de la région qui occupait une bonne partie d'un mur latéral. Dessus, trois croix avec des dates. Chaque fois, des forêts, lieux de découverte des macabres épouvantails. Si les enfants disparaissaient dans toute la France, les mises en scène avec les vêtements se faisaient toujours dans la région. Raismes, juin 2014. Sorrus, septembre 2014. Abigaël se focalisa sur la dernière croix toute fraîche. Saint-Amand, février 2015. Elle reconnut le lieu sur-le-champ.

— Qu'est-ce que ça veut dire ?

— On a retrouvé l'épouvantail d'Arthur à même pas cent mètres de l'endroit où a eu lieu ton accident.

Abigaël éprouva le besoin de se rasseoir. Gisèle lui caressa affectueusement le dos.

— Pourquoi il a fait ça ?

Frédéric vint s'installer face à elle.

— C'est ce qu'on cherche à comprendre. On a jeté un coup d'œil au rapport d'accident établi il y a deux mois. L'heure du drame y est indiquée, c'était celle relevée sur l'horloge du tableau de bord : 3 h 51.

Le gendarme poussa une photo vers Abigaël : un arbre, photographié en gros plan.

— On l'a tirée il y a tout juste quelques heures. Cet arbre était aux alentours du virage. On pense que c'est Freddy qui a gravé ce message. On ignore quand exactement. Aujourd'hui, hier, il y a un mois…

Abigaël s'empara du rectangle de papier glacé.

Vit l'œil incliné et l'heure gravée dans l'écorce : « 3 H 43 ».

— On sait que tu n'as aucun souvenir de l'accident, souligna Patrick. Mais cette heure précise, elle te dit quelque chose ? Pourquoi 3 h 43 ? Le rapport parle d'une vision que tu aurais eue, à quelques centaines de mètres de là. Tu penses que ça pourrait faire sens ?

— Non, ça n'a rien à voir avec la vision. À 3 h 43, on n'était pas en train de rouler. L'accident venait de se produire.

Ses collègues se regardèrent sans comprendre. Abigaël ne quittait plus le cliché des yeux.

— Les techniciens se sont servis de l'horloge du tableau de bord pour définir l'heure de l'accident, 3 h 51. Mais elle avançait. J'avais une montre à mon poignet. On me l'a enlevée à l'hôpital, et je l'ai récupérée en sortant. 3 h 43, c'était exactement l'heure qu'elle indiquait. L'heure où elle a été brisée.

19

Il y eut un silence de veillée funèbre après l'annonce d'Abigaël. Gisèle s'était arrêtée de taper à l'ordinateur. Patrick vint s'asseoir à côté de Frédéric. Tous se tenaient désormais autour de la table. Le ronron des chauffages, l'intestin d'acier de la Veuve folie, résonnait dans la salle. La vieille célibataire voulait être de la fête.

Doucement, une pluie mêlée à de la glace se mit à crépiter contre l'unique vitre grillagée de la pièce. Avec la découverte du nouvel épouvantail, Patrick savait qu'il allait probablement passer la nuit avec la Veuve, et ça ne le réjouissait pas du tout. Depuis un an, il n'avait assisté à aucune réunion de parents d'élèves, n'avait jamais déposé ses fils au lycée, ne partageait presque plus de soirées avec sa femme.

Et il n'arrivait toujours pas à retrouver ces fichus mômes.

C'est lui qui brisa le silence.

— Réfléchissons. Cette inscription nous prouve que Freddy sait que l'accident a eu lieu à 3 h 43, heure indiquée sur ta montre brisée. À ce stade, je ne vois que deux hypothèses. La première : il a eu un accès à ta montre entre l'accident et le moment où tu l'as récupérée à l'hôpital.

Il feuilletait rapidement la copie du rapport d'accident envoyé par Palmeri quelques heures plus tôt, à sa demande.

— Ça implique cinq ouvriers, les types du SMUR, peut-être des gendarmes de Saint-Amand et tous ceux qui se sont occupés de toi à l'hôpital. Comme ça, à vue de nez, entre vingt et trente personnes.

— S'il faisait partie de ces hommes, non seulement ça aurait été un énorme hasard, mais en plus, ça aurait été prendre un trop gros risque pour lui de nous laisser cette inscription, fit remarquer Frédéric. Il sait qu'on va enquêter.

— On connaît sa prudence, ajouta Gisèle.

Patrick approuvait, mais il ne pouvait pas mettre cette piste de côté.

— On va interroger chacun d'entre eux, même si je pencherais pour l'option deux : Freddy était présent dans le coin au moment du drame, le 6 décembre 2014, à 3 h 43. Et l'œil gravé est là pour nous le signifier : il a vu ce qui s'est passé la nuit de l'accident.

Des hypothèses toutes plus horribles les unes que les autres traçaient leur chemin dans la tête d'Abigaël. Elle pensait à sa découverte avec les valises, à la disparition des objets : le chat, le pantalon. Et puis sa position, à côté de la voiture, sans grosses blessures hormis quelques lacérations au visage.

— Ce n'est pas le fait qu'il soit sur place cette nuit-là et qu'il y ait un accident au même endroit qui constitue le gros du hasard, poursuivit Patrick. Je veux dire, ça peut tout à fait arriver. Mais c'est surtout le fait qu'Abigaël soit justement l'une des personnes impliquées dans cette affaire.

— Et pourtant, je vois mal comment on peut l'expliquer autrement que par le fruit du hasard, fit Gisèle entre deux bouchées. La présence du véhicule du père d'Abigaël à cet endroit résultait d'un concours de circonstances malheureux. Il s'est bien retrouvé là de peur d'être à sec d'essence, non ?

Abigaël acquiesça.

— Le voyant clignotait. Il n'aurait pas pu rouler trente kilomètres de plus.

— Si la panne était prévisible, l'accident, lui, ne l'était pas, poursuivit Gisèle.

Elle posa sa cuillère et se dirigea vers une carte de France, où se trouvaient trois croix accompagnées de date et de prénoms. Elle les pointa successivement avec son stylo.

— Alice, disparue en mars 2014. On retrouve son épouvantail en juin 2014, soit trois mois plus tard. On découvre ensuite l'épouvantail de Victor également trois mois après son enlèvement, à quelques jours près. Maintenant rappelez-vous : Arthur, notre tout dernier disparu, n'a plus donné signe de vie depuis le 5 septembre 2014. Et qu'est-ce qu'on fait, trois mois plus tard, c'est-à-dire depuis début décembre ?

— On attend que Freddy suive sa logique et se manifeste, répliqua Frédéric. On scrute les avis de disparition, on cherche une nouvelle scène macabre dans les bois…

— … qu'il nous livre seulement aujourd'hui, le 6 février, donc avec deux mois de retard. Quelque chose l'a perturbé dans son mode opératoire. Abigaël nous a démontré combien ces types-là sont rigides, que

Freddy suit un schéma parfaitement établi, un plan. Pourquoi il serait passé de trois à cinq mois ? Et si, par le plus grand des hasards, il avait décidé de déposer l'épouvantail d'Arthur cette nuit du 6 décembre, le long de la D151, mais que l'accident l'ait déstabilisé ?

Patrick était cent pour cent raccord.

— La route était en travaux depuis des jours, il savait qu'il ne serait pas dérangé, ajouta-t-il. Il planque sa voiture quelque part dans le bois, commence à agir, à préparer l'installation de son épouvantail, sauf qu'il y a le drame… ça a dû faire un fracas effroyable. Freddy prend peur et disparaît. Se met en veille, et revient deux mois plus tard faire le travail.

Le chef avait les yeux d'un noir si profond qu'on peinait à distinguer ses iris de ses pupilles. Pire que de regarder au fond d'un puits. La plupart du temps, ça mettait mal à l'aise les gens qui le fixaient. Pourtant, Abigaël ne le lâcha pas du regard.

— Il n'a pas pris peur. Bien au contraire, il s'est attardé sur les lieux.

— Qu'est-ce qui te fait dire ça ?

— Il s'est passé trois heures entre l'accident et l'arrivée des secours. Trois heures durant lesquelles j'étais inconsciente, couchée dans les feuilles. Des affaires ont disparu de la valise de Léa. Au moins un pantalon et son chat en peluche noir.

Frédéric la considéra avec surprise.

— J'étais là à l'autopsie, fit-il. Palmeri a dit que la valise était fermée et que la clé était dans la poche de Léa.

— Je sais. Mais je suis certaine de ce que je dis.

— Certaine comme pour les ceintures de sécurité ? intervint Patrick Lemoine.

Abigaël le fixa avec dureté. Alors voilà ce qu'ils pensaient d'elle ? Qu'elle fabulait ? Lemoine se rendit compte de sa bévue et rectifia le tir :

— Excuse-moi Abigaël, mais j'essaie juste d'être objectif. Si ce que tu racontes est vrai, ça voudrait dire que Freddy aurait récupéré la clé dans la poche de Léa, ouvert sa valise dans le coffre, pris quelques affaires, refermé la valise et remis la clé à sa place. Le tout alors que la voiture venait de s'encastrer dans un arbre et que des cadavres gisaient au sol.

— Je sais ce que j'ai vu, ce que j'ai vécu. On s'apprêtait à partir. Ma fille a mis son chat et un pantalon à carreaux dans sa valise.

— Pourquoi Freddy aurait fait une chose pareille ? Ça n'a aucun sens.

Abigaël prit de nouveau la photo de l'arbre. L'œil gravé… L'heure… 3 h 43.

— Ça en a pour lui. On sait que les vêtements jouent un rôle important dans sa façon d'agir. Ce sont eux qu'on retrouve mis en scène, tachés de sang, lardés de coups de couteau, et non les enfants. Il n'a peut-être pas résisté à l'envie d'ouvrir la valise de Léa et de fouiller dans ses affaires. On ne sait pas pourquoi il enlève ces gamins ni ce qu'il leur fait, mais ce qu'on sait, en revanche, c'est qu'il aime jouer, déstabiliser et provoquer.

— Peut-être, mais pourquoi il se serait embêté à remettre la clé à sa place ?

Elle ne se laissa pas perturber et fit un gros effort pour poursuivre le fil de ses déductions, malgré l'aspect illogique de la situation, comme Patrick Lemoine ne manquait pas de le souligner.

— Pour qu'on se pose ce genre de question,

peut-être ? Pour jouer et nous prouver qu'il maîtrise tout, qu'il n'a pas peur ? S'il était présent cette nuit-là, alors il n'a pas appelé les secours. Au contraire, il est resté autour de la voiture, il a tranquillement regardé les corps de Léa et de mon père… On connaît ses capacités de contrôle, jamais il ne cède à la panique, même devant l'imprévu. Et cet accident, c'était un imprévu. N'importe qui aurait réagi, appelé une ambulance, ou fui. Mais lui, il reste… C'est peut-être ce soir-là qu'il a fait son inscription dans le tronc, qui sait ? Il s'est approché de moi, il m'a reconnue… Imaginez un peu : il sait grâce à la presse que je travaille sur l'affaire et il me trouve là, inconsciente, étalée au sol devant lui. Imaginez alors son sentiment d'exaltation à ce moment-là. Il tient ma vie entre ses mains, il a la pleine puissance…

Elle réfléchit à cette nouvelle hypothèse : Freddy aurait pu la tuer, il ne l'avait pas fait. Ce qui intéresse le chasseur, c'est la traque, pas l'acte de tuer qui n'est qu'une conclusion. Tant que la traque dure, l'excitation persiste.

Patrick semblait calme, mains regroupées sous le menton, en pleine réflexion, fixant la psychologue. Ils tenaient une piste intéressante, inattendue, et il ne voulait surtout pas la lâcher, malgré son caractère aberrant.

— Tu t'endors quelques secondes avant le choc, fit-il. L'accident a lieu à 3 h 43. Des ouvriers te retrouvent inconsciente, à cinq mètres du véhicule, à 6 h 37, soit presque trois heures plus tard. Tu l'as dit et redit à Palmeri, à Frédéric : tu ne sais pas ce qui s'est passé, notamment la manière dont tu t'es retrouvée dehors, épargnée.

Abigaël restait silencieuse, se demandant où il voulait en venir. Patrick poursuivit :

— Je me disais que, si lui t'a vue, peut-être que tu l'as vu, toi aussi ?

— Non, non. Je n'ai vu personne, je l'ai déjà dit à maintes reprises. Avant l'accident, je somnolais, ce n'était pas très clair dans ma tête. Je me rappelle de façon sporadique, comme des flashes : l'autoroute, la forêt, le brouillard… J'ai aussi eu la vision hypnagogique d'une espèce de bestiole traversant la route. Un mélange de renard, d'humain, avec des oreilles en pointe, grande taille, mais… c'est tout.

— Et tu es certaine que c'était bien une vision ? Que ça ne pouvait pas être Freddy, par exemple ?

— Mon père n'a rien vu.

— Rien d'autre après cette vision hypna… ? Je sais que c'est difficile pour toi, mais réfléchis, Abigaël. Ça peut beaucoup nous aider. Même un détail qui te paraît insignifiant et qui pourrait expliquer la présence de cet œil gravé…

— Non. Je suis désolée. Je vous ai tout dit, je ne peux pas vous aider davantage.

Elle poussa un profond soupir et se leva. Il fallait sortir d'ici. Elle regarda les portraits des enfants une dernière fois. Et ce grand point d'interrogation sur un rectangle blanc.

— Je dois rentrer chez moi. Bon courage.

Frédéric décrocha son téléphone.

— Je t'appelle un taxi.

— Pas la peine.

Il comprit qu'elle avait pris son véhicule. Que sa propre vie ne lui importait plus. Elle entendit la voix de Patrick dans son dos.

— Tu peux revenir bosser quand tu veux. On a besoin de toi, tu sais ?

Abigaël marqua un temps sans se retourner, puis sortit avec frustration. Son esprit lui interdisait de rester. Elle les abandonnait à leurs interrogations, leurs doutes, leurs souffrances d'enquêteurs. Fort probable que, à l'heure actuelle, un nouvel enfant – le dernier de cette horrible série, peut-être – venait d'être enlevé quelque part en France, puisque l'épouvantail du disparu précédent, Arthur, avait été livré. Une fille aux longs cheveux blonds comme ceux de Léa, dont le destin venait de basculer à tout jamais.

Elle n'avait pas réussi à sauver sa propre famille, alors que pourrait-elle faire pour cette nouvelle disparue ?

Elle traversa les grands couloirs vides où seuls ses pas résonnaient. La gorge béante de la Veuve folie. Si facile de se laisser envahir par elle, la folie. De basculer de l'autre côté…

À l'extérieur, des lampadaires illuminaient les bâtiments austères, en brique rouge, avec leurs petites fenêtres carrées. Abigaël y vit les figures de tous les disparus. Ces enfants qui appelaient au secours, qui réclamaient son aide. Alice, Victor, Arthur. Et une nouvelle fille sans visage.

Contact, départ. La nuit l'avala. Des essaims de flocons caressaient son pare-brise. Les enfants faisaient la ronde et hurlaient dans sa tête. Arthur était assis à ses côtés sur le siège passager. Crâne rasé, larmes de sang sur ses joues. Le temps de cligner des yeux, il avait disparu.

Ils seront toujours là, tous. Ils ne me laisseront jamais en paix.

Elle prit l'autoroute déserte, accéléra, s'approchant dangereusement du terre-plein central, à plus de cent quarante kilomètres/heure, « *Lascia ch'io pianga* » de l'opéra *Rinaldo* poussé à fond. Un chant qui lui arracha des larmes. Elle serra un peu moins fort le volant et attendit que son corps se paralyse. Que les ténèbres l'ensevelissent.

Elle était prête.

Mais comme toutes les fois précédentes où elle avait tenté le diable, les kilomètres défilèrent, le chant en boucle, avec cette pureté de la voix, l'attaque cristalline des violons, la force rauque des contrebasses. Cette nuit encore, ses larmes ne suffirent pas à déclencher une crise. Le serpent narcolepsie n'avait pas décidé de mordre, il préférait la laisser crever à petit feu au fond de son lit, injectant des doses parcimonieuses de poison.

Abigaël respira un grand coup.

Cette nuit non plus, elle n'allait pas mourir.

Non, elle allait affronter ses propres démons.

20

Autoradio coupé. Les voix s'étaient tues, abandonnant un bourdonnement d'instruments à cordes dans ses oreilles. Abigaël sortit de l'autoroute vingt kilomètres plus loin.

La première fois qu'elle revenait sur le trajet assassin.

Très vite, les bois se resserrèrent autour d'elle, comme pour l'emprisonner. Il ne neigeait plus, mais des particules de glace dansaient dans les phares et venaient s'accrocher au pare-brise. Abigaël ouvrit la vitre côté conducteur, laissa l'air cinglant entrer dans l'habitacle, histoire de se donner un coup de fouet.

Dans le flou, au loin, la bifurcation. Cette nuit du 6 décembre, un signal orange clignotant indiquait les travaux, Abigaël se le rappelait bien, à présent. Comme son père deux mois plus tôt, elle emprunta la D151. Sa longue tranchée d'asphalte dans le ventre de la forêt… Elle cherchait la borne sur sa droite, kilomètre 12. Lorsqu'elle la repéra enfin, elle s'arrêta sur le bas-côté et sortit, la fermeture de son gros blouson remontée jusqu'au col. Le vent lui glaçait les os. Elle avait eu sa vision hypnagogique à cet endroit précis.

Elle scruta l'environnement sans vie, labyrinthe de branches sur fond d'abysse.

Retour dans son véhicule, chauffage à fond, et démarrage. Mécaniquement, une centaine de mètres plus loin, ses yeux se portèrent sur le bord gauche de la route. Un flash dans sa tête. Elle donna un coup de freins qui fit déraper la voiture.

Cette nuit-là, sur le bas-côté, peu de temps après sa vision, elle avait vu un véhicule. Un Kangoo noir, tous feux éteints.

« On aurait dit qu'elle avait un problème, cette voiture. Pourquoi tu ne t'es pas arrêté ? »

Sa propre voix résonnait en elle. Cette question, elle l'avait posée à son père, et il n'avait pas répondu. S'était-il encore agi d'une hallucination hypnagogique, ou y avait-il vraiment eu un véhicule ? Celui de Freddy ? Elle fixa la route. L'arbre meurtrier se dressait là-bas, au bout de la voie. Le propriétaire du Kangoo avait été aux premières loges de l'accident.

Elle donnerait un coup de fil à Patrick Lemoine pour le prévenir. Tous ses muscles se raidirent lorsque, plus loin, elle aperçut le virage en question. Des panneaux réfléchissants annonçaient la courbe. Haut-le-cœur. Elle se gara à une dizaine de mètres de là et sortit pour vomir.

Les bois gorgés d'humidité exhalaient des rouleaux de brume. Les équipes avaient déserté les lieux et embarqué l'épouvantail cloué sur un arbre. Sans doute restait-il juste un espace vide entouré de bandes de gendarmerie.

Abigaël atteignit la courbe éclairée par les phares. Les stigmates du choc, ces blocs d'écorce décrochés, lui tordirent encore l'estomac. Elle imagina les corps traverser le pare-brise comme des balles, les têtes exploser au contact. Dieu merci, Léa dormait, elle n'avait pas souffert. Mais son père… Elle chercha sur les troncs alentour et tomba enfin sur le message.

3H43

Du bout du gant, elle caressa l'œil incliné et l'heure de l'accident. 3 h 43. Elle se retourna vers la route, imagina le Kangoo garé à deux cents mètres… Freddy… Qu'avait vu l'auteur de la gravure, ce soir-là, hormis une voiture se fracasser contre un arbre ? S'il s'agissait de Freddy, pourquoi avait-il pris la peine de créer cette énigme ?

Elle considéra le dessin un long moment. L'œil, dirigé vers le sol.

3 h 43, 3 h 43, 3 h 43…

Abigaël eut soudain une terrible intuition. Toute grelottante, elle se mit à fouiner les environs. Les photos qu'elle avait vues et les explications qu'on lui avait fournies lui permirent de dénicher l'endroit de son atterrissage après le choc : un large lit de feuilles et d'humus à découvert. Une sorte de cage de Faraday protectrice.

L'endroit exact où, à 3 h 43, sa montre avait probablement percuté le sol et volé en éclats.

Elle s'accroupit et se mit à remuer les feuilles et la terre. Probable que les équipes n'aient pas encore fouillé l'endroit, à six ou sept mètres en retrait de l'arbre gravé. Le vent avait forcé et, désormais, donnait l'impression qu'il allait faire exploser ses os un à un.

« Vous vous en êtes sortie miraculeusement. » Pourquoi n'avait-elle aucun souvenir de l'accident ? Pourquoi ne s'était-elle pas réveillée au moment du choc ? Son père avait dû hurler avant l'impact. Elle venait juste de s'endormir, elle aurait dû se réveiller.

Soudain, ses mains palpèrent quelque chose. Elle sortit de sous le tapis de feuilles un sac en plastique blanc. Quelque chose à l'intérieur. Abigaël le dirigea vers la lumière de ses phares, défit la cocarde du sac et en sortit une fine pochette transparente. À l'intérieur de cette dernière, un papier.

La jeune femme sentit alors le sac et la pochette lui échapper des mains et, la seconde d'après, ses jambes flanchèrent. Lourde chute. Sa hanche gauche percuta le sol en premier. Par chance, les feuilles amortirent le choc. Jambe droite repliée, poignet gauche tordu, position de pantin désarticulé. Elle se retrouva incapable de bouger la moindre phalange, mais parfaitement consciente.

Une chape de béton l'empêchait de bouger. L'impression d'étouffer, de peser des tonnes, de mourir, comme chaque fois que le serpent la mordait. Le vent la frappait en pleine face avec des fouets de clous. Elle vit, devant ses yeux de poisson mort, la pochette plastifiée s'envoler et le sac blanc se gonfler comme une montgolfière et disparaître dans la nuit. Mais la feuille contenue dans la pochette, elle, s'était prise dans une branche.

Abigaël se concentra sur sa respiration, le va-et-vient dans ses poumons. Rien d'autre à faire qu'attendre que le trop-plein d'émotions s'évacue. Que son corps déréglé remette de lui-même les pendules à l'heure.

Après quelques minutes, elle recouvra enfin ses sensations, et son corps de pierre sortit de son état cataplectique. La mer se retirait. Dès qu'elle s'en sentit capable, elle se releva et, un peu titubante, se précipita pour récupérer la feuille.

Dessus, à l'encre bleue :

Je ne veux pas te faire souffrir,
Mais je vais bientôt mourir.
Je ne te le dis pas souvent,
Je t'aime, ma petite maman.

21

6 décembre 2014
L'ACCIDENT

25 juin 2015
LE LAVOIR EN FLAMMES

17 juin 2015

Après les examens dans le scanner de l'unité de neurologie, Abigaël attendit que Frédéric retourne au travail pour sortir de l'appartement. Elle prit le chemin de la librairie de quartier, au cœur d'une petite rue du Vieux-Lille. Elle venait ici au moins une fois par semaine et repartait souvent les bras chargés de nouvelles histoires.

Elle songeait encore à l'hématome dans son dos, découvert la veille. Un coup impressionnant, d'un violet d'aurore boréale. Comment aurait-elle pu se blesser de la sorte sans s'en souvenir ? Et pourquoi, justement, à l'endroit précis où le personnage de son rêve l'avait frappée ? Abigaël avait fait des recherches sur Internet pour expliquer la présence du coup. Hormis un possible somnambulisme ou des délires autour des spectres sur des sites de parapsychologie, elle n'avait rien déniché de probant.

Elle alla saluer l'un des libraires, Anthony Creveau, et lui demanda s'il avait déjà entendu parler de *La Quatrième Porte*.

— Sorti fin mars. Le deuxième roman de Josh Heyman. Je crois qu'un commercial est passé nous le présenter il n'y a pas longtemps.

Non seulement le livre existait, mais Abigaël découvrait aussi à quoi correspondait le Josh de ses rêves.

— Il a écrit *Les Pierres noires* en 2012, poursuivit le libraire en jetant un œil dans son ordinateur. Un auteur pas très connu vu que son nom ne me disait rien. On en a vendu seulement deux exemplaires à la librairie. Il m'en reste un de *La Quatrième Porte* en stock. Tu le veux ?

— S'il te plaît.

Abigaël resta à côté du comptoir, pensive. Ses rêves et donc son inconscient la guidaient. Mais comment une histoire inventée au fond de sa tête avait-elle pu la conduire à ce livre sorti deux mois et demi plus tôt ? Comment un songe pouvait-il interférer avec la réalité ? Comment l'hématome avait-il pu passer du virtuel au réel ?

Anthony Creveau revint avec l'ouvrage. La couverture représentait une grosse porte en bois avec un cadenas, dans un lieu qui ressemblait à une cave. Sur la porte, la gravure d'un 4. Noté au bas du livre : « Thriller ». Creveau lut en silence la quatrième de couverture.

— Une histoire d'enlèvements. Des flics qui enquêtent du côté de Chambéry. Ça pourrait bien te plaire, oui.

Le libraire ignorait tout de l'histoire personnelle d'Abigaël, il ne la connaissait qu'en tant que lectrice dévoreuse de polars. Cette dernière prit le roman et le feuilleta rapidement.

— Tu pourrais vérifier si je l'ai déjà acheté ?

Anthony se rendit dans sa fiche client.

— Ah, oui, tiens, il y a une semaine. Le 11 juin. C'est mon collègue qui te l'a vendu.

— Je n'en ai aucun souvenir.

— Donne, je vais aller le ranger et…

— Non. Je le garde. Il n'est plus chez moi. Frédéric a fait un marché aux puces le week-end dernier. Je suppose qu'il l'a vendu avec d'autres livres avant que j'aie le temps de le lire.

Très troublée, Abigaël paya et s'empressa de retourner chez Frédéric. Avait-elle pu acheter ce roman et n'en avoir gardé aucun souvenir ? Elle essaya de penser à cette journée du 11 juin, en vain. Pas une seule image. Six jours seulement s'étaient écoulés, comment pouvait-elle avoir perdu des souvenirs si proches ? Était-ce le Propydol qui frappait au hasard dans sa tête et commençait à grignoter le présent ?

Elle monta jusqu'à l'appartement et fut surprise, en glissant la clé dans la serrure, de trouver la porte déjà ouverte.

Ça recommençait : elle, rentrant à son domicile par une porte ouverte, avec le livre *La Quatrième Porte* entre les mains. À l'instar de ce rêve qui l'obsédait, celui où elle revenait de la gare Lille-Europe. Direction la chambre. Heureusement, aucune présence de cadavre, cette fois. Elle se rendit dans la salle de bains, fit face à son reflet dans le miroir. Parfait, net, sans distorsion. Réel.

— Tout va bien, d'accord ? Tu es parfaitement réveillée, en pleine possession de tes moyens. C'est juste le Propydol qui joue au Rubik's Cube avec ta mémoire.

Entendre le son de sa propre voix la rassurait. Elle se rendit au salon, observant avec précision l'espace qui l'entourait. Certains objets sur le vaisselier ne lui semblaient pas à leur place. Et puis le téléviseur lui paraissait davantage tourné vers la gauche que d'habitude. Tout comme un fauteuil, plus en retrait qu'à l'accoutumée. Ça recommençait.

— Écoute, Abigaël Durnan. C'est la réalité. Tu es éveillée et consciente. Frédéric est au travail. Tu as sans doute oublié de fermer la porte d'entrée. Tout est normal et logique.

Mais elle ne croyait pas totalement à ses propres paroles, et surtout, elle pouvait les prononcer même dans un rêve. Les meubles avaient vraiment bougé de place. De peu, certes, mais quand même. Si tout relevait de l'imaginaire, comment le savoir ? Et si elle était dans la réalité, pourquoi ces objets se déplaçaient-ils ?

Elle fonça vers la salle de bains. L'armoire à pharmacie était entrouverte, alors qu'elle l'avait fermée en poussant la porte à fond et en tournant le loquet. Elle l'ouvrit en grand, observa les flacons de Propydol… Tout semblait en ordre. La porte fut verrouillée une bonne fois pour toutes, et la clé finit au fond d'un tiroir. Dans le salon, elle récupéra une aiguille à proximité de l'ordinateur. Se piqua, bien consciente que, malgré la coulée de sang, elle pouvait évoluer dans un rêve.

Il lui fallait trouver des tests plus fiables. Avec son aiguille, elle réalisa des petits trous à peine visibles sur la surface en bois du vaisselier. Elle reposa alors les objets – cadres, statuettes… – pile sur ces trous. Puis fit le même genre d'opération avec un marqueur noir : quatre points discrets sur le carrelage, sur lesquels elle plaça les pieds du fauteuil, du meuble de télé, de la table… Tous les éléments de la pièce furent ainsi quadrillés. Le gage d'un espace bien réel.

Abigaël se cacha le visage dans les mains, consciente de la stupidité de ses gestes et de ses réflexions. Une psychologue bardée de diplômes, à quatre pattes comme un chien sur du carrelage, notant des emplacements avec un marqueur comme sur une grille de bataille navale. Bon Dieu, si quelqu'un la voyait, on lui paierait un aller simple pour l'hôpital psychiatrique ! Devenait-elle complètement folle ? Où tout cela s'arrêterait-il ? Quand ses fichus cauchemars finiraient-ils de déteindre sur sa vie ? Sur sa chair ?

Dans un soupir, elle alla se préparer une tisane puis décida d'entamer la lecture du roman.

22

L'histoire du roman policier débutait par une disparition d'enfant dans un village de montagne proche de Gap, dans les Hautes-Alpes, pendant l'hiver 2008. Le petit s'appelait William Lafonge, il avait 11 ans. L'auteur adoptait le point de vue d'un policier de la Criminelle, un type sombre et énigmatique, plutôt asocial, à qui il collait, en tant que coéquipière, une flic spécialiste des disparitions, fraîchement débarquée de Paris. Valérie Lazinière, 35 ans. Blonde aux yeux bleus, assez grande et athlétique, sans enfant. Ses parents morts dans un accident de voiture deux ans plus tôt. De surcroît, elle avait été violée l'année de ses 16 ans.

Abigaël ressentit un frisson à ce moment-là. Si l'on omettait le viol, le personnage de Valérie Lazinière lui ressemblait, certains points communs étaient même assez flagrants. Néanmoins, une fois qu'elle eut remarqué l'étrange coïncidence, difficile d'être embarquée par la lecture. Un style lourd, et certaines erreurs dans les procédures d'enquête qui l'énervaient. En cas de disparition avérée, on déployait normalement la grosse artillerie : forces de police ou de gendarmerie mobilisées, hélicoptères, voire mise en place du plan Alerte enlèvement. Dans le roman, on ne restait qu'avec les deux enquêteurs principaux qui portaient l'enquête à eux seuls et qui, Abigaël le sentait venir, n'allaient pas tarder à coucher ensemble.

Les deux flics interrogeaient les parents, les voisins, les commerçants… Découvraient trois ou quatre indices sans valeur. L'enquête piétinait, et le livre aussi. Les héros couchèrent ensemble au chapitre 7. Pour relancer l'intrigue, l'auteur avait décidé de se placer, de temps en temps, du point de vue de l'enfant, enfermé dans le noir, apeuré, qui suppliait à travers une grosse porte en bois – celle représentée sur la couverture – qu'on le laisse sortir.

Abigaël allait remettre sa lecture à plus tard quand un rebondissement lui fit l'effet d'une bombe dans le ventre : les policiers venaient de recevoir une lettre anonyme au commissariat. À l'intérieur, quelques mots tapés à l'ordinateur sur une page blanche : « À quatre, j'arrêterai. Le temps est compté. Tic-tac, tic-tac. »

Abigaël se rua sur son tableau en liège, à côté de l'ordinateur, et observa le scan de la lettre reçue à la brigade au tout début de l'affaire Freddy, en mars 2014. « Il y en aura trois autres. Pas un de plus, pas un de moins. »

Qui était ce Josh Heyman ? Le pseudonyme d'un Français ? Un Américain ? La presse s'était emparée de l'affaire Freddy à l'époque, cette lettre avait fuité dans les médias. Heyman s'était-il inspiré en partie de leur enquête ? Le roman avait vu le jour voilà plus de deux mois, si l'auteur l'avait écrit au cours de l'année précédente, c'était fort possible.

Abigaël n'eut plus vraiment de doutes quand les deux policiers du roman découvrirent, peu de temps après un deuxième enlèvement, non pas des vêtements sur un épouvantail, mais une dent de lait appartenant à la première victime. Le kidnappeur, lui, l'envoyait directement aux parents de l'enfant. Encore plus pervers.

Elle ne lâcha plus le roman. À partir de la moitié du livre, l'auteur se mit à sombrer dans l'horreur absolue et les pires déviances, notamment d'ordre sexuel. Le style de l'écriture changeait, plus âcre, plus… *dément*. Oui, dément, c'était le mot. Abigaël imaginait l'écrivain fou en proie à ses démons et, encore une fois, la scène d'ouverture d'*Apocalypse Now* – la caresse de la folie – lui revint en tête.

Dans l'intrigue, il était question de réseaux de traite des êtres humains, de sadisme, avec des ramifications en Belgique et en Roumanie. De forums interdits, où des hommes s'échangeaient des photos de gamins. Heyman livrait des descriptions à vomir, embarqué dans ses propres ténèbres. Il avait imaginé la suite de son histoire, s'éloignant peu à peu de leur véritable affaire. Logique, puisque les enquêteurs de l'équipe Merveille 51 avaient fini par faire barrage à la presse et ne plus divulguer la moindre information. Et puis les investigations continuaient encore aujourd'hui et le livre, lui, était déjà publié.

Elle but une autre tisane et en revint au roman. Frédéric n'allait pas tarder à rentrer. Il ne restait plus que deux enfants sur quatre enfermés dans les caves – les deux derniers kidnappés, Quentin et Corinne. Les autres avaient été emmenés par « des diables ». Quentin ignorait où, et pourquoi. Vingt jours que le garçon croupissait dans ces caves. La veille, l'homme au visage inconnu lui avait arraché une dent avec une pince de chantier. Et le lendemain, Corinne, 11 ans, petite brune aux yeux noirs, se trouvait là…

Quel sort leur réservait-on ? Qu'advenait-il de ces enfants ? Le chapitre se focalisait sur Corinne, tout passait par son point de vue. Une enfant terrifiée, réclamant ses parents, grattant le sol avec ses doigts. Quand elle demanda à Quentin depuis combien de temps il croupissait dans sa cellule et qu'il lui répondit longtemps, elle hurla.

Accrochée aux pages, Abigaël se plongea dans leur dialogue, page 387.

« Celui qui nous fait ça nous donne à tous un surnom, murmura Quentin. Moi, c'est Cro-Magnon. Je sais pas pourquoi il m'appelle comme ça. Et toi ? Il t'a déjà donné un surnom ? »

Abigaël tourna la page, les ongles au bord des lèvres.

Ses yeux se fixèrent sur la première ligne et s'écarquillèrent.

« Oui, répondit Corinne. Il m'a appelée Perlette d'Amour. »

23

La première chose que sentit Frédéric, quand il rentra après cette harassante journée de juin, fut l'odeur puissante des antiseptiques. Intrigué, il s'avança, jeta un œil vers le bureau et son ordinateur. La cigarette à peine entamée et écrasée dans un cendrier qu'il n'utilisait jamais le surprit : Abigaël ne fumait pas.

— Abigaël ?

Il posa sa veste sur le dossier du canapé et s'avança dans le couloir. Il entendait le plancher grincer dans leur chambre : sa compagne se réveillait peut-être d'une sieste. En passant devant la salle de bains, il remarqua des compresses tachées de sang ou de Bétadine, entassées près du lavabo. Il se précipita alors vers la chambre. Abigaël allait et venait, le téléphone collé à l'oreille. Éparpillés sur le lit, ses six cahiers de rêves. Le dernier, le numéro 6, était ouvert. Il y avait également un roman tout neuf, *La Quatrième Porte*, de Josh Heyman.

— Pas de réponse, fit Abigaël en raccrochant. J'appellerai la maison d'édition de Josh Heyman demain à la première heure.

Elle s'était changée : elle portait un sweat beige à

manches longues, alors qu'il faisait plus de vingt-cinq degrés à l'extérieur. Légère pointe de sang sur le tissu. Frédéric s'approcha, saisit sa main gauche et souleva la manche de son vêtement. Il découvrit un pansement.

— Ce n'est rien, Fred.

— Tu t'es blessée ?

Pas de réponse. Il décolla le sparadrap avec délicatesse. La présence du petit cratère rose vif dans la chair, sur le haut de l'avant-bras, lui serra l'estomac. Une brûlure de cigarette…

— Mon Dieu, Abigaël, ne me dis pas que…

— Les aiguilles ne suffisent plus. Et aucun rêve ne peut simuler la douleur d'une brûlure pareille. Quand je me suis brûlée, je savais que, ce que je venais de vivre, c'était la réalité. C'est important, primordial pour moi d'être lucide. Parce qu'il est en train de se passer quelque chose qui va peut-être m'aider à avancer enfin.

Frédéric remit délicatement le pansement en place. Il glissa une main sur la nuque d'Abigaël et la caressa.

— Elle restera à vie, cette brûlure, tu t'en rends compte ?

— Justement.

— Il ne faut plus que ça se reproduise, Abi. Dis-moi comment t'aider.

Elle se précipita vers le lit et s'empara du livre qu'elle lui plaqua dans les mains.

— En me disant si tu as déjà vu ce livre. Je l'ai acheté une première fois il y a six jours à la librairie. Je l'ai forcément rapporté ici, posé sur une table ou dans la bibliothèque. Regarde-le bien.

Frédéric retourna l'ouvrage, jeta un bref coup d'œil à la quatrième de couverture.

— Jamais.

— Si ! Forcément ! J'ai le ticket de caisse du 11 juin !

Elle lui prit le livre des mains, l'ouvrit à la page 387, écrasa son index sur la ligne du haut. Frédéric lut la réplique. Abigaël attrapa l'étincelle qui brilla une fraction de seconde au fond de ses yeux.

— Tu m'as expliqué que c'était le surnom que tu donnais à Léa. Elle avait trouvé une minuscule perle dans une huître, l'année dernière…

Abigaël acquiesça avec conviction.

— Elle était toute fière. Le livre est sorti il y a moins de trois mois, fin mars. Il parle d'enlèvements d'enfants, de réseaux, de séquestrations. Ce Josh Heyman a remplacé les gendarmes par les flics, changé les lieux et les motivations de son criminel, mais il a pris pour schéma une partie de notre enquête, aucun doute là-dessus. Quatre enfants kidnappés, comme nous. Même son enquêtrice a des points communs avec moi. Et il parle d'un accident de voiture dans lequel elle aurait perdu ses parents.

Dans le mille. Frédéric se pinçait toujours la lèvre inférieure avec les doigts quand il était déstabilisé. Elle lui montra de surcroît le « J-O-S-H » décrypté, issu de son rêve.

— Tout me mène à ce livre.

Frédéric s'assit sur le lit.

— Ce Perlette d'Amour, il réapparaît ailleurs dans l'histoire ?

— Non, j'ai vérifié. Seulement à la page 387.

— OK. On procède calmement et on essaie d'y voir clair. Un type écrit un roman qui sort fin mars en s'inspirant, selon toute vraisemblance, de notre affaire.

Au fait, parenthèse, que deviennent les mômes dans le livre ?

— Ça finit mal. On les retrouve morts à la frontière belge, lestés au fond d'un étang privé, chez un type à la tête d'un réseau pédophile. Le genre d'histoire sordide à la Marc Dutroux…

— Très réjouissant. Bref, l'affaire déchaîne les passions, la presse s'enflamme, on a nos pommes dans les journaux, et tes qualités d'experte en criminologie sont mises en avant. Il suffit de taper ton nom sur Internet pour avoir un tas d'articles régionaux, dont un grand portrait sur trois pages. La presse t'aime bien et te suit depuis quelques années : une psychocriminologue narcoleptique, on n'en croise pas tous les jours… Donc, l'auteur de ton bouquin se sert de ces articles pour bâtir son intrigue. De plus, il a peut-être des sources dans la gendarmerie, qui sait ? Il écrit son livre, le publie au beau milieu de notre enquête. Tu l'achètes il y a quelques jours, peut-être que tu le lis en entier, mais que tu ne fais pas attention à la page 387 ? Il suffit que tu sois déconcentrée ou fatiguée… Et puis, il y a tes pertes de mémoire. Jusqu'à présent, c'était loin dans le passé, mais peut-être que…

Il se tut.

— Quoi qu'il arrive, je ne te laisserai pas tomber. Jamais.

Frédéric avait visé juste, comme souvent. Abigaël le regarda dans les yeux, ces deux grands cercles d'ombre où elle aimait se perdre quand ça n'allait pas.

— Léa détestait que je l'appelle Perlette d'Amour. Moi, je savais que ça la faisait enrager, mais c'était dans nos petites disputes qu'on se parlait le plus. Je la serrai contre moi, je passais mes mains dans ses cheveux et ça, je ne pouvais pas le faire quand tout allait trop bien. Il y avait comme une sorte de pudeur installée entre nous. À 13 ans, elle devenait déjà un petit morceau de femme avec son caractère, tu sais ?

Elle se tut, les yeux rivés au sol. Frédéric savait, dans ces moments-là, qu'Abigaël était avec sa fille. Que, d'une certaine façon, elles communiquaient, toutes les deux. Il la laissa tranquille, partit dans la cuisine et ouvrit le congélateur. Soupir… Bac de glace au caramel… Grosse cuillère… Certains courent jusqu'à l'épuisement pour se vider de toute la merde qu'ils ont dans la tête. Lui ne pouvait pas, à cause d'un lancinement aux tendons de l'épaule gauche au moindre effort prolongé. Alors il compensait avec le shoot de sucre en intraveineuse, courbé seul sur sa table, le bac devant lui comme un morceau de désespoir.

Abigaël se tenait là, debout dans son dos, et le regardait engloutir ces quantités astronomiques.

— Perlette d'Amour, c'était notre truc à nous, fit-elle en s'approchant. Alors comment ce Josh Heyman peut-il être au courant ?

— Léa en a peut-être parlé autour d'elle ? répliqua Frédéric, des moustaches de glace autour des lèvres. À l'école ? À son club de tennis ? Sur Internet ? Elle allait bien sur Internet, non ?

— De temps en temps.

— Le terme est arrivé aux oreilles du romancier d'une façon ou d'une autre, et il l'a utilisé pour son livre. C'est une coïncidence, une mauvaise coïncidence.

Abigaël se mit à aller et venir, mains sur le crâne, lissant ses longs cheveux vers l'arrière. Frédéric avalait sans goût, sans envie, mais à cadence ralentie. Le sucre lui tapissait la langue et l'estomac, et il avait l'impression que sa gorge gonflait comme après une piqûre de guêpe. Un vrai couple de barges, songea-t-il. Elle brûlée par le chaud et lui par le froid.

— Peut-être que c'est une coïncidence, mais peut-être pas, fit Abigaël. Le 6 décembre 2014, la voiture de mon père se fracassait contre un arbre, et Freddy était justement là. Deux mois plus tard, je retourne là-bas, et je trouve un poème dans lequel ma fille m'annonce qu'elle va mourir. Aujourd'hui, dans un livre qui parle d'enlèvements d'enfants et dont l'enquête ressemble à la nôtre, je retrouve quelque chose de très intime, qui nous concerne, Léa et moi. Je veux comprendre comment c'est possible. Alors, je vais retrouver ce Josh Heyman. Je dois savoir comment il a pu écrire des mots que seule ma fille aurait pu prononcer.

24

6 décembre 2014
L'ACCIDENT

25 juin 2015
LE LAVOIR EN FLAMMES

7 février 2015

Abigaël n'avait pas fermé l'œil de la nuit. Elle revivait sans cesse sa découverte, quelques heures plus tôt, dans les bois du côté de Saint-Amand, juste à côté du lieu de l'accident. Le symbole de l'œil gravé sur l'arbre… Le sac plastique enfoui sous le lit de feuilles… La cataplexie qui la paralyse, le sachet et la pochette qui s'envolent… Et la feuille rattrapée de justesse. Dessus, le petit poème horrible, lui étant visiblement adressé :

Je ne veux pas te faire souffrir,
Mais je vais bientôt mourir.
Je ne te le dis pas souvent,
Je t'aime, ma petite maman.

Peu de temps après sa trouvaille, elle était repassée dans les locaux de Merveille 51, vers minuit. Seul

Patrick Lemoine était encore sur place, très surpris de la voir revenir si tard. Elle lui avait tout expliqué : le souvenir d'un Kangoo noir garé à deux ou trois cents mètres du lieu de l'accident sur la D151 et, surtout, la lettre, enfermée dans une pochette et un plastique lui-même enterré à l'endroit exact où on l'avait retrouvée inconsciente juste après le drame, deux mois plus tôt.

Il était désormais 11 heures. Abigaël ne tenait que par les nerfs. Elle faisait les cent pas devant la table de salon où reposaient des écrits – poèmes, lettres – de sa fille, piochés dans le tiroir de sa chambre.

Et le constat tombait : à première vue, l'écriture de Léa était identique à celle de la lettre retrouvée dans le bois.

Abigaël se colla à la fenêtre de la cuisine. Frédéric n'allait pas tarder à arriver, avec du neuf au sujet de cette étrange découverte. Il avait refusé de lui donner des explications au téléphone. Ça voulait dire que c'était important. Que les gendarmes tenaient quelque chose. Qui avait écrit la phrase sur le papier ? L'un des enfants kidnappés ? Freddy en personne ? Mais comment imiter aussi précisément l'écriture de Léa ? Et pourquoi s'adresser à elle ?

Elle avait envie d'une flambée d'alcool au fond de sa gorge, mais il lui fallait rester sobre. À entendre le bruit de ce moteur qu'elle connaissait par cœur, elle se précipita. Un vrai chien de Pavlov qui salive au son de la cloche.

Elle sentit son visiteur très troublé lorsqu'ils se firent la bise. Lui aussi semblait manquer de sommeil. Il désigna le bagage proche de l'entrée.

— Tu pars ?

— Je dois aller récupérer quelques affaires de mon père dans la maison qu'il louait à Étretat. Je vais me mettre en route après ton départ. Une fois le rendez-vous terminé, je dormirai sûrement à l'hôtel. Je reviendrai demain.

Frédéric jeta un regard vers la cuisine. Il savait où trouver la bouteille de vodka : entre les deux éviers. Un jour, il l'avait surprise à en vider le contenu dans la bonde et, un autre, à boire au goulot. Les démons se battaient farouchement en elle.

— Étretat, c'est une longue route, Abigaël. Avec ton traitement et…

— Je sais, Fred, je sais. Mais d'un, je suis sobre. Et de deux, quelques heures de trajet en pleine journée, ce n'est pas la mort. Je ne prendrai pas l'autoroute. Si j'ai envie de dormir, je m'arrête en urgence sur le bas-côté, je fais une sieste et je repars.

— Et en cas de cataplexie ?

— Je gérerai.

— Tu ne peux pas gérer.

Abigaël ne répondit pas. Ils allèrent s'installer dans la cuisine. Frédéric sortit une pochette à élastiques de sous son blouson. À l'intérieur, la feuille avec la phrase manuscrite. Abigaël leur servit deux cafés forts ; il l'aimait serré lui aussi.

— Avant de te parler de cette lettre, il faut que je te touche un mot au sujet de l'épouvantail trouvé hier dans les bois…

Il poussa une photo d'Arthur dans sa direction : celle du môme en tenue de footballeur, un ballon sous le bras. Abigaël avait eu la même accrochée dans son bureau, mais avait tout rangé au fond d'un tiroir, sans pour autant s'en débarrasser, parce qu'elle ne le pouvait pas. Frédéric lui tendit d'autres photos : celles tirées la veille, lors de la découverte de l'épouvantail.

— Les longs cheveux blonds, d'abord. On a retrouvé quelques bulbes qui, après analyse, nous indiquent que ce sont bien les cheveux d'une fille. On a passé l'ADN dans le fichier, ça ne donne rien. On ne sait pas à qui ils appartiennent.

— Toujours pas d'avis de disparition ?

— Rien. Si ces cheveux sont ceux d'une enfant ou d'une ado, des parents auraient dû se manifester depuis longtemps. Jusqu'à présent, Freddy s'en est toujours pris à des familles. Mais peut-être que cette môme vient d'un foyer ? D'une institution quelconque ? Qu'elle est orpheline ?

— D'autant plus que Freddy voulait peut-être déposer son épouvantail la nuit de mon accident. Et dans ce cas, la gamine a disparu depuis deux mois…

— On y a aussi pensé. Lemoine est en contact avec la presse. L'information autour de cette nouvelle découverte se met à circuler. Peut-être que quelqu'un finira par se manifester.

— La presse nous nuit autant qu'elle nous aide. Les parents d'Arthur savent, pour l'épouvantail ?

— Oui… Tu te doutes qu'ils sont au fond du trou.

Elle s'empara de la lettre avec un soupir.

— T'aurais dû commencer par me parler de ce mot. Qu'est-ce que vous avez découvert ?

Frédéric but une gorgée de café avant de répondre.

— T'as encore quelques affaires personnelles dans l'espace des infirmières Merveille 51. Un peu de paperasse, deux, trois photos de ta fille, et quelques petits mots gentils qu'elle t'écrivait de temps en temps, genre : « Je t'aime moi non plus. Ta Perlette d'Amour. »

— Je sais, il y en a aussi dans mon cabinet de consultation, dans les tiroirs de la chambre de Léa. (Elle désigna la table.) Il y en a partout… Je passerai les reprendre… bientôt.

— On a fait une analyse graphologique du texte écrit sur la feuille que tu as rapportée cette nuit. On l'a comparé aux autres écrits de ta fille. Notre experte est formelle : c'est l'écriture de Léa.

Abigaël plaqua ses deux mains devant sa bouche.

— Vous êtes certains que ce n'est pas juste une imitation ?

— Aucun doute possible. C'est Léa qui a couché ces mots sur le papier que tu as rapporté à Patrick.

Abigaël resta sans voix. Elle imagina Léa dans sa chambre, porte fermée, en train d'écrire ces quatre vers sinistres avant de ranger la feuille dans le tiroir.

— On s'est de nouveau rendus sur les lieux de l'accident ce matin, expliqua Frédéric. Il est tombé pas mal de neige fondue, tard, cette nuit. Le terrain est détrempé, impossible de retrouver l'endroit exact où tu aurais creusé…

— « Aurais » ?

— Cette lettre… Tu comprends bien que ce n'est pas possible, Abigaël ?

— Alors quoi ? Tu as bien ces mots, devant toi, avec l'écriture de ma fille !

— Il y a deux possibilités. La première : Freddy serait entré ici, chez toi, pour dérober cette feuille et l'enterrer dans les bois.

Abigaël encaissa. Elle croisa les bras, soudain parcourue par un frisson. Freddy avait déjà pénétré chez Victor, il rôdait toujours dans l'environnement de ses victimes. Mais pourquoi aurait-il pénétré dans sa maison pour voler une feuille de papier dont elle-même ignorait l'existence ? Comment aurait-il pu savoir ?

— Rien de suspect, ces derniers temps ? demanda Frédéric. Pas de marque d'effraction ? De porte retrouvée ouverte ? D'inconnu qui rôde autour de chez toi ?

— Non, non… Il y a bien eu des acheteurs potentiels qui sont venus ces derniers jours avec l'agent immobilier. Mais j'ai toujours été là quand ils ont visité la chambre de Léa. Les poèmes étaient rangés au fond d'un petit tiroir de son bureau. Personne ne pouvait être au courant.

Abigaël se rappelait avoir jeté un œil à ces lettres avant l'ouverture des valises, mais elle n'avait pas tout lu. Cette sinistre missive faisait-elle partie du lot ? Comment avait-elle pu passer à côté ?

— Si c'est Léa qui a vraiment écrit ces mots, si la lettre était dans ses affaires parmi toutes ces feuilles, alors comment elle a pu prédire qu'elle allait bientôt mourir ? Comment elle l'aurait su ? Elle dormait quand l'accident a eu lieu, bon sang ! Je… Je ne comprends pas, Frédéric. Comme pour les ceintures, c'est encore quelque chose qui m'échappe.

— Pas de comportement étrange de Léa les semaines précédant l'accident ?

— On parlait un peu moins, notre relation s'était tendue. Moi qui travaillais trop, elle aux portes de l'adolescence. Tu sais comment sont les jeunes à 13, 14 ans. En pleine crise d'identité. On a eu quelques coups de gueule, mais rien de très grave. On en avait vu d'autres, toutes les deux.

— Elle avait changé ? Elle te paraissait différente ?

— Non, enfin, je veux dire, elle était comme une pré-ado normale. Mais je crois qu'elle avait le béguin pour quelqu'un. Ça se voyait. Plus secrète, plus coquine. Peut-être un copain de sa classe. Mais dès que j'essayais de lui en parler, elle se refermait et me disait que c'étaient pas mes oignons. Je n'ai pas insisté. Léa était pleine de vie, j'étais heureuse de la voir comme ça.

Abigaël ne comprenait pas : pourquoi sa fille avait-elle écrit des mots pareils ? « Je ne veux pas te faire souffrir, mais je vais bientôt mourir… » Des airs de message d'adieu. Une sinistre prémonition.

— Je ne peux pas croire que Freddy soit entré ici pour voler cette lettre. Ça n'a aucun sens.

— Justement, nous non plus, on n'y croit pas, à vrai dire, répliqua Frédéric. Tu nous connais, on envisage toujours tous les scénarios possibles. On a bien réfléchi à cette histoire d'objets disparus de la valise de Léa dont tu nous as parlé : le chat noir et le pantalon à carreaux. On a beau retourner la question dans tous les sens, on a vraiment du mal à saisir pourquoi il les aurait pris dans la valise de Léa et aurait tout remis en place comme si de rien n'était. Quand on y pense précisément, il aurait pris la clé dans la poche de… de son cadavre éjecté, serait retourné vers le coffre, aurait ouvert, volé ces objets, aurait refermé, puis serait allé remettre la clé dans la poche.

— C'est pourtant la seule possibilité. Freddy s'est retrouvé confronté à une situation exceptionnelle, inattendue, où l'excitation est rapidement montée en lui. Un processus psychique correspondant à un schéma précis s'est enclenché dans sa tête, et il a agi en conséquence. Il était comme un peintre observant son œuvre en cours de création.

— On a une autre hypothèse et ça m'ennuie vraiment de te dire ça mais, imagine, je dis bien imagine que Léa n'ait jamais mis sa peluche dans sa valise, le soir de votre départ. Ni même son pantalon à carreaux. Ça expliquerait le coup incompréhensible de la clé de la valise : Freddy n'aurait tout simplement pas fouillé dans les bagages. Je crois vraiment que, quand il y a eu l'accident, il a eu peur et qu'il a fui. C'est tellement plus logique.

— Logique ? Je sais ce que j'ai vu le soir du départ. Et je sais aussi que Freddy était capable de rester et d'apprécier le « spectacle ».

— T'étais peut-être fatiguée ? Tu as cru et…

— Suis-moi.

Abigaël marcha vers la chambre de sa fille et lui mit un cadre avec une photo dans les mains.

— Qu'est-ce que tu vois là-dessus ?

— Léa… et son pantalon à carreaux rouges et blancs.

Abigaël montra le tas de linge étalé sur le lit. Puis ouvrit les portes du dressing et décrocha les pantalons pliés, qu'elle jeta vers Fred. Il les attrapa les uns après les autres pour éviter qu'ils ne finissent sur la moquette.

— Si j'ai vraiment inventé, alors il est où, ce pantalon ? Léa l'avait mis dans sa valise, ce soir-là. Elle avait pris son pantalon et son chat en peluche… J'en suis certaine.

Frédéric se leva.

— Tu permets que je jette un œil ?

Abigaël alla s'asseoir sur le lit. Frédéric regarda

dans les tiroirs, puis s'intéressa aux vestes et manteaux encore suspendus. Il les écarta les uns des autres. Rien. Il les ôta de leur cintre, menant une fouille méticuleuse.

Lorsque Frédéric se retourna, il tenait le pantalon à carreaux de Léa entre les mains.

— Il était sous un blouson.

— J'étais pourtant certaine de…

— Il est fort probable que le chat noir soit lui aussi quelque part, dans la maison.

— J'ai cherché partout, Frédéric, je te jure. Il n'est pas là.

— Parfois, on ne voit pas les choses qui sont devant notre nez, c'est toi qui nous répètes ça à longueur de journée. Ton cerveau a peut-être fait un blocage qui t'empêche de voir.

Abigaël devait bien admettre l'évidence : son esprit l'avait trompée pour le pantalon. Pareil pour le chat ?

— Donne-moi l'autre possibilité.

— C'est délicat, mais… je dois t'en parler. Elle serait liée aux mauvais mélanges que tu fais : les antidépresseurs, l'alcool, le Propydol… Excuse-moi, Abigaël, je ne veux surtout pas te juger mais…

— Viens-en au fait.

— Freddy n'est jamais venu ici. Tu as trouvé cette lettre étrange en parcourant les affaires de ta fille, et ça a créé chez toi un vrai choc émotionnel. Je ne doute pas que tu sois allée sur les lieux de l'accident, hier soir. Je me mets à ta place, ça devait être terrible. Tu vois le symbole, tu lui donnes une interprétation. Tu te mets à creuser. Et c'est là que tu penses avoir trouvé cette lettre, alors qu'en fait tu l'avais déjà en ta possession.

Abigaël le fixa sans ciller.

— Donc vous pensez que j'ai tout inventé. Comme pour les ceintures de sécurité.

— Tu as juste fait correspondre deux choses indépendantes : la lettre d'un côté, le symbole de l'autre. Ton cerveau a naturellement fait le lien et créé une espèce de faux souvenir. Ou alors, c'est peut-être un rêve ? Une sorte de vision que tu as eue ? Tu as d'ailleurs raconté être tombée en cataplexie et…

— La cataplexie est arrivée *après*, et elle ne me provoque pas de « visions ». Je suis parfaitement consciente lors de ces paralysies. Bref, vous ne me croyez pas, à ce que je vois. Et de ce fait, je suppose que vous n'avez lancé aucune recherche pour le Kangoo noir que j'ai vu sur le bas-côté le soir de l'accident ?

L'abominable silence de Frédéric fut une réponse claire.

25

Abigaël arriva à Étretat aux alentours de 15 h 30, sans incident de parcours, sans une seule goutte d'alcool dans le sang – sa première journée sobre depuis deux mois. À peine ressentait-elle une douleur aux poignets à cause de ses vieilles fractures. En route, elle avait cédé à une envie de s'assoupir quelques minutes après avoir passé Neufchâtel-en-Bray.

Si tout allait à peu près bien physiquement, l'épisode de la lettre et du pantalon à carreaux retrouvé par Frédéric dans le dressing de Léa lui avait mis un nouveau coup au moral. Elle avait retourné la maison, cherché le chat noir, en vain. Si Léa ne l'avait pas mis dans sa valise, pourquoi Abigaël ne le retrouvait-elle pas ? Et que signifiaient ces mots sinistres : « Je vais bientôt mourir » ?

Durant le trajet, Abigaël avait réussi à joindre les meilleures copines de sa fille en les appelant sur leur téléphone portable. Jamais Léa ne leur avait fait d'allusion aussi morbide, elle n'appartenait ni à des groupes sataniques ni à une secte quelconque. Elle ne sortait quasiment pas. Elle était en classe de cinquième, bon sang, une bonne élève pleine de lumière. Comment de tels propos s'étaient-ils glissés sous sa plume ? Abigaël avait demandé au téléphone si Léa avait eu un petit copain, les cinq filles lui avaient répondu par la négative. Restait une possibilité : Internet. Léa s'était-elle inscrite sur un réseau social type Facebook à son insu ? Communiquait-elle avec de mauvaises personnes ? Impossible d'en avoir le cœur net : la tablette électronique de Léa avait été réduite en miettes durant l'accident.

Une fois arrivée, Abigaël entra dans un troquet, au bord de la plage coincée entre les falaises. Son père lui avait raconté qu'il aimait venir ici tous les jours, s'asseoir sur un banc et regarder les vagues rouler sur les galets durant de longues heures. Pour lui, être assis à rêver, ça valait tous les voyages du monde. Abigaël voulait bien le croire, ce monde de craie, de verticales et d'arêtes plongeant droit dans la mer ne manquait pas de magie.

Elle considéra les bouteilles colorées derrière le comptoir et, déjà, ses glandes salivaires tournaient à plein régime. Elle imaginait le bruit agréable des glaçons contre le verre, l'acidité du citron, la brûlure de l'alcool blanc. Le garçon vint prendre la commande.

— Un… café.

L'interrupteur avait basculé au dernier moment dans sa tête, elle éprouva de la fierté d'avoir résisté à l'appel des bouteilles. Son petit noir fut bu rapidement – une vraie coulée de goudron –, puis elle se rendit en voiture devant la maison du chemin des Haules. Le rendez-vous était fixé une demi-heure plus tard. Puisqu'elle disposait de la clé, elle poussa le portail grinçant et pénétra dans l'habitation. La porte laissée entrouverte allait signaler sa présence au propriétaire.

Il faisait aussi froid dedans que dehors. Un vrai tombeau. Chauffage coupé. Du courrier par terre. Des publicités, des prospectus, une enveloppe avec le logo de la banque…

Elle posa le tout sur une vieille table en bois flotté. Le mobilier se réduisait au minimum vital et dégageait une froideur qui mettait la jeune femme mal à l'aise. Une télé sur un meuble hors d'âge, un canapé usé jusqu'à la corde sur lequel Yves dormait quand elle lui rendait visite avec Léa. Un manque total de confort. Son père avait sacrifié sa vie pour les autres et l'État. Il aurait mérité mieux que ça.

Emmitouflée dans son blouson, elle fit un rapide tour de la cuisine, puis de la chambre. Les différents tomes de la BD *XIII* alignés sur un meuble. Sur un mur, face au lit, un patchwork de photos : son père et elle, ensemble… Des prises de vues maladroites, parfois, des instants de vie. Là, un vieux cliché, où on la voyait, à 8 ans, avec une femme brune aux cheveux courts. Abigaël savait qu'il s'agissait de sa mère, mais elle n'en gardait que des souvenirs morcelés, très flous. Elle avait noté dans ses cahiers de rêves que sa mère était morte quand elle avait 9 ans, au fond d'un lit d'hôpital. Dès lors, il avait fallu grandir toute seule, entre maladies, fractures, assistantes à domicile qui jouaient tant bien que mal le rôle de mère – sans le côté affectif.

Il y avait beaucoup plus de clichés d'Yves avec Léa que d'Yves avec elle. Il adorait sa petite-fille, et sans doute reportait-il sur elle tout ce qu'il avait loupé avec sa propre enfant. Une autre photo, plus récente, le montrait sur un ponton avec des bateaux en arrière-plan. Il souriait. Avait-il connu une ou plusieurs femmes, ces dernières années ? Avait-il été heureux ?

Regrets, amertume. Elle décrocha les photos et les mit dans sa poche. Un coup d'œil aux papiers administratifs rangés dans un coffre métallique au fond d'une armoire. Il y avait là tous les documents en relation avec son ancien métier de douanier. Fiches de paie, points de retraite, mutuelle, lettre de démission… Et ses relevés de compte, gardés depuis des années. Elle les scruta, toujours avec cette phrase en tête : « J'espère que tu trouveras la vérité, autant que je souhaite que tu n'y arrives jamais… »

Elle vida les armoires, récupéra la collection de bandes dessinées, trouva quelques médailles qui témoignaient de ses états de service dans la lutte contre les narcotrafiquants. Là, une photo d'Yves devant plus de deux tonnes de cocaïne, datée du début des années 2000. Son père et ses collègues avaient contribué à faire tomber la branche française d'un cartel mexicain ultraviolent. Il lui avait confié cet exploit huit ans après les faits, pour des questions de sécurité. Combien d'opérations de ce genre avait-il menées sans jamais l'en informer ? Combien de secrets avait-il emportés avec lui ?

Elle fit quelques allers et retours jusqu'au coffre de sa voiture chargé de paperasse, de vêtements, de bricoles, comme une vieille radio ou un sextant, quand le propriétaire arriva. Un type bedonnant, au pantalon trop court et qui sentait la friture. Il tenait des papiers enroulés dans sa main.

— C'est terrible ce qui est arrivé à votre père, je suis désolé.

Il entra, fit un rapide tour de l'habitation, histoire

de vérifier que tout était en ordre. Abigaël proposa de lui laisser l'ensemble du mobilier, ainsi que la télé. Elle ne voulait pas s'encombrer alors qu'elle cherchait à déménager.

— Je veux bien, fit-il. Vous savez ce qui m'a alerté, ce qui m'a fait comprendre qu'il y avait un truc bizarre avec votre père ? C'est que, chaque premier du mois, j'avais le chèque dans ma boîte aux lettres, toujours avant 9 heures du matin. Durnan était réglé comme une horloge suisse.

— C'était bien lui, ça.

— Je n'ai rien eu le mois dernier, mais je ne me suis pas inquiété, il était tellement réglo que je me suis dit qu'il me paierait le mois suivant. Quand je n'ai pas eu le chèque de février, j'ai su que quelque chose clochait. Alors, je vous ai appelée. Il m'avait laissé votre numéro sur le contrat de location.

— Il vous avait laissé d'autres numéros de téléphone ?

— Non. Que vous.

— Vous l'avez souvent croisé, mon père ?

— Justement, je voulais vous en parler. Jamais vu un locataire aussi invisible. Je vois que vous avez jeté un œil à ses papiers. Avez-vous trouvé ses factures EDF/GDF ou d'eau ?

— Non, je ne crois pas qu'elles y étaient.

— Elles auraient dû pourtant, vous ne croyez pas ?

Abigaël dut admettre qu'il avait raison, puisque son père archivait tout. L'homme se dirigea vers la table, chaussa une paire de lunettes et posa ses feuilles. Il les lui tendit les unes après les autres.

— J'ai demandé des relevés de compteurs. Ce sont

ses consommations en gaz, eau et électricité de ces deux dernières années.

Abigaël prit les feuillets et fronça les sourcils.

— Elles sont… nulles ?

— À peu de chose près, oui. Votre père ne payait que les abonnements, directement prélevés sur son compte en banque. J'ai demandé les détails, je voulais savoir d'où venaient tout de même les infimes quantités consommées. Il y a quelques pics à ces dates-là.

Abigaël considéra les relevés puis les reposa d'une main tremblante. Les dates de consommation correspondaient à celles où Léa et elle étaient venues lui rendre visite.

— Mon père ne vivait pas ici…

— J'ai bien l'impression que non.

Une fois le choc de la nouvelle passé, Abigaël ressentit de la colère envers son père. Pourquoi lui avait-il menti ? Pourquoi leur faire croire qu'il habitait cet endroit ? Pour quelle raison les laisser penser à cette existence paisible à Étretat si ce n'était pas le cas ?

À ce moment-là, elle lui en voulut : il était réapparu brusquement dans leurs vies un vendredi soir et il lui avait volé Léa, dissimulé derrière des apparences de grand-père attentionné. Pourquoi ces mensonges ?

Abigaël essaya de se mettre à la place d'un homme de 56 ans, solitaire, venu louer un lieu qu'il n'habitait vraisemblablement pas. Où vivait-il ? Chez quelqu'un ? Une compagne ? Un ami ? Un ancien collègue ? Elle sortit soudain les photos de sa poche, chercha celle où son père se tenait sur le ponton d'un port.

— Une idée de l'endroit où cette photo a pu être prise ?

L'homme consulta le cliché avec attention. Les bateaux juste derrière, les immeubles encore plus loin, en arrière-plan…

— On dirait Le Havre, du côté du port de plaisance. Oui, c'est bien Le Havre.

Le Havre… Qu'est-ce que son père fichait au Havre ? Il avait autant le pied marin qu'un fer à repasser. Abigaël le remercia, régla les dernières formalités et sortit. Une fois à sa voiture, elle se sentit incapable d'aller directement dans un hôtel, où elle risquait de toute façon de sombrer dans des plaisirs éthyliques. Le Havre n'était même pas à trente kilomètres de là. Elle posa le porte-clés en forme de gouvernail et la photo d'Yves sur le tableau de bord et se mit en route.

Son téléphone sonna.

— Oui, Frédéric.

— Je… Je voulais m'excuser, pour ce matin. J'ai été maladroit et…

— C'est oublié.

— Comment se passe ton voyage ?

— J'ai fait une découverte, je ne sais pas encore quoi en penser. Je crois que mon père menait une double vie. Il n'habitait jamais la maison qu'il louait à Étretat. Entre ça et la lettre de Léa, je dois t'avouer que… c'est difficile.

Il y eut un silence.

— Yves a peut-être rencontré quelqu'un, supposa Frédéric. Une femme chez qui il logeait ?

— J'y ai pensé. Mais pourquoi continuer à payer huit cents euros de loyer, dans ce cas ? Pourquoi, dès le premier mois, il n'a consommé ni eau, ni gaz, ni électricité ? Pourquoi avoir fait disparaître les factures ? Non, il y a quelque chose de pas clair.

Mon père a pris cette maison pour faire croire à une vie qui n'était pas la réalité. Il était physiquement atteint quand il est venu chez moi. Tracassé, amaigri.

— Ça a toujours été son tempérament. Trop nerveux, trop…

— Non, non, il y a autre chose, j'en suis sûre. J'ai trouvé un mot dans ses affaires à mon intention, il parlait de « trouver la vérité ». C'est comme s'il essayait de me guider mais sans vraiment le vouloir. Je file au port du Havre, j'ai une piste et je veux comprendre.

— Le Havre ?

— Sur le trousseau de mon père, il y a une clé marquée *Matriochka*. C'est celle d'un bateau, je crois. Il ne t'en a jamais parlé ?

— Un bateau ? Comment ton père pourrait posséder un bateau ? Et depuis quand ?

— C'est ce que je vais essayer de découvrir.

Le soleil couchant faisait scintiller la mer. Les mouettes et les goélands jouaient avec les courants d'air, filant comme des torpilles. Abigaël parla au téléphone encore quelques minutes et raccrocha. Elle lança un dernier regard vers les grandes falaises qui disparaissaient peu à peu dans l'obscurité, avant de bifurquer et de s'éloigner dans la campagne. Devant elle, sur le tableau de bord, la photo d'Yves, tout sourire, en train de prendre la pose devant les bateaux.

Et l'impression horrible qu'un masque de mensonges recouvrait son visage.

26

L'obscurité semblait couler d'un encrier quand Abigaël arriva au port du Havre. Un univers de containers empilés, de grues décharnées, d'entrepôts et de rails qui s'étendaient à perte de vue. Les lampes de signalisation scintillaient, jaunes, rouges, vertes, parfois dissimulées par les silhouettes gigantesques des cargos en partance pour l'Amérique. Le port devait grouiller de fourmis humaines et, pourtant, ses interminables avenues paraissaient abandonnées, seulement balayées par un vent d'hiver aux relents de sel et d'algues.

La jeune femme crut qu'elle n'atteindrait jamais sa destination. Elle erra plusieurs dizaines de minutes dans ce dédale fantôme, demanda son chemin à des ombres enfoncées sous leurs parkas de marin pour enfin trouver le port de plaisance, à l'extrémité nord du port industriel. Elle se gara dans une espèce de cul-de-sac formé par de longs bâtiments et demeura là quelques instants, sentant poindre la fatigue : il s'agissait encore de l'une de ces somnolences diurnes et impromptues.

Une fois installée confortablement à l'arrière de son véhicule, elle s'assoupit. Paupières fermées. L'horloge indiquait 18 h 02. Paupières ouvertes. 18 h 19. Après environ un quart d'heure de « sieste » forcée sans rêve, cette fois, elle se sentit revigorée. Elle vida un fond de bouteille d'eau, sortit, verrouilla les portières et se mit à longer la jetée, porte-clés et photo d'Yves dans la main.

Les lampadaires en retrait éclairaient suffisamment pour qu'elle y voie quelque chose. En cette période de l'année, le port de plaisance n'était plus qu'un cimetière, et les navires des tombes. Des grappes de bateaux se balançaient mollement au gré de la houle, les cordages gonflés d'humidité grinçaient comme des cormorans malades. Quelques pontons flottants et peu larges permettaient de se déplacer entre les rangées de navires. Abigaël se mit à suer à grosses gouttes rien qu'à l'idée d'aller là-dessus. L'eau était noire, menaçante. La jeune femme s'imagina aspirée, elle se vit couler et...

Envie de vomir. Elle prit du temps pour recouvrer ses esprits, se motiver. Tout était question de concentration et, de toute façon, elle ne pouvait plus faire demi-tour. Courbée, tremblotante, elle avançait à tout petits pas sur le ponton, telle une octogénaire, les mains ouvertes devant elle pour se retenir en cas de crise d'angoisse ou de cataplexie. Emprunter les allées les unes après les autres fut un véritable parcours du combattant, un chemin de croix. Elle scruta les coques, chercha les marques commerciales qu'on pouvait lire en petit, à des endroits souvent différents. Bayliner, Glastron, Limestone... Il lui fallut plus d'une heure pour trouver ce qui l'intéressait, à la lueur palpitante des lointaines lampes.

Marque Matriochka. Comme sur la clé.

Abigaël leva les yeux. Face à elle, un bateau de plaisance bleu et blanc de sept ou huit mètres de long.

Le navire ne portait pas de nom, contrairement aux autres. Il se dressait là, à l'extrémité de la jetée. Anonyme comme son père.

Elle repoussa le moment de la montée à bord. Elle repéra le numéro d'emplacement indiqué sur le devant du ponton et fonça à la capitainerie du port.

Un petit local, de la lumière… Un homme barbu, engoncé dans une doudoune en plume d'oie, l'accueillit sans sourire. Derrière lui, un chauffage électrique, à l'ancienne, des casiers bourrés de dossiers. Le type discutait au téléphone avec un timbre de gros fumeur. Après qu'il eut raccroché, Abigaël lui demanda des précisions sur le bateau situé à l'emplacement 678. L'homme enfouissait une main dans sa barbe noire où traînaient des morceaux de chips.

— Je suis la fille du propriétaire, précisa Abigaël.

Pas très regardant, il se dirigea vers les innombrables classeurs.

— Pas d'informatique ? demanda la jeune femme.

— Pour quoi faire ?

Abigaël comprit aussitôt. Les ports avaient toujours été des lieux avec leurs règles, leurs transactions illicites et leurs secrets. Était-ce la raison de la présence de son père ici ? L'homme sortit une feuille et la poussa vers son interlocutrice sans même regarder.

Le 678… Au nom de Xavier Illinois. Loué depuis mars 2013, voilà presque deux ans. Aucune autre information. Son père avait démissionné des douanes en juin 2013, soit trois mois plus tard. Il possédait donc déjà ce bateau et devait avoir un plan en tête.

Elle montra une photo d'Yves.

— Vous l'avez déjà vu ici ? C'est lui, Xavier Illinois ?

Le barbu considéra la photo avec attention, puis ses yeux revinrent vers ceux d'Abigaël.

— Vous êtes sûre que vous êtes sa fille ? Parce qu'une fille, elle reconnaîtrait son père, vous croyez pas ?

— C'est un peu compliqué à expliquer. Alors ?

— Je pourrais pas vous dire. Je connais pas de Xavier Illinois. On gère plus de mille deux cents bateaux à l'année ici, sans oublier les touristes. Et puis, les plaisanciers, on ne les voit que très peu, sauf quand ils font des conneries.

Abigaël prit la feuille et la pinça entre son pouce et son index.

— Me dites pas qu'il n'y a que ce papier ? Il faut bien vous fournir des documents officiels, une carte d'identité pour obtenir un emplacement, non ?

— Ouais, faut ça. On fait une copie de la carte, du permis bateau et…

— Faites voir.

Il soupira, puis alla fouiller dans un autre classeur. Il en sortit une pochette plastifiée qu'il lui tendit. Abigaël eut alors l'impression de sombrer dans un trou sans fond. La carte d'identité scannée était bien au nom de Xavier Illinois, assortie de la photo de son père. Idem pour le permis bateau.

Elle scruta avec attention la signature.

Signé XIII. « X »avier « Ill »inois. Un clin d'œil à sa bande dessinée préférée.

Abigaël avait l'impression de sentir la terre s'ouvrir sous ses pieds, et que des monstres aux mâchoires béantes l'attendaient pour l'engloutir.

Ici, au Havre, Yves Durnan n'existait plus. Il était Xavier Illinois, un être fantôme.

27

Face au barbu, elle inspira fort pour ne pas montrer son désarroi. Elle prit les papiers et les roula dans sa main.

— Cette feuille dans un classeur, c'est tout ce que vous avez de lui ?

— On n'a besoin de rien de plus.

— Et il vous réglait en espèces, je suppose ?

L'employé de la capitainerie n'éprouva pas le besoin de répondre. Il tendit la main.

— Vous ne pouvez pas prendre ces papiers, j'en ai besoin pour…

— Non, vous n'en avez plus besoin. Xavier Illinois est mort. Il s'est fracassé à plus de quatre-vingts kilomètres/heure contre un arbre, et il a tué ma fille.

Abigaël l'abandonna à sa surprise et sortit en gardant tous les papiers. Les seules traces pour le moment de l'existence de Xavier Illinois.

Ainsi, son père vivait sous une autre identité, il possédait une fausse carte datée de 2013, un permis bateau et probablement d'autres documents administratifs trafiqués. Il existait donc un Yves Durnan, paisible retraité louant une maison à Étretat, ancien propriétaire d'une Volvo noire immatriculée 76 d'un côté, et un Xavier Illinois, propriétaire d'un grand bateau dans le port de plaisance du Havre, de l'autre.

Nouvelle gerbe d'angoisse à l'approche des quais. L'à-pic vers les flots noirs, le ponton, les coques oppressantes. Elle revint au niveau de l'embarcation dépourvue d'identité. Comme son père.

Mal au cœur, tristesse.

Elle s'agenouilla – la peur d'être aspirée, toujours –, s'agrippa d'une main à un bout, et tira de l'autre sur la petite passerelle en bois accolée à la coque. Le choc du métal contre le bois la tétanisa. Elle franchit l'obstacle sur les paumes et les genoux, en manque d'oxygène, avec l'impression de grimper l'Éverest. Sur le pont, la tête lui tourna. Le port, les lumières, les bouées éclairées, tout était sens dessus dessous. Elle cracha ses tripes au sol ; elle avait la sensation qu'elle allait crever sur place. Après quelques minutes interminables, elle put enfin se relever.

Le bateau, vu le modèle, avait dû coûter un paquet d'argent. Combien ? Cent, deux cent mille euros ? Comment s'acheter un engin pareil et payer un loyer en même temps ? Son père avait forcément une caisse noire issue de ses années de service aux douanes. Ainsi que toutes les connaissances humaines et techniques nécessaires pour vivre sous deux identités différentes.

À la vitesse d'un astronaute sur Mars, elle se dirigea vers la porte en métal de la cabine fermée – son calvaire commençait à peine, chaque infime mouvement du bateau lui donnait le tournis. Clé Matriochka dans la serrure. Un déclic. L'impression de sombrer dans un monde parallèle, celui du mensonge. Avec prudence, elle descendit un escalier – son angoisse monta encore d'un cran – et s'enfonça sous le pont. Ses doigts pressèrent un interrupteur.

Ça sentait le vieux bois laqué et le cordage mouillé. Elle découvrit un véritable lieu de vie d'une quinzaine de mètres carrés. Un lit pliant sur lequel traînaient des vêtements en désordre, un salon plus chaleureux qu'à Étretat, un jeu d'échecs posé sur une table basse, avec les fous renversés. Une petite cuisine encombrée où gisaient encore une bouteille de vin ouverte, des conserves, un sac-poubelle qui dégageait une sérieuse odeur de pourriture. Tous les tiroirs étaient ouverts et vides. Des poupées russes gisaient dans une caisse, ouvertes, mélangées. Les fameuses Matriochka.

Yves avait-il fait disparaître le contenu des tiroirs ? Ou quelqu'un était-il venu pour fouiller ? Quand ? Et pourquoi ?

Le pont grinça soudain, au-dessus de sa tête. Elle s'immobilisa, retint son souffle, mais il n'y eut plus aucun bruit. Sans doute le vent.

Abigaël fit circuler l'air dans ses poumons par grandes et lentes respirations. Elle évoluait sur un plancher solide, rien à craindre. Retour à ses réflexions. Le sentiment que son père était parti de cette cabine précipitamment, laissant tout en plan. Qu'il avait fui quelque chose. Avait-il eu peur ? Avait-il été menacé ?

Abigaël essaya de comprendre : un homme qui n'existait pas d'un point de vue légal avait vécu sur un bateau dans un port déprimant. Il avait quitté le navire sous l'identité de Xavier Illinois et débarqué chez elle sous celle d'Yves Durnan pour qu'ils passent ensemble un week-end au fin fond de l'Est. Pourquoi ? Son père voulait-il lui parler de sa double vie ?

Cherchait-il à fuir ? À se cacher ? Voulait-il tout lui expliquer ?

Elle entreprit une fouille plus approfondie – sans jamais jeter un coup d'œil par les hublots, toujours cette sensation qu'une gueule immense et salée voulait l'avaler –, mais ne trouva aucun papier. Qu'est-ce qu'Yves fichait sur ces eaux polluées ? Elle se rappelait la mine fatiguée et ravagée de son père, ses kilos en moins, les traces d'aiguille sur ses bras…

Soudain, son regard fut attiré par un gros poisson-lune gonflé et hérissé d'épines, accroché dans un filet décoratif, au milieu d'étoiles de mer séchées et de coquillages. Elle se souvint de la photo retrouvée dans la valise d'Yves, celle qui servait de marque-page à la BD *XIII*, avec le mot au dos : « J'espère que tu trouveras la vérité… »

Il s'agissait exactement de ce poisson-là.

Elle décrocha avec prudence l'animal séché du filet. Pourquoi avoir photographié ce curieux poisson ? Pourquoi l'avoir ensuite fait développer, puis glissé dans la BD ? Elle observa cette boule d'épines de tous les côtés et le secoua : quelque chose de très léger gisait à l'intérieur.

Abigaël alla chercher un couteau dans la cuisine et incisa le ventre gonflé, devenu dur et sec comme de la kératine. Elle découvrit un petit morceau de papier, probablement introduit par l'espèce de bec qui faisait office de bouche.

Déplié, il indiquait :

10-30 9-13 1-45 6-32 12-12 19-40 1-24 4-4 6-35 5-7 9-26 14-23 10-13 15-45 8-18 7-44 5-7 1-48 8-8 9-34,

7-46 16-12 11-15 8-47 7-12 6-7 12-21 7-44 6-35 20-21 7-7 17-44 16-34 7-34 3-41,
3-24 4-32 8-30 10-9 7-18 6-10 9-16 2-23 4-48 9-9 12-45 3-45 2-23 9-9 14-43 16-37 6-34 8-33,
...

Et ainsi de suite, plus d'une page de chiffres et de tirets.

Un code secret. La raison de la fouille du bateau ? Qu'y avait-il à découvrir derrière cette curieuse suite de numéros ? Probablement un message, vu la présence des virgules.

Soudain, la porte claqua. Ses sens se mirent en alerte. L'instant d'après, elle entendit un signal électrique, puis le ronflement du moteur. Elle se jeta sur l'escalier en métal et se précipita vers l'issue verrouillée de l'extérieur.

— Ouvrez !

Les bruits mécaniques couvrirent ses cris. Elle eut beau tambouriner, hurler, rien n'y fit. Le sol se mit à tanguer, elle put sentir la vitesse du bateau, la hargne des flots, et s'accrocha à la rambarde de l'escalier, les intestins en vrac. Il lui fallut se battre – son corps pesait des tonnes – pour s'approcher du hublot. Nausées, brûlures d'estomac, chute libre… Le navire longea l'épi anti-houle bordé de lumières clignotantes et quitta le bassin.

Les lueurs du port diminuaient, l'obscurité lui voilait progressivement la vue. Le bateau s'enfonçait en pleine mer. Son cimetière. Là où elle était déjà morte noyée une fois.

Elle essaya d'utiliser son téléphone portable, éprouva toutes les peines du monde à appuyer sur les touches 1 et 7 tant ses mains tremblaient. Envie de vomir, encore. Pas de tonalité. Avec tout ce métal, au ras de l'eau, son appareil ne trouvait pas le réseau.

Où l'emmenait-on ? L'avait-on suivie ? Qui tenait la barre du navire ?

Le bateau s'immobilisa soudain au milieu des flots. Moteur coupé, vibrations effacées. Dehors, la mer faisait le gros dos. Le métal grinçait çà et là, et le plancher tanguait comme dans un manège de foire. On allait la balancer à la flotte. La laisser couler dans les abysses sous la nuit noire. On retrouverait son corps dans un an, dévoré par les crabes.

La jeune femme trouva la force de dissimuler le papier avec le code à l'intérieur de son soutien-gorge. Elle entendit les pas au-dessus. Mains et genoux au sol, elle s'agrippa à tout ce qu'elle pouvait et se traîna jusqu'à la minuscule cuisine. Elle serra un grand couteau de toutes ses forces.

Ce fut à ce moment-là que la lumière disparut. Noir hermétique, façon cercueil. Dedans, dehors. Plus aucun point de repère. Juste ce mouvement de roulis, tenace, lancinant. Abigaël se cacha derrière un meuble vissé dans le sol, cernée de poupées Matriochka éventrées.

La porte grinça au ralenti. Un pied sur une marche. Une grosse bottine noire à la semelle de crêpe. Une torche puissante à l'assaut de l'obscurité dévorait chaque recoin. Abigaël eut beau se cacher, le faisceau la croqua par le dessus. L'ombre, perchée dans l'escalier, dominait toute la cale.

L'œil de lumière la frappa en plein visage.

— Qui êtes-vous ? s'écria-t-elle, un bras relevé pour protéger ses yeux. Qu'est-ce que vous voulez ?

Aucune réponse. Juste le ricanement du bois sec. L'instant lui parut durer une éternité. Elle était piégée dans cette souricière, sans moyen de fuir. L'ombre descendit encore de quelques marches, le pas lourd comme celui d'un croque-mort. Abigaël vit alors un éclair dans la nuit. Une électrode se planta dans son blouson. Une fraction de seconde plus tard, elle gisait au sol, entre les poupées, traversée par une douleur indescriptible.

Incapable de bouger.

L'ombre s'approcha et se pencha vers elle, l'éblouissant de sa torche.

Puis ce fut le noir.

28

Un tambourinement d'abord indistinct, puis de plus en plus précis.

Ça ressemblait à des coups contre du verre.

Abigaël sentit le poids de ses paupières – deux briques chauffées à blanc – et eut du mal à les ouvrir. Bouche pâteuse, lèvres craquelées et déshydratées. Face à elle, deux yeux au ras d'un bonnet de marin. Des dents au rabais. Le faciès rongé par le sel était presque plaqué contre une vitre.

— Hé, ma petite dame ! Ça fait cinq minutes que je cogne dur, j'ai failli appeler les pompiers. Ça va ?

Abigaël mit quelques secondes à cerner son environnement. Elle était allongée à l'arrière de sa voiture, les muscles de la nuque ankylosés. L'horloge du véhicule indiquait 8 h 26.

Les clés de la voiture pendaient du contact. Le marin insistait contre le carreau.

— Ça va, madame ?

— Oui, oui. Ça va…

Non, rien n'allait. Abigaël attendit qu'il s'éloigne et sortit de sa voiture, courbaturée. Fouilla dans ses poches. Son portefeuille, son téléphone, la photo de son père devant la jetée, tout était en place. Même la clé de bateau Matriochka se trouvait sur le porte-clés en forme de gouvernail.

Malgré le froid, Abigaël ouvrit grand son blouson, souleva son sweat et chercha le petit point rouge du choc électrique sur sa poitrine. En vain.

C'est pas vrai !

Elle était comme une bouée au milieu du Pacifique : perdue. Et elle n'avait pas rêvé, cette fois. Elle, au milieu des flots. La mer vorace cherchant à l'engloutir. Les sons, les odeurs, les nausées, entassés précisément au fond de son crâne.

Peut-être que les Taser ou ce genre d'engins ne laissaient plus de marques ?

Elle se dirigea vers le port en courant. Ceux qui avaient pu l'apercevoir, ce matin-là, devaient se dire qu'il s'agissait d'une jeune femme à la dérive. Débraillée, pas coiffée, le visage en vrac… Quand l'air lui écrasa la poitrine comme un baiser de glace, elle remonta la fermeture de son blouson jusqu'au cou.

La capitainerie se dressait, identique à la veille. Le barbu était toujours derrière son comptoir. Si elle l'avait juste rêvé, comment pouvait-elle savoir, pour la barbe ? Abigaël passa devant le bâtiment et se dirigea vers la jetée déjà empruntée la veille au soir. Elle savait que l'emplacement 678 était le dernier.

Mais il était vide.

Abigaël se prit la tête entre les mains et réfléchit en fixant la mer. Elle se rappelait si distinctement le bruit du moteur, le clapotement des vagues contre la coque, le craquement des pas sur le pont. Et cette peur viscérale de mourir.

Non, tout cela ne pouvait pas jaillir de son imagination.

Soudain, elle sortit son téléphone portable et consulta le journal des appels. Rien. Pourtant, elle avait bien composé le 17, la veille. Même sans réseau, le numéro aurait dû être conservé dans la mémoire de l'appareil.

Un autre souvenir refit surface. Elle rouvrit alors son blouson et glissa une main dans son soutien-gorge pour y dénicher le papier avec les codes.

Donc, elle avait effectivement quitté sa voiture et s'était bien rendue sur l'embarcation pour y trouver le message codé de son père dans le poisson-lune. On cherchait à la rendre folle. Son agresseur n'avait pas voulu la tuer, il l'avait ramenée à sa voiture, installée sur le siège conducteur et avait refermé les portes, en prenant garde à une multitude de détails, y compris celui d'effacer le dernier appel. Un méticuleux.

Pourquoi ne pas la balancer à la mer ? Pourquoi jouer à cet horrible jeu ?

Elle songea au mot de sa fille découvert dans les bois deux jours plus tôt. Au chat en peluche disparu… Aux ceintures de sécurité… Devenait-elle *vraiment* dingue ?

Non, elle n'était pas dingue. Le salopard avait « oublié » de la fouiller jusque dans son intimité. Abigaël tenait sous ses yeux la preuve tangible de sa lucidité.

Emplie d'espoir, elle remonta la jetée et entra dans la capitainerie. Le petit chauffage électrique… L'absence d'ordinateur… Elle reconnut le type trait pour trait tandis que lui la considéra comme s'il la voyait pour la première fois.

— C’est pour quoi ?

Toujours la même impolitesse, le même air bourru. Et cette voix si particulière de fumeur. Elle sortit la photo de son père et la lui mit devant les yeux.

— Je suis venue ici, hier soir, vous demander des renseignements sur l’emplacement 678 et sur cet homme. Xavier Illinois. Vous vous rappelez ?

Il observa le cliché et secoua la tête.

— Jamais vu. Ni lui ni vous. Désolé.

— Non, non, faites un effort, s’il vous plaît ! Vous êtes allé chercher vos classeurs, là, derrière vous ! Je vous ai demandé pourquoi vous n’aviez pas d’ordinateur, vous m’avez répondu : « Pour quoi faire ? » Vous ne pouvez pas avoir oublié.

— On dirait bien que si.

Abigaël sentit la lave monter, ce type se fichait d’elle. Tour du comptoir, direction l’étagère. L’homme lui attrapa le poignet et la repoussa.

— Il n’y a rien qui vous autorise à aller fouiller dans mes dossiers.

— Pourquoi vous me mentez ? C’est vous qui avez alerté quelqu’un pour qu’on m’agresse ? Qui deviez-vous prévenir ?

— Vous avez un vrai problème, vous. Vous devriez aller faire un tour en hôpital psychiatrique.

— Je vais revenir avec des gendarmes et tous les papiers qu’il faudra.

Abigaël sortit en claquant la porte, hors d’elle. Non, elle ne reviendrait pas avec des gendarmes. Sous quel prétexte ? Elle n’avait rien contre ce type, et il n’y avait plus rien à chercher.

Elle était piégée. Seule.

Dans un ultime espoir, elle parcourut chaque mètre

du port de plaisance à la recherche du bateau bleu et blanc. Les deux ou trois marins qu'elle croisa n'avaient jamais entendu parler de Xavier Illinois. Lui et son bateau anonyme n'existaient que dans sa tête.

Une corne de brume résonna au loin. Des silhouettes fantômes de cargos se détachaient à l'horizon sous le ciel gris, façon décor de film noir des années 1960. Abigaël hésita à quitter le port. Partir d'ici, c'était abandonner l'espoir de comprendre. Et laisser le temps ensevelir ses convictions que tout avait réellement existé.

Elle reprit la route. Les dernières grues accrochées aux quais finirent par disparaître dans son rétroviseur. De retour dans le Nord, Abigaël demanderait à Frédéric de chercher dans quelques fichiers de la gendarmerie, elle irait poser des questions aux anciens collègues douaniers d'Yves, mais elle savait déjà comment tout ceci se terminerait. Personne ne saurait, personne ne parlerait. Avec le temps, Xavier Illinois finirait par devenir un infime point coincé au fond de sa mémoire. Et puis il s'effacerait, un jour. Comme tout le reste.

Ne resteraient de lui que ces étranges codes notés sur un morceau de papier.

Elle décrocha, Frédéric l'appelait. Elle n'eut pas le cœur de lui expliquer ses dernières péripéties. Elle le ferait sans doute plus tard, mais pas maintenant, pas au téléphone. Parce qu'il n'y comprendrait rien. Frédéric embraya sur l'enquête Freddy.

— J'ai une bonne nouvelle. L'affaire a pris un tournant inattendu. Et grâce à toi. Hier soir, j'ai lancé une recherche dans le fichier des véhicules volés, juste au cas où. Un Kangoo noir a été déclaré volé il y a deux mois. C'était le 5 décembre, en banlieue lilloise.

Le 5 décembre. La veille de l'accident. Le jour de l'arrivée de son père.

Abigaël s'arrêta par prudence et mit le son du haut-parleur à fond.

— C'est sûrement ce véhicule volé que tu as vu aux alentours de 3 h 40, le matin du 6 décembre, poursuivit Frédéric. D'après la déclaration du propriétaire, le vol a eu lieu après 20 heures, heure à laquelle l'homme est rentré du travail avec le Kangoo. On ne voit pas encore le lien exact avec Freddy. Est-ce qu'il vole une voiture avant chaque enlèvement ou avant de déposer chaque épouvantail ? Ça pourrait expliquer qu'il ne se fasse jamais repérer, qu'on n'ait pas de témoignages communs au sujet des véhicules. Se débarrasse-t-il de cette voiture ensuite ? Bref, ça ouvre de nouvelles perspectives, on va se concentrer là-dessus.

— Alors, tu m'as crue ?

— Bien sûr que je t'ai crue.

Un courant chaud dans le cœur : elle n'était pas encore complètement folle.

29

6 décembre 2014
L'ACCIDENT

25 juin 2015
LE LAVOIR EN FLAMMES

18 juin 2015

Abigaël roulait sur l'A1, autoradio éteint, direction la maison d'édition de Josh Heyman. *La Quatrième Porte*, ce romain effroyable dévoré la veille, où l'on pouvait lire, page 387, l'expression « Perlette d'Amour », était posé sur le siège passager. Elle avait réussi à décrocher un rendez-vous pour 14 heures avec l'un des éditeurs de la société.

Auparavant, elle avait mené des recherches sur Internet et déniché une poignée de critiques des deux livres d'Heyman sur des blogs. *Les Pierres noires*, le roman paru en 2012, traitait d'une enquête autour d'un trafic d'or en Guyane française, et les retours de lecture se révélaient plutôt mitigés, reprochant un manque de crédibilité et de rigueur dans la structure de l'histoire.

Les avis sur *La Quatrième Porte* partageaient

davantage les lecteurs. Certains – visiblement les plus extrêmes des amateurs de thrillers – avaient adoré, surtout pour le caractère violent, sans limites du livre, et d'autres le descendaient, le considérant comme un ramassis d'horreurs et de complaisance dans les descriptions sordides et les maltraitances sur mineurs.

Quant à l'auteur, Josh Heyman, Internet n'en disait pas grand-chose. Aucune interview ni information sur cet homme, y compris sur le site de l'éditeur où d'autres auteurs de la maison possédaient pourtant une page dédiée. Comme si on avait cherché à l'effacer, à l'oublier. Abigaël avait juste glané deux ou trois photos d'Heyman sur les moteurs de recherche. Un grand type brun et costaud, la trentaine, les sourcils en accent circonflexe, les yeux noirs et insondables. Une force de la nature.

Comment cet homme en était-il venu à choisir l'expression « Perlette d'Amour » ? Pourquoi avait-il fait mourir les parents de son héroïne dans un accident de voiture, se rapprochant ainsi curieusement de la trajectoire personnelle d'Abigaël ?

Grâce au GPS, elle arriva dans le centre de Paris vers 13 h 30. Porte de Clignancourt, boulevard de Magenta, République, Bastille. Terrasses de cafés bondées, des scooters partout, des bus, des taxis explosant en nuées écarlates. Des bouches de métro vomissant leurs paquets d'humains comme des billes sur un plateau de verre. Tant bien que mal, elle dénicha un parking souterrain et s'engagea à pied, rue de la Roquette, une pochette à élastiques dans la main. La maison d'édition se trouvait au fond d'une cour où se côtoyaient ateliers de peintres, studios d'enregistrement indépendants et sociétés de production.

Le stagiaire qui l'accueillit l'amena auprès du directeur littéraire, un homme d'une quarantaine d'années, petites lunettes aux verres pas plus larges que ses yeux bleu-gris, et les cheveux d'un blond paille attachés en queue-de-cheval. Le nez enfoncé dans des piles de manuscrits qui recouvraient la surface de son bureau. Il se leva pour la saluer.

— Je suis navré pour l'encombrement. Je rentre d'un séjour aux États-Unis et… voilà le travail.

Il pria Abigaël de s'asseoir, ôta ses lunettes et mordilla l'extrémité de l'une des branches, quand la jeune femme se mit à lui expliquer la raison de sa visite.

— J'aimerais pouvoir rencontrer Josh Heyman, lui poser quelques questions sur son livre que vous avez publié en mars, *La Quatrième Porte*.

— Grégoire vous a déjà expliqué par téléphone que nous ne répondons malheureusement pas à ce genre de requêtes, ceci dans le but de protéger nos auteurs. Nos prédécesseurs étaient beaucoup plus laxistes que nous sur ce point, ça a parfois causé des soucis. Il y a les salons du livre pour les rencontres. Josh n'en a jamais fait. Je pense que vous avez compris que Josh Heyman est un pseudonyme et que l'auteur ne souhaite pas révéler sa véritable identité à ses fans…

— Je ne suis pas une admiratrice, monsieur Chatillon.

Son nom était placardé en grand sur la porte, comme sur les loges des artistes. Abigaël ouvrit sa pochette et poussa les photos des trois enfants disparus, imprimées depuis l'ordinateur de Frédéric.

— Je m'appelle Abigaël Durnan. Je suis la psychologue qui travaille sur l'affaire du kidnappeur des trois enfants auprès de la section de recherches de Villeneuve-d'Ascq. Affaire dont semble s'être très fortement inspiré votre auteur.

Ludovic Chatillon la considéra avec de grands yeux qui, comme n'importe qui la croisant pour la première fois, se portèrent sur le cercle rougeâtre à sa gorge. Il finit par tirer les photos à lui et considérer les trois visages, les uns après les autres. Alice, Victor et Arthur…

— Vous avancez, avec cette histoire ? Il paraît qu'un gamin a été retrouvé.

— Il y a deux mois, en effet.

— Et les autres ? Des nouvelles ?

— L'enquête suit son cours.

Il paraissait gêné quand il rendit les clichés à son interlocutrice.

— J'espère que vous retrouverez celui qui a fait ça. Vous savez, les auteurs de romans policiers s'inspirent très souvent de la réalité, mademoiselle Durnan. Ils s'abreuvent de faits divers, de presse à sensation et de drames réels pour construire leurs fictions. Pour quelle raison souhaiteriez-vous rencontrer Josh Heyman ? Il a fait quelque chose de mal ? Vous voulez intenter un procès ? Vous savez, nous sommes une petite structure, ici.

Le ton et l'air de l'éditeur avaient changé. Il paraissait désormais affligé.

— Il n'est pas question de procès, répliqua Abigaël. C'est juste qu'il y a des éléments troublants dans son livre qui me concernent personnellement. Des choses que je n'ai jamais révélées à personne. Et j'ai besoin de savoir comment votre auteur s'est procuré ces informations.

L'homme gardait un silence de confesseur. Ses yeux

parcouraient le visage d'Abigaël comme s'ils lisaient les lignes d'un manuscrit.

— Il n'y a aucune information au sujet de Josh Heyman sur votre site Internet, renchérit Abigaël. Ni biographie ni bibliographie alors que c'est le cas pour les autres auteurs de votre maison. Je ne quitterai pas ce bureau avant de savoir pourquoi.

Chatillon laissa traîner son regard sur la feuille qu'il avait sous les yeux avant l'arrivée d'Abigaël. Il la souleva délicatement et la posa au-dessus d'une pile. Puis il se leva et alla fermer la porte, avant de revenir s'asseoir, l'air grave.

— Vous avez raison. Josh a commencé à plancher sur son roman au second semestre 2014. Mais à l'époque, il ne nous a jamais dit qu'il s'était inspiré de votre affaire. Je l'ai découvert quand il m'a remis le manuscrit au début de l'année. J'ai fait le rapprochement avec cette enquête médiatisée. Mais le roman reste une pure fiction, nous avons décidé de le publier quand même.

Il fit signe à quelqu'un qui voulait entrer avec un paquet de feuilles de passer son chemin.

— Fin mars dernier, Josh est venu à la petite soirée de lancement organisée avec quelques lecteurs et blogueurs. Je l'ai senti très mal ce soir-là. Pas en forme, fatigué, triste, alors que la sortie d'un livre est censée être une explosion de joie, l'aboutissement d'un long travail. Il a parlé sans entrain à deux ou trois personnes puis est retourné s'enfermer dans la résidence secondaire héritée de ses parents, où il a l'habitude d'écrire ses terribles histoires…

Son téléphone fixe sonna. Il décrocha, raccrocha et laissa le combiné en dérangement.

— Josh n'a pas eu un passé facile. Ses parents sont tous les deux décédés dans un crash d'avion. Cent quarante-huit morts… Il avait 8 ans à l'époque. Un môme qui se retrouve seul du jour au lendemain, élevé par un oncle. Pas évident à surmonter.

Abigaël comprenait la véritable raison de l'accident de voiture des parents, dans le roman : Josh s'était inspiré de son expérience personnelle, de son propre deuil. Elle avait sans doute fait fausse route en établissant un rapprochement avec elle. Mais cela n'expliquait pas l'utilisation de l'expression propre à Léa et elle, « Perlette d'Amour ».

— Dans la semaine qui a suivi la sortie du livre, on a cherché à le joindre pour qu'il accepte de rencontrer quelques journalistes et blogueurs qui avaient lu son roman, mais il ne répondait plus au téléphone ni aux e-mails. Silence radio. Je me suis inquiété. Alors, j'ai pris ma voiture et je suis allé jusqu'en Bretagne.

La Bretagne. Abigaël crispa ses doigts sur le rebord de son siège. Elle songeait au billet de train de son rêve, à destination de Quimper. Peut-être une coïncidence, mais elle voulait croire le contraire.

Le directeur littéraire fouilla dans ses souvenirs.

— C'est sur L'Île-Grande, une île des Côtes-d'Armor, que se trouve la bâtisse en pierre où il s'était réfugié. Une villa baptisée *Kroaz-hent*, face à la mer du côté de la réserve ornithologique, où vos seuls voisins sont des cormorans et une colonie de phoques. L'image exacte que l'on se fait de l'écrivain reclus en train de noircir les pages de son prochain livre. C'est là-bas que… que j'ai vu ces horreurs.

Il chercha ses mots quelques instants, de peur de se blesser les lèvres en les prononçant.

— Il faisait noir quand je suis arrivé, il n'était pourtant que 17 heures, mais la météo était horrible… Cette île était sinistre, j'ai bien cru que j'allais mourir de froid quand je suis sorti de ma voiture. Il y avait de la lumière dans la chambre du haut, mais j'avais beau frapper à la porte d'entrée, personne ne répondait. J'ai tourné la poignée, j'ai ouvert. Il faisait presque aussi froid dedans que dehors… Et ce silence. Pas un bruit, rien, comme si la maison était vide, inhabitée. Je me suis avancé, et j'ai découvert du sang sur le sol du salon. Alors, je suis monté à l'étage en courant et criant le prénom de Josh. Et…

Il posa ses lunettes devant lui dans un soupir. Abigaël devina sa nervosité aux tremblements de ses doigts.

— Josh était allongé sur son lit, recroquevillé en position fœtale. Il avait enveloppé ses mains dans un drap rouge de sang. Il ne bougeait plus, il était extrêmement faible mais en vie. Je me suis précipité, j'ai aussitôt appelé les secours, je ne savais pas quoi faire. J'ai pensé qu'il avait essayé de se suicider ou été agressé. Je me suis approché, j'ai déroulé le drap autour de ses mains…

Il grimaça et s'efforça de poursuivre.

— J'ai vu l'horreur à l'état pur.

30

L'éditeur de Josh Heyman rabaissa les manches de sa chemise, comme s'il était tout à coup saisi d'un grand froid. Il poursuivit ses explications.

— Josh était recroquevillé dans les draps ensanglantés, et il n'avait plus de doigts. Plus un seul. Coupés net, jusqu'à la deuxième phalange. Comme ça.

Il mima le geste avec la tranche de sa main droite s'abattant sur sa main gauche.

— Les dix doigts, mademoiselle Durnan.

— Il les avait tranchés lui-même ?

— Oui.

Chatillon se leva et se servit de l'eau dans un gobelet. Il en proposa un à Abigaël, tous deux burent pour chasser le goût de l'horreur. La jeune femme imaginait parfaitement la scène qu'avait dû découvrir son interlocuteur, sur cette île aux allures de territoire maudit. Chatillon se tamponna les lèvres avec un mouchoir.

— Elles étaient brûlées en plus, ses mains. Je pense qu'il avait cautérisé les blessures avec du feu. Les pompiers sont arrivés, ils ont pu le sauver, mais pas ses doigts. D'après eux, Josh n'aurait probablement pas survécu quarante-huit heures de plus. Quant aux doigts, il se les était coupés avec une espèce de guillotine miniature de sa confection. Un truc élaboré avec une lame de hache, un guide, un système de poulies, un bac récupérateur…

Abigaël encaissait. Qu'était-il passé par la tête de Josh Heyman pour en arriver à un carnage digne d'un film de série B ? Ça sentait la maladie psychique à plein nez. Crise de démence ? Schizophrénie paranoïde ? L'éditeur regardait ses propres mains ouvertes devant lui, les tournant et les retournant comme deux objets sacrés.

— … Si la façon dont il s'était mutilé ne laissait aucun doute, restait, entre autres questions immédiates et urgentes, celle-ci : où étaient les doigts ? Le bac reposait à côté de la guillotine, taché de sang mais vide. Les pompiers savaient qu'il y avait très peu d'espoir pour une greffe, mais ils voulaient les retrouver, ces dix doigts… Question de principe, vous comprenez ?

Abigaël acquiesça, son esprit carburait à fond. L'écrivain n'avait certainement pas cherché à se suicider, mais à se mutiler.

— Où étaient-ils ?

— Dans la cheminée, calcinés, au milieu des cendres. Josh s'est servi de ses poignets rapprochés pour porter le bac de la guillotine et verser son contenu dans les flammes.

— Il accomplissait donc une succession de gestes bien précis, planifiés, malgré la douleur qui devait être atroce. Il n'a pas expliqué pourquoi ?

— Il n'a plus prononcé un mot après son acte.

Abigaël tenta de remettre de l'ordre dans ses idées à la suite de ces révélations tellement inattendues.

Un écrivain, qui coupe ses dix doigts avec un objet confectionné par ses soins et les brûle ensuite, avant de s'allonger dans son lit et d'attendre une mort lente et douloureuse…

— Quelles ont été les conclusions ? Il y a eu une enquête ?

— Il n'y a pas eu besoin d'enquête. Il y avait une caméra dans le salon où ça s'est produit. Josh a… tout filmé.

— Vous avez vu ce film ?

— Non, mais d'après son psychiatre, Josh fixait la caméra quand la lame s'est abattue sur ses deux mains. Aucune panique, aucune peur, rien.

Il secoua la tête, comme s'il ne croyait pas à ses propres paroles.

— Josh s'était mutilé tout seul, son cas relevait de la psychiatrie. D'après ce que j'ai appris, il avait déjà eu quelques problèmes plus jeune, mais nous l'ignorions quand nous avons publié ses livres. Je n'ai pas d'informations sur son suivi psychiatrique, je sais juste qu'il est toujours enfermé en établissement spécialisé.

Abigaël sentait un sel piquant sur ses lèvres : celui du goût de la traque. Elle voulait comprendre, forer le crâne d'Heyman à la perceuse et en toucher les secrets.

— Josh ne voulait surtout pas qu'on puisse lui greffer ses doigts, c'est pour cette raison qu'il les a brûlés, n'est-ce pas ? Il a supprimé le principal outil qui lui permettait d'écrire.

— Oui. J'ignore pourquoi, ainsi que la raison de cette mise en scène sordide. Les écrivains de romans noirs sont souvent hantés par des démons, mais à ce point-là… Quel gâchis. Josh n'était pas un grand auteur, mais il savait tenir en haleine ses lecteurs et pouvait encore progresser.

Abigaël passa une main sur son avant-bras droit, au niveau de la brûlure de cigarette. Le feu marqueur… Le feu destructeur… Le feu, témoin du pire. Elle imaginait ce type vu en photo, assis face à la cheminée, les mains en sang, en train de regarder ses doigts se consumer, tandis qu'une caméra filmait. Elle voyait les flammes au fond de ses yeux d'ogre. Quels secrets cachait son esprit déréglé ? Pourquoi une telle autopunition ? S'agissait-il d'un vrai châtiment, ou d'un acte de pure folie ?

— J'ai besoin de connaître sa véritable identité.

— Après tout ce que je vous ai dit, il n'y a plus aucune raison pour que je vous la cache, vous auriez vite fait de la retrouver, de toute façon. Il s'appelle en vérité Nicolas Gentil. Triste ironie du sort de porter un nom pareil, vous ne trouvez pas ?

— Et il est interné…

— … à l'hôpital Eugène-Debien, au fin fond de la Bretagne, dans une ville appelée Plogoff. C'est là que se trouve la pointe du Raz. Une rapide recherche sur Internet vous donnera l'adresse exacte. J'ai déjà regardé des photos, je n'ai jamais vu un lieu aussi sinistre. On dirait un hôpital sorti des années 1900.

La pointe du Raz, située à une trentaine de kilomètres de Quimper, destination du billet de train de son fichu rêve imbriqué. Abigaël essaya de cacher son trouble en buvant son verre d'eau, mais Chatillon remarqua sa nervosité.

— Vous avez parlé d'éléments dans son livre qui vous concernaient, fit-il. Vous m'expliquez ?

— Je le ferai si je comprends, je vous le promets.

Elle se leva pour le saluer. Chatillon garda longtemps la main d'Abigaël dans la sienne.

— On aurait pu faire de la publicité autour de toute cette histoire, dit-il. Un écrivain qui se coupe les dix doigts, c'est le genre de fait divers qui fait vendre des livres. Mais même si on a du mal à survivre, on est une structure honnête. Cette sinistre histoire n'a heureusement pas été médiatisée, je compte sur vous pour que cela n'arrive pas.

— Vous pouvez me faire confiance.

Elle le remercia de nouveau. Il l'accompagna jusqu'à l'escalier.

— Une toute dernière question, monsieur Chatillon, fit Abigaël deux marches plus bas. Josh avait-il entamé un nouveau roman au moment du drame ?

— Non, non. Enfin, je ne crois pas. *La Quatrième Porte* venait juste de sortir, c'était trop tôt. Il y avait eu trois ans entre *Les Pierres noires* et son deuxième livre. Josh écrivait vite une fois lancé, mais il aimait prendre son temps entre deux histoires.

— Dans ce cas… Josh ne s'est peut-être pas mutilé pour s'empêcher d'écrire.

— Pourquoi il aurait fait ça, alors ?

— Il s'est peut-être puni pour ce qu'il avait écrit.

31

6 décembre 2014
L'ACCIDENT

25 juin 2015
LE LAVOIR EN FLAMMES

9 mars 2015

Un mois s'était écoulé depuis l'épisode du port du Havre, mais Abigaël s'en souvenait encore parfaitement : la silhouette de l'inconnu dans le bateau bleu et blanc, le voyage en mer, son agression avec un choc électrique. Et le réveil dans sa voiture, comme une illusion.

Un mois pendant lequel Abigaël n'avait eu de cesse d'essayer de retrouver des traces de Xavier Illinois, la fausse identité de son père. Des journées à écumer le port du Havre en long, en large, à interroger le personnel, à se glacer les os au bout de la jetée, entre pluie et brouillard, à chercher la trace de ce bateau bel et bien disparu, comme dans une légende, que personne n'avait vu, sauf elle. Ses nuits s'étaient terminées en solitaire, au bar de l'hôtel, entre vodka-citron et Propydol, recroquevillée et tremblante sous les draps, agressée de cauchemars – croquemitaine, voiture de son père lui fonçant dessus, petite fille sans visage l'entraînant au fond de l'eau – qu'elle notait méticuleusement sur son cahier au petit matin. Elle était rentrée dans le Nord comme un marin qui revient d'une campagne de pêche : usée, amaigrie, à bout de nerfs.

Elle avait par ailleurs fait le tour des services de douanes de Dunkerque, la seconde maison de son père pendant plus de vingt-cinq ans, et récolté chaque fois le même genre de réponse : comment Yves, qui avait été un douanier irréprochable, avait lutté toute sa vie contre le banditisme, le trafic de drogue, aurait-il pu vivre sous une fausse identité ? Avait-elle seulement des preuves de ce qu'elle avançait ?

Les hommes de loi l'avaient regardée de travers, surtout quand elle avait suggéré qu'il avait pu bénéficier de l'aide d'anciens contacts pour obtenir ses faux papiers. Les portes s'étaient progressivement fermées. Les douanes françaises ne voulaient pas de cette publicité-là.

Frédéric avait été à ses côtés. Il avait essayé de l'aider avec ses moyens, mais les fichiers de la gendarmerie étaient restés muets : Xavier Illinois n'existait nulle part. Trois mois après l'accident de voiture, il avait disparu de la surface de la Terre, laissant Abigaël seule avec ses démons. Quant au téléphone portable d'Yves Durnan, celui qui était en sa possession le jour de l'accident, les analyses des appels n'avaient rien révélé de particulier. Quelques coups de fil à droite, à gauche sans grande utilité. Si son père était allé au bout de sa supercherie, alors Xavier Illinois disposait de son propre téléphone portable, sans doute alimenté par des cartes rechargeables.

Il était à peu près 17 h 30, en ce début mars 2015, quand on frappa à la porte. Par la fenêtre, Abigaël s'attendait à voir Frédéric un peu en avance, mais au lieu de ça, ce fut son agent immobilier, accompagné de deux personnes. Une visite complètement sortie de sa tête. Elle alla ouvrir, salua Morel. L'un des hommes en sa compagnie, un moustachu aux larges épaules, tenait une boîte à outils. Quant à l'autre… il lui rappelait quelqu'un.

— Je suis venu avec Marc Zieman, fit l'agent immobilier. Vous vous souvenez de lui ? Il s'est présenté il y a un mois, il souhaiterait faire une contre-visite avec son beau-frère. Jeter un œil à la tuyauterie, aux murs, au grenier et à la toiture. Vérifier qu'il n'y a pas de vices cachés.

C'était bien ça, se rappela Abigaël. Zieman… Sous son manteau, l'homme portait un costume sombre, une cravate assortie, et Abigaël avait désormais cette tenace impression de l'avoir déjà vu quelque part, en dehors de sa visite précédente.

— Oui, oui… Allez-y, je vous en prie.

Elle les laissa entrer et commencer leur visite. Les hommes étaient engoncés dans de chaudes tenues, ils portaient des gants en laine, et un bonnet noir pour Zieman. En ce mois de mars, les températures refusaient de décoller.

Le grand moustachu alourdi de ses outils lui demanda de visiter la cave. Il dégageait une désagréable odeur de sueur sous son gros blouson en cuir. Tous deux descendirent dans la pièce voûtée, tandis que Zieman montait à l'étage et assommait l'agent immobilier de questions techniques.

— Elle date de quand, votre chaudière ? demanda le moustachu.

Abigaël n'en savait rien et s'en fichait royalement, elle voulait juste quitter cette maison qu'elle ne supportait plus et était prête à casser le prix. L'homme fit le tour, observa les tuyaux d'arrivée et d'évacuation d'eau, passa ses mains sur les murs, regarda le bout de ses gants. Peau jaunâtre et visage grêlé. Une vraie allure d'Apache.

— Il n'y a pas l'air d'y avoir d'humidité, c'est un bon point.

Abigaël le suivait en silence. Pourquoi n'enlevait-il pas ses gants pour faire ses tests ? Il s'approcha de cartons où étaient stockées les affaires d'Yves, récupérées dans sa maison d'Étretat : des vêtements, une radio, un peu de vaisselle, du courrier, sa collection de bandes dessinées *XIII*. Le moustachu se pencha et prit l'un des albums.

— J'ai déjà lu ça. C'est à vous ?

— Elles appartenaient à mon père.

Abigaël se sentit mal à l'aise. Cette impression que quelque chose ne collait pas, mais quoi ? Elle reprit la bande dessinée des mains du visiteur et la remit à sa place.

— Vous avez terminé ?

— Pas encore. On doit tout bien vérifier. Mon frère veut être certain avant de s'engager.

— Je pensais que c'était votre beau-frère.

Il ne répondit pas et lui tourna le dos. Il prenait son temps, scrutait les recoins, sortait des appareils de mesure à l'utilité mystérieuse. La jeune femme, elle, observait l'homme en silence, avec la curieuse sensation qu'il cherchait quelque chose.

Quand ils remontèrent enfin, Zieman et l'agent immobilier revenaient de l'étage. Abigaël capta l'échange de regards entre l'acheteur potentiel – cet homme aux yeux de glace déjà venu le mois précédent – et son « beau-frère » apache. Ils se mirent à l'écart et discutèrent un moment. Guillaume Morel tapota discrètement l'épaule de sa cliente, l'air de dire : *C'est bon, on les tient.*

Zieman revint vers eux.

— Votre maison m'intéresse. Je vous fais une proposition ferme avant demain soir.

L'agent immobilier lui adressa son grand sourire de commercial.

— C'est parfait ! N'est-ce pas, madame Durnan ?

Abigaël dut se forcer pour paraître heureuse, mais tout cela sonnait étrangement faux. Où diable avait-elle vu ce Zieman ? À quelle occasion ? Quand ils furent partis, elle resta immobile sur le canapé, en pleine réflexion, puis fonça à l'étage. Elle comprit, en découvrant toutes les portes des pièces ouvertes, que Zieman et l'Apache étaient venus faire une fouille en bonne et due forme.

Elle courut vers son bureau, observa le carnet posé à côté de l'ordinateur. Tout lui semblait en ordre. Ouverture à la première page. Le papier avec le code trouvé dans le bateau de son père un mois auparavant était toujours là.

10-30 9-13 1-45 6-32 12-12 19-40 1-24 4-4 6-35 5-7 9-26 14-23 10-13 15-45 8-18 7-44 5-7 1-48 8-8 9-34,
7-46 16-12 11-15 8-47 7-12 6-7 12-21 7-44 6-35 20-21 7-7 17-44 16-34 7-34 3-41…

Dieu merci… Le carnet contenait toutes ses recherches, ses analyses menées sur ce fichu code dont ni elle, ni Frédéric, ni Gisèle n'avaient compris la signification. Abigaël avait même posté le message codé sur des forums de cryptographie, sans davantage de succès. Cette succession de chiffres demeurait un mystère.

Elle s'allongea sur son lit, les mains derrière la tête, et se concentra sur le visage de Zieman. Se remémora quelques événements passés, les yeux mi-clos. Des lieux aussi. Hôpital psychiatrique de Bailleul… Cabinet de psychologie… Était-il l'un de ses anciens patients ? Et soudain, elle se rappela où elle l'avait vu pour la toute première fois : à la crémation de son père et de sa fille.

L'image lui revenait avec précision. L'homme était resté discrètement au fond de la salle, parmi les nombreuses personnes debout. Tout de noir vêtu, dans un costume impeccable comme aujourd'hui… Elle l'avait pris pour un employé du crématorium, ou un parent des amis de Léa.

Qui étaient ces deux types ? Que cachait ce fichu code ? Avaient-ils un lien avec la lettre de Léa retrouvée dans les bois « Je vais bientôt mourir… » ?

On frappa à la porte. Frédéric… Elle se releva, descendit en toute hâte, déverrouilla, entrouvrit légèrement tout en faisant glisser la chaînette de sécurité dans son rail métallique.

Dans l'entrebâillement, un visage froid, déterminé : Zieman.

Il était revenu, seul. Et certainement pas avec l'intention de lui offrir des fleurs.

Abigaël referma aussi vite que possible, prenant Zieman de court, et tourna le verrou. Elle entendit deux poings s'abattre sur le bois, puis plus rien. Une ombre passa devant la fenêtre : il allait faire le tour et se glisser par l'arrière. Abigaël sentit une brûlure acide au fond de son estomac. Elle se retourna et fonça dans le salon, trop tard : l'autre, l'Apache, venait d'ouvrir la porte coulissante qui donnait sur le jardin.

Et il avait déjà un pied dans sa maison.

32

Abigaël fonça dans l'escalier. Soudain, sa tête partit à la renverse quand une main l'agrippa par les cheveux. L'Indien moustachu la plaqua au sol sans ménagement, lui écrasant la joue contre le carrelage.

— Si tu cries, je te tue.

Il se pencha vers elle et respira dans sa nuque, une lame brandie. Son haleine sentait le tabac froid. Zieman le rejoignit et le tira vers l'arrière.

— Doucement, l'ami. Faut pas l'abîmer, la petite.

En râlant, le moustachu prit une bouteille de vodka qui traînait sur la table basse et s'en enfila une gorgée, tandis que Zieman plantait l'écran d'un téléphone devant les yeux d'Abigaël. Dessus, le fameux code secret de son père, probablement photographié lors de leur visite.

— Tu vas m'expliquer ce que veut dire ce putain de code.

Abigaël resta sans réaction, la bouche ouverte, les yeux dans le vague. Zieman la souleva de terre, la secoua, avec l'impression de tenir une poupée de chiffon. Muscles en berne, membres disloqués. Il la relâcha, elle s'effondra, comme morte.

L'Indien la scruta en se grattant la tête.

— Il se passe quoi, là ?

— J'en sais rien, mais elle respire encore.

— Tu crois qu'elle le fait exprès ?

Zieman la retourna et fit passer plusieurs fois la lame du couteau devant ses yeux.

— On dirait pas. Peut-être qu'elle s'est évanouie les yeux ouverts. Au moins, elle va nous foutre la paix. Va chercher les affaires du vieux.

Il posa par terre la bouteille de vodka, descendit à la cave puis remonta avec les deux cartons d'Yves Durnan qu'il renversa.

— C'est tout ce qu'il y a.

— Épluche-moi ça.

Il se mit à fouiller parmi les vêtements, jeta un œil à la paperasse. Abigaël ne parvenait pas à bouger. Le nez aplati contre le carrelage, et un mal de chien à l'articulation de son poignet droit qu'elle écrasait de tout son poids. Zieman se pencha vers elle.

— Je sais pas ce qui t'arrive, mais je sais que tu m'entends. Ton père était un putain de retors. Trop intelligent pour être honnête, tu sais ça ? Tu devrais être morte à l'heure qu'il est. Mais c'est ton père qui s'est fracassé à ta place. Il s'en est bien tiré, cet enfoiré. Et toi aussi.

Piégée dans le cercueil de son corps, Abigaël n'y comprenait rien. Fracassé à sa place ?

Zieman la laissa en plan et grimpa à l'étage. Il revint avec le carnet d'analyse du code et le feuilleta avec attention.

— Elle n'y est pas arrivée. Tout ce qu'elle a trouvé, c'est en faisant appel à un putain de forum sur la cryptologie. Elle a noté les réponses des internautes. Par exemple, écoute ça : « Chère Abigaël, j'ai essayé divers algorithmes standard, plus ou moins compliqués, qui ne donnent rien d'encourageant. La substitution de chiffres par des lettres, avec différents degrés de complexité, n'offre guère plus de résultats. J'en suis désolé. Pierre-Yves Geoffroy. »

Il jeta le cahier, rageur.

— Des incompétents.

Il observa en détail les papiers de banque et finit par les balancer eux aussi d'un geste sec, furieux. Il s'en prit à son acolyte, qui avait le nez plongé dans une BD de *XIII* et buvait un coup.

— T'as rien d'autre à foutre que boire et lire ?

Le moustachu lui adressa un de ces sourires qui fendent le visage en deux. D'un calme glaçant, il referma la BD et sortit une cigarette de sa poche. Puis il se redressa doucement, hochant le menton au-dessus de l'épaule de son complice.

— Elle se tire, mec…

Abigaël se ruait dans l'escalier. Elle s'enferma à double tour dans la salle de bains et renversa l'armoire à pharmacie, à la recherche d'une arme de fortune. À quatre pattes, tout ce qu'elle trouva fut une paire de ciseaux à ongles. Dérisoire. Elle la serra dans son poing et se réfugia dans un coin à reculons. Les larmes coulaient sur ses joues.

Il y eut soudain des grincements dans l'escalier. Abigaël était au bord de la crise de nerfs, sa respiration saccadée. Ils allaient entrer et lui faire la peau. Peut-être la violer, la torturer. Puis ils l'égorgeraient avant d'accrocher sa tête au porte-serviettes.

Devant elle, la poignée se mit à tourner. Abigaël hurla.

33

— Abigaël ?

La poignée tournait de plus en plus vite.

— Abigaël ? C'est Fred. Qu'est-ce qui se passe ?

La jeune femme retint son souffle. Avait-elle bien entendu ?

— Frédéric ?

— Oui. Ouvre la porte !

— Il y a deux hommes dans la maison ! Il…

— Non, il n'y a personne.

Abigaël se jeta sur le verrou et ouvrit, toujours sur ses gardes. Frédéric écarta avec douceur la paire de ciseaux qu'elle pointait dangereusement sur lui. Son haleine sentait un peu la vodka.

— Dis-moi ce qui se passe. La porte de devant était entrouverte.

Elle essaya de retrouver son calme et lui expliqua l'intrusion des deux inconnus dans sa maison.

— … C'était le code de mon père qui les intéressait.

Elle l'emmena vite au salon. Les contenus des deux caisses de son père étaient étalés au sol. Les bandes dessinées étaient en éventail. Frédéric vérifia le tout pour rassurer Abigaël. Puis il se pencha et ramassa le carnet contenant les recherches au sujet du code. Il en sortit le papier plié.

— Ce code-là ? C'est ça qu'ils voulaient ?

Abigaël acquiesça de toutes ses forces.

— L'un des deux, celui qui se faisait appeler Zieman, était venu à la crémation de papa, j'en suis sûre. Il se tenait debout au fond du funérarium. Pourquoi il était là ? Il me surveillait ?

— Calme-toi, d'accord ? Tout va bien, ils sont partis.

— Le bateau bleu et blanc avait été fouillé, tu te rappelles, je te l'avais dit. C'était le code qu'ils cherchaient là-bas, j'en suis sûre. Ils l'ont trouvé sur mon bureau, ils l'ont photographié avec leur téléphone et se sont enfuis avec.

Frédéric prit la bouteille de vodka ouverte et remit le bouchon. Combien de fois avait-il accompli ce geste en venant chez Abigaël ? Puis il l'accompagna vers le canapé.

— Assieds-toi.

Frédéric fit cette fois le tour des issues, scruta les serrures sans toucher à rien.

— Pas de trace d'effraction. Tu leur as ouvert ?

— Non, ils sont passés par-derrière. L'un des deux a dû déverrouiller la porte de l'intérieur pendant que j'étais occupée avec l'autre à la cave lors de la visite. Ils avaient prévu de revenir sans l'agent immobilier.

Abigaël pensa à deux tyrannosaures rex, qui d'abord jouent avec leur proie, l'encerclent puis viennent l'achever à coups de mâchoire acérée. Frédéric observa la poignée de porte.

— On aura peut-être des empreintes, dans ce cas.

— Non. Ils portaient des gants. Ils ne les ont jamais quittés, même pendant la visite.

Le gendarme alla lui chercher un verre d'eau, puis s'accroupit au niveau des cartons, une main sous le menton.

— Ils ont photographié le code, tu dis. Pourquoi ils n'ont pas embarqué le carnet, plutôt ? Vu les types que tu décris, ce n'est pas le genre à faire dans la dentelle.

Abigaël peinait à tenir le verre, tant elle tremblait.

— Tu ne me crois pas, c'est ça ? Tu penses que je fabule encore ?

— Bien sûr que non, j'essaie juste de mettre un peu d'ordre dans ce que tu me racontes.

— Ils veulent peut-être faire comme sur le bateau ? Ne laisser aucune trace de leur visite ? Me faire passer pour une dingue ?

— Tu me donnes le numéro de ton agent immobilier ?

Frédéric s'éloigna pour téléphoner. Il raccrocha cinq minutes plus tard, contrarié.

— Ils sont bien venus ici et sont partis tous les trois, un quart d'heure environ avant que j'arrive. L'agent dit que les deux hommes l'ont suivi un certain temps avec leur véhicule, puis leurs chemins se sont séparés à un croisement, à quelques kilomètres de ta maison.

— C'est là qu'ils ont dû faire demi-tour.

— Ton agent immobilier n'a aucunes coordonnées pour ce Zieman. Ni mail ni numéro de téléphone. Zieman lui a raconté qu'il ne laissait son numéro à personne, qu'il visitait beaucoup de biens immobiliers et ne voulait pas être harcelé. Il passait à l'agence quand c'était nécessaire.

— On n'a rien sur lui, alors ?

— Rien. Ce type est un malin. Et il y a fort à parier que Zieman est autant son nom qu'Hallyday est le mien.

Frédéric revint vers elle et lui caressa le dos tendrement.

— Tu es en sécurité maintenant, d'accord ? Ils ont compris que tu ne savais rien au sujet de ce code. Ils ne reviendront plus. Il n'y a pas eu d'effraction, il n'y aura pas d'enquête, mais tu vas quand même porter plainte, au moins déposer une main courante, histoire de laisser une trace.

Abigaël acquiesça.

— Il y a autre chose. Zieman m'a dit que c'était moi qui aurais dû être morte à la place de mon père. Pourquoi il m'a sorti une chose pareille ? Est-ce que ça aurait un lien avec la lettre de Léa ? Est-ce que ma fille savait quelque chose que j'ignorais ? Ça expliquerait pourquoi elle était devenue plus secrète ?

Abigaël n'en pouvait plus d'être spectatrice, de subir les événements. Si elle avait été seule, elle se serait probablement perdue au fond d'une bouteille d'alcool. À défaut d'apporter les réponses, la vodka effaçait les questions.

— Mon père parlait de vérité. Il espérait que je la découvre mais, en même temps, que je n'y arrive jamais. Il m'a orientée vers ce message codé avec une photo. Mais pourquoi il ne m'a pas expliqué clairement de quoi il s'agissait ? Pourquoi jouer à ce jeu macabre ?

— C'est peut-être ce qu'il comptait faire ce week-end-là ? Te parler.

Ses nerfs la lâchèrent, et elle pleura. Frédéric s'accroupit pour se retrouver à sa hauteur. Il lui prit les deux mains, les caressa du bout du pouce.

— Ça va aller. Je suis là.

— Je ne veux plus rester ici. J'ai trop peur et…

Elle se réfugia dans ses bras. Frédéric posa son menton dans le creux de son épaule et ferma les yeux.

— … Et je ne veux pas te laisser ici, seule, murmura-t-il. Tu sais quoi ? Il y a de la place dans mon appartement, où d'ailleurs tu n'es jamais venue boire un café, depuis le temps qu'on se connaît. Il y a une chambre d'amis qui n'a jamais servi et… euh, elle n'est pas décorée. Murs blancs, j'enlèverai le lustre si tu veux et placerai le lit pile au milieu, comme tu aimes. Tu peux venir t'installer chez moi en attendant de vendre ta maison et de trouver ailleurs. Je suis pas un bon cuisinier, j'ai qu'une brosse à dents et un miroir de salle de bains que je dois changer depuis des plombes. Mais je veux bien t'accueillir.

Abigaël réfléchit quelques instants. La proposition de Frédéric était inattendue.

— Je ne voudrais surtout pas te déranger.

— Il y a pire que d'être dérangé par toi, crois-moi.

Il se leva et se passa les mains sur le visage dans un soupir.

— Si tu refuses, je te jure que je me fais moine.

Elle finit par retrouver le sourire.

— Fais attention, je serais bien capable de refuser rien que pour voir ça…

34

6 décembre 2014
L'ACCIDENT

25 juin 2015
LE LAVOIR EN FLAMMES

27 mars 2015

Des statues en grès, des masques en bois trouvés dans des brocantes ornaient meubles et murs. De majestueux animaux de la savane pris en photo donnaient l'impression de vous dévorer de leurs grands yeux aux couleurs des terres de l'Afrique. Une petite poupée vaudoue piquée d'aiguilles ajoutait une touche de magie à l'ensemble.

Pourtant, le gendarme avait grandi à Calais, dans une famille de marins-pêcheurs où seules les tonnes de bars ou de harengs gesticulant dans les filets comptaient. Mais Abigaël était au courant de son aventure avec une Zaïroise, cinq ans plus tôt, rencontrée au détour d'un site Internet. Elle l'avait littéralement envoûté, emmené en Afrique et avait voulu s'y marier. Frédéric avait fui en courant.

Si les CD d'artistes africains s'entassaient – Manu

Dibango, Alpha Blondy, Eddy Wata –, ça manquait de livres. Frédéric n'était pas un lecteur, on ne lisait pas dans sa famille. Abigaël avait vite rempli de romans policiers les cases vides de la bibliothèque.

Depuis quasiment trois semaines qu'elle habitait ici, elle n'avait pas eu de mal à trouver ses marques dans la capitale des Flandres. Ce quartier lillois lui plaisait, les gens lui souriaient, l'hiver et ses jours sombres battaient en retraite. Partager ses soirées avec Frédéric lui procurait le plus grand bien. Ils parlaient de tout, de rien, apprenaient à se connaître. Ainsi, elle avait considérablement diminué sa consommation en médicaments et en alcool. Presque quatre mois après l'accident, elle pouvait boire un apéritif sans risque de rechute, avait repris le Propydol en respectant les horaires et les doses, ce qui réduisait les cataplexies au strict minimum.

Quant à sa maison d'Hellemmes, elle venait d'en baisser le prix de vingt mille euros, faute de propositions sérieuses. Les visites reprenaient, mais hors de question d'être sur place à ces moments-là.

Évidemment, Zieman et le moustachu n'avaient plus jamais donné signe de vie, et Abigaël vivait avec une énigme de plus autour de son père. Le code secret restait indéchiffrable, même si elle continuait à recevoir des mails des membres des différents forums où était posté son casse-tête. Mais aucun de ces messages ne débouchait sur une piste sérieuse.

Fatigué, Frédéric rentra tard. Comme toujours, il était miné par l'inertie de l'affaire. Bien qu'en dehors du coup, Abigaël se tenait au courant de l'évolution – de la non-évolution, plutôt – de la situation. Les enfants se trouvaient quelque part, enfermés, et la jeune femme avait encore l'intime conviction qu'ils étaient vivants. Freddy ne se manifestait plus, les pistes à suivre menaient toutes à des culs-de-sac. Abigaël avait appris à mesurer le moral de son hôte aux quantités de glace au caramel qu'il ingurgitait – et régurgitait. Et ces jours-ci, il n'était pas loin de piller les stocks de la boutique Häagen-Dazs du coin.

Il la rejoignit dans la cuisine et lui fit la bise.

— Ça sent bon.

— J'ai tenté de cuisiner thaï. Mais ce n'est pas gagné.

Elle amena les différents plats à table, ils commencèrent à manger. Le nez dans son assiette, Frédéric avalait les aliments doucement, plongé dans ses réflexions.

— Tu ne parles pas beaucoup.

— Le père d'Arthur est venu à la Veuve folie, aujourd'hui. Il a fait toute la route depuis Nantes avec le ballon de foot de son fils posé sur le siège passager. Tu sais, celui avec la signature de Zidane ? Mais ce ballon, il ne l'avait pas juste posé à côté de lui, Abi. Il lui avait mis la ceinture de sécurité, d'après le planton.

Abigaël se figea.

— Qu'est-ce qu'il voulait ?

— Nous donner ce ballon pour qu'on le garde précieusement. Il disait que, la nuit derrière, ce ballon s'était mis à lui parler avec la voix d'Arthur. Il refusait de le garder chez lui désormais. Tant qu'Arthur ne serait pas rentré.

Il posa ses couverts et soupira.

— Je pense à ces enfants tout le temps, Abigaël. C'est comme s'ils me suivaient, où que j'aille. L'autre fois, je poussais un Caddie et les mômes étaient derrière moi dans l'allée, alignés bien sagement les uns derrière les autres. Ces enfants attendent en silence qu'on les retrouve.

— On les retrouvera. J'en suis sûre.

— Tu sais quoi ? Depuis ce midi, je pense à Cendrillon à cause d'une connerie de publicité pour un Walt Disney que j'ai vue à un arrêt de bus. On ne sait toujours pas qui elle est. On trouve de longs cheveux blonds sur une saloperie d'épouvantail et, près de deux mois après, on ne sait toujours pas à qui ils appartiennent. Cette gamine à qui Freddy a rasé les cheveux, elle est bien de quelque part ? Il y a forcément des gens qui ont constaté sa disparition, même si elle vient d'un foyer ou d'une institution quelconque ? Elle a des amis à l'école ? Alors pourquoi personne ne dit rien ? Pourquoi personne ne va dans un commissariat ou n'importe quelle brigade de France pour dire : « Cette fille que j'ai vue l'autre fois, que j'avais l'habitude de croiser, eh bien vous savez quoi ? Elle a disparu » ?

Il poussa son assiette sur le côté. Plus faim.

— Et si ça s'arrêtait, comme ça ? (Il claqua des doigts.) Et si on n'apprenait jamais la vérité ? Et si ces enfants disparaissaient pour de bon sans qu'on sache pourquoi ? Pourquoi Freddy les a arrachés à leur famille, pourquoi il les retient, ce qu'il leur a infligé… Sans qu'on puisse leur rendre justice ? Tu imagines, Abigaël ? Comment je pourrais faire autre chose que de cogiter à ça tout au long de ma vie ? Penser à Alice, à Victor, à Arthur et… à Cendrillon. Putain, on n'a même pas le nom de la quatrième ! Elle n'est qu'un point d'interrogation punaisé sur le gros ventre infect de la Veuve folie.

Il se leva pour débarrasser. Elle l'accompagna.

— Ce n'est pas toi qui vas lâcher alors que je remonte doucement la pente ?

— Je ne sais pas. Tout est si compliqué. Peut-être que je ne suis pas fait pour ce job.

Frédéric se tourna alors vers elle, il y eut une hésitation, puis leurs bouches se rencontrèrent. Dès lors, tout se mit à tourner autour d'eux. Abigaël l'entraîna dans la chambre où il dormait. Elle avait envie de lui, parce que c'était humain, parce que Frédéric avait toujours été là, l'avait sortie du trou, et que lui aussi avait besoin d'affection. Elle n'éprouvait pas de sentiments profonds envers lui – pas encore, du moins – mais espérait de tout cœur que l'amour viendrait. Parce que cet homme-là en valait vraiment la peine.

La jeune femme se déshabilla sans réfléchir, dévoilant d'un coup ce corps mis à sang par la maladie et qui semblait être passé entre les mains d'un soudeur à froid.

— Faire l'amour avec le monstre de Frankenstein ne te fait pas peur ?

— Tu ne serais pas Abigaël Durnan sans ces cicatrices. Et je les trouve jolies, moi.

Ils se roulèrent nus dans les draps et s'évadèrent, entre tendresse et violence mêlées, juste pour combattre leurs démons, repousser les ténèbres et la bestialité de ce monde qui, chaque jour, leur écrasait les épaules, tassait leurs espoirs, les anéantissait parfois. Les photos des lions, des girafes, des zèbres se mirent à danser autour d'Abigaël, accompagnées de flashes et de sons déchirés, comme des froissements de tôle, des hurlements, tandis qu'elle jouissait, que la crasse dans sa tête se mélangeait aux hormones de plaisir, tel un shoot d'héroïne au fond d'une geôle infecte.

Et lorsque l'engourdissement l'enveloppa, que le Propydol colonisa les cellules de son cerveau pour réguler son sommeil et repousser la narcolepsie dans un recoin de son organisme, Abigaël ne sut plus très bien si tout ce qu'elle venait de vivre dans les bras de Frédéric était la réalité ou un rêve.

La sonnerie lancinante d'un téléphone posé sur le radio-réveil retentit. Il lui sembla que Frédéric grogna et se pencha au-dessus d'elle. Elle peina à ouvrir les paupières, à moitié assommée par le traitement, referma les yeux, les rouvrit quelques minutes plus tard. Personne à ses côtés. 2 h 25 du matin. Elle se leva, se dirigea au radar vers le bruit dans la salle de bains. Frédéric enfilait un pull à col roulé. Ses yeux ressemblaient à de petites montgolfières.

— Qui a appelé au milieu de la nuit ?

— Lemoine. Des plongeurs draguaient la Scarpe, hier, entre Douai et Saint-Amand. Ils ont retrouvé ton Kangoo noir au fond de l'eau en fin de journée. C'est une brigade locale qui s'est chargée de l'affaire, l'information est remontée à la section de recherches il y a seulement quelques heures…

Abigaël vit la face embrumée de Frédéric se déformer devant ses yeux. Il se tordait, se compactait. Elle poussa un cri quand il tendit la main dans sa direction.

— Oh… ça va ?

Abigaël secoua la tête. Le visage retrouva une apparence normale.

— Oui. C'est l'effet du Propydol. C'est jamais

bon pour moi, un réveil en pleine nuit, alors que le médicament agit encore.

— Tu devrais retourner te coucher.

— Ça va.

Il l'embrassa tendrement dans le cou.

— Au fait, c'était très bon, hier soir. J'espère que ça va te convaincre de t'installer dans ma chambre…

Elle s'appuya sur le rebord du lavabo.

— Où est-ce que tu vas ?

— À l'IML.

— Pourquoi ? Pourquoi tu vas là-bas ?

Abigaël sentit Frédéric sur la réserve. Elle insista et obtint sa réponse.

— Il y avait un corps dans le coffre du Kangoo.

35

6 décembre 2014
L'ACCIDENT

25 juin 2015
LE LAVOIR EN FLAMMES

18 juin 2015

Le voyage à la maison d'édition de Josh Heyman avait été fructueux. L'écrivain s'était mutilé pour une raison qu'Abigaël devait absolument découvrir. Quelque chose qui la dépassait était en train de la guider. Mais vers quoi précisément ? Léa et son père étaient morts, ce dernier emportant tous ses secrets avec lui. Alors que cherchait-elle, en définitive ? Quel besoin irrépressible la poussait à aller de l'avant ? Sans doute cette rage sombre, ce même courant de vie fougueux qui l'avait aidée à surmonter les obstacles depuis son adolescence. Quand on apprend que l'on sera narcoleptique probablement jusqu'à la fin de ses jours, il y a deux possibilités : se cogner au mur ou passer à travers.

Aussi, elle connaissait déjà sa prochaine étape : l'hôpital psychiatrique Eugène-Debien. En s'expliquant clairement au téléphone, elle avait réussi à obtenir un entretien avec l'un des médecins qui s'occupaient de Josh Heyman. Elle allait voir l'écrivain les yeux dans les yeux.

Il était plus de 18 heures quand elle rentra à Lille, avec l'idée de préparer un petit bagage et de partir tôt vers la Bretagne le lendemain matin. À raison de moins d'une crise de cataplexie par semaine, elle pouvait conduire à peu près sereinement.

Elle gara son véhicule sur le parking du Champ-de-Mars et gagna la rue Danel. Une voiture de police stationnait devant l'impasse menant à l'immeuble de Frédéric. La présence de ce véhicule pouvait concerner n'importe quel locataire, mais Abigaël eut la certitude qu'ils étaient là pour elle.

Elle se jeta dans l'escalier et grimpa les quatre étages au pas de course, avec l'idée tenace qu'un malheur était arrivé à Frédéric. La porte de l'appartement était grande ouverte. Son compagnon se tenait là, bien droit sur ses jambes, Dieu merci. Il discutait avec un policier au milieu du salon. Un autre homme – Abigaël reconnut un technicien de la police scientifique aux gants et masque qu'il portait – faisait des relevés d'empreintes sur diverses poignées. Tout était sens dessus dessous. Tiroirs ouverts, coussins du canapé retournés, papiers étalés au sol. Frédéric se précipita vers elle quand il la vit immobile sur le palier.

— On a été cambriolés.

Abigaël plaqua ses deux mains devant sa bouche. Frédéric la serra contre lui pour la rassurer.

— L'essentiel, c'est qu'on aille bien, tous les deux…

Il désigna la serrure de la porte.

— Elle a été forcée. Je revenais de la Veuve folie, il y a tout juste une heure. J'ai trouvé l'appartement dans cet état-là.

— Qu'est-ce qu'ils ont volé ?

— À première vue, ta boîte à bijoux et l'argent liquide que j'avais pourtant bien planqué dans le meuble de cuisine. Il y avait environ cinq cents euros. Ils ne se sont pas encombrés avec le matériel, ils n'ont pas touché à mon appareil photo ni aux ordinateurs.

Abigaël s'avança au ralenti. On avait dérobé le collier en or de sa mère et ses bagues.

Le policier vint la saluer.

— C'est une sale période en ce moment pour les habitants. Les bandes des pays de l'Est font des ravages. Souvent, ce sont des voleuses qui agissent. Elles n'embarquent que l'argent, les bijoux, et elles laissent tout le reste. En dix minutes, c'est plié.

Les meubles avaient bougé de place, Abigaël se rappelait les petites marques laissées la veille pour quadriller la pièce. Tout était fichu. Dans leur chambre, les vêtements du dressing gisaient par terre, ainsi que le matelas.

Frédéric l'amena dans la cuisine et lui servit un café noir sans sucre.

— C'est triste, mais ça fait partie de la normalité, de nos jours. Assieds-toi cinq minutes, on va les laisser terminer leur travail.

Il s'installa face à elle. Abigaël roulait des yeux effarés, constatait le chaos. Tout lui paraissait si brutal, si… incohérent. Le premier cambriolage de sa vie.

— Pourquoi tu ne m'as pas appelée pour me prévenir ?

— Tout s'est déroulé très vite, tu sais. Et puis, je ne voulais surtout pas que tu aies une grosse émotion en conduisant.

— Tu crois que ça pourrait être *eux* ?

— Qui ça, *eux* ?

— Ceux qui se sont fait passer pour des acheteurs potentiels de ma maison et qui m'ont agressée en mars. Ce Marc Zieman et le type aux allures d'Indien…

— Et ils auraient volé de l'argent et des bijoux ? Non, non. Ils en voulaient au code de ton père. Et le carnet est toujours là-bas, sur le bureau. Ce cambriolage, c'est quelque chose qui arrive à tout le monde, d'accord ? On en gère tous les jours à la caserne. L'immeuble est au fond d'une impasse, c'est une cible de choix pour des voleurs. Un serrurier va passer d'ici une heure pour changer la serrure. Je ferai bientôt mettre une porte blindée, si ça peut te rassurer…

Abigaël se leva soudain, fonça au salon et se planta devant le petit bureau. Trouva le carnet, mais le tiroir était entrouvert. Et vide. Elle se rua au sol, se mit à fouiller dans la paperasse, devant le regard interrogatif des hommes.

— Mes photomontages et mes cahiers de souvenirs et de rêves ! Où sont-ils ?

Elle se redressa, comme folle, et se mit à chercher partout. Les larmes arrivèrent quand elle réalisa leur disparition.

— Ils me les ont pris.

Elle tournait, fixait les visages qui l'entouraient, ronde maléfique d'yeux, de nez, de bouches.

— Tu ne les aurais pas rangés ailleurs ? lui demanda Frédéric.

— Non, ils étaient dans le tiroir, j'en suis sûre.

Titubant, elle se dirigea vers la chambre et s'enferma à clé. Tous l'entendirent pleurer.

— Ils auraient embarqué des cahiers de… quoi ? demanda un policier.

— Des créations artistiques, et des cahiers sur lesquels elle note ses rêves, répliqua gravement Frédéric. Des sortes de journaux de bord, si vous voulez. Elle les a sûrement rangés ailleurs. Excusez-nous, mais avec ce qui vient de se passer…

— C'est normal. Mais pourquoi elle se met dans cet état-là ? Ce ne sont que des cahiers.

— Ils représentent bien plus que ça.

Les enquêteurs terminèrent les relevés, puis Frédéric les raccompagna jusqu'au couloir, avant de leur serrer la main.

— Tenez-moi au courant si vous trouvez quoi que ce soit.

Il ferma la porte comme il put et se précipita vers la chambre. Immédiatement, ses sens se mirent en alerte quand il sentit l'odeur de chair grillée. Ça recommençait. Il tambourina.

— Ouvre !

Abigaël finit par déverrouiller la porte. Les coulées de maquillage sur ses joues lui donnaient l'air d'un clown triste. Sur son avant-bras, une seconde trace rosée et brillante, petit cratère de chair brûlée et boursouflée. Des larmes de douleur lui troublaient la vue. C'était pour Frédéric qu'elle avait le plus mal, parce qu'il la supportait. Pourtant, il ne la blâma pas. Il l'aida à se rasseoir, prit délicatement les cigarettes et le Zippo sur le lit et les déposa sur un meuble en retrait. Puis il disparut dans la salle de bains.

— Il n'y a plus d'antiseptique, fit-il en revenant.

Je cours à la pharmacie du coin, je reviens tout de suite. Ça va aller ?

— Ça lance, mais je supporterai.

Il courut comme un diable dans l'escalier. Déchirure électrique : dans un mouvement sec, il venait de se froisser les muscles du deltoïde gauche. L'épaule en vrac, il se précipita dans la rue. Dix minutes plus tard, il était de retour, trempé de sueur, les mains chargées de pansements, de compresses et d'antiseptique. Il défit les emballages, s'appliqua à chacun de ses gestes. Il suffisait d'effleurer la plaie pour qu'Abigaël se torde de douleur.

— T'es toujours là pour moi. Même quand je fais les pires bêtises.

— Je n'ai pas d'enfant, mais j'ai l'impression d'être servi avec toi. Pourquoi tu ne me dis pas ce qui ne va pas, Abigaël ? Pourquoi tu t'infliges tout ça ?

Elle fixa le pansement qu'il serrait autour de son avant-bras.

— On m'a arraché un bout de moi-même en me prenant ces cahiers. On peut peut-être me les voler, mais on ne peut pas me voler mes brûlures. Ces marques sont mes seules bouées de sauvetage. La certitude que tout ce que je viens de vivre, ce qu'on vient de me raconter à la maison d'édition est vrai. La brûlure a gravé tout ça au fer rouge dans mon esprit. Je ne veux pas me réveiller demain et me demander si j'ai rêvé ou pas. Grâce à ces blessures, je *sais* que je n'ai pas rêvé.

— Qu'est-ce qui s'est passé de si important à Paris pour justifier un truc pareil ? Explique-moi.

Elle lui raconta dans le détail : la rencontre avec l'éditeur… Josh Heyman, ses dix doigts amputés, son internement à l'hôpital proche de Quimper et son mutisme sur les raisons de son geste…

— Quimper, tu dis… Et tu n'avais jamais entendu parler de cette histoire auparavant ?

— Non, bien sûr que non.

— Ça aurait pu expliquer l'un de tes rêves étranges, avec le billet de train à destination de la Bretagne. Tu ne peux pas faire des rêves prémonitoires. C'est impossible, il y a forcément une explication.

— Explication qui se fait attendre. J'ai rendez-vous demain avec le psychiatre de Josh Heyman. Je devrais rencontrer le romancier.

Frédéric la fixa, l'air grave.

— Et ensuite ? Qu'est-ce que tu feras ? Tu t'infligeras d'autres brûlures ? Encore et encore ?

Le regard d'Abigaël se perdit sur les vêtements étalés au sol.

— C'est pas normal, ce cambriolage. Pourquoi on a volé mes cahiers et mes photomontages ? Les bijoux, l'argent, je veux bien. Mais pourquoi tout ce qui est en rapport avec mes souvenirs, mon sommeil ? Avec ces disparitions, c'est comme si on cherchait à pénétrer dans ma tête et à effacer mon passé. À m'empêcher de me replonger dans mes souvenirs. Et si ce n'était pas *seulement* un cambriolage ?

— Qu'est-ce que ce serait d'autre ?

— Je n'en sais rien. Mais ça se produit pile au moment où il se passe des événements que je n'arrive pas encore à comprendre. Quand j'ai le plus besoin de me raccrocher à ces cahiers pour avancer. Sans eux, j'ai peur de… de ne pas y arriver… J'y avais noté des choses importantes. Sur moi, sur ma vie, sur mes cauchemars. Ils sont devenus ma mémoire, Fred. Cette mémoire qui me fait de plus en plus défaut.

Elle se prit la tête entre les mains.

— Quand je repense à ce qui s'est passé sur le bateau de mon père en février dernier, à cette ombre qui m'a agressée et qui m'a déposée dans ma voiture, comme si de rien n'était. J'ai l'impression qu'elle rôde encore autour de moi. Qu'elle me surveille et cherche à me rendre folle. J'en reviens à ce type, Zieman. Et s'il était de retour ? Et si c'était lui qui…

Frédéric la serra contre lui.

— Tout va bien se passer, d'accord ? Il n'y a pas d'ombre, Abi.

Le serrurier arriva à ce moment-là, il changea le système de fermeture, tandis que Frédéric et Abigaël remettaient tout en ordre. Cette dernière replaça chaque meuble, chaque objet sur les marques faites auparavant, sans que Frédéric s'aperçoive de rien. La brûlure à son bras pulsait en rythme et ça la rassurait.

Réalité.

Plus tard, tout était redevenu presque normal dans l'appartement. Frédéric buvait un verre et fumait à côté de la fenêtre ouverte, les yeux rivés sur la rue transversale où des passants apparaissaient quelques secondes, comme des ombres chinoises en sursis. Il aimait regarder le monde d'en haut, essayant d'imaginer les trajectoires, les destins de chacun. Freddy, lui aussi, devait marcher dans les rues, faire ses courses, payer le parcmètre, comme n'importe qui. Il travaillait peut-être dans de grands bureaux et croisait des dizaines de collègues chaque jour. Et quand il rentrait chez lui, il devenait un monstre.

Assise sur le canapé, Abigaël le regardait en

silence. Il avait cette posture, ce regard énigmatique et assuré d'Orson Welles dans *Citizen Kane*, appuyé sur le rebord de sa fenêtre à guillotine dans son grand appartement new-yorkais. À qui pensait-il en agitant doucement son verre ? À elle ? Aux enfants disparus ? À Freddy ? Sans doute un peu aux trois.

Elle se leva et se rendit dans la chambre. Elle avait perdu plusieurs années de rêves, de tranches de vie, de réflexions, elle ne pouvait plus revenir en arrière, mais avec ce qui se passait en ce moment, elle se sentait assez forte pour tout recommencer et aller de l'avant.

Elle prit une feuille et nota :

Tout ce qui est écrit sur cette feuille EST *la réalité.*
** Brûlure 1 : Josh Heyman, écrivain, existe. Connaissait-il Léa ? Je dois savoir qui il est.*
** Brûlure 2 : Josh Heyman a quelque chose de grave à se reprocher.*

Elle considéra longuement ses notes, pensive. Du papier, ça se chiffonnait, ça se perdait, ça manquait de fiabilité. La preuve, ses cahiers avaient disparu. Comment faire pour s'assurer que ce genre de chose ne se reproduirait plus ?

Elle scruta les murs de la chambre et trouva la solution en regardant les rayures d'un zèbre.

Son corps serait le meilleur support qui soit.

36

Plogoff était aussi noir que le ciel breton, en cette fin de matinée. Un rideau de pluie oblique frappait la ville et semblait la détacher du reste du monde. Abigaël pensa à un morceau de France arraché au continent, perdu au milieu de l'océan et fouetté par des giclées de sel et d'écume grise.

Sept heures plus tôt, elle était passée chez un tatoueur de Lille ouvert toute la nuit, à quelques rues de l'appartement. L'homme avait été surpris par son étrange requête mais, après tout, beaucoup de monde venait se faire tatouer des phrases parfois incompréhensibles sur une partie du corps. En adepte des scarifications et du *body art*, il avait été impressionné par les cicatrices sur les jambes d'Abi. Il avait fini par inscrire en tout petit, à l'encre bleue et à l'intérieur de la cuisse droite :

Qui est Josh Heyman ?
Découvrir les démons de JH

Abigaël avait déjà prévenu le tatoueur qu'elle risquait de venir le revoir pour d'autres requêtes de ce genre. Ces marques sur son corps la rassuraient tellement. Elles étaient fiables. Évidemment, Abigaël se dit que, même dans un rêve, ces tatouages et ces brûlures pouvaient exister sur son bras : il suffisait à son cerveau de « copier » la réalité et de la reproduire dans le monde onirique. Mais dans le rêve, elle ne pouvait avoir en mémoire la douleur que représentait chaque brûlure, cette pulsation atroce qui battait au fond de sa tête chaque fois qu'elle revoyait le bout rougeoyant s'écraser sur sa peau.

Elle longea la côte déchiquetée. L'océan crachait, grognait, ses vagues déchiraient la roche dans un brouhaha de tremblement de terre. Au bout d'une route de fin du monde, elle finit par apercevoir l'hôpital psychiatrique Eugène-Debien, perché à flanc de falaise. Une vieille structure qui ne faisait qu'un avec le granit. Mêmes tons gris-noir, même tristesse, arêtes puissantes, angles saillants, comme si le bâtiment avait été tailladé à coups de cisaille géante.

Abigaël se sentit soudain mal. Une frayeur ressurgie du temps de sa jeunesse la contraignit à s'arrêter sur le bas-côté, par prudence. Elle respirait vite, anormalement, et s'attendait à manger la terre d'un instant à l'autre. L'hôpital, droit devant, lui rappelait quelque chose. Elle fouilla dans le tréfonds de sa mémoire et revit, l'espace d'une fraction de seconde, une pancarte « CENTRE DU SOMMEIL ». Des montagnes coiffées de neige, autour… les Alpes ? Était-elle déjà allée dans ce genre d'endroit pour être soignée pour sa narcolepsie ? Combien de temps ? Et à quel âge ?

Les images se volatilisèrent. Abigaël secoua la tête, le souvenir avait été furtif, comme de la fumée dans un coup de vent. Frédéric avait peut-être raison : courir après des fantômes se révélait dangereux.

Elle se gara sur le parking où traînaient une poignée de voitures. Il fallait du courage pour travailler dans ce tombeau coupé de la ville, la psychiatrie avait encore beaucoup de progrès à faire sur ce point. Direction le hall d'accueil, le livre de Josh Heyman sous le bras. À côté de l'hôpital, la Veuve folie pouvait concourir à Miss France. Abigaël se dit que, si les architectes avaient pu construire ce monstre de pierre sur une île au milieu de l'océan et le couper définitivement de la population, ils l'auraient fait.

Michel Simon était un petit homme trapu au faciès simiesque, au crâne chauve et aux oreilles semblables à celles de Gollum dans *Le Seigneur des Anneaux*. À première vue, Abigaël lui donnait largement l'âge de la retraite. Il portait la blouse blanche, ou, plutôt, c'était la blouse qui le portait : il semblait flotter dedans tel un spectre. Ils bavardèrent quelques minutes et la conversation dévia très vite sur Nicolas Gentil.

— En presque trois mois, il n'a jamais eu aucune visite, dit-il. Ses parents sont décédés dans un accident d'avion quand il était enfant. Il avait coupé tout contact avec le reste de sa famille.

— Je sais.

— Malheureusement, j'ai bien peur que vous n'ayez fait la route pour rien. Il ne parlera pas. Nicolas est un solitaire, un vrai. Il n'a pas prononcé un seul mot depuis son arrivée dans nos murs. Ni avec nous ni avec les autres patients. Il s'est réfugié dans le dessin. Il griffonne à longueur de journée avec les poignets serrés. Et plutôt avec talent. Comme quoi, la médication n'est pas forcément un obstacle à la création…

— J'aurais au moins tenté ma chance. Auparavant, j'aimerais savoir ce qui s'est passé, ce fameux soir où on l'a découvert chez lui. On m'a parlé d'une vidéo, que Nicolas Gentil aurait tournée. Je peux la voir ?

— Qui vous a parlé de ce film ?

— Son éditeur.

— Là, ça va être plus compliqué. Je suis tenu par le secret professionnel.

Abigaël poussa une carte de visite encore en stock dans son portefeuille.

— Je suis une consœur, docteur. Le secret professionnel, je sais ce que c'est. Ma fille et mon père sont morts dans un accident de la route alors que Nicolas Gentil travaillait sur son roman. J'ai parcouru plus de huit cents kilomètres pour essayer de comprendre comment il a fait pour utiliser dans son histoire une expression que seule ma fille pouvait prononcer. En l'occurrence, Perlette d'Amour. Avouez que c'est peu commun.

— Je suis sincèrement désolé pour votre fille et votre père, mais ce que vous demandez est impossible. Et puisque nous sommes de la même famille, je pense que vous pouvez aisément comprendre ma position.

— Ce n'est pas tout. L'histoire de Josh Heyman ressemble très fort à l'enquête sur laquelle je travaille en tant qu'experte auprès de la gendarmerie.

L'expression du psychiatre changea.

— Vous voulez dire que vous êtes sur l'affaire des gamins kidnappés ?

— Oui. J'aide les enquêteurs. Trois enfants disparus, docteur, et un libéré, qui portera les séquelles de sa détention jusqu'à la fin de sa vie. Je ne connais pas Nicolas Gentil, je ne l'ai jamais vu, mais je sais qu'il détient une clé que je cherche depuis des mois. Ne me demandez pas laquelle, ni pourquoi, je ne le sais pas moi-même. Mais cette clé peut nous aider à retrouver les autres enfants. Je suis ici, en face de vous, et ce n'est pas pour rien. Je vous en prie, pour une fois, libérez-vous du secret professionnel.

Le psychiatre croisa ses mains devant sa bouche quelques secondes, en pleine réflexion. À bien le regarder, Abigaël songea à un type atteint de la progéria, cette maladie qui pouvait vous donner 70 ans alors que vous n'en aviez que 30. Ses années de psychiatrie, à sonder les déviances de l'esprit humain, avaient dû l'user avant l'âge. Il finit par se lever et tira sa chaise, invitant son interlocutrice à s'y asseoir.

— Je ne vous révélerai rien sur son passé psychiatrique, d'accord ? Cela n'est pas nécessaire à vos… recherches, il me semble.

— Très bien. Mais Gentil a déjà eu des soucis par le passé, c'est ça ?

— Oui, de quoi allumer certains signaux.

— Il décrit avec une précision clinique, dans son livre, la façon dont son personnage principal, cette femme policier, a été violée dans sa jeunesse… C'est à ce genre de choses que vous faites allusion lorsque vous parlez de signaux ?

Le psychiatre serra les lèvres, puis mit le film en route.

— Bon, accrochez-vous, ce que vous allez voir n'est pas une partie de plaisir.

37

Le visage de Nicolas Gentil apparut à l'écran. Installé au milieu d'un salon, l'homme paraissait triste mais serein. Il avait visiblement pleuré. Il cadra la caméra pour s'assurer que la guillotine artisanale, posée au sol derrière lui, entrait dans le champ. Plus en retrait, les flammes tremblaient dans l'âtre de la cheminée. Abigaël devinait parfois un craquement de bûche, mais de façon assez indistincte.

— Je vous ai mis la vidéo originale, indiqua le médecin. Comme vous pouvez le constater, le son est très mauvais. Sa caméra n'était pas de grande qualité.

En prenant garde de rester dans le champ, Gentil se dirigea vers la cheminée. Dos voûté, démarche lourde. Il ramassa un paquet de feuilles posées par terre et les jeta une à une dans le feu.

— Ce sont des dessins, expliqua le psychiatre. Des dizaines de dessins, mais impossible de savoir ce qu'ils représentent.

Après avoir tout brûlé, l'écrivain s'agenouilla devant l'instrument de sa confection. Il tira sur une cordelette blanche qui leva la lourde lame à plus d'un mètre de hauteur. Abigaël était impressionnée devant l'ingéniosité du mécanisme. Cette lame guidée par deux rails métalliques soudés à un socle brillait comme un sourire sous la lumière. Gentil sortit un briquet de sa poche et mit le feu au milieu de la corde, isolée avec deux cercles d'acier de chaque côté pour éviter la propagation trop rapide de la flamme. Il voulait contrôler les délais et, surtout, être certain de son coup.

— Aucun geste brusque, commenta Abigaël. La flamme du briquet n'a pas tremblé. Il semble calme, il sait exactement ce qu'il fait. Avez-vous estimé qu'il était… guidé pour accomplir cet acte ?

— Par des voix, vous voulez dire ?

Abigaël acquiesça. Le genre de comportement typique de certains schizophrènes, dirigés par des entités qui n'existent que dans leur tête. La minutie avec laquelle il avait fabriqué son instrument de torture… cette mise en scène… ce regard serein…

Simon sembla lire dans son esprit.

— Une façon de me demander s'il est schizophrène… Pas tout à fait. Nicolas s'est enfoncé dans un mutisme difficile à percer. Vous verrez par vous-même, ses yeux sont souvent vides d'expression, son visage est la plupart du temps neutre, dépourvu d'émotions. Ce n'est pas à proprement parler de la schizophrénie, mais plutôt de la dissociation mentale, sans l'aspect hallucinatoire lié à la plupart des schizophrénies. Une partie de l'esprit de Nicolas essaie de se détacher de la réalité, tandis qu'une autre y reste connectée, par le dessin notamment. On estime que, malgré les traitements, il est en train de se détruire psychologiquement. Au rythme de cette flamme qui brûle la corde sur la vidéo.

Sur l'écran, Nicolas se tenait à genoux, en position de prière. Il posa ses deux mains à plat sur une planche rehaussée d'un bac. Puis il leva la tête vers la caméra et fixa l'objectif. Abigaël retenait son souffle. Comme pour empêcher l'inéluctable, elle se concentrait sur la flamme qui dansait et rongeait peu à peu le Nylon de la corde. Visualiser ce film était en soi une vraie torture.

Puis soudain, la corde céda et la lame chuta à une vitesse foudroyante. Abigaël n'en perdit pas une miette. Certains doigts roulèrent comme des cigares, d'autres restèrent en place au sol, tandis que Gentil enlevait ses mains mutilées. Puis tout se passa très vite : l'écrivain porta le bac avec ses poignets et se dirigea vers la cheminée. Le sang dégoulinait et traçait un chemin d'épouvante.

— La douleur n'est pas encore totalement présente, fit le psychiatre. Cela arrive souvent chez ceux qui se blessent grièvement, il y a comme un système de défense qui anesthésie les extrémités l'espace de quelques minutes. Il le sait, c'est pour cette raison qu'il se dépêche.

Gentil inclina le bac. Les doigts roulèrent dans les flammes, pareils à de petites saucisses. Puis l'écrivain remit le bac en place. Ensuite, il s'approcha de la caméra. S'ensuivit le noir.

Abigaël inspira avec l'impression que des lames de rasoir glissaient dans son larynx. Elle entendait encore le craquement des os au contact de la lame.

— Après avoir éteint sa caméra, on suppose qu'il a plongé ses mains dans les flammes pour les cautériser, commenta le psychiatre, et qu'il est allé se réfugier dans sa chambre pour ne plus en bouger.

Je pense que, par la suite, la douleur a été telle que Nicolas s'est évanoui et s'est mis dans une espèce d'état second. Si personne ne l'avait trouvé, il serait probablement mort.

Il remit le film au début, sur pause.

— Il est clair que cette *punition* a trait à son travail, au processus de création, les mains étant le prolongement de la pensée pour un écrivain, fit-il.

— En les détruisant, il se détruit, lui. Il ne s'accepte plus tel qu'il est.

— Exactement.

Le psychiatre désigna du menton le roman posé devant Abigaël.

— Vous avez lu *La Quatrième Porte*, vous avez constaté la bascule de l'écriture vers la moitié du récit.

— Oui. Un rythme plus saccadé, des phrases sèches, des descriptions d'une violence inouïe, sans limites dans l'horreur. Celle du viol, en particulier, et des sévices sur les enfants. Comme si quelque chose de sinistre et de profondément inhumain était venu l'habiter pour ne plus jamais le quitter.

— Vous avez tout à fait raison. J'avais lu le premier roman, on sentait déjà la « patte » horrifique, mais certainement pas à ce point-là. Isolé dans cette maison, Nicolas a dû rester plusieurs semaines dans un état psychologique très violent provoqué par l'écriture. Son éditeur a dû vous dire qu'il l'avait vu triste et silencieux à la soirée de lancement du roman. Vous avez constaté l'issue…

— L'acte de destruction final. L'automutilation sévère et irréversible. Nicolas Gentil ne voulait plus être Josh Heyman.

— Il s'est dissocié de lui. Ce film, je l'ai visualisé des dizaines et des dizaines de fois. Il y a quelque chose d'autre que je voudrais vous montrer sur cette vidéo, que vous n'avez probablement pas remarqué. Quelque chose de très troublant.

38

6 décembre 2014
L'ACCIDENT

25 juin 2015
LE LAVOIR EN FLAMMES

28 mars 2015

L'amour avec Frédéric... Le coup de fil dans la nuit... Le corps découvert dans le coffre du Kangoo...

Abigaël essaya de rester forte à son arrivée devant l'institut médico-légal, ce sinistre bloc de béton planté aux abords de la sortie de l'autoroute A1. Malgré les réticences de Frédéric et son état comateux, elle avait insisté pour assister à l'autopsie du corps retrouvé dans le coffre du Kangoo aperçu à une centaine de mètres du lieu de l'accident.

Le temps était sec, le ciel tapissé d'étoiles, mais le vent qui avait gonflé dans les champs alentour, bien au-delà des entrepôts frigorifiques, cisaillait les chairs. La jeune femme se recroquevilla sous son manteau, bien réveillée à présent. Frédéric termina d'engloutir un morceau de pain – il fallait toujours éviter d'arriver l'estomac vide dans ce genre d'endroit –, lui passa une main sur l'épaule et la frictionna pour la réchauffer. Puis il lui serra la taille – pour pouvoir la retenir si elle fléchissait.

— Ça va aller ?

Abigaël avait du plomb dans la gorge. Plus jamais elle n'aurait pensé remettre les pieds dans ce lieu de cauchemar. Aux côtés de Frédéric, elle avança sans réfléchir dans le couloir que le garçon de morgue nettoyait à grands coups de serpillière, des écouteurs dans les oreilles. Le sol en linoléum noir brillait sous les néons agressifs. Il était 3 heures du matin.

— On peut passer ? demanda poliment Frédéric en plissant les yeux.

L'homme ôta ses écouteurs, arrêta son lecteur et acquiesça. Il portait une blouse, une paire de gants de ménagère et des bottes.

— Oui, allez-y. Les gars qu'on retrouve dans l'eau après plusieurs mois, c'est pire que les escargots, ça dégueulasse tout partout où ça passe. Et si on ne nettoie pas tout de suite, ça laisse des marques.

— Vous ne dormez donc jamais ?

— Pas beaucoup.

Il sortit un baume mentholé de sa poche et le tendit à Abigaël.

— Mettez ça. Juste un conseil d'ami. C'est pas beau, là-dedans.

Elle se demanda comment lui, il pouvait supporter ces odeurs. Le cadavre pourri avait tout imprégné sur son passage, la puanteur régnait jusqu'à l'extérieur. Elle saisit le petit récipient, tartina le bord de ses narines de crème transparente et le tendit à Frédéric. Puis elle poussa la porte battante qui menait dans l'une des deux salles d'autopsie.

Elle salua Patrick Lemoine et Hermand Mandrieux d'un timide bonjour. Le capitaine de gendarmerie sembla apprécier sa présence. Il était évidemment au courant de sa relation avec Frédéric – la vie privée d'un gendarme n'existait pas au sein de son équipe. Le légiste lui adressa un bref mouvement de tête, et elle orienta ses yeux vers la masse informe allongée sur la table en acier.

Le corps était arrivé à un tel stade de décomposition qu'on pouvait difficilement dire s'il s'agissait d'un homme ou d'une femme. Des fragments de peau semblaient avoir glissé sur certains muscles jusqu'à se rétracter en accordéon. À divers endroits saillaient les tendons et les os. La jambe gauche avait été séparée du corps et posée sur l'autre table. La tête se résumait à un bol de porridge. Le crâne semblait avoir été défoncé, il présentait de significatives béances, et un peu de liquide blanchâtre coulait encore par certains orifices. Des morceaux d'os crâniens étaient posés de chaque côté de la tête, sur la table, comme les pièces d'un puzzle de calcium.

Frédéric salua son frère et alla serrer la main de Patrick Lemoine, avant de se tourner vers l'amalgame de chairs. Il resta à bonne distance et étala machinalement le baume qu'il avait sous le nez.

— Où sont ses vêtements ?

— On l'a trouvé comme ça, complètement nu.

— Nu, dans un coffre de voiture… Où a-t-on récupéré le véhicule ?

— Entre Rieulay et Marchiennes, à une quinzaine de kilomètres du lieu de l'accident d'Yves et donc de l'endroit où on a découvert le dernier épouvantail. Le coin est isolé, entre forêt et campagne. Le chauffeur a dû quitter la départementale juste après Rieulay, s'enfoncer sur les petites routes et emprunter une voie bitumée qui longe la Scarpe sur plusieurs kilomètres. Il y a la place pour faire passer un véhicule. Puis il a balancé la voiture à l'eau.

— Et on l'a retrouvée par hasard ?

— Oui, un coup de chance. Cet endroit est sondé une fois par an par des plongeurs, à cause d'une station d'épuration pas très loin de là… Ils font ça avant le printemps. Le Kangoo est entre les mains de notre cellule d'identification pour les analyses.

Lemoine soupira. Abigaël ne l'avait pas vu depuis presque deux mois, il avait encore maigri. Son visage se résumait à un mélange d'arêtes et d'angles. Il hocha le menton vers le frère de Frédéric.

— Tu peux leur faire un bref topo ?

Hermand Mandrieux s'approcha du cadavre, côté droit, sa blouse blanche maculée de haut en bas – des aplats bruns, gris, jaune pisse, pareils aux taches d'une vache. Les semelles de ses chaussures en caoutchouc couinaient sur le sol où s'étaient écoulées des rivières visqueuses. Il se racla la gorge avant d'attaquer :

— Sujet de type caucasien, de sexe masculin, âge estimé entre 45 et 65, mais il faudra attendre un retour de l'anthropo pour avoir plus de précisions parce que, là, on n'y voit pas grand-chose. Sa jambe gauche s'est décrochée quand on l'a installé sur la table. Taille aux alentours d'un mètre quatre-vingts. Crâne chauve, couleur des yeux indéfinissable. Il est difficile également d'estimer la date de la mort, à cause du séjour dans l'eau, de l'enfermement dans le coffre rempli d'eaux stagnantes et de l'état du corps.

Ça peut aller de plusieurs semaines à plusieurs mois. Mais il y avait ça à son poignet gauche.

Il désigna une montre sur la paillasse.

— Montre à aiguilles, qui indique le jour de l'année et l'heure. Et non étanche, merci au fabricant.

Abigaël et Frédéric allèrent y jeter un coup d'œil. C'était une montre plutôt bas de gamme, d'une marque quelconque, avec un bracelet en plastique noir. Hermand vint à leurs côtés.

— Elle s'est arrêtée quand elle a pris l'eau, sur le 6, 4 h 37. C'est 4 h 37 du matin, vu la position du « 6 » encore un peu au-dessus du centre du cadran. Donc mort un 6… Pas le 6 mars, il ne serait pas dans cet état. 6 février, 6 janvier…

— Ou 6 décembre, souffla Abigaël, accusant le coup.

Elle se tourna vers Patrick Lemoine.

— Mon accident a eu lieu à 3 h 43, le 6 décembre. Si j'ai bien compris, moins d'une heure après, le Kangoo noir que j'ai aperçu garé sur le bas-côté, juste avant le drame, finissait au fond d'une rivière à vingt kilomètres de là, avec un corps nu dans le coffre. Ça vous paraît exact, ou j'ai manqué un épisode ?

Lemoine laissa un vieux souvenir remonter à la surface.

— Ça me rappelle une énigme qu'on se racontait quand on était mômes. Un jour, on retrouve un homme-grenouille mort, avec le masque, les bouteilles et les palmes, au beau milieu d'une forêt complètement brûlée, à proximité de Montpellier. Pas la petite forêt, mais le gros truc de centaines et de centaines d'hectares. Un incendie avait tout ravagé mais le type, lui, était intact. Vous savez pourquoi ?

Il sonda les visages. Personne ne lui répondit.

— Eh bien, il plongeait tranquillement en pleine mer, et il s'est fait embarquer par un Canadair qui écopait pour éteindre l'incendie…

Il ne pouvait s'attendre à une réaction de joie. Les mines restaient noires, fermées.

— Tout ça pour vous dire que j'ai l'impression qu'on est ici dans le même genre de délire. Et j'ai horreur de ça parce que ces putains d'énigmes, j'ai jamais su les résoudre.

Le légiste retourna auprès du corps.

— Toi non, mais la science, si, fit-il. L'autopsie aurait révélé une explosion des organes liée à la décélération, un squelette en miettes, probablement un peu d'azote résiduel dans le sang à cause de la profondeur. En analysant la flotte qu'il avait probablement ingurgitée en faible quantité en mettant son détendeur dans la bouche, on aurait pu déduire qu'il venait de la Méditerranée…

Il fit basculer ce qui restait de la tête.

— Revenons-en à notre ami. Orifice d'entrée en forme d'étoile sur l'os temporal gauche, ainsi que la présence de ce qu'on appelle une collerette érosive sur la chair, que l'on associe la plupart du temps à la pénétration et au frottement d'un projectile.

Abigaël s'approcha, les mains regroupées. Elle avait vu les corps de son père et de sa fille sur cette même table, quatre mois plus tôt. La lampe Scialytique disséquait les chairs avec toujours autant de cruauté.

— Une exécution.

Hermand Mandrieux haussa les épaules.

— Difficile d'avoir des certitudes dans ces conditions. Toujours est-il que je n'ai pas trouvé d'orifice de sortie. Le projectile est resté à l'intérieur du sujet, cela peut arriver, ça dépend de la distance, de l'angle de tir, de l'arme utilisée, un pistolet ou un revolver ici plutôt qu'un fusil qui aurait fait plus de dégâts.

— T'as retrouvé la balle ? demanda Frédéric.

— Non, mais on a ça, intervint Lemoine.

Le capitaine de gendarmerie lui tendit son téléphone portable. Une photo du Kangoo sorti de l'eau par un treuil était affichée. Le coffre avait été ouvert par les techniciens, avec le cadavre nu et recroquevillé à l'intérieur, en partie immergé dans de l'eau d'une couleur indéfinissable. On aurait dit une larve géante, translucide. Frédéric imagina aisément l'état des auteurs de cette sinistre découverte.

— Jette un œil à la photo suivante, continua Lemoine.

Frédéric fit glisser son doigt sur l'écran. Abigaël était collée à lui. Elle voyait à présent un gros plan d'un cric de voiture, posé sur une bâche bleue à même le sol. Hermand Mandrieux partit boire de l'eau au fond de la salle.

— Les plongeurs l'ont retrouvé à quelques mètres du véhicule, précisa Lemoine.

— Le crâne est criblé de fractures, de cassures, compléta le légiste en revenant vers eux. Des éclats d'os sont encore incrustés dans la chair en décomposition. Pour parler en termes clairs, il a été défoncé violemment. Je ne suis pas flic, mais ça ne me paraît pas compliqué d'en déduire que ça a été fait avec le cric.

Frédéric se passa une main sur le front.

— Le meurtrier a voulu récupérer la balle à tout prix…

— Il semblerait.

Abigaël réfléchit à voix haute.

— Ils agissent ainsi quand ils savent que la balle peut mener à l'arme. Les rayures liées au canon, la forme de la percussion sont les empreintes digitales d'une arme. Or une arme conduit tout droit à un individu si elle est enregistrée.

— Ou alors, si elle a déjà été utilisée dans une autre affaire, intervint Frédéric.

— Soit notre meurtrier ne veut pas qu'on fasse le rapprochement, soit il est d'une prudence extrême et il connaît bien les techniques d'identification de la police.

— On doit quand même se demander si ce cadavre n'est pas Freddy. Même si on a découvert les vêtements d'Arthur deux mois plus tard. Ils auraient très bien pu être déposés par un complice, en l'occurrence celui qui a commis le crime.

— On a l'ADN de Freddy dans la base, trancha Lemoine. On va comparer avec celui de ce cadavre, et on saura.

Ils échangèrent quelques minutes sur ce point de l'enquête. Hermand Mandrieux en profita pour glisser une poignée de cheveux dans un tube transparent qu'il bouchonna.

— Ce n'est pas tout, l'auteur des actes s'est aussi acharné sur le visage, fit-il en revenant auprès du corps. Il l'a réduit en bouillie avec un objet lourd, sans nul doute avec ce même cric. Il lui a défoncé la mâchoire et les dents. Et ce n'était pas la balle qu'il cherchait cette fois, il n'avait aucune raison de s'acharner à ce point, sauf s'il…

— … voulait rendre son identification impossible, le coupa Frédéric. Ça explique aussi la nudité. Un véritable boucher.

Abigaël imagina sans peine l'horreur de la scène, cette nuit-là. La balle en pleine tête. Le meurtrier, qui défonce le crâne et le visage à coups de cric… Les bruits d'os… Le sang qui gicle comme un feu de Bengale… Tout cela s'était peut-être passé durant son inconscience, à quelques mètres d'une voiture réduite en bouillie comme ce visage. Patrick Lemoine se gratta le nez en grimaçant.

— Je ne supporte plus cette odeur, bon Dieu !

Hermand Mandrieux lui adressa un sourire amical.

— Je vous épargne la suite de l'examen. Je vais faire les prélèvements pour l'ADN, la toxico, et tout le nécessaire. Attendez dans le couloir ou devant l'IML, si vous voulez.

— Je vais rester jusqu'au bout, lâcha Frédéric.

Abigaël et Lemoine ne se firent pas prier et sortirent. Une fois à l'extérieur, le capitaine de gendarmerie essuya avec un mouchoir la pommade sous son nez et renifla son blouson.

— Je ne supporte vraiment pas les noyés ou les tas de chair qu'on sort de l'eau. Ce que ça pue ! Même après une douche, t'as encore l'odeur incrustée en toi. T'es au lit avec ta femme et elle te demande si t'as bien sorti les poubelles.

Dans un soupir, il alluma une cigarette. Il aspira une grosse bouffée qu'il rejeta par les narines.

— Comment ça va, toi ?

— Comme tu vois. Tu sais bien sûr qu'avec Fred

on habite ensemble depuis l'histoire des deux types qui ont débarqué dans ma maison.

— Il m'en a touché un mot, oui. Et je crois que ça le ravit.

Il lui sourit brièvement.

— On prend encore des nouvelles de toi souvent, tu sais ? C'est moche, cette histoire autour de ton père. Cette double identité. Tu ne sais toujours pas à quoi correspond le code secret que tu aurais trouvé dans le bateau ?

— Je reçois régulièrement des e-mails d'internautes qui essaient de le décrypter, en vain. Il n'y a que mon père qui savait le faire, et il n'est plus là.

Abigaël plongea les mains dans ses poches et perdit son regard vers l'autoroute du Nord. Des feux jaunes et rouges s'enfonçaient dans les ténèbres. Elle s'était toujours demandé vers où roulaient tous ces gens, si tard dans la nuit.

— Il y a un trou dans ma vie de trois heures, la nuit du 6 décembre. Trois heures durant lesquelles, au mieux, j'aurais dû me vider de mon sang, vu la violence du choc. Trois heures pendant lesquelles mon père, qui vivait sous une fausse identité, et ma fille, auteure d'une lettre où elle annonce qu'elle va mourir, sont décédés sur une route par laquelle on n'aurait jamais dû passer. Toujours durant ce temps, un type se retrouve nu au fond d'un coffre, le crâne et le visage défoncés à coups de cric et, j'y crois toujours, Freddy s'amuse à trifouiller dans la valise de ma fille pour lui voler son chat en peluche, prenant soin de remettre la clé dans sa poche et de refermer la valise…

Elle souffla un petit nuage de buée.

— C'est comme ton énigme avec l'homme-grenouille. Faut que je comprenne ce qui s'est passé, Patrick. Faut que j'élucide ce sac de nœuds autour de l'accident parce que, sinon, ça va me rendre dingue.

39

Ça faisait deux jours, depuis la visite à l'IML, qu'Abigaël était enfermée dans l'appartement de Frédéric, assise devant son petit bureau aménagé dans un coin du salon. Elle avait acheté un grand panneau en liège sur lequel elle avait punaisé tous les éléments dont elle disposait sur l'accident. Un vrai réseau de neurones et de connexions, parfaitement représentatif du chaos qui régnait dans sa tête.

Elle avait tout d'abord tracé un axe du temps sur une feuille, jalonné de différents événements liés au drame, et l'avait accroché devant elle.

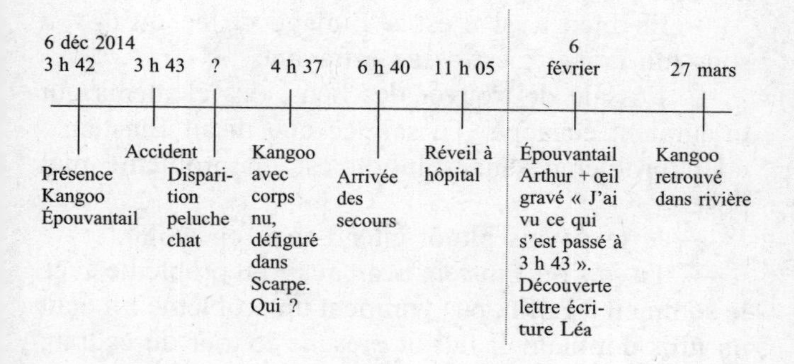

Elle avait par ailleurs rassemblé toutes les recherches sur son père après sa mort. La photo où il posait devant les bateaux, sous laquelle était inscrit au marqueur « Xavier Illinois ». On trouvait aussi son code secret insoluble, ses comptes en banque, ses factures récupérées à Étretat… Un nuage de Post-it tapissait une partie du mur. Recouverts de questions, du genre « Pourquoi le vol du chat en peluche ? » ou encore « Qui est l'inconnu trouvé dans le coffre ? » Elle disposait d'une copie du rapport de l'accident, de quelques photos de la voiture en miettes, des identités des pompiers et des ambulanciers intervenus sur les lieux, ainsi que de l'ensemble du corps médical qui l'avait prise en charge. À droite, sur le bureau, elle avait posé une photocopie de la lettre de Léa trouvée dans les bois et sa montre brisée, les aiguilles bloquées sur 3 h 43.

Abigaël organisait et collait des Post-it quand Frédéric rentra du travail. Il l'embrassa, alla se préparer un café fort et revint s'installer à ses côtés. Il roula des yeux devant cette multitude d'informations et de flèches qui tissaient une immense toile d'araignée.

— Eh bien… si c'est à l'image de ce qu'il y a sous ton crâne, c'est assez effrayant.

— J'essaie de trouver des liens, des éléments qui m'auraient échappé. Tu sais ce que disait Einstein : « Un problème sans solution est un problème mal posé. »

— Je te voyais plutôt citer Lacan ou Dolto.

— Tu sais qu'Einstein avait aussi un problème avec le sommeil ? Enfin, pas vraiment un problème : il était un gros dormeur. Il faisait presque le tour du cadran, contrairement à Napoléon ou Léonard de Vinci qui ne dormaient que quelques heures par jour.

Elle plaça un dernier Post-it sur le haut de son nuage de petits papiers.

— Vous avez eu les retours de la Scientifique ? On sait qui est l'individu du coffre ?

— Non, on ne sait pas. Son ADN ne correspond à aucun enregistrement connu dans le FNAEG. Il n'est donc pas Freddy, leurs profils génétiques ne correspondent pas.

— On pouvait s'en douter.

— On en a au moins la confirmation scientifique. On a jeté un œil au fichier des personnes disparues dans le coin, rien de ce côté-là non plus pour le moment. L'anthropologue a analysé le squelette. Le cadavre aurait la cinquantaine, pour une taille aux alentours d'un mètre quatre-vingts. Squelette avec quelques fractures anciennes, mais aucun signe qui permette de faire des recherches précises. Pour le reste, c'est le grand point d'interrogation. Ce type reste complètement anonyme.

Abigaël grinça des dents. Une autre énigme.

— On en sait un peu plus sur les circonstances du meurtre ?

— Les techniciens ont retrouvé des éclats d'os collés à la graisse des vis du cric, mais aussi dans l'habitacle du Kangoo. Incrustés dans le siège côté passager.

— L'homme avait reçu la balle à la tempe gauche d'après ton frère…

— Oui, ça veut dire que, si on part du principe que le Kangoo a un rapport avec Freddy, ce dernier était au volant et l'autre installé à ses côtés. Les deux hommes se connaissaient sans doute. À un moment, Freddy a sorti son arme et il a tiré.

Frédéric but une gorgée de café.

— Les techniciens ont aussi aspergé l'intérieur du coffre de Bluestar[1]. Il y avait des traces de sang partout, jusque sur la lumière du plafonnier. Et aussi des éclats d'os. C'est là-dedans qu'il lui a défoncé le crâne à coups de cric pour récupérer la balle, puis qu'il s'est acharné sur le visage.

Abigaël observa son graphique des événements.

— OK… *Quelqu'un* tue notre victime dans l'habitacle avec une arme à feu, lui défonce le crâne pour le rendre non identifiable, récupérer la balle, et le met ensuite dans le coffre, sûrement parce qu'il a un peu de route à faire et qu'il ne veut prendre aucun risque. Il y a fort à parier que le meurtre a eu lieu à proximité de mon accident, que le corps a été chargé dans le coffre à cet endroit, puis que ce *quelqu'un* a foncé vers la Scarpe. En moins d'une heure, il n'a pas chômé. Tout s'est passé très vite, forcément.

— Pourquoi tu l'appelles *quelqu'un* ? Pourquoi tu ne le nommes pas Freddy ?

— Parce que, même si ça paraît évident, on n'a aucune preuve que c'est lui le meurtrier. Je ne veux pas le nommer ainsi pour le moment. Il y a des éléments qui ne collent pas avec son profil.

— Du genre ?

— Pour moi, Freddy agit en solo, il enlève ces mômes et fabrique ces épouvantails pour résoudre

1. Réactif révélateur de traces de sang lavées, effacées, ou invisibles à l'œil nu, à l'usage des techniciens d'investigation criminelle.

un conflit personnel. Il est célibataire et solitaire. Lorsqu'il installe les épouvantails, il est seul, c'est son œuvre, et c'est un moment d'excitation extrême pour lui. Il est comme le peintre qui met la dernière touche à son tableau. C'est quelque chose qu'il ne peut pas partager avec un complice.

— Dans ce cas, explique-moi d'où sort ce cadavre et qui l'a tué ?

— Je n'ai pas la réponse.

— On y a bien réfléchi, tous ensemble à la caserne. On pense au contraire que Freddy a un complice et que quelque chose a mal tourné. C'est sans doute lié à cet accident imprévu qui sème le trouble entre les deux hommes. Imagine : peut-être que l'un veut déposer l'épouvantail d'Arthur quand même ou s'attarder sur les lieux de l'accident, et pas l'autre ? Bref, ça s'envenime. Freddy finit par sortir un flingue et tuer son accompagnateur. Il le rend méconnaissable en lui défonçant le visage. Pas de vêtements, impossibilité de rechercher dans les fichiers dentaires. Et en le jetant à l'eau, il ne voulait pas qu'on le retrouve de sitôt. En plus, tu n'as pas dit toi-même que Freddy avait une sexualité particulière ? Et si l'autre était son amant ?

Abigaël se lissa les cheveux vers l'arrière dans une longue expiration. Ces découvertes remettaient en cause un pan complet de son travail. Un couple homosexuel dans la vie. Un couple de kidnappeurs, l'un dominant l'autre… Abigaël n'avait pas en tête de cas similaires. En revanche, les exemples de criminels amant/amante, agissant en duo, ne manquaient pas : Denise Labbé et Jacques Algarron, Paul Bernardo et Karla Homolka, alias Barbie et Ken, Michel Fourniret et Monique Olivier…

— Dans ce cas, ce serait une première.

— Il faut un début à tout.

Elle regarda l'espèce de carte mentale représentée sur le tableau en liège et écrasa son index sur le symbole de l'œil gravé sur le tronc.

— Qu'est-ce que Freddy a vu, à 3 h 43, cette nuit-là ? Qu'est-ce qu'il y avait à voir, hormis une voiture se fracassant contre un arbre ?

Elle se leva et se mit à aller et venir nerveusement.

— Quand je regarde ce tableau, tous les éléments mis bout à bout, je n'arrive pas à m'ôter de la tête que le hasard est trop gros. Freddy et moi, qui justement enquête sur lui, présents au même endroit, au même moment…

Elle revint s'affaisser sur sa chaise.

— Je n'y arrive pas, Fred ! Je n'arrive pas à percer son secret, à comprendre ses motivations. Il est comme de l'huile qui glisse entre mes doigts. Hormis des suppositions à deux balles, on n'a rien de concret sur lui. Pas un seul indice probant, pas un seul témoin. C'est quand même dingue. Ce type n'est pas un fantôme, bon sang !

Frédéric lui passa une main dans la nuque, il la sentait à cran.

— Tu sais ce qu'on va faire ? Je vais aller prendre une douche, et je t'emmène au resto. On va boire un peu de vin et manger épicé. Et s'il nous reste des forces, on va dépenser quelques euros au casino.

— Au casino ? Toi ?

Il l'embrassa sur le crâne.

— Tu m'as parlé d'Einstein. Il y a une histoire de Dieu qui joue avec des dés. Ça m'a fait penser au craps. Tu sais que mon père adorait ça ?

— Le craps ? Tu ne me l'as jamais dit.

— Le jeu, c'était son vice. Un jour, il a ramassé pas loin de deux mille francs à une table de craps, une fortune à l'époque. Et tu sais ce qu'il a acheté avec ça ?

— Je ne sais pas… Un nouveau filet de pêche ?

Frédéric disparut dans le couloir et revint quelques secondes plus tard. Il lui montra le coupe-choux avec sa châsse en ivoire. Il lui sourit.

— Alors, t'es OK pour notre petite soirée ?

— Tu as raison, ça va nous faire du bien. Pour fêter ça, je décalerai la prise de Propydol.

— C'est pas une mauvaise idée. Ce serait dommage que tu t'endormes à table.

Elle le regarda repartir dans la salle de bains avec un petit pincement au cœur, et l'espoir de l'aimer un jour comme lui l'aimait. Dans un soupir, elle se focalisa de nouveau sur son patchwork de faits, de lieux. Elle avait passé deux jours à tout rassembler, à se creuser la tête, à se remémorer l'horreur du drame, à essayer de comprendre. Elle gribouilla le mot « Accident » sur une feuille, y ajouta l'heure, 3 h 43, et l'entoura au stylo rouge. Puis ajouta, en grand : « HASARD ? »

Abigaël savait qu'un hasard n'était pas « Dieu qui se promenait incognito », comme disait Einstein, mais qu'il était provoqué par des processus souvent indépendants qui, tout à coup, concordaient et dans le temps et dans l'espace. Cette nuit-là, le hasard résultait en l'occurrence du croisement de deux trajectoires a priori complètement dissociées : leur voyage vers l'Est de la France d'un côté, et la présence de Freddy et de son éventuel complice de l'autre.

Abigaël s'en convainquit : il fallait décortiquer ces deux trajectoires, action par action, minute par minute.

La solution se cachait peut-être là, dans les six lettres de ce mot.

Hasard.

40

Abigaël s'intéressa d'abord à la partie « Freddy ». Quelles circonstances l'avaient poussé à se trouver sur la D151, cette nuit-là ? La date, d'abord : le 6 décembre était cohérent avec le dépôt d'un nouveau trophée, puisque deux mois s'étaient écoulés depuis son dernier forfait. L'heure aussi coulait de source : leur homme agissait toujours la nuit pour déposer ses épouvantails. Quant au lieu : la route en travaux lui garantissait la quasi-certitude de ne pas être dérangé ni vu. Abigaël jeta un regard au rapport d'accident : il indiquait que la route était signalée en travaux depuis plus d'un mois dans les journaux et sur différents sites Internet. Freddy pouvait donc être au courant et avoir planifié une intervention.

Tout semblait donc cohérent, logique : il était crédible de trouver le kidnappeur à cet endroit-là, cette nuit-là.

Il fallait se concentrer sur l'autre trajectoire à présent : celle de son père. Abigaël reconsidéra l'ensemble des éléments à sa disposition. Yves l'avait appelée le 5 décembre, en fin de matinée, lors de son exposé du profil de Freddy à l'équipe Merveille

51. On était vendredi, son père débarquait en ayant réservé un séjour au Center Parcs. Abigaël nota les informations sur un nouvel axe temporel. Quand Yves avait-il fait la réservation ? Elle ne s'était jamais posé la question.

Elle appela les bureaux d'Hattigny et parvint, au bout de quelques minutes, à récolter les informations : paiement par carte bancaire sur Internet le 5 décembre 2014, à 8 h 07.

Abigaël raccrocha, dubitative. Son père s'y était pris à la dernière minute. Cela lui semblait étrange, vu le caractère prévoyant du douanier. Elle se rappela l'état du bateau bleu et blanc, cette impression que des gens avaient fouillé, sans doute à la recherche du message crypté. Ça renforçait son sentiment : Yves était venu dans le Nord pour fuir Le Havre et sûrement les deux affreux qui avaient agressé Abigaël chez elle.

Qu'était-il arrivé, ensuite, le 5 décembre ? La jeune femme essaya de se remémorer. Retour de son déjeuner avec Léa, arrivée d'Yves vers 15 heures à la maison, fatigué, éprouvé physiquement. Selon ses propos, il fallait être au Center Parcs pour 9 heures, le lendemain, 6 décembre. Aux alentours de 16 h 30, il était sorti faire un tour dans Lille, seul, et était rentré vers 18 h 30 avec quelques cadeaux pour sa petite-fille.

Départ vers 3 heures par une nuit glaciale.

Abigaël ne négligea aucun détail, vérifia à l'aide d'Internet qu'il fallait bien cinq à six heures pour arriver au Center Parcs, et que l'installation dans les bungalows loués pour un week-end se faisait à partir de 9 heures. Sur ce point, Yves n'avait pas menti :

le départ à 3 heures de la maison d'Hellemmes était donc logique.

Ensuite, embarquement dans le véhicule d'Yves et départ. À partir de ce moment, Abigaël n'arrivait plus à se rappeler précisément. Elle se souvenait d'avoir somnolé peu de temps après leur départ et de s'être aperçue ensuite qu'Yves avait quitté l'autoroute à la recherche d'essence. Puis ce voyant d'alerte indiquant que le réservoir était presque vide.

Elle vérifia le trajet emprunté par le véhicule sur une carte. Départ d'Hellemmes… L'autoroute A23… La sortie au niveau d'Orchies… Elle surligna la départementale jusqu'à la route en travaux. Coup d'œil sur les stations-essence du coin : Yves avait choisi la plus proche. Logique, encore une fois. Toutes ces informations furent consignées sur sa feuille.

Ensuite… La vision hypnagogique de cette espèce d'homme-renard… L'arrêt de quelques minutes… Le redémarrage. Devant un embranchement, son père avait décidé de passer par la route fermée à la circulation. Sans ce raccourci, le trajet aurait été rallongé de sept kilomètres, d'après la carte. Quand on a plus de quatre cents kilomètres à faire, on n'a pas envie de perdre du temps à chercher de l'essence, on va au plus court. Yves s'était donc engagé sur la D151. On connaissait la suite…

Abigaël se recula au fond de sa chaise. Finalement, Yves aussi avait eu toutes les bonnes raisons de se trouver à cet endroit-là, à ce moment-là. Il était tracassé, fatigué, n'avait pas dormi de la nuit. Il les avait plantés contre un arbre, voilà tout.

Deux trajectoires indépendantes avaient donné lieu à ce sinistre hasard. Point, à la ligne.

Déçue et désespérée, Abigaël punaisa la feuille avec les autres, comme on accroche un avis de décès dans un couloir d'entreprise. Elle jeta un dernier regard à ce patchwork d'interrogations, à ces éléments étranges, telle la lettre manuscrite de Léa :

Je ne veux pas te faire souffrir,
Mais je vais bientôt mourir.
Je ne te le dis pas souvent,
Je t'aime, ma petite maman.

Elle se dirigeait vers la cuisine quand elle s'arrêta soudain au milieu du salon, foudroyée par une nouvelle interrogation. Elle n'avait jamais réfléchi à l'événement déclencheur du hasard, côté Yves : le manque d'essence.

Tout découlait de cette fichue menace de panne.

Pourquoi son père n'avait-il pas fait le plein avant le départ, sachant la longue route qui les attendait pour rejoindre le Center Parcs ? Était-il possible qu'il n'ait pas fait attention, ou qu'il se soit dit qu'ils trouveraient de l'essence en chemin ? Yves et son caractère prévoyant, toujours… Lui qui, justement, n'avait jamais rien laissé au hasard, aurait-il pris le risque de ne pas remplir le réservoir avant de partir ?

Elle retourna vers le bureau et nota la question sur un Post-it : « Pourquoi n'y avait-il plus d'essence dans la voiture ? » Comment obtenir la réponse à cette question ? Elle fouilla dans les relevés de comptes de son père, chercha celui de décembre 2014, en vain. Où était-il ? Après réflexion, elle sut.

Elle s'arracha de sa chaise, s'empara de ses clés de voiture.

— Je file à la maison d'Hellemmes ! Je fais juste l'aller-retour !

Sans attendre la réponse de Frédéric, elle disparut en courant. Une heure plus tard, elle revenait les bras chargés des deux cartons contenant les affaires de son père. Frédéric l'attendait avec impatience, rasé de frais, élégamment vêtu d'une chemise blanche à col ouvert, pantalon de flanelle gris, mocassins cirés.

— Tu peux m'expliquer ce qui se passe ? (Il agita un téléphone.) Tu n'as même pas pris ton portable, impossible de te joindre. Te dire que je me suis inquiété est un euphémisme.

— J'ai trouvé quelque chose.

Elle posa son chargement et s'empara d'une enveloppe ouverte.

— Son dernier relevé de comptes, celui de décembre 2014. Il était dans le courrier lorsque je suis allée à Étretat. Je l'avais laissé dans ce carton.

— Il est presque 20 heures, Abigaël. Ce serait bien si tu laissais ça de côté pour ce soir et si tu allais te préparer. Qu'est-ce que t'en penses ?

— Deux secondes.

Elle se précipita vers l'ordinateur et afficha une carte interactive à l'écran. Tapa « Bosc-Mesnil ». La ville et ses alentours apparurent.

— Bosc-Mesnil, le long de l'autoroute A28, entre Rouen et Amiens, la route que mon père a empruntée depuis Le Havre pour aller dans le Nord. Il y a une aire de repos et une station Total. C'est là qu'il a pris de l'essence pour la dernière fois. Paiement par carte bancaire à 10 h 32, le 4 décembre.

Frédéric trouva la ligne dans le relevé de comptes.

— Et ?

— La date et le montant, Fred ! C'était la veille de son arrivée chez moi, et vingt-deux euros d'essence seulement, alors que Bosc-Mesnil est à plus de deux cents kilomètres de Lille ! Pourquoi il n'a pas fait le plein ?

Frédéric fronça les sourcils. Abigaël ne lui laissa pas le temps de réfléchir.

— Il n'est arrivé chez moi que le lendemain vers 15 heures. Et regarde l'avant-dernière ligne du relevé... Un paiement au péage d'Arras, à 12 h 05, toujours le 4 décembre. Il a roulé normalement, aux alentours de cent trente kilomètres/heure, entre Bosc-Mesnil et Arras. Et, alors qu'il lui reste quarante kilomètres à faire avant d'arriver chez moi, il disparaît des écrans radar pendant plus d'un jour. Pas de débit depuis un hôtel sur le relevé. Il a dormi où ? Il m'a encore menti, Fred. Ce jour-là, quand il a frappé à ma porte, il m'a dit avoir pris la route depuis Étretat le matin même.

Abigaël s'empara d'un Post-it : « Qu'a fait papa entre le 4 et le 5 décembre ? » Elle le colla à l'emplacement approprié dans la chaîne des événements.

— Il a aussi disparu, en fin d'après-midi, le 5 décembre. Il a dit qu'il allait faire un tour à Lille. Il est revenu avec des cadeaux pour Léa, mais j'ai l'impression qu'il est sorti parce qu'il avait quelque chose à régler. Une partie de la réponse est là, j'en suis certaine.

Frédéric prit une cigarette dans le paquet posé à côté du clavier et en embrasa l'extrémité.

— D'accord, c'est bizarre cette disparition et, surtout, cette histoire d'essence. Qu'est-ce que tu déduis de tout ça ?

— Il y a deux possibilités. Ou mon père a complété

le réservoir d'essence jusqu'au plein à Bosc-Mesnil, parce qu'il savait qu'il allait beaucoup rouler entre les deux, sillonner les routes de la région pour je ne sais quelle fichue raison. Et quand il arrive chez moi, le réservoir est quasiment vide.

— Ou alors…

— … il a juste mis la quantité suffisante pour, après avoir passé une nuit je ne sais où, débarquer à la maison à la limite de la panne.

Abigaël sentit une grande main osseuse lui remonter le long de l'échine.

— Il a provoqué le hasard.

41

— Oh ! Madame ! Ça va ?

Abigaël ouvrit grands les yeux et regarda autour d'elle. Une pièce carrée… Des gens assis sur des chaises, le visage impassible ou le nez plongé dans un magazine… Elle mit quelques secondes à quitter les marécages de Floride de son rêve et à se rappeler qu'elle se trouvait dans une salle d'attente de l'hôpital Roger-Salengro, tôt ce matin-là. Elle adressa un pâle sourire à l'homme qui lui avait tenu le bras pour l'empêcher de tomber.

— Oui, ça va. Je m'étais assoupie. Désolée.

« Assoupie », le mot était faible : elle avait sombré dans un profond sommeil paradoxal en l'espace d'un battement de cils. Elle recouvra rapidement ses esprits. Depuis la découverte de cette histoire de prise d'essence à Bosc-Mesnil, la semaine précédente, Abigaël avait l'impression que plus rien ne tournait rond. Elle s'endormait de plus en plus souvent de façon impromptue en plein jour et rêvait de son père en permanence. Chaque fois, il lui fonçait dessus et la tuait, un grand sourire aux lèvres, mettant un terme à son rêve. Comme si, au plus profond d'elle-même, son inconscient l'empêchait de s'approcher du but.

Elle en revenait toujours à la même question : avait-il provoqué le hasard ? Qu'avait-il fait entre le 4 et le 5 décembre 2014 ? S'était-il arrangé pour manquer d'essence et ainsi se retrouver sur la route en travaux, cette fameuse nuit du 6 ?

Elle avait creusé dans tous les sens pour se retrouver face à un mur : impossible d'entrer dans la tête de son père et de comprendre le lien entre les différents événements qui, depuis plus de quatre mois, la rendaient folle.

Comme elle ne voulait rien négliger dans sa quête et tentait tout ce qui lui passait par la tête, elle attendait pour un rendez-vous entre les murs de l'hôpital où elle s'était réveillée le jour de l'accident. Il lui fallait absolument vérifier un détail.

Le docteur Laëtitia Libert finit par l'appeler et l'invita à s'asseoir dans son cabinet. Abigaël se sentait mal à l'aise face à la spécialiste. Ce visage était le premier qu'elle avait vu à son réveil le matin du drame.

— Vous remontez la pente ? demanda Libert.

— C'est compliqué mais… j'ai du soutien.

Le médecin mit ses mains sous son menton.

— Expliquez-moi pourquoi vous êtes ici.

— Pour éclaircir les circonstances exactes de l'accident.

— Il n'y a pas eu de rapport établi par les gendarmes ?

— Si, mais rien n'est clair. Je suppose que vous avez fait un tas d'examens, toxicologiques notamment, quand je suis arrivée à l'hôpital.

— Évidemment.

— J'aimerais que vous regardiez dans mon dossier médical et que vous me disiez s'il y avait la présence de toxines ou de psychotropes dans mon sang ou mes urines.

Libert parut d'abord surprise. Puis elle chaussa une paire de lunettes et consulta l'écran de son ordinateur. Après quelques manipulations, elle fut en mesure de répondre.

— En effet, présence de Propydol dans les urines, à une concentration de 4,7 microgrammes par millilitre.

Abigaël eut l'impression de recevoir un uppercut en pleine figure. Presque 5 microgrammes, la dose relevée par les analyses lorsqu'elle prenait son traitement.

— Au bout de combien de temps le Propydol ne devient-il plus détectable dans les urines après absorption ?

— Environ six heures pour les urines et trois heures pour le sang.

Abigaël sentit un flux de lave monter dans sa gorge.

— Mais pourquoi vous ne m'avez jamais signalé cette présence de Propydol ?

— Pourquoi ? Parce que votre dossier signale que vous êtes narcoleptique depuis l'âge de 8 ans et sous un traitement au Propydol depuis 2005. Il était donc tout à fait logique qu'on en retrouve dans votre organisme, vous ne croyez pas ?

Abigaël se leva de sa chaise. Elle dut s'appuyer contre le dossier, de peur de tomber.

— Non, ça n'était pas logique. Je savais qu'on allait partir en pleine nuit, je voulais essayer d'être vigilante au moins une partie de la route. Quand… Quand on a quitté la maison, ça faisait presque trente heures que je n'avais pas pris de Propydol. Vous n'auriez pas dû en détecter dans mon organisme.

Abigaël quitta le cabinet précipitamment. Une fois dans sa voiture, elle explosa en sanglots. Conclusion limpide : son père, son propre père l'avait droguée avec le Propydol. Elle cogna sur son volant en hurlant et s'effondra, la tempe collée contre la vitre, la bouche grande ouverte d'épouvante. Sa lèvre inférieure était repliée, formant un étrange S. Mais la paralysie n'empêchait pas son esprit de carburer. Elle se rappelait ce café qu'Yves lui avait proposé dans la voiture. Elle comprenait mieux à présent son irrésistible envie de dormir juste après, et cet immense trou noir autour de l'accident.

Pourquoi avait-il fait une chose pareille ?

Deux ou trois minutes plus tard, la marée se retira et Abigaël retrouva presque aussitôt la sensation de son corps. Elle contracta les mains plusieurs fois, fit travailler ses zygomatiques, puis démarra et fonça vers l'institut médico-légal de Lille.

Hermand Mandrieux tapait un rapport quand il la vit débarquer dans son bureau sans frapper. Il comprit immédiatement qu'elle n'était pas dans son état normal.

— Abigaël ? Qu'est-ce qui se passe ?

— Ma fille… Ma Léa… Je veux que tu me dises si les analyses toxicologiques de référence ont révélé la présence de Propydol dans son organisme.

— Calme-toi, d'accord ?

— Je ne peux pas me calmer. Mon père m'a droguée avec mes propres médicaments, la nuit de l'accident. Léa s'est rapidement endormie. J'ai besoin de savoir s'il l'avait droguée, elle aussi.

Hermand la considéra avec étonnement.

— Pourquoi ton père aurait-il fait une chose pareille ?

— Les analyses, s'il te plaît.

Le médecin légiste retrouva le rapport toxicologique sur son ordinateur. Il consulta les notes et secoua la tête.

— Non, aucune trace de GHB dans l'organisme de Léa.

Abigaël fit le tour du bureau pour consulter l'écran de ses propres yeux. « Sujet Léa Durnan »… Négatif à toutes les recherches de psychotropes, stupéfiants, monoxyde de carbone, métaux dans le sang.

Elle n'y comprenait plus rien. Pourquoi son père l'aurait-il droguée, elle, mais pas sa fille ? Tout tournait dans sa tête. Elle pensait à l'histoire des ceintures de sécurité, à la gravure de cet œil sur l'arbre, « J'ai vu ce qui s'est passé à 3 h 43 », au mot de Léa. Elle se rappelait aussi les propos de Zieman, au moment où il l'agressait : « Tu devrais être morte à l'heure qu'il est. Mais c'est ton père qui s'est fracassé à ta place. Il s'en est bien tiré, cet enfoiré. Et toi aussi. »

Une histoire à se cogner le crâne contre le mur. Elle s'excusa auprès d'Hermand et rentra à l'appartement. Sur son tableau en liège, elle ajouta dans l'enchaînement des événements : « Papa m'a droguée, mais pas Léa. » Puis elle appela Frédéric pour lui faire part de ses dernières découvertes. Il décrocha en respirant fort. Il marchait au pas de course.

— Excuse-moi, Abigaël, je n'ai pas le temps, je file vers ma voiture.

— C'est important, je…

— On vient de retrouver un enfant. Vu la description, on pense qu'il s'agit de Victor.

Abigaël s'immobilisa au milieu de la pièce.

— Victor ? Où ? Où se trouve le cadavre ?

— Ce n'est pas un cadavre, Abigaël. Victor est vivant !

42

6 décembre 2014
L'ACCIDENT

25 juin 2015
LE LAVOIR EN FLAMMES

19 juin 2015

Plogoff... Dans un bureau de l'hôpital psychiatrique, la vidéo de Nicolas Gentil en train de se mutiler était en arrêt sur image. Le psychiatre se pencha au-dessus du clavier et positionna l'enregistrement au moment où Nicolas Gentil plaçait ses mains sous la guillotine.

— Concentrez-vous sur ses yeux et ses lèvres.

Il fit défiler le film deux fois moins vite. Sur l'écran, Nicolas Gentil planta son regard dans la caméra mais, l'espace d'une demi-seconde, ses yeux partirent sur le côté gauche, avant de revenir vers l'objectif. Une larme arriva ensuite au coin de son œil, tandis que ses lèvres remuèrent légèrement. Abigaël n'avait rien remarqué la première fois, focalisée qu'elle était sur la flamme qui dévorait la corde.

— Son regard a été attiré par quelque chose, on dirait.

— Exact. Maintenant, écoutez bien…

Il revint en arrière, tourna le bouton des haut-parleurs à fond, puis redémarra la lecture. Le son saturait, on n'entendait qu'un bourdonnement. Abigaël perçut un bruit, une seconde ou deux avant que Gentil détourne les yeux vers la gauche et fasse bouger ses lèvres.

— Qu'est-ce que c'était ?

Simon cliqua sur un autre fichier dans le répertoire contenant la vidéo.

— J'ai demandé à une connaissance d'essayer de me retravailler la bande sonore. De supprimer ce bruit de fond lié à la mauvaise qualité du micro… Et voilà ce que ça donne. Ce n'est pas génial, mais c'est toujours mieux que l'originale. La bande sonore démarre environ dix secondes avant que Nicolas détourne les yeux. Vous avez le son sans l'image. Ouvrez grandes vos oreilles.

Il cliqua sur le fichier mp3. Abigaël ferma les yeux et se concentra. Un léger bourdonnement, le silence, perturbé par le craquement du bois dans l'âtre. Au bout de dix secondes, elle perçut un bruit qui la fit réagir. La bande sonore s'arrêta, Abigaël la relança pour être bien certaine.

— Ça ne dure qu'une seconde mais on dirait… des pleurs.

— Des pleurs, des gloussements…

Abigaël n'était sûre de rien. De nouveau, elle écouta le fichier mais, cette fois, sa main positionnée sur la souris tremblait.

Les tressautements arrivèrent.

— Oui, des pleurs, mais je n'arrive pas à en être certaine. Ça pourrait être autre chose.

— Comme le vent qui fait grincer la toiture, ou craquer les poutres, expliqua le psychiatre. Ça pourrait aussi provenir de la cheminée, d'un appel d'air qui aurait provoqué ce bruit étrange. Malheureusement, il n'y a aucun moyen de le savoir. Le micro était de trop mauvaise qualité. Moi aussi, j'ai pensé à des pleurs.

— Mais il y a ce regard vers la gauche et ce mouvement de lèvres.

— J'ai fait écouter cette bande-son à Nicolas. Même s'il semble ailleurs, déconnecté, il y a quelque chose au fond de ses yeux qui s'est produit la toute première fois où il a entendu ce bruit. Une sorte d'étincelle, la même étincelle que j'ai vue au fond de vos yeux quand vous l'avez écoutée. Manque de chance, cette étincelle, je ne l'ai plus jamais revue par la suite.

Le son se répétait dans la tête d'Abigaël, mélange indistinct de gloussement, de reniflement. Elle avait la quasi-certitude qu'il s'agissait de ceux d'un être humain. *Des pleurs*.

— Vous savez à quoi correspond le mouvement de ses lèvres, juste après qu'il a détourné les yeux ?

— J'ai demandé à une spécialiste du langage labial venue spécialement de Brest. Elle est formelle. Nicolas dit : « Pardon. »

Pardon... Ça confirmait la thèse du châtiment : Gentil avait voulu se punir. Une sorte d'autoflagellation extrême, où la lame avait remplacé le fouet à lanières.

— Il a bien été établi qu'il n'y avait personne d'autre que lui dans la maison ? demanda Abigaël.

— Personne. Nicolas était seul, isolé à l'extrémité de L'Île-Grande. Si quelqu'un se trouvait à ses côtés au moment de l'acte, en tout cas, il n'y était plus deux jours plus tard. Et ce quelqu'un n'a pas prévenu les secours.

— Vous avez une théorie ?

— Aucune.

Abigaël avait encore plus d'interrogations qu'avant son arrivée à l'hôpital. L'impression de s'enfoncer dans un brouillard toujours plus épais. Simon éteignit son écran, puis agita le trousseau de clés au fond de sa poche.

— On y va ? Vous êtes toujours prête à le rencontrer ?

Abigaël se leva et prit le roman de Josh Heyman dans la main droite.

— Plus que jamais.

43

Abigaël et le médecin de Nicolas Gentil emprun-tèrent un escalier en spirale, qui les mena au deuxième étage de l'hôpital psychiatrique. La jeune femme sui-vait sans rien dire. L'impression d'évoluer dans un vieux manoir gothique, avec ses murs faits de pierres irrégulières, ses plafonds très hauts, tout en voûtes et courbures. Ces lieux lui paraissaient tellement aty-piques qu'elle se demanda si elle n'était pas encore en train de rêver. Elle palpa les aspérités du granit, perçut le bruit de ses pas, renifla les odeurs d'humi-dité, afin de stimuler tous ses sens. Elle ressentait aussi la gravité, le poids de ses jambes, de ses bras, l'effort à fournir pour grimper. Autant de signes qui la rassuraient.

Simon lui expliqua la manière d'aborder Nicolas Gentil, avec calme, sans le brusquer – comme si elle n'avait aucune notion de ce qu'était un schizophrène ou un malade mental. La pluie se fracassait sur la grande verrière au-dessus de leur tête, comme un pare-brise explosant contre un arbre. Le vent crachait ses poumons. Par une fenêtre grillagée, Abigaël ne dis-tingua que les pulsations d'un phare lointain – un œil de cyclone dans les ténèbres. À 16 heures, on avait l'impression qu'il faisait déjà nuit.

Ils passèrent devant des portes fermées et percées de petites fenêtres rectangulaires. Un homme se tapait le front contre l'une d'elles, sans se faire vraiment mal mais avec assez de force pour que le bruit résonne dans tout le couloir, au rythme de leurs pas. La folie suintait, visqueuse, dégoulinante, comme une vérole prête à contaminer toute forme de vie.

Michel Simon déverrouilla une porte à l'aide d'une clé. Il précéda Abigaël dans le nichoir réduit à un lit, une chaise et une table vissés dans le sol, une télé en hauteur, protégée par un cube de Plexiglas, et une minuscule fenêtre qui devait donner sur l'océan.

Assis à table, le patient dessinait sur un grand cahier. Abigaël eut du mal à reconnaître l'homme de la photo. Gentil avait pris du poids, ce qui le rendait encore plus impressionnant, encore plus ogre. Son visage semblait gonflé à l'hélium, sa peau luisait. Une calvitie dominant une couronne de cheveux brun-gris lui donnait des allures de moine terrifiant. Quant à ses mains, elles n'étaient que deux moignons brûlés. Abigaël pensa à des appendices de mante religieuse.

— Tu as de la visite, Nicolas. Elle s'appelle Abigaël Durnan, et elle est venue du Nord pour te voir.

Gentil ne réagit pas, il continuait son dessin avec une habileté surprenante, tenant le crayon entre ses poignets serrés. Le psychiatre se mit en retrait, tandis qu'Abigaël s'avançait dans ce trou dominant l'océan. Elle vint se positionner face au patient en restant debout, et s'arrangea pour que le roman entre dans son champ de vision. Elle vit ses sourcils en accent circonflexe bouger, son mouvement de crayon s'arrêter une fraction de seconde avant de s'agiter de nouveau. L'écrivain dessinait la côte et les flots. Un cheval de Troie, avec d'innombrables monstres miniatures à l'intérieur de son ventre, sortait des eaux en furie.

— J'ai lu votre dernier livre, monsieur Heyman. Un bon roman, quoique très violent.

Abigaël était désormais accroupie, les bras sur la table face à Gentil. Elle voulait être à son niveau et avait décidé d'y aller franco, afin de provoquer une sorte d'électrochoc. Confronter Nicolas Gentil à ce qu'il avait été un jour, et ce qu'il était peut-être encore au fond de lui-même : Josh Heyman.

— Je suis la psychologue qui travaille avec la gendarmerie sur l'affaire des kidnappings d'enfants, celle dont vous vous êtes inspiré. Et je ne vous cache pas que j'ai été très surprise en découvrant combien le personnage de Valérie Lazinière me ressemblait. Elle flic, moi psychologue. Des traits de caractère identiques… Sur une enquête proche de celle que je mène depuis un an.

Gentil conservait son visage de cire, concentré sur son dessin. Aucune faille ni émotion particulière. Juste cette espèce de tristesse perpétuelle dans ses yeux, sa bouche, chacun de ses traits, jusqu'aux sourcils qui tombaient comme deux pierres tombales sur ses paupières.

— De quoi vous êtes-vous inspiré ? Des journaux ? Des faits divers ? J'ai eu pas mal d'articles dans le Nord. Des portraits de moi, de ma vie privée, de mon activité professionnelle. Les journalistes m'aiment bien, là-bas. Ces articles, vous les avez lus, je présume ? Pourquoi cette histoire-là et pas une autre ? D'autant plus que l'affaire n'est toujours pas résolue.

Ce sont les disparitions et les épouvantails disposés dans les bois qui vous intéressaient ? Le sujet de votre premier roman, *Les Pierres noires*, était si différent…

Elle ne l'avait pas lu mais voulait le lui faire croire. Il leva la tête, avec son visage tout droit sorti du musée Grévin. Abigaël essaya, durant cette fraction de seconde où leurs regards se croisèrent, de trouver une flamme dans les yeux du patient, un morceau d'humanité qui lui indiquerait qu'il la connaissait. Mais elle ne décela qu'un vide sidéral.

Gentil retourna à sa tâche.

— Votre histoire est très sombre, vous n'épargnez pas ces enfants, vous leur attribuez un bien triste sort. Nous, on cherche toujours deux de ces trois enfants, puisque l'un d'entre eux, Victor, a été retrouvé il y a deux mois. Le saviez-vous ? Avez-vous votre propre idée sur ce que les autres ont pu devenir ?

Autant parler à un mur. Abigaël décida d'attaquer différemment. Elle approcha doucement une main du cahier sur lequel Gentil dessinait.

— Vous permettez que je jette un coup d'œil à ce que vous faites ? Moi aussi, je pratique un peu. Je crée des œuvres qui représentent mes cauchemars à partir de banques de photos… Et j'ai des cahiers, ou plutôt, j'avais des cahiers, sur lesquels je notais mes rêves et des tranches de vie. Malheureusement, on me les a dérobés pas plus tard qu'hier.

Elle tira le cahier très doucement pour ne pas le brusquer. Gentil resta dans la même position, sans lâcher son crayon. Il fixait la table, mou, atone, une vraie tortue sur son rocher. Abigaël tourna les pages. Les monstres étaient omniprésents, glissés dans des paysages tourmentés. Jamais de soleil, de lumière, de couleurs vives. Juste des ténèbres, des morceaux d'enfer. Que pensait le psychiatre de ces dessins ? Les avait-il analysés ? Abigaël se posait tant de questions sur ce patient qu'elle ne connaissait pas et ne connaîtrait probablement jamais.

— J'aimerais vous parler d'un passage particulier de votre livre. Vous devez vous souvenir de Quentin et Corinne, les deux derniers enfants kidnappés de votre scénario ? Ils sont enfermés dans deux pièces séparées. Ça se passe…

Les mots se bloquèrent dans sa gorge. Elle venait de tourner une page. Sur la grande feuille, Gentil avait dessiné une rivière tumultueuse, dont les flots s'enroulaient autour d'un énorme rocher. Et sur ce rocher…

Quelque chose d'impossible.

Le feu brûlait au fond d'elle. Un magma visqueux, dévastateur. Elle s'attendit d'une seconde à l'autre à se retrouver par terre – une sorte de sixième sens propre aux narcoleptiques –, mais le serpent resta enroulé dans son terrier. Elle eut alors envie de se jeter au cou de Gentil et de lui faire cracher la vérité. Sauf que, s'il se braquait, c'était terminé, il n'y aurait pas de seconde chance. Elle posa le cahier sur le lit, revint vers lui, se baissa pour le regarder dans les yeux. Lui ne la regardait pas.

— Léa Durnan, murmura-t-elle.

Rien. Des yeux morts. Abigaël se dit que s'il connaissait vraiment sa fille, que, s'il l'avait déjà rencontrée, sur Internet ou en vrai, une infime vibration, au fond de son esprit malade, aurait dû provoquer une réaction.

— C'est ma fille. Elle est morte avec mon père

dans un accident de voiture, il y a six mois. Moi aussi, j'ai perdu des êtres chers. C'est ce qui nous rapproche.

Un imperceptible mouvement de lèvres chez Gentil. L'un des premiers signes qui prouvaient que les paroles d'Abigaël traversaient la coquille. Il les entendait, les interprétait. Abigaël s'engouffra dans la faille.

— À la page 387 du roman, vous employez l'expression « Perlette d'Amour » pour désigner le surnom que donne votre kidnappeur à la petite Corinne assassinée trente pages plus loin. Vous vous rappelez ?

Aussi réactif qu'une enclume.

— Où avez-vous entendu ça ? D'où connaissiez-vous ma fille, Léa Durnan ? Je sais que vous pouvez me répondre, alors faites-le. Faites-le, s'il vous plaît.

Sa voix tremblait, à présent. Contrôler ses émotions lui devenait trop difficile. Le stylo que Nicolas Gentil tenait entre ses poignets bondit soudain et roula au sol. Par précaution, le psychiatre s'était écarté du mur, prêt à intervenir. Même sans ses mains, Gentil était capable de les tuer tous les deux. Pour le moment, il serrait les lèvres, la tête baissée, sombre taureau au milieu de son arène.

Abigaël vit une larme s'écraser sur le bois de la table. Le temps sembla se suspendre. Elle crut à ce moment-là qu'il allait enfin lui parler. Mais il n'y eut plus rien d'autre. Nouvelle immobilité insoutenable.

Alors, elle se précipita sur le lit et lui planta le cahier sous les yeux, avec le dessin du torrent et du rocher au milieu.

Sur ce dernier, un chat avec les oreilles blanche et noire.

— Où est-ce que vous avez vu ce chat ?

Le psychiatre s'approcha, voyant que la jeune femme commençait à perdre ses moyens.

— Pourquoi vous l'avez dessiné ? Où est-ce que vous l'avez vu ? C'était le tatouage sur la cheville de ma fille ! Ma fille que j'ai retrouvée morte sur une table d'autopsie ! Répondez ! Répondez, bon sang !

Nicolas Gentil leva des yeux humides vers elle.

Il ouvrit la bouche et, soudain, se mit à hurler.

44

6 décembre 2014
L'ACCIDENT

25 juin 2015
LE LAVOIR EN FLAMMES

4 avril 2015

Victor, vivant. Près d'un an après sa disparition, il revenait dans le monde des vivants.

Abigaël attendait avec impatience Frédéric devant l'impasse, rue Danel. Elle allait et venait, nerveuse comme jamais, le cerveau en ébullition. Elle pensait à ses découvertes à l'hôpital, au Propydol dans son sang la nuit de l'accident, à Léa, à Victor. Tout se mélangeait. La voiture de Frédéric arriva. Il s'arrêta à peine, le temps qu'Abigaël monte à bord, et se remit en route.

— On fonce à l'hôpital de Dunkerque, c'est là-bas qu'a été amené Victor. Patrick est parti en hélico. Je n'en sais pas plus pour le moment, mais c'est une super nouvelle.

Il était excité, ses yeux brillaient d'une flamme nouvelle, comme si l'espoir renaissait de ses cendres.

— T'as pleuré ?

— Mon père… Mon père était un salopard.

Frédéric s'arrêta à un feu tricolore.

— Tu ne dois pas dire ça. C'était ton père.

— Je suis allée consulter mon dossier médical à Salengro. La nuit de l'accident, on a détecté du Propydol dans mes urines, alors que je n'en avais pas pris depuis plus de vingt-quatre heures et que le médicament s'élimine en quelques heures. Mon père m'a droguée.

Frédéric écarquilla les yeux.

— Non, tu dois forcément te tromper. Yves n'aurait jamais fait une chose pareille.

— Les résultats des analyses prouvent que si.

Il y eut un long silence, que Frédéric finit par rompre après avoir tourné et retourné sa langue dans sa bouche.

— T'es vraiment sûre que… que tu n'as pas pris de Propydol ce soir-là ?

Elle le foudroya du regard.

— OK, je retire ma question, tempéra Frédéric. C'était juste une hypothèse, d'accord ? Yves, ton propre père, t'a droguée. Comment ? Un verre d'eau juste avant votre départ ?

— Il a versé du Propydol dans du café. C'est cette Thermos vide que Palmeri a retrouvée dans l'habitacle de la voiture.

— Et Léa ?

— Elle s'est vite endormie. De ce fait, il n'a pas jugé nécessaire de la droguer.

— Pourquoi, Abigaël ? Pourquoi ton père aurait-il fait une chose pareille ?

— Je n'arrête pas d'y penser. L'histoire des ceintures, Fred, tu te rappelles ? Personne ne les portait, aucun de nous trois. Léa et moi, on dormait. Et si c'était lui qui les avait ôtées ? Ça pourrait expliquer le fait que j'étais persuadée de l'avoir mise avant de m'endormir. Il voulait être sûr qu'on meure.

Elle vit Frédéric déglutir avec peine. L'excitation avait laissé la place à l'incompréhension.

— Tu te rends compte de ce que tu dis ?

— Tu crois que je n'y ai pas réfléchi ?

— Alors ce serait un… une espèce d'acte suicidaire ?

— Ça pourrait coller. Rayer la famille Durnan de la surface de la Terre. Nous entraîner dans sa folie. Rien de tel qu'un gros arbre dans un virage pour assurer le coup. Il aurait peut-être pu faire ça sur l'autoroute, mais il ne voulait pas impliquer d'autres voitures, d'autres vies. Alors, il prend le prétexte de la panne d'essence, il sort de l'autoroute… C'est peut-être ça qu'il a fait, entre le 4 et le 5 décembre. Il a erré, cherché un endroit où nous fracasser. Et puis, cette lettre de Léa « Je vais bientôt mourir ». Elle… Elle savait peut-être quelque chose ?

Ses yeux s'embuèrent.

— Les types à ses trousses… Sa double vie… Sa déchéance physique… Il était sans doute dépressif et suicidaire. Ce genre de suicide familial est malheureusement monnaie courante. On a peur de susciter la honte, on ne veut pas abandonner sa famille ou la laisser dépérir, alors on l'extermine. Combien de pères ont tué leurs enfants, leur femme, parcourant toutes les chambres de leur maison, avant de retourner l'arme contre eux ? C'est un drame de la souffrance, Fred.

— C'est tellement fou. Ton père aurait pris un pistolet, un fusil. Pourquoi un accident en voiture ?

— Mon père s'est battu toute sa vie contre le crime,

il était un exemple. Quand je suis allée dans les locaux des douanes, sa photo était partout, on me parlait de lui comme du Messie. Il avait participé aux plus grosses opérations de démantèlement des réseaux de trafiquants, au péril de sa vie, parfois. Je crois qu'il ne voulait pas porter le poids d'un double meurtre et d'un suicide. Il voulait que son image reste intacte dans les mémoires. Une sorte de code d'honneur, tu comprends ?

— Alors, il aurait choisi l'accident… Plus « propre ». Mais comment tu expliques ce mot à ton intention dans ses affaires ? Cette histoire de vérité à découvrir ?

— Je n'en sais rien.

Elle poussa un soupir.

— Je lui ai reproché de ne pas être suffisamment proche de Léa et moi. Au fil des mois, je n'ai pas vu sa souffrance à cause de toute cette affaire. Ce n'était pas lui, l'égoïste, c'était moi.

— Ne dis pas ça. Yves a toujours été discret, pas le genre à étaler ses problèmes. Tu ne pouvais pas deviner. Pour l'instant, ce ne sont que d'horribles hypothèses.

— Je sais… Mais c'est une piste sérieuse.

— Tu veux qu'on en parle au chef de la brigade accident, pour cette histoire de Propydol dans ton sang ? Il pourrait reconsidérer l'accident sous un angle différent et…

— Non, pas pour l'instant. J'ai besoin de digérer tout ça avant de salir la mémoire de mon père.

45

Le reste du trajet fut pesant, entre l'annonce de la découverte de Victor et les terribles hypothèses autour de l'accident. Yves était parti avec toutes les clés qui permettaient d'ouvrir le coffre de son esprit, et Abigaël avait beau essayer de percer avec le meilleur de ses forets, elle se heurtait à un acier inviolable. Son père avait, toute sa vie durant, voué un culte au secret.

Trois quarts d'heure plus tard, ils rejoignirent Patrick Lemoine aux urgences pédiatriques de l'hôpital de Dunkerque, situé à environ soixante-dix kilomètres de Lille. Le capitaine de gendarmerie allait et venait devant une machine à café, le téléphone portable vissé à l'oreille. Il raccrocha, serra la main de Frédéric et fit la bise à Abigaël.

— Comment va Victor ? demanda-t-elle.

Ils sortirent du bâtiment afin de pouvoir discuter au calme. Abigaël se retrouvait de nouveau prise dans le tourbillon de l'enquête. Victor faisait partie de la famille Merveille 51. Ses photos avaient habillé les murs de son bureau pendant des mois. Il avait accompagné ses nuits, et il lui arrivait encore de danser avec les autres enfants dans ses cauchemars.

— On en saura plus bientôt, ils l'ont emmené pour l'examiner, répliqua Lemoine. J'ai prévenu sa mère, elle devrait arriver d'Amboise d'ici à quelques heures. Une vraie hystérique au téléphone.

Il jeta un œil à la voiture de *La Voix du Nord* qui cherchait à se garer plus loin.

— Ils sont déjà au courant. Ça va être compliqué de retenir l'info plus longtemps. C'était une mauvaise idée de venir ici. Rentrons.

Ils s'isolèrent dans un couloir de l'hôpital.

— Victor était conscient tout au long du trajet mais il délirait pas mal, expliqua le capitaine de gendarmerie. D'après les ambulanciers, il était pris d'une peur panique dès qu'ils fermaient les portes de l'ambulance. Ils ont dû lui administrer des calmants pour pouvoir s'occuper de lui.

Frédéric s'écarta afin de laisser passer deux médecins en pleine discussion.

— Où l'a-t-on découvert ? Ici, à Dunkerque ?

— Pas loin. On a eu plusieurs appels pour nous signaler qu'un môme courait le long de la D601, à 6 h 10, en pyjama et baskets. Une dizaine d'hommes ont été envoyés, on n'a pas tardé à le retrouver grâce aux témoignages ; il s'était réfugié dans un jardin. Amaigri, certes, mais c'était bien de Victor qu'il s'agissait.

— La D601 ? répéta Abigaël. La départementale entre Gravelines et Grande-Synthe ?

— Celle-là, oui. Tu connais ?

— J'ai habité le coin jusqu'à l'âge de 20 ans. Loon-Plage plus précisément. Et je suis revenue à Loon pour voir le notaire et régler la paperasse après la mort de mon père.

Patrick Lemoine accueillit la nouvelle avec stupéfaction.

— C'est vrai, je n'avais pas fait le rapprochement. T'as pas eu un article de presse où t'as parlé de tes origines, il y a un an ou deux ?

— Si, si. *La Voix du Nord* m'a consacré un long portrait, quelques mois avant l'affaire Freddy. Je ne travaillais sur aucun dossier, ils ont voulu mettre en avant mes activités d'analyste criminelle. J'ai cité Loon-Plage, les lieux où j'avais grandi. On est même retournés là-bas avec le journaliste et le photographe. Ils m'ont prise en photo sur la digue.

Abigaël se mit à faire les cent pas, les mains posées sur l'arête de son nez. Ces révélations laissèrent les deux gendarmes interrogatifs.

— Merde, c'est pas bon, lâcha Lemoine. Freddy te suit sûrement grâce à la presse, il est donc au courant de cet article. Ce qui m'amène à penser que le gamin ne s'est peut-être pas échappé de lui-même mais que Freddy l'a déposé dans ce coin-là…

— … pour nous narguer encore une fois, compléta Frédéric.

— On dirait bien. Il continue à poser ses pions. Il nous montre qu'il a une longueur d'avance et se fout de notre gueule.

Abigaël essayait de comprendre la démarche de Freddy. Poursuivait-il son jeu macabre en la prenant pour cible parce qu'elle s'intéressait à lui ? Cherchait-il à attirer l'attention sur elle ? Voulait-il qu'elle réintègre l'enquête ? Si oui, alors il était au courant de son départ de l'équipe Merveille 51 après la mort des siens. D'une manière ou d'une autre, il la surveillait. Elle songea aussi au cadavre dans le coffre, à la balle récupérée, vraisemblablement par Freddy, à la défiguration du visage. Le tueur évoluait peut-être dans le milieu de la police ou de la justice.

Patrick Lemoine poussa un long soupir et mit fin à ses réflexions.

— Même s'il nous baise de nouveau, on a un môme vivant, c'est le plus important. On ne lâche rien. Des hommes quadrillent la zone, des renforts arrivent encore en ce moment même. On concentre nos forces pour savoir d'où Victor vient. T'avais raison, Abigaël. Les mômes sont en vie.

— Victor en tout cas.

Suite à un nouveau coup de téléphone, Patrick Lemoine les salua brièvement.

— Je file à Loon, on se tient au courant, dit-il en s'éloignant. Ne parlez pas à la presse. Le médecin qui s'occupe de Victor est le docteur Fabien Hérault. Troisième étage…

Abigaël et Frédéric empruntèrent l'ascenseur.

— Tu penses que Freddy l'a relâché volontairement ? demanda Frédéric en réajustant le col de sa chemise dans le miroir.

— Si tel est le cas, alors, pour l'instant, j'ai vraiment du mal à comprendre ses motivations. On ne retient pas un enfant dix mois pour ensuite le relâcher dans la nature.

— Qu'il se soit enfui ou pas, Victor racontera ce qu'il a vécu et, avec un peu de bol, décrira le lieu de sa séquestration. On va enfin pouvoir bouger. J'en pouvais plus de rester derrière mon écran d'ordi à attendre.

Ils allèrent à la rencontre du docteur Hérault, un

homme grand et mince, avec des petites lunettes rondes à la John Lennon. Il les invita à le suivre.

— L'adolescent ne souffre pas de traumatismes majeurs, expliqua-t-il. Les scanners sont normaux. Les prélèvements de sang et d'urines sont partis au labo pour une analyse prioritaire. Il est amaigri, très faible avec une tension basse, mais le diagnostic vital n'est pas engagé.

— Pas de marques visibles d'abus sexuel, je présume, fit Abigaël.

Fabien Hérault la considéra avec curiosité, se demandant probablement comment elle était au courant.

— Rien d'apparent, en effet, en attendant une confirmation de l'enfant.

Il ne trouverait rien. Les motivations de Freddy n'étaient pas d'ordre sexuel.

— … Pas de marque de contention ni de signes évidents de malnutrition, continua le médecin. Par contre, des coups de griffes et de petits hématomes aux coudes, aux genoux, sur les flancs, sans doute liés aux conditions de la séquestration et peut-être des tortures physiques, genre pinçons. Et une hygiène déplorable.

— Il a dit quelque chose ? demanda Frédéric.

— Rien de bien compréhensible. Il parle de démon, de bêtes qui rampent, de renard… Il prend des postures de repli.

— De renard ? répéta Abigaël.

Elle se tourna brièvement vers Frédéric, qui comprit tout de suite à quoi elle avait pensé : Abigaël lui avait raconté la vision d'un homme-renard traversant la route, le soir de l'accident.

— Rien sur les autres enfants kidnappés ? poursuivit-il à l'adresse du médecin.

— Non. Il est évident que l'adolescent a subi un traumatisme psychologique lié à sa détention. Le capitaine Lemoine m'a signalé qu'il avait disparu depuis…

— … le 7 juin 2014. Il y a dix mois.

— Une éternité. Il semblerait que Victor ait une peur panique de s'endormir. Tout à l'heure, il n'a même pas pensé à réclamer sa mère. Non, tout ce qu'il voulait, c'était qu'on l'empêche de s'endormir. Il refusait de rester dans son lit.

Au plus profond d'elle-même, sans pouvoir la définir précisément, Abigaël sentit comme une connexion avec ce qu'elle vivait, la plupart des nuits. Victor avait-il peur de faire des cauchemars ?

— Il vous a dit pourquoi ?

— Il n'a rien fait d'autre que crier. On lui a administré un léger calmant, il va dormir une heure ou deux. Ce môme est au bout du rouleau. Venez, il y a quelque chose que j'aimerais vous montrer.

Ils le suivirent en silence dans les couloirs. Hérault les fit entrer dans une chambre éclairée par un néon. Frédéric s'avança avec solennité, conscient qu'ils étaient à un tournant de l'enquête. En libérant Victor, Freddy avait démarré le compteur d'une bombe à retardement. Tic-tac, tic-tac. Abigaël s'approcha de l'enfant sous perfusion, si longuement observé sur les photographies. Le visage s'était affiné, les pommettes saillaient sous sa peau qui n'était plus vraiment celle d'un enfant, sans être celle d'un adulte. Elle passa une main sur sa joue, le caressa d'un geste maternel. Il s'était battu, s'en était sorti après trois cents jours d'enfer. Comment avait-il réussi à survivre ? Où retenait-on les autres victimes ? Les avait-il côtoyées ?

Tant et tant de questions, auxquelles elle espérait un jour obtenir les réponses. Elle se sentait tellement fautive. N'avait-elle pas abandonné Victor et les autres en refusant de poursuivre son travail auprès de la section de recherches ? Elle aurait pu l'aider davantage, se battre pour lui. Mais ne l'avait pas fait.

Elle recula et laissa passer le médecin, qui souleva le drap. Le spectacle était effroyable. Partout, sur le corps de Victor, des lettres de l'alphabet tatouées à l'encre bleue de façon grossière. Abigaël pensa à ces marques que se faisaient les prisonniers, avec une aiguille et de l'encre de stylo.

— J'en ai dénombré vingt-huit, dit Hérault en tendant une feuille de papier à Abigaël. Il en a dans le dos, sur le torse, les bras, les jambes. Partout. Et puis, regardez, là, sur la poitrine, ces traces.

Ils remarquèrent deux empreintes rouges et violacées, à proximité de chaque téton, d'environ quatre centimètres de diamètre.

— On dirait… des empreintes de sabots, constata Abigaël.

Elle mit son doigt sur la cicatrice à sa gorge. C'était le même genre de marque, comme si on eût chauffé à blanc deux sabots et qu'on les eût ensuite appuyés sur la poitrine de Victor.

— Des sabots, des pieds d'animal, oui. Comme si, je ne sais pas, une chèvre lui avait donné des coups de patte en plein torse. En tout cas, quelque chose d'animal a pesé sur sa poitrine, suffisamment fort pour imprimer ces empreintes.

Frédéric prenait des photos avec son téléphone portable.

— Victor ne s'est pas enfui, fit-il. Il est un messager. Il a quelque chose à nous dire.

— En attendant, j'ai noté toutes les lettres, en partant du haut du corps et en descendant vers les jambes. Rien de compréhensible.

Abigaël lut les lettres. *e i t a b r...* Victor resterait marqué à vie par ces stigmates, même si on essayait de les effacer au laser. Il y aurait toujours de petites taches blanches qui lui rappelleraient ses jours de captivité. Les tatouages n'étaient pas que corporels. Ils étaient mentaux.

Frédéric se baissait, tournait autour du lit, prenant des photos sous tous les angles. Puis il s'arrêta et resta quelques secondes devant Victor, sans rien dire. Mais ses grands yeux de chat parlaient pour lui : photographier ce pauvre môme comme un animal de foire le dégoûtait.

— On reste à l'hôpital, finit-il par lâcher. Tenez-nous au courant dès qu'il sera revenu à lui. Nous devons lui parler. C'est très urgent.

Ils sortirent patienter dans le hall. Ils avalèrent un sandwich, sans appétit – Frédéric n'en mangea pas la moitié. Ils ne parlèrent pas beaucoup. Abigaël n'arrêtait pas de penser à son père, à l'accident et au fait qu'il l'avait droguée. Pourquoi elle et non Léa ? Elle se rappelait bien ce verre de lait que sa fille avait bu avant le départ, assise dans la cuisine. Yves aurait pu verser du Propydol à ce moment-là.

Hérault, accompagné de la psychologue qui s'occupait de l'enfant, arriva et la sortit de ses pensées. Victor était enfin réveillé. La spécialiste les briefa sur la conduite à tenir : il fallait bien sûr y aller doucement et tout arrêter si Victor se braquait.

Ils remontèrent donc à l'étage. Frédéric prit son inspiration avant de rentrer le premier dans la chambre, suivi par le médecin et la psychologue. Victor était assis sur son lit, il avait jeté les draps au sol et grattait une croûte sur son genou droit. On pouvait apercevoir la lettre « l » au niveau de sa nuque. Il releva la tête vers eux et se recroquevilla, se tenant les chevilles.

— Tout va bien, Victor, d'accord ? fit Hérault de sa voix la plus douce possible. Ce monsieur est de la gendarmerie, il est là pour t'aider.

Frédéric s'efforça de sourire. Victor passait désormais ses doigts sur ses jambes nues et recouvertes de lettres, avant de revenir sur sa croûte. Il était méfiant et reniflait, comme un animal qui voulait s'assurer qu'il n'y avait aucun prédateur alentour. Frédéric s'écarta sur le côté pour laisser entrer Abigaël.

Au moment où il la vit, Victor se mit à hurler.

46

Une demi-heure plus tard, la voiture de Frédéric venait de passer Grande-Synthe et roulait en direction de Loon-Plage. Le paysage se résumait à une succession d'entrepôts blêmes, de tuyères grises, de laminoirs et de hautes cheminées où brûlaient des flammes bleu et vert. ArcelorMittal, Air Liquide, Total… Un empire industriel qui avait fait jadis les beaux jours de la région et que la crise financière avait ébranlé comme un château de cartes.

Abigaël était encore sous le coup de ce qui venait de se passer à l'hôpital. Elle avait dû sortir de la chambre pour que Victor cesse de hurler, mais le gamin avait eu tellement peur qu'il avait essayé de s'enfuir. Des infirmières avaient été obligées de le plaquer sur son lit. De ce fait, ils n'avaient pas pu lui parler.

— Comment tu expliques ce genre de réaction ? demanda Frédéric.

— Je ne comprends pas. La psychologue était une femme, comme une partie du personnel soignant, ce n'est donc pas l'image de la féminité qui l'a mis dans cet état. Non, c'est moi. C'est moi qui l'ai effrayé à ce point. Pourquoi ? Je ne l'avais vu qu'en photo jusqu'à aujourd'hui, on ne se connaît pas. C'est peut-être une caractéristique physique qui lui a rappelé un épisode douloureux de sa détention. Mes cheveux, mes vêtements, une allure, une couleur…

Elle en frissonnait encore et triturait la feuille de papier où étaient consignées les lettres tatouées.

— On doit essayer de comprendre le sens de ces tatouages. Ils forment peut-être un message, une indication. On dirait bien que Freddy est passé à la phase suivante de son plan.

Elle se tut et fixa l'horizon d'acier et de béton, sur sa droite. Les entreprises se vautraient sur la côte à perte de vue. Frédéric sentait sa compagne à cran.

— Je sais ce que tu traverses. Après ce que tu viens de découvrir sur ton père, un môme kidnappé depuis presque un an hurle en te voyant. C'est un concours de circonstances malheureux, Abigaël. Rien d'autre.

— Ils m'ont fait tellement mal au ventre, ces cris. Je voulais parler à Victor, le rassurer. Tu sais, ce môme, j'ai… j'ai appris à le connaître pendant ces longs mois, j'ai écouté les chanteurs qu'il aime et je pourrais te citer la discographie complète de Maître Gims. Il aime les avions et les animaux – surtout les chiens. Il veut être pilote ou vétérinaire, et il rêve de rencontrer Kev Adams parce qu'il adore *Soda*. C'est un môme plein de vie. Mais au lieu de monter vers la lumière, il a affronté les ténèbres, Fred. Des ténèbres si froides et effrayantes qu'il ne les oubliera jamais. Il a vu un grand trou noir au fond duquel hurlent des monstres qui briseront chacun de ses rêves. Et moi, j'ai l'impression de faire partie de ces monstres.

— On trouvera des explications, Abi. Je te le promets.

Ils arrivèrent du côté du port industriel. Près de quinze ans après les avoir quittés, Abigaël revenait sur les lieux de son enfance aux trousses d'un sordide kidnappeur qui jouait avec eux.

Le déploiement des forces de gendarmerie le long de la digue et dans les alentours était impressionnant. Des dizaines de voitures, des chiens, même un hélicoptère qui survolait les environs. Des journalistes trépignaient, canalisés par les officiers de la cellule communication. Abigaël et Frédéric rejoignirent Patrick Lemoine, qui discutait avec d'autres gendarmes sur une petite route piégée entre ville et mer. Les nuages blancs et gris filaient dans le ciel, chassés par un vent qui piquait les joues.

— On recoupe divers témoignages, leur expliqua-t-il, ce qui nous a fait progresser d'un bon kilomètre entre l'endroit où on a récupéré Victor et ici. Si on suppose qu'il ne s'est pas échappé, il a dû être largué dans le coin. C'est facile d'y déposer quelqu'un en pleine nuit sans être vu. Les dunes, le port industriel, ces grands espaces vides, le choix est large…

Abigaël observa les alentours. Des containers colorés, empilés comme des pièces de Tetris. Plus en retrait, la route s'enfonçait dans un no man's land parsemé d'herbes hautes et d'une poignée d'habitations individuelles. En arrière-plan, la mer aux tons gris et bleus.

— Je connais bien cet endroit. Et j'ai de la chance qu'il ne soit pas encore effacé de ma mémoire, parce que ça s'est passé aux alentours de mes 15 ans.

Lemoine offrit une cigarette à Frédéric. Il dut s'y reprendre pour l'allumer, protégeant la flamme de son briquet avec sa main.

— Explique, fit-il en pompant sur le filtre.

— Il y avait une maison abandonnée, à trois ou quatre cents mètres d'ici, dans laquelle tous les ados du coin s'aventuraient. Une maison réputée hantée. Elle nous fichait à tous sacrément les jetons. Un jour, j'y suis allée, moi aussi. Je n'aurais jamais dû, parce qu'elle m'a fait cauchemarder des semaines et des semaines. Elle n'avait rien de spécial, pourtant, mais c'était l'ambiance et les légendes urbaines qui circulaient à son propos…

Le capitaine de gendarmerie fit signe à quelques hommes de le rejoindre. Il discuta avec eux puis s'adressa à Abigaël :

— T'as parlé de cette maison aux journalistes qui t'ont interviewée ?

— Non, non. J'ai gardé ça pour moi.

— On va quand même aller y jeter un œil, à cette maison. Tu nous y emmènes ?

Abigaël acquiesça et se mit en route. Elle fourra ses mains tremblantes dans ses poches. Les hommes marchaient en retrait, elle les entendait chuchoter. Frédéric et Lemoine devaient sans doute parler de la réaction de Victor, de ses hurlements lorsque ses yeux avaient croisé les siens. Qu'allaient-ils en déduire ? Que le garçon et elle se connaissaient, alors que ce n'était pas du tout le cas ? Encore un élément troublant qui allait la mettre en porte-à-faux vis-à-vis des gendarmes ?

La maison se dressait en retrait de la route, à quelques mètres seulement des dunes et de vieilles clôtures barbelées, mais elle tombait en ruine. Toiture défoncée, murs en mauvais état, lierre qui suçait la moindre brique et se faufilait dans les interstices, comme un poison végétal. Abigaël resserra le col de son manteau sur son visage. Le vent d'ouest projetait du sable dans les yeux en rafales cinglantes. Les hommes se déployèrent rapidement autour de la bâtisse, les armes au poing.

Les gendarmes entrèrent en ordre serré, ressortirent moins de deux minutes plus tard. L'un d'eux appela Patrick et l'emmena à l'intérieur un long moment. Abigaël comprit qu'ils avaient découvert quelque chose. Elle marcha les bras croisés pour se réchauffer, les yeux rivés sur le large. Cette ville, cette mer, ce vent glacé, c'était son enfance.

Pourquoi Freddy cherchait-il à les amener ici ?

Le chef ressortit et tendit à chacun des gants en latex, puis tous entrèrent par la porte qui ne tenait plus que sur un gond. Abigaël ressentit une bouffée d'angoisse, un reflux de peur d'enfant. Elle se revit, plus jeune, tremblant comme une feuille pendant que ses copains allumaient des bougies et prononçaient des incantations débiles.

Ils se retrouvèrent à l'intérieur de ce qui devait être un salon devenu un territoire jonché d'herbe et de terre. Abigaël resta immobile devant l'inscription notée à la peinture grise en lettres capitales sur le mur :

FAIS RECULER LES SONGES
ET LES IMAGINATIONS DE LA NUIT,
TERRASSE L'ENNEMI
AFIN D'ÉVITER LA SOUILLURE À TON CORPS

— Les hommes ont fait le tour, expliqua Patrick. Il n'y a pas de chaîne où de pièce qu'on peut fermer à clé. Cette ruine ne permet pas de maintenir quelqu'un séquestré. Par conséquent, comme on pouvait s'y attendre, Victor n'a pas été retenu ici.

Abigaël fixait les phrases avec attention. Elles avaient été peintes peu de temps auparavant.

— Ce texte te dit quelque chose ? lui demanda Lemoine.

Elle porta une main à son crâne. Ce lieu, les hurlements de Victor, les découvertes sur son père…

— Non, non. Rien du tout. On dirait que ça a un rapport avec le sommeil, les rêves, les cauchemars. Victor a peur de s'endormir et du noir. Il y a sans doute un lien.

Patrick s'était accroupi à un mètre du message, en pleine réflexion.

— Si tu n'as jamais parlé de cette maison à la presse, comment Freddy aurait-il pu être au courant ?

— Je n'en sais rien. Je n'en ai jamais parlé. C'était enfoui dans mon passé.

— Frédéric m'a dit que Victor a hurlé en te voyant, qu'il n'y a que lorsque tu es sortie de la chambre qu'il s'est arrêté. Pourquoi il a réagi de cette façon, à ton avis ?

— Je l'ai déjà dit à Frédéric : je n'en sais strictement rien. C'était comme s'il me connaissait, mais moi, je ne l'avais jamais vu autrement que sur des photos.

— Tu es toute blanche, tu n'as pas l'air bien.

— On enquête sur un individu qui séquestre des enfants, et on se retrouve dans une maison qui m'a fait passer des nuits formidables. Difficile de crier de joie.

— T'es sûre de n'être jamais revenue ici ?

— Jamais.

— Tu es pourtant revenue à Loon-Plage pour voir

le notaire, tu as dit. Tu t'es promenée dans la ville ou tu es repartie directement ?

— J'ai marché un peu le long de la plage…

— La plage est juste là, à une cinquantaine de mètres. Et tu ne serais pas repassée par cette maison, par hasard ?

— Va droit au but, Patrick. C'est quoi, cet interrogatoire ? Tu crois peut-être que c'est moi qui ai écrit ce message ?

— J'essaie juste de rester rationnel. Quand tu t'es promenée sur la plage, l'accident était encore frais, tu étais très perturbée, tu aurais très bien pu…

— … faire ça moi-même ? Comme la lettre que j'aurais prise dans le tiroir de Léa pour ensuite croire l'avoir trouvée dans les bois ?

Patrick Lemoine avait l'impression de tenir un essaim de guêpes enfermées dans un sachet fragile ; il devait y aller mollo.

— J'aimerais que tu me reparles très précisément de l'épisode du chat en peluche.

— Le chat en peluche ?

— Oui… Le soir de l'accident.

— Je l'ai déjà expliqué. Qu'est-ce que ça vient faire là ?

— S'il te plaît, Abigaël…

Abigaël inspira et se remémora chaque étape avec précision.

— Léa avait oublié son chat en peluche à la maison avant notre départ. On avait déjà chargé les bagages dans le coffre. Elle est retournée dans la maison le chercher et elle l'a mis dans sa valise.

— Il y a cette histoire de clé. Réexplique.

— Léa a ouvert la valise avec sa clé, a déposé le

chat, a refermé, a rangé la clé dans sa poche, puis est partie s'installer dans la voiture.

— Et après l'accident, on a bien retrouvé la clé dans la poche de ta fille, et sa valise fermée dans le coffre. Et toi, tu as affirmé que le chat avait disparu.

— Il avait disparu !

— Exactement comme le pantalon à carreaux. Pantalon que Frédéric a retrouvé dans la penderie de Léa. Je fais fausse route, Abigaël ? N'as-tu pas cru avec la même conviction, la même certitude, que ce pantalon avait lui aussi été « volé » par Freddy dans la valise en même temps que le chat ?

— Si, mais…

— N'as-tu pas cru, également, que tu avais mis ta ceinture de sécurité le soir de l'accident ? Tu sais bien que tout cela n'est pas possible ?

— On en a déjà parlé maintes fois. Où est-ce que tu veux en venir, bon sang ? Pourquoi tu remets tout ça sur la table ?

— Tu es narcoleptique, Abigaël… Tu es une excellente psychologue – sans doute la meilleure qu'on ait eue à nos côtés –, mais ces dernières semaines, il y a ces choses qui tu tiens pour vraies, alors que… qu'on sait tous que ta mémoire te joue des tours. Je me dis que tu aurais pu revenir dans cette maison, par exemple à l'occasion de ta promenade sur la plage, et ne pas forcément t'en souvenir. Juste une dizaine de minutes effacées de ta mémoire.

— Tu plaisantes, j'espère ?

— Suis-moi.

Frédéric lui posa une main chaleureuse sur l'épaule pour la soutenir. Ils s'enfoncèrent dans un couloir dont le plâtre aux murs partait en lambeaux et où le plancher du dessus traversait le plafond.

Ils entrèrent dans ce qui devait être à l'origine une chambre.

Abigaël sentit son corps se déconnecter. Frédéric la rattrapa de justesse avant qu'elle s'effondre.

Juste en face, à hauteur d'yeux, le chat en peluche noir de Léa pendait au bout d'une corde.

47

6 décembre 2014
L'ACCIDENT

25 juin 2015
LE LAVOIR EN FLAMMES

19 juin 2015

— Hermand ? C'est Abigaël…

Abigaël avait quitté l'hôpital psychiatrique de Plogoff une heure plus tôt. Nicolas Gentil avait plongé dans une telle crise qu'il avait fallu l'attacher à son lit et lui administrer des calmants. Une vraie scène de démence. Pourquoi la simple évocation de ce chat l'avait-elle fait réagir à ce point ?

La jeune femme roulait en direction du nord de la Bretagne, les essuie-glaces balayant son pare-brise à la vitesse maximale. Des gouttes grosses comme des œufs éclataient sur l'asphalte, le vent balayait la voiture de droite à gauche, forçant la conductrice à jongler avec son volant. L'horizon se déchirait en brisures électriques d'un blanc aveuglant.

La voix du frère de Frédéric résonna dans l'habitacle, par le haut-parleur du kit mains libres.

— Abigaël ? Comment vas-tu ? Fred me donne des nouvelles de temps en temps, mais ça me fait plaisir de t'avoir en ligne.

— Moi aussi. Désolée pour le brouhaha, mais il pleut des cordes et je suis en voiture.

— J'ai vraiment du mal à t'entendre.

Tout en maintenant fermement le volant, elle haussa le ton, à la limite de crier.

— J'ai une requête un peu particulière à te faire ! T'es encore à l'IML ?

— Pour une petite heure, oui. Tu sais bien qu'il y a toujours quelque chose à faire et que je pourrais y passer mes nuits.

— Est-ce que tu voudrais bien m'envoyer sur mon téléphone portable les clichés du corps de Léa ? Uniquement ceux qui concernent son tatouage ?

Il y eut un silence de quelques secondes.

— Oui, mais pourquoi ?

— Rends-moi ce service, s'il te plaît ! Et ne dis rien à Frédéric ! Je ne veux pas l'inquiéter !

— Qu'est-ce que tu fabriques, Abigaël ? Ça a encore un lien avec ce que tu as découvert sur ton père ? J'ai autopsié les corps il y a plus de six mois et…

— Ne pose pas de questions, Hermand, je t'en prie ! Je peux compter sur toi ?

— D'accord. Je t'envoie ça dans la soirée. Mais il faudra que tu m'expliques, un de ces jours.

— Je le ferai ! À bientôt !

Elle raccrocha et prit la direction de Pleumeur-Bodou, dans les Côtes-d'Armor. Sa nervosité lui provoqua un fou rire : l'image d'une narcoleptique-cataplectique, le nez collé au pare-brise pour essayer d'arriver à destination, avait quelque chose de tragi-comique.

Après trois heures qui lui en parurent dix, l'éclat de ses phares révéla finalement un petit hôtel deux étoiles, à proximité du panneau d'entrée de la commune. Elle s'imagina à la place de Janet Leigh dans *Psychose*. Elle courut jusqu'à l'accueil avec sa valise sous le bras, et entra presque trempée, la coiffure en pétard. Heureusement, le réceptionniste n'avait rien d'un Norman Bates. Plutôt le genre de type à boire de la bière en caressant un chat et en regardant un épisode de *Walker, Texas Ranger*.

— Sale météo, fit-il en la scrutant d'un œil interrogateur. On dirait pas que ça va être l'été dans quelques jours. On prévoit des vents de cent kilomètres/heure avant la nuit, autant dire que ça va pas mal bouger.

Abigaël le savait : le cœur de la tempête la suivait.

— Ça secoue déjà pas mal. Une chambre, s'il vous plaît.

Il l'enregistra et lui tendit une clé avec un porte-clés aussi gros qu'une boule de bowling. Elle ne risquait pas de s'enfuir avec.

— Boulot ? Il y a peu de gens qui se perdent ici début juin, hormis ceux qui vont travailler au centre de télécommunications. Vous venez pour les antennes ?

— Pas vraiment, non. Dites, L'Île-Grande, c'est loin d'ici ?

— Trois, quatre kilomètres. Ah, vous êtes là pour les phoques, un truc du genre ?

— Oui, les phoques, les oiseaux. Je suis ornithologue. Il y a moyen de manger quelque chose à l'hôtel ? J'ai l'estomac vide depuis ce matin.

— Les cuisines sont fermées, désolé. Mais il me

reste du pain et du jambon frais au frigo. Je peux vous faire un sandwich.

— Ce sera parfait.

Abigaël le remercia, puis s'installa dans sa modeste chambre. Vieille tapisserie, mobilier d'un autre âge, lit une place, odeurs du passé. Elle n'aurait pas pu mieux tomber. Elle se laissa choir sur le matelas, la tête à la renverse. Le fracas de la pluie bourdonnait encore dans ses tympans.

Frédéric avait essayé de la joindre à plusieurs reprises durant le trajet, elle avait répondu par SMS et promis de rappeler, ce qu'elle fit. Elle lui expliqua qu'elle ne se sentait pas capable de rentrer ce soir-là dans le Nord, c'était trop dangereux à cause de ses somnolences et de la météo. Elle allait dormir dans un hôtel de Quimper avant de reprendre la route le lendemain. Un mensonge, mais pour la bonne cause : hors de question de l'inquiéter et qu'il se rue sur son bac de glace après avoir raccroché.

— Et ton entretien avec l'écrivain ?

Abigaël vit qu'elle avait reçu un MMS : les photos du légiste. Hermand n'avait pas traîné.

— Assez troublant, mais je t'expliquerai quand je serai rentrée. Je vais manger un morceau en bas, prendre mon Propydol et me coucher.

— Juste un truc, Abigaël. J'ai cherché le briquet de ton père, je ne l'ai pas trouvé. Pourquoi tu l'as embarqué avec toi ?

Abigaël sortit le Zippo de sa poche, passa son pouce sur la gravure du fou. Une fois jaillie, la flamme brilla devant ses yeux bleus.

— J'aime le porter sur moi, il me rassure.

— Pas moi.

— Ne t'inquiète pas, Fred, je ne compte pas l'utiliser, sauf pour me griller une ou deux clopes en buvant une double vodka-citron.

— Il n'y a rien de drôle.

— Je sais, j'ai perdu mon sens de l'humour dans la tempête. Mais tout va bien, la Bretagne est magnifique, la chambre superbe. On se voit demain, d'accord ?

— OK… Fais bien attention à toi. Je t'aime, Abigaël.

— À demain, Fred.

Elle se rua sur la messagerie, afficha un gros plan de la cheville de Léa, cette cheville si blanche, si… *froide*.

L'espace d'une fraction de seconde, Abigaël se retrouva dans l'institut médico-légal, face aux deux cadavres. Nausée. Elle prit une bouffée d'air et observa le tatouage. En le comparant à la photocopie du dessin de Gentil faite par le psychiatre, elle n'eut aucun doute : les deux étaient identiques.

Elle ne comprenait pas : comment Nicolas Gentil avait-il pu reproduire le tatouage de Léa avec une telle précision ? Comment connaissait-il son surnom ? Des détails intimes, chaque fois. Léa n'aurait pas montré son tatouage à n'importe qui. Gentil avait-il connu sa fille avant l'accident ? Était-il un jour venu dans le Nord ?

Abigaël ne comptait pas en rester là. Elle visionna de nouveau le film de Gentil que le psychiatre avait bien voulu lui transférer sur son téléphone. Avec le son poussé à fond, elle perçut les étranges gloussements. Quelqu'un se trouvait bien aux côtés de Gentil au moment de la mutilation. Un sinistre observateur qui l'avait regardé agir de la sorte sans prévenir les secours.

Elle avala rapidement son sandwich et quitta l'hôtel sous le regard curieux du réceptionniste à qui elle demanda une lampe torche.

— C'est certainement pas le moment d'aller voir les oiseaux avec la tempête, vous ne croyez pas ? À la télé, ils conseillent de ne pas sortir de chez soi. C'est un coup de vent à décorner les bœufs, croyez-moi.

Abigaël ne voulait pas attendre jusqu'au lendemain ; l'envie de savoir lui brûlait le ventre. D'après les propos de l'éditeur, la villa de l'écrivain se trouvait à l'extrémité de L'Île-Grande, à proximité de la réserve ornithologique.

Malgré la météo apocalyptique, elle prit sa voiture et se dirigea vers la côte, jusqu'à atteindre la route qui menait à l'île. Elle s'y engagea, pleins phares, les doigts enfoncés dans le caoutchouc du volant. L'eau jaillissait partout, en haut, en bas, sur les côtés, mêlant ciel et terre, désorientant les sens. Sous les rideaux de pluie, les vagues cognaient de part et d'autre jusqu'à submerger l'asphalte. Abigaël hurla lorsque l'écume fouetta sa portière.

Elle ne croisa personne sur la route qui traversait l'île. Les gens restaient claquemurés chez eux. Les bourrasques de vent tordaient les pins, vrillaient les câbles téléphoniques, éprouvaient les toitures. Au bout de dix minutes, elle atteignit les abords de la réserve, chaos de roches tranchantes et de mer déchaînée. L'impression d'avoir atterri sur une planète hostile. Un vrai décor de cauchemar. La route s'étrécit, devint moins praticable, jalonnée de pierres et de sable. Sans 4 × 4, impossible de passer.

Abigaël se gara et poursuivit à pied, pantin désarticulé sous les bourrasques. Cassée en deux, elle dépassa deux, trois imposantes bâtisses jusqu'à tomber sur un panneau en bois, croqué par le sel et planté devant un portail fermé par un cadenas, sur lequel était inscrit *Kroaz-hent*.

Elle y était.

48

Lampe torche en main, Abigaël chevaucha le portail. Une rafale la précipita vers la maison, îlot de solitude sur ces terres préhistoriques. Nicolas Gentil avait été emmené dans l'urgence par les pompiers, la bâtisse était restée en l'état, mais quelqu'un avait néanmoins pensé à fermer à clé. Elle en fit le tour, secouée, avec l'impression que des rideaux de verre lui explosaient à la figure. Aucun moyen d'entrer, mais hors de question d'abandonner. Elle prit une pierre et la balança à travers l'une des fenêtres de l'arrière. Deux minutes plus tard, après avoir déblayé le verre tranchant avec précaution, elle pénétra à l'intérieur.

La toiture craquait de part en part. Exploration du salon. De grands cadres austères ornaient les murs, abritant des peintures en rapport avec les pêcheurs et la mer. Rien qu'à les regarder, elle pouvait sentir les odeurs de cale, d'entrailles de poissons. Plus loin, l'imposante cheminée en pierre. La guillotine avait disparu, mais du sang tachait encore le sol. Abigaël s'agenouilla puis regarda de nouveau le film sur son téléphone. Elle se positionna alors à l'endroit exact où se tenait l'écrivain lorsqu'il avait posé ses mains à plat sous l'instrument de torture.

« De toutes les ténèbres, celles qui étouffent mon âme sont de loin les plus sombres », avait écrit Gentil dans son roman. La pensée provenait de son héros policier, mais nul doute qu'il s'agissait aussi de la sienne. Quelles ténèbres avaient enseveli l'écrivain ce soir-là ? Sur son téléphone, Abigaël fit avancer la vidéo jusqu'au moment où Heyman détournait les yeux vers la gauche, au gloussement. Elle orienta son propre regard vers cette direction.

Elle tomba sur un écran de télé géant.

Alors, ce bruit provenait-il simplement de la télé ? Bien sûr. Gentil avait dû être perturbé par un programme diffusé à ce moment-là. Abigaël se redressa et se lissa les cheveux vers l'arrière, déçue. Comment ne pas y avoir pensé ? Qu'avait-elle espéré ?

Maintenant qu'elle avait cassé une vitre et qu'elle évoluait au cœur des abysses… direction l'étage. Facile d'imaginer l'extrême solitude de Gentil. Cette bâtisse aux murs sombres en grosses pierres de taille, aux plafonds voûtés, avait des allures de monastère. Elle jeta un regard aux différentes pièces, se glissa dans la chambre où l'on avait découvert le romancier aux portes de la mort.

Un pan de mur tout entier était tapissé de symboles dessinés au feutre noir. Des carrés, des triangles, des cercles, des étoiles, sur plusieurs mètres de haut et de large. L'expression d'une obsession, d'un chaos intérieur. Pourquoi ces traces de sang, en plein milieu des symboles ? Pourquoi Gentil avait-il tracé ces milliers de figures étranges ?

Elle fixa le lit et ses alentours. Là encore, du sang.

On avait emporté les draps souillés mais personne n'avait pris le temps de nettoyer le sol à fond. Qui l'aurait fait ?

Coup d'œil dans la bibliothèque. Romans policiers, d'horreur, documents sur les tueurs en série, collection de faits divers sordides. Elle imaginait bien l'ambiance qui devait régner dans l'habitation lorsque Heyman était plongé dans son récit. Un vrai puits ouvert sur les ténèbres. Elle se dirigea vers la grosse unité centrale et l'écran, à proximité du bureau. Alluma. Accès non protégé.

Abigaël s'installa et fouilla dans l'ordinateur pendant une bonne heure. Elle dénicha les dossiers liés à l'écriture, avec les différentes versions des romans. La messagerie électronique était presque vide. Quant à Internet, pas grand-chose à récolter dans l'historique, hormis des sites légaux sur lesquels Gentil avait sans doute mené des recherches.

Abigaël bâilla, ses yeux s'embrumèrent. À presque minuit, elle aurait dû avoir pris son Propydol deux heures plus tôt et être dans son lit depuis longtemps. Et bien sûr, sans le médicament, les dérèglements liés à sa narcolepsie reprenaient vite leurs droits. Elle redescendit rapidement. Avec un quart d'heure de route jusqu'à l'hôtel, peut-être aurait-elle le temps de rentrer se coucher.

Elle passa par la baie vitrée de l'arrière, qu'elle déverrouilla de l'intérieur, et affronta la tempête. Elle courut vers sa voiture quand, soudain, quelque chose la chiffonna. L'éditeur de Nicolas Gentil n'avait pas mentionné de téléviseur allumé à son arrivée dans la maison. Il avait évoqué un silence absolu.

Cela signifiait donc que la télé était éteinte ou que, en tout cas, elle n'émettait pas de son.

Donc, le gloussement ne pouvait pas provenir de là. À moins que…

Elle tenait peut-être une solution. Retourna à l'intérieur, chercha la télécommande, qu'elle trouva sur un meuble. Elle remarqua une tache de sang à quelques centimètres de là : Gentil l'avait probablement utilisée pour éteindre le téléviseur – avec le coude par exemple – après s'être coupé les doigts.

Quand on se torture à ce point, on ne pense certainement pas à éteindre un appareil électrique, sauf si on a quelque chose à cacher.

Elle l'alluma à l'aide de la télécommande. L'écran indiquait qu'il ne captait aucun signal, qu'il fallait régler l'antenne. Abigaël regarda au dos de l'écran. Aucun câble d'antenne relié à la prise adéquate. En revanche, des fils utilisés pour connecter un ordinateur pendaient.

Nouveau bâillement, engourdissement général jusqu'à la pointe des pieds. Cette fois, Abigaël n'avait plus que trente secondes avant de tomber de sommeil. En urgence, elle se dirigea vers le canapé et s'y allongea, bras croisés sur les épaules.

Un craquement, juste derrière. Elle se redressa. Scruta les cônes d'ombre. Elle saisit un tisonnier, sur ses gardes, persuadée d'une présence. Par la vitre cassée, les rideaux gesticulaient comme des bras appelant à l'aide. Elle s'avança dans le noir, perçut un rapide mouvement dans son dos et une douleur vive dans le bas du corps. Elle battit l'air avec son tisonnier dans un hurlement.

La porte d'entrée grinça et se ferma.

En panique, Abigaël alluma l'interrupteur et tourna le verrou de la porte. Elle n'avait pas été seule dans la maison. Percluse de douleur, elle baissa son pantalon. Du sang se répandait sur ses mains et jusqu'au sol. Elle s'empara d'un oreiller et frotta sa peau pour essayer d'y voir quelque chose. Les coulées provenaient de l'intérieur de sa cuisse, Abigaël se vidait littéralement.

Elle se rua dans la salle de bains, saisit le pommeau de douche et fouetta sa plaie avec l'eau glacée. Les traînées rouges tourbillonnèrent dans l'évacuation, et Abigaël put enfin y voir clair : une entaille en forme d'arc de cercle creusait les chairs. C'était comme si on l'avait frappée avec une petite faucille.

Le croquemitaine.

Abigaël tourna le robinet et fixa la porte entrouverte de la salle de bains, retenant son souffle. Elle comprima une serviette contre la blessure. Quelque part en bas, une porte claqua de nouveau. Et si Freddy était là, avec elle ? Et s'il l'avait suivie ?

Et ce sang, cette rivière rubis qui filait le long de ses jambes. Quand elle se précipita quasi nue dans le couloir et arriva en haut des marches, elle la vit. La gamine sans visage. La petite se tenait debout, immobile, au bas de l'escalier, encadrée de longs cheveux blonds, dans une robe bleue qui donnait l'impression qu'elle flottait au-dessus du sol. Elle me mit à monter les marches, les bras tendus, les doigts contractés en serres d'aigle comme pour étrangler. Abigaël eut tellement peur que…

… ses yeux s'ouvrirent en grand.

Un canapé… Elle se redressa dans un cri, la gorge en feu. Regarda autour d'elle : L'Île-Grande, chez

Nicolas Gentil… Habillée. Sèche. Aucune trace de sang à l'entrejambe de son pantalon.

Personne dans la maison. Pas de Freddy, pas de petite fille sans visage.

Un cauchemar… Juste un fichu cauchemar… Sa montre indiquait qu'un quart d'heure environ était passé entre son endormissement et son réveil. Elle releva la manche de son pull : présence des brûlures de cigarette.

Quelques minutes pour s'en remettre. Aucun souvenir de s'être endormie ni d'une quelconque transition entre la réalité et le rêve. Là, couchée sur ce fauteuil, elle avait été vulnérable.

Perturbée, elle ramassa sa lampe et reprit le fil de ses investigations. Où en était-elle, déjà ? Oui, le téléviseur… Abigaël s'en approcha de nouveau, désormais certaine que Nicolas Gentil l'avait utilisé comme un projecteur vidéo ou un écran géant. Après s'être amputé, il avait sans doute débranché un ordinateur des prises de la télé. Et ça ne pouvait pas être l'unité centrale du bureau, bien trop lourde.

L'écrivain avait caché un second ordinateur quelque part.

Elle essaya de retracer mentalement son parcours. Heyman s'était coupé les doigts… Il les avait jetés dans le feu, avait éteint la caméra, cautérisé ses plaies. Mais des gouttes de sang avaient encore coulé. Il avait ensuite éteint la télé, arraché les câbles de l'ordinateur. Il devait souffrir horriblement et savoir qu'il ne tiendrait plus debout très longtemps.

Elle jeta un coup d'œil circulaire, fouina dans les quelques endroits qui lui paraissaient adéquats pour y cacher un ordinateur portable. Elle grimpa à l'étage, suivant la voie du sang. Le chemin menait directement au lit. Rien dessous, ni sous le matelas. Elle observa la pièce, passa une main sur les étranges symboles comme l'avait sans doute fait Heyman avant de se recroqueviller sur son matelas.

Elle vit alors une chaise en bois à proximité de la porte gauche du dressing. Elle monta dessus et, sur la pointe des pieds, palpa le haut de l'armoire.

Poussée d'adrénaline. Ses doigts effleurèrent un objet lisse et froid. Elle tira l'ordinateur portable vers elle et balaya toute la surface pour s'assurer qu'il ne traînait plus rien d'autre. Deux dessins et un cahier tombèrent au sol.

Elle redescendit de sa chaise et les ramassa. Ouvrit le cahier. De nouveau, Gentil avait tracé des carrés, des triangles, des lunes, comme sur le mur… Des milliers, qui recouvraient des dizaines et des dizaines de pages. Au bas de chacune de ces pages, des dates. 18, 19, 20 mars de l'année… Tous les jours, jusqu'à la veille de son automutilation.

Abigaël s'intéressa aux dessins et regarda le premier d'entre eux. Gentil avait crayonné une lourde porte en bois cintrée en partie haute. Un peu de paille au sol… Des murs de brique sombre… Le même genre de porte que sur la couverture de *La Quatrième Porte*.

Elle retourna le second dessin. Gentil avait esquissé un garçon aux traits grossiers, assis contre un mur de brique, qui portait un maillot de foot floqué d'un gros « 9 ».

Arthur.

Au bas de là feuille, on pouvait lire, écrit en lettres capitales « CRO-MAGNON ». Elle avait aussi vu ce terme dans le livre d'Heyman. Cro-Magnon était le surnom de Quentin, le garçon kidnappé du roman.

Il y avait une connexion entre Heyman et Freddy. L'écrivain était impliqué, d'une façon ou d'une autre. Restait à comprendre ce que sa fille, sa Perlette d'Amour, venait faire au milieu de tout ça.

Elle prit l'ordinateur, le cahier, les dessins et sortit de la chambre en courant. Elle connaissait déjà la prochaine étape. Nantes, les parents d'Arthur…

49

6 décembre 2014
L'ACCIDENT

25 juin 2015
LE LAVOIR EN FLAMMES

5 avril 2015

Frédéric écrasa sa cigarette devant l'hôpital de Dunkerque quand il vit son chef arriver. Il avait passé une partie de la nuit dans les couloirs du bâtiment, courbé sur une chaise, entre somnolence et lucidité, avec la mère de Victor, une femme démolie, au bout du rouleau, qui n'avait pas arrêté de remercier Dieu de lui avoir rendu son fils.

Dieu n'avait rien à voir là-dedans.

Les deux hommes se serrèrent la main.

— Alors ? demanda Patrick.

— Il a passé la nuit à subir de nouveaux examens. Pauvre môme… Heureusement que sa mère était là.

— Et que donnent les examens ?

— Ils ont trouvé des traces de kétamine dans son sang. Il s'agit d'un anesthésique vétérinaire qu'on peut se procurer assez facilement. On suppose que Victor a été drogué avant d'être abandonné du côté du port industriel de Loon-Plage.

Il mit une main devant sa bouche pour bâiller.

— Excuse-moi, la nuit a été plutôt blanche. Sinon, pas d'agression sexuelle, donc rien à voir, à première vue, avec une histoire de pédophilie. Abigaël avait raison. Le mobile des enlèvements est ailleurs.

— Comment va Abigaël depuis l'épisode d'hier ?

— Pas terrible, tu te doutes. Le chat suspendu, le gamin qui hurle en la voyant… Elle ne sait plus très bien où elle en est. Elle est persuadée d'avoir raison pour le chat : c'est Freddy qui l'a mis là, pas elle.

— Et toi, qu'est-ce que tu penses de tout ça ?

— J'ai confiance en elle.

— Il se peut très bien que tu lui fasses confiance et qu'elle se trompe. Allez, on entre.

Frédéric ouvrit la porte et laissa passer son chef.

— J'ai discuté avec la mère, hier soir, fit-il. Ça a été compliqué, elle est très choquée. Son fils hurle dès que t'éteins la lumière. Victor a trouvé un peu d'apaisement dans ses bras, il parle mais répond à côté des questions, et ses propos sont la plupart du temps dénués de sens. Il s'alimente avec les doigts, s'assied par terre plutôt que sur le lit, se fait du mal dès qu'il bâille ou sent le sommeil arriver. D'après la psy, il y en a pour un bout de temps avant qu'il aille mieux. Des semaines, des mois.

— C'était prévisible, répliqua Lemoine.

— On a la presse aux fesses et les parents des autres victimes qui veulent savoir… Comment on doit réagir ?

— Ordre de ne rien lâcher, on laisse la com' faire

son job et, nous, on se focalise sur le môme. C'est notre plus grosse piste.

Ils se dirigèrent vers l'escalier.

— Avant de rencontrer Victor, le médecin doit nous parler de ce qui s'est passé cette nuit. Ils ont enregistré son sommeil, ajouta Frédéric. Au fait, les lettres tatouées sur son corps, vous avez commencé à regarder ?

— On planche là-dessus. Gisèle a mis ces données dans des générateurs de mots et tout le tralala, mais ça ne donne rien pour le moment. Quant aux deux traces sur la poitrine, tous ceux qui ont vu les photos évoquent des marques animales. Des fichus sabots de chèvre…

Le docteur Hérault les accueillit au troisième étage et les invita à le suivre. L'air inquiet et très éprouvé.

— Comme je l'ai dit tout à l'heure au gendarme Mandrieux, nous disposons d'une aile spécialisée dans les troubles du sommeil, expliqua-t-il. Elle contient trois chambres où nous pouvons enregistrer les activités nocturnes des patients atteints d'insomnie, de noctambulisme, d'apnées… Cette nuit, nous avons placé Victor en observation. Je n'ai jamais vu un individu aussi fatigué et qui lutte autant pour ne pas s'endormir. Sa mère est restée à ses côtés, ça l'a rassuré et a rendu l'expérience possible.

Il entra dans une pièce informatisée. Trois écrans étaient accrochés en hauteur et montraient trois chambres différentes. Sur d'autres moniteurs placés sur un bureau, des courbes défilaient. Une patiente dormait dans l'une de ces chambres, recouvertes d'électrodes.

— Victor était branché de la même façon que cette

femme qui souffre d'hypersomnie. Nous avons enregistré les données de son cerveau, de ses muscles et l'avons filmé en laissant la lumière allumée pour le rassurer. L'adolescent ne supporte pas l'obscurité. Dès qu'on éteint, il hurle. Il a évidemment tenté de résister à l'endormissement, mais la fatigue a été plus forte.

À l'aide d'un ordinateur, le médecin afficha un répertoire contenant les données sur Victor. Il lança l'un des nombreux fichiers. Une vidéo apparut. L'heure indiquait 1 h 34. On voyait Victor allongé sur son lit, sa main serrant celle de sa mère assise juste à côté. Ses yeux grands ouverts fixaient le plafond, en direction de la caméra. Sur un écran voisin de la vidéo, s'affichaient des courbes.

— Tout cela, c'est l'activité de son organisme au moment de l'enregistrement de cette nuit. Regardez Victor, ses pupilles sont dilatées, la lumière est faible. Il est nerveux, il transpire beaucoup, mais il a déjà lutté pour ne pas s'endormir, et les prémices du sommeil prennent le dessus.

Il avança de deux minutes en accéléré, puis remit en mode lecture. Il pointa son index sur l'un des moniteurs.

— La courbe liée à l'activité musculaire s'affaisse, ses muscles ne renvoient plus aucun signal électrique, ils se paralysent. Victor est désormais incapable de bouger.

Le visage de l'enfant restait immobile et sa lèvre inférieure retombait comme un pneu crevé. Yeux fixes. Frédéric pensa à Abigaël en plein état cataplectique.

— C'est impressionnant. Qu'est-ce qui se passe ?

— C'est ce qu'on appelle la paralysie du sommeil, un mécanisme naturel qui empêche au dormeur de vivre ses rêves de manière physique, de courir ou de se bagarrer en temps réel alors qu'il est endormi. Normalement, la paralysie arrive quand on dort profondément, après au moins une bonne heure de sommeil. Chez vous comme chez moi.

— Il dort ou pas ? demanda Lemoine.

— Les deux, c'est ce qui est impressionnant. Pour son cerveau, il dort, d'où l'ordre de paralysie du système musculaire complet. Mais Victor est conscient pour le moment. C'est là tout le paradoxe. J'ai demandé à la mère : il n'avait jamais manifesté de troubles particuliers du sommeil avant son enlèvement.

Au bout de quelques secondes, les mouvements de sa poitrine se firent plus intenses et les pupilles se rétractèrent. L'activité du cerveau s'emballa.

— Son cerveau est en train de passer en sommeil paradoxal en un claquement de doigts. Sans aucune transition par les autres étapes du cycle. Je vous rappelle qu'il est toujours éveillé.

Frédéric se rapprocha de l'écran de la vidéo. Les pupilles de Victor se déplaçaient imperceptiblement.

— On dirait qu'il voit quelque chose.

Le médecin semblait aussi déstabilisé qu'eux.

— Exact. Sa température corporelle a baissé d'un degré et demi en moins de deux minutes, c'est ultra-rapide. Et regardez sa poitrine qui s'écrase, comme s'il y avait un poids invisible sur lui.

De fait, le torse se creusait au niveau du diaphragme. Frédéric avait déjà vu des vidéos d'exorcismes, où les corps des possédés se déformaient, se cabraient. Il y avait quelque chose de similaire, ici. D'incompréhensible.

— Comment expliquez-vous ce phénomène ? demanda le capitaine de gendarmerie.

— J'en ai discuté avec un collègue spécialisé dans le sommeil ; il a rarement vu une chose pareille. La température du corps diminue lors du sommeil, mais cela est beaucoup plus graduel. Et durant la paralysie, il y a un moment où la respiration passe en mode automatique, d'où un léger mouvement de poitrine. Mais à ce point-là… Sa seule explication est que Victor subit des hallucinations hypnagogiques tellement intenses qu'elles agissent sur son physique et contractent fort sa poitrine. Ce sont…

— On sait, le coupa Frédéric. La femme qui nous accompagnait hier est narcoleptique. Elle aussi passe en sommeil paradoxal dès qu'elle s'endort. De surcroît, elle fait des cataplexies de temps en temps.

Le médecin marqua son étonnement quelques secondes et poursuivit :

— Les visions de Victor semblent effrayantes. Regardez, il les vit à cent pour cent, et ce qui est terrible, c'est qu'il ne peut ni bouger ni hurler. Juste ses yeux qui parviennent à rouler dans leurs orbites… Ces images qu'il est le seul à voir s'ancrent dans sa mémoire et le traumatisent. Il n'a conscience ni de s'endormir ni de se réveiller. Dans sa tête, ce qu'il voit existe réellement.

Au bout de quelques minutes, les courbes liées à l'activité musculaire filèrent soudain vers le haut. Sur l'écran, l'enfant se mit à hurler et se débattit, arrachant une partie des câbles reliés à son corps et à son crâne. Sa mère le serra contre elle, prise d'effroi, et appela au secours. Victor était réveillé désormais et pleurait à chaudes larmes. Frédéric et Lemoine restèrent muets devant ce sinistre tableau.

— Il a fait ça à trois reprises cette nuit, expliqua Hérault. Malgré la peur, il est incapable de résister au sommeil. Mais chaque fois, c'est le même scénario. La paralysie, la frayeur dans les yeux, la poitrine qui s'écrase, la phase de sommeil paradoxal qui dure à peine deux minutes et le réveil... Son sommeil est complètement démoli. Un véritable champ de bataille.

Hérault éteignit les moniteurs.

— Le sommeil est essentiel à notre vie, à notre équilibre. Penser que dormir est une perte de temps est une grave erreur. Notre corps a besoin des différentes phases de sommeil, notamment celles du sommeil profond et paradoxal, pour se reconstruire, se reposer, grandir, mémoriser certaines actions de la journée et oublier les autres. Sans elles, les hallucinations se multiplient, l'état mental et la santé se dégradent.

— Victor pourrait... ne pas s'en remettre ?

— Sans soins, il pourrait mourir de fatigue, au sens littéral du terme. Des études ont été faites sur des rats à qui on avait supprimé le sommeil profond et paradoxal, en leur laissant les autres phases. Ils finissent par dépérir... Nous allons évidemment tout faire pour sortir Victor de là. Il y a les traitements, les molécules, vous devez le savoir puisque vous connaissez une narcoleptique. Mais Victor devra apprendre à vaincre ses peurs s'il veut s'en sortir et pouvoir retrouver une vie normale. Tout au moins d'un point de vue physiologique.

— Vous allez le garder longtemps à l'hôpital, je suppose ?

— Le temps qu'il faudra.

Il s'éloigna quelques minutes pour répondre à un appel sur son portable. Les deux gendarmes l'attendirent dans le couloir. Patrick Lemoine se passa une main lourde sur le visage.

— Quelle horreur… T'as remarqué les yeux du gamin, comme moi. Sa pupille qui… qui s'est rétractée alors qu'il n'y avait que le plafond. T'as vu sa poitrine qui s'est écrasée…

Il garda le silence, hésitant longuement à conclure.

— Comme s'il y avait vraiment *quelque chose* avec lui dans cette pièce. Une présence invisible qui le terrorisait et était capable d'agir sur son physique.

50

Après un long échange entre les deux gendarmes et la psychologue, Hérault les invita à entrer dans la chambre de Victor. Ils croisèrent la mère, Béatrice Caudial, une femme jeune qui n'était plus qu'un pâle fantôme. Une survivante, comme son fils.

Les gendarmes – mais surtout Abigaël – avaient compilé un tas d'informations la concernant. Victor n'avait pas de père : Béatrice était incapable de nommer le géniteur. Elle savait juste qu'elle était tombée enceinte à 18 ans, pendant les vacances d'été.

Elle leur adressa un léger signe de tête et resta au fond de la pièce, avec la psychologue. Victor était assis sur une chaise devant la fenêtre qui donnait sur un ensemble de bâtiments administratifs gris et de maisons en brique rouge. Il semblait apprécier la façon dont la lumière lui caressait le visage. Quand il vit les deux hommes s'approcher, il courut se recroqueviller dans le coin à gauche de la fenêtre. Frédéric songea à un animal blessé. Ses yeux étaient cernés de noir, et ses lèvres pelaient comme des oranges. Plus rien à voir avec l'adolescent souriant et jovial qui ornait les murs des locaux de l'équipe Merveille 51.

— Non, non… Je veux pas venir… Je veux pas venir… Les autres mais pas moi…

Victor murmurait pour lui-même. Patrick Lemoine fit glisser son alliance dans le creux de sa main droite et l'enfonça dans sa poche. Puis il s'accroupit pour se mettre à la hauteur de l'adolescent, mais légèrement sur le côté. Frédéric resta debout, en retrait. Il fallait laisser de l'espace à Victor, ne pas obstruer son champ de vision ni lui donner une impression d'enfermement.

— Je m'appelle Patrick et lui, c'est mon collègue Frédéric. On est tous les deux des gendarmes, on connaît bien ta mère. Depuis que tu as disparu, on n'a pas arrêté de te chercher partout, le jour et la nuit. On est bien contents que tu sois là, avec nous.

— La lumière… La lumière, ça fait du bien. J'aime la lumière.

— Il n'y avait pas de lumière là où tu te trouvais ?

Victor se gratta la tête frénétiquement, comme parcouru par un courant électrique.

— C'est le carré jaune. J'attends le carré jaune pour manger. Pas de carré jaune, pas de manger, tu comprends ?

— Juste un peu, mais il faut que tu m'expliques mieux. Qu'est-ce que c'est, ce carré jaune ? Une trappe ? Un endroit où on te passe un plateau de nourriture ?

— Pas de carré jaune, pas de manger.

Frédéric s'approcha par la droite, côté lit.

— On t'a retrouvé au bord d'une route de Loon-Plage, hier, fit-il d'une voix douce. Tu sais d'où tu venais ? Où est-ce que tu étais avant de te retrouver sur cette route ?

— Sais pas… Pas moyen de savoir, le noir, ça reste noir. J'aime pas le noir… Il faisait toujours noir. Noir, noir…

Victor se leva brutalement et alla écraser son visage contre la vitre. Il fixa le soleil un long moment et ses yeux lui brûlèrent. Il cria en plaquant ses mains sur son front.

— Plus jamais le noir ! Plus jamais !

On laissa sa mère venir le rassurer. Patrick et Frédéric se regardèrent en coin. La tâche allait être compliquée. Quand Victor se calma, les gendarmes reprirent leur interrogatoire après un premier avertissement de la psychologue. Si ce genre de scène se reproduisait, il faudrait arrêter.

— Il n'y aura plus jamais de noir, Victor, parce que ta maman est là, et nous aussi, le rassura Frédéric. On va tous te protéger. Mais tu dois nous aider à attraper celui qui t'a fait ça, tu comprends ?

— La paille. La paille, ça grattait quand on dormait dedans.

— Vous dormiez dans la paille. Il y avait des bruits d'animaux ? Ça sentait les animaux ?

Victor secoua la tête, comme Jeff Goldblum dans *La Mouche*, peu de temps avant la transformation finale. Un tic ou la réponse à la question ? Frédéric l'ignorait.

— Dans la paille, vous étiez quatre enfants, c'est bien ça ?

— Des fois, nous quatre. Quand il voulait jouer. Ça servait à rien de se cacher sous la paille, parce qu'il nous retrouvait toujours… Il nous emmenait à la machine…

— La machine ?

— Y a de l'eau… De l'eau noire… Et une île. Ça penche si je dors et je veux pas me noyer…

Frédéric voulut lui poser une main sur l'épaule, mais Victor s'écarta, farouche.

— Me touche pas !

Le gendarme leva les mains et se recula. Patrick prit le relais.

— D'accord, d'accord, on ne te touchera plus. Hier, avant que tu marches sur la route, vous étiez encore quatre dans la paille ?

— Nous quatre, ouais.

Patrick se tourna vers Frédéric, puis revint vers Victor.

— Vous étiez deux filles et deux garçons…

— Numéro 1, Numéro 2, Numéro 3 et Numéro 4. Numéro 1… Je suis pas Victor, je suis Numéro 2.

— C'est comme ça qu'il vous demandait de vous appeler ? Tu connais les prénoms de tes camarades ? Numéro 4, par exemple ?

— Pleurnicheuse… Pleurnicheuse… Pas comme Numéro 1. Numéro 1, elle pleurait jamais… Ses yeux vides… On pouvait pas parler… Pas le droit… Non, j'ai rien dit, je vous jure, monsieur. Pas dormir, pas dormir… D'accord, je dormirai pas… Non, pitié…

Dans la moiteur de la chambre, Patrick pensait à ses deux enfants. Ils auraient pu être à la place de Victor, et lui à la place de la pauvre femme debout au fond de la pièce. Il s'imaginait vider un chargeur entier sur l'homme qu'il traquait. Des images violentes qui l'assaillaient de plus en plus. Il essaya néanmoins de faire son travail au mieux et poursuivit.

— Tout va bien, Victor. On connaît Numéro 1, tu sais ? C'est une petite fille qui s'appelle Alice.

— Chut, t'es fou ? Elle s'appelle Numéro 1, pas Alice.

— Tu la connaissais ? Tu l'avais déjà vue ?

Il secoua la tête.

— Connais pas Alice. Que Numéro 1.

Patrick fouilla dans sa poche et en sortit des photos. Il lui montra Alice.

— C'est elle, Numéro 1, dit le gendarme.

Il exposa de la même façon la photo d'Arthur.

— Tu es le Numéro 2. C'est le Numéro 3, n'est-ce pas ?

— Oui, il reste un numéro, il n'a pas de visage.

— Il faisait trop noir ?

— Noir, noir, noir… Trop noir, oui.

Patrick fit un signe à Frédéric, qui sortit une photo de sa poche et s'approcha de nouveau.

— Victor, je vais te montrer quelque chose. N'oublie pas que ce n'est qu'une photo, d'accord ? Qu'il ne peut plus rien t'arriver. La personne que tu vas voir là-dessus nous aide depuis le début dans notre enquête. C'est quelqu'un de bien.

Il tourna doucement le cliché vers l'adolescent. C'était une photo d'identité d'Abigaël. Victor eut un mouvement de repli, mais il ne hurla pas, cette fois.

— Elle, tu l'as déjà vue, par contre. Où ça ?

Victor renifla et se frotta le nez en grimaçant.

— Partout. Partout.

— Comment ça, partout ?

Il ferma les yeux et pointa ses index sur ses tempes.

— Dans ma tête… Des petits sourires, des grands… Les dunes et la ferraille. Capacité à prévenir les délits… Efficacité des mesures policières et pénales dans la lutte contre le crime… Compare les critères nationaux sur la criminalisation et la décriminalisation d'actes…

Frédéric tourna la tête vers son chef, incrédule. Il n'y comprenait rien. Il rempocha la photo d'identité.

— Tu veux boire quelque chose ? enchaîna Patrick. De l'eau ? Du Coca ? J'ai deux enfants de ton âge, et ils adorent ça. Je suis sûr que vous vous entendriez bien, tous les trois.

Victor se mit à osciller, les mains autour de ses jambes regroupées devant lui.

— Numéro 5 et Numéro 6…

— OK… On laisse tomber l'eau et le Coca, alors. Raconte-moi plutôt comment ça s'est passé quand tu es arrivé. Quand tu as rejoint Numéro 1.

— C'est froid, noir. Numéro 1, elle est de l'autre côté… Autre côté des murs… Les murs… elle a pas le droit de parler sinon il va venir… Vaut mieux pas qu'il vienne, c'est jamais bon signe.

Victor fixa un rayon de soleil qui s'écrasait sur le mur et qui semblait le subjuguer.

— J'aime tellement la lumière.

— Est-ce qu'il y avait quelqu'un d'autre avec l'homme qui vous retenait tous les quatre ?

— Sais pas. Crois pas.

— Essaie d'être certain, Victor, c'est important.

Victor se grattait le crâne au sang. Les larmes arrivaient au bord de ses yeux.

— J'arrive pas, j'arrive pas, j'arrive pas…

La psychologue était à deux doigts d'interrompre l'entretien, mais Patrick lui demanda encore un peu de temps d'un petit geste. Elle acquiesça.

— Pourquoi il t'a libéré avant Numéro 1 ?

— Sais pas.

— Est-ce qu'il va relâcher aussi les autres ?
— Sais pas.
— T'entendais des bruits ? Tu peux me décrire tout ce que tu as vu ? Celui qui vous empêchait de parler, décris-le-moi. C'est très important si tu veux qu'on l'attrape.
Victor sembla se déconnecter. Ses paupières tombèrent comme des rideaux de théâtre. Il secoua la tête et se pinça très fort.
— Pas dormir, surtout pas dormir… Jamais.
— Pourquoi ? Pourquoi tu as peur de dormir ? demanda Frédéric.
L'adolescent caressa la lumière du rayon solaire du dos de sa main.
— Elle est belle et chaude, la lumière. Le démon… Il peut pas venir quand elle est là.
Les poils blonds de ses avant-bras se hérissèrent, comme attirés par de l'électricité statique. Le visage du gamin se crispa quand il fixa un carré d'ombre dans un angle de la pièce.
— Le démon vient quand tu t'endors, c'est ça ? C'est lui que tu vois quand tu es couché dans ton lit et que tu sens le sommeil arriver ?
Victor frissonna et se rétracta de nouveau.
— Quand le soleil… Quand il sera plus là, vous allez pas éteindre… Pas éteindre la lumière, hein ?
— Plus jamais d'obscurité, Victor. Promis.
— Plus jamais… Plus d'obscurité, d'accord…
— Tu peux m'expliquer à quoi il ressemble, ce démon ?
Victor essaya d'effacer une des lettres tatouées sur son poignet. Il se mouillait les doigts avec la langue

et frottait. Au fond de la pièce, sa mère était au bord des larmes.

— Veux pas en parler. Surtout pas. Ça pourrait le faire venir… Fermerai pas mes yeux. Tu m'auras pas. Tu m'auras pas, espèce de monstre. Tu m'auras pas, t'as compris ?

Patrick alla discuter avec le médecin et la psychologue. Il revint auprès de Victor, déposa un papier et un crayon à ses côtés et lui parla à l'oreille.

— Prends ton temps pour le dessiner, avec Frédéric on est juste devant la porte de chambre, on revient dans quelques minutes.

Les deux gendarmes s'isolèrent dans le couloir. Patrick souffla un grand coup pour évacuer la pression. Il essuya avec un mouchoir en papier son front ruisselant.

— Bon Dieu, ce môme est complètement démoli !

— Près d'un an à rester enfermé, à avoir peur, à se voir identifié à un numéro. Comment ne pas sortir de là sans de graves séquelles psychologiques ?

Frédéric serra le poing contre le mur.

— Je comprends pas, Patrick… Pourquoi faire ça à un môme. Le séquestrer, le nourrir de longs mois, le détruire psychologiquement puis le relâcher dans la nature. Quand tu prends un salopard comme Dutroux, ce mec avait un but sordide, la satisfaction sexuelle, et jamais l'idée de libérer ses victimes ne lui a traversé l'esprit. Il y avait aussi un réseau derrière, la baise, le fric. Mais là, j'ai beau chercher, je ne pige pas. C'est quoi, le lien, bordel ? Et si on ne tire rien de Victor, qu'est-ce qu'on fait ? On attend et on espère que ce fumier libère les autres ? Mais combien de temps il faudra encore attendre ? Combien de putains de nuits blanches ?

Patrick sentait son collègue sur la brêche depuis quelques semaines. Le métier en avait usé plus d'un avant l'âge et, à 45 ans, lui-même avait déjà l'impression de faire partie des survivants.

— T'as compris quelque chose à ce que Victor a raconté quand il a vu la photo d'Abigaël ?

— Rien. On aurait dit qu'il citait des définitions.

Patrick s'appuya contre le mur, les bras croisés.

— Je repense à l'anesthésique vétérinaire... Cette histoire de paille... Les marques de sabot sur la poitrine... Je ne sais pas, ça m'évoque une ferme. Les mômes sont peut-être retenus dans une vieille étable, ou dans des box individuels. Tu sais, où on fait dormir les bêtes ?

La psychologue sortit de la chambre et les rejoignit. Elle leur tendit une feuille criblée de trous par la mine du crayon. En guise de démon, Victor avait dessiné un gros tourbillon noir. Patrick poussa un soupir d'agacement.

— Quand pensez-vous qu'il sera apte à nous expliquer ce qui s'est passé ?

— Une semaine, un mois, peut-être jamais. Son esprit va tout faire pour le protéger. Il est possible qu'il engloutisse tous les souvenirs et qu'il transforme tout cela en... (elle hocha le menton vers la feuille) ... un véritable trou noir.

51

Debout à l'entrée de la chambre, Abigaël regardait Frédéric dormir. Ils avaient dîné sans appétit en parlant de Victor, bu leur tisane ensemble, et son compagnon était tombé de sommeil après la nuit blanche à l'hôpital. Il semblait tellement apaisé quand il dormait, comme s'il avait déposé tous ses soucis dans un casier pour les récupérer le lendemain. À le voir ainsi, en position fœtale, Abigaël se demanda à quoi ressemblaient ses rêves. Étaient-ils gais ou tristes ? Effrayants ?

Elle passa devant la salle de bains et marqua un arrêt, constatant que l'armoire à pharmacie était entrouverte. Comme elle fermait mal, Abigaël prenait toujours garde de tourner la petite poignée à fond. Elle s'appliqua donc à bien verrouiller, cette fois. Volontairement, elle avait fait l'impasse sur le Propydol, histoire de profiter de la nuit pour poursuivre ses recherches, quitte à affronter quelques somnolences.

Juste éclairée par une lampe, elle se mit au travail. Un moteur de recherche avala les phrases inscrites sur l'un des murs de la maison hantée de Loon-Plage.

FAIS RECULER LES SONGES
ET LES IMAGINATIONS DE LA NUIT,
TERRASSE L'ENNEMI
AFIN D'ÉVITER LA SOUILLURE À TON CORPS

Mais sa requête renvoya trop de résultats sans rapport entre eux. Abigaël explora plusieurs pistes, chercha dans les paroles de chansons sur des sites spécialisés, en vain. Lorsque, en pleine réflexion, mordillant un stylo, elle releva les yeux vers la poupée vaudoue posée sur le meuble, elle tiqua : il lui sembla que la décoration avait bougé de place. D'ordinaire, la poupée était placée vers la gauche, sous un masque africain, et là, elle se retrouvait décalée d'une trentaine de centimètres sur la droite. Cela aurait pu paraître anodin si d'autres objets – statuettes, pot de crayons – n'avaient pas été, eux aussi, légèrement déplacés. Abigaël ne comprenait pas, elle était restée dans l'appartement toute la journée, sans le souvenir que Frédéric n'eût touché à quoi que ce soit après être rentré.

Malgré cette bizarrerie, elle se concentra de nouveau sur ses recherches. Victor avait ressurgi avec le sommeil brisé et une peur panique de s'endormir. Freddy avait pris de sacrés risques en le relâchant. Que cherchait-il à raconter ? Quel avait été l'événement déclencheur de la libération ? Pourquoi maintenant ? Et pourquoi Victor, le deuxième enfant enlevé, et non Alice ? La logique aurait voulu qu'elle fût la première libérée.

Freddy suivait un plan, constitué d'événements et de paliers qui devaient le mener à son but. Pareil à un plongeur en apnée qui descend toujours plus, mètre après mètre, jusqu'à atteindre des profondeurs insondables où se niche la raison même de son existence. Comprendre pourquoi Freddy avait relâché Victor et non Alice, c'était résoudre une partie de l'énigme.

Alice… Première kidnappée, le 3 mars 2014, à Suippes… Mère infirmière, père chef de chantier, mariés depuis douze ans. La gamine a un demi-frère, Jocelyn, 17 ans, issu d'un premier mariage du père.

Victor, deuxième disparu, le 7 juin 2014, à Amboise. Mère, caissière de magasin, célibataire, père inconnu.

Abigaël sortit l'une de ses reproductions de cauchemars mise sous verre. Il s'agissait de Freddy Krueger – le vrai, celui de Wes Craven, avec son visage brûlé, son pull rayé, son gant équipé de griffes – qui dominait la petite fille sans visage, recroquevillée dans un nid de cigogne géant. Vu la position de sa main de fer, la hargne dans ses yeux, le célèbre croquemitaine s'apprêtait de toute évidence à la découper en morceaux.

— C'est leur sommeil qui t'intéresse, hein, Freddy ? murmura-t-elle. Tu entres dans la tête de ces enfants et tu leur fais peur, même pendant qu'ils dorment. Comment tu t'y prends ? Je sais que tout est planifié chez toi. Tu choisis méticuleusement ces enfants-là. Tu les connais, tu sais comment faire. Tu passes du temps avec eux. Avec Alice, Victor, Arthur et Cendrillon. Des semaines, des mois… Tu leur consacres toute ton énergie. Tes nuits aussi ? Tu dors peu, Freddy ? Est-ce que, toi aussi, tu fais des cauchemars ?

Abigaël caressa la face sur papier glacé, ce maillage de cratères et de cicatrices, ce champ de souffrance, le fixant au plus profond de ses yeux habités par le mal.

— … Puis vient le moment où tu décides de libérer Victor… Pas Alice, non, Victor. Pourquoi ? Parce qu'il est prêt à rejoindre le monde de la lumière ? Parce que tu as encore du travail avec Alice ? Elle est moins disciplinée, moins coopérative ? Mais quel genre de travail, Freddy ? Parle… Raconte-moi… On a tellement de choses à se dire, tous les deux.

Abigaël resta longtemps immobile face au portrait. Le Freddy de Wes Craven n'était qu'un fantasme, mais le leur, lui, existait vraiment. Elle finit par poser le cadre dans un coin et s'intéressa de nouveau au message de la maison hantée. À l'aide du Web, elle fouina du côté des contes, des légendes, des citations, sans davantage de succès. D'où venait ce fichu texte ? Avait-il été inventé de toutes pièces par Freddy ? « Les songes, les imaginations de la nuit… » Tout se rapportait au sommeil, à la nuit. Abigaël pensa à Victor, à sa peur de fermer les yeux, elle avait en tête les propos de Frédéric au sujet des hallucinations hypnagogiques. « La souillure du corps. » Elle revit les deux marques de sabot sur la poitrine du garçon.

Soudain, une petite musique se fit entendre. Elle venait des enceintes de l'ordinateur. Des enfants chantaient :

On me dit que ça se passe dans ma tête,
On me dit que je vais perdre la tête,
Mais moi je sais que c'est sous mon lit,
J'ai peur que ce soit ma dernière nuit…

Abigaël frissonna à l'écoute de cette comptine diablement sinistre. Elle repéra une fenêtre de publicité cachée derrière son navigateur, vantant les mérites d'une série de livres pour enfants. À la fermeture de la page, les voix se turent.

Dans un soupir, elle se recula dans son fauteuil et leva les yeux vers le panneau en liège. Toutes ces photos, ces flèches, ces questionnements qui s'accumulaient depuis des semaines… Elle n'y voyait plus grand-chose, en définitive. Il était 3 h 05, ces derniers jours avaient été un enfer, entre les découvertes sur son père, les hurlements et révélations de Victor, le chat noir pendu dans la chambre de la maison abandonnée…

Le chat noir… Il était entre les mains des gendarmes, mais Abigaël était persuadée que, si Lemoine avait pu le décrocher et le lui rendre sur le moment en faisant abstraction des procédures, il l'aurait fait. Elle avait détesté son regard, ses questions au sujet de la clé et de la valise de Léa. La croyait-il capable d'être allée dans cette vieille baraque pour y pendre la peluche de sa fille, et d'avoir *oublié* ? De surcroît, pourquoi aurait-elle agi de la sorte ?

Elle entendit un raclement dans la cuisine. Comme le bruit d'une main grattant la glace. Elle se leva, traversa le salon de l'appartement plongé dans l'obscurité. Avec cette curieuse sensation de sentir une odeur d'eau croupie.

— Fred ? T'es là ?

Pas de réponse. Abigaël rabattit le pan de sa robe de chambre, soudain frigorifiée. De la buée sortait à présent de sa bouche. Elle songea à l'histoire de Frédéric au sujet de Victor, alors qu'il voyait *quelque chose* : la baisse de sa température corporelle.

Elle ignorait si elle devait être rassurée ou pas quand elle découvrit que la porte du congélateur était grande ouverte. Frédéric l'avait-il mal refermée ? Abigaël s'approcha de l'appareil et se figea : le bruit se reproduit, et il venait de l'un des trois compartiments. D'une main tremblante, elle tira le tiroir du haut. Rien. Celui du milieu, en revanche, débordait d'une eau sombre, presque noire, à l'odeur de charogne.

Soudain, un visage sans traits apparut à la surface. De longs cheveux blonds encadraient un relief de peau rose, comme si on avait écrasé du latex sur un vrai visage. Abigaël voulut reculer mais heurta un tronc immense, qui prenait la largeur de la pièce. La tête de son père était prisonnière de l'écorce, sa bouche se déformait, il hurlait mais aucun son ne sortait de sa gorge. Une main décharnée surgie de l'eau noire du congélateur attrapa Abigaël par le col et l'attira pour la noyer.

52

Abigaël se redressa brusquement dans son lit, le souffle coupé. Elle roula sur le côté et ouvrit grande la bouche pour prendre une large bouffée d'air. Afflux d'oxygène, comme une délivrance. Frédéric remua à ses côtés sans se réveiller. Qu'est-ce qu'elle fichait dans le lit ? Quand s'était-elle couchée ?

L'heure du radio-réveil indiquait 3 h 30. Elle se leva, les mains sur la gorge. L'eau dans sa trachée, dans ses poumons, le goût du sel sur sa langue… Elle s'était noyée dans son cauchemar et était sans doute le seul être humain sur Terre à pouvoir le faire indéfiniment. Ses rêves avaient une telle force, une telle emprise. Abigaël n'en pouvait plus de ses cauchemars.

Elle jeta un regard avec appréhension vers la cuisine. Rien d'anormal. À quoi s'attendait-elle ? À trouver une flaque d'eau au sol ? Dans le salon, les objets trônaient à leur place. Au bureau, l'écran de l'ordinateur était éteint. Elle l'alluma, lança un navigateur Internet. Dans l'historique, aucune trace de ses recherches nocturnes.

Abigaël avait l'impression de marcher en équilibre sur un anneau de Moëbius – une figure impossible, sans fin, avec un seul bord. Elle était persuadée d'avoir fouillé sur le Web, il n'y avait pas plus tard que dix minutes. Elle tapa les phrases qu'elle savait déjà avoir saisies dans le moteur de recherche.

Et comme dans son rêve – mais en était-ce vraiment un ? –, le moteur renvoya à des centaines de résultats. Elle se tira la peau du visage vers l'arrière. Qui lui disait qu'elle ne rêvait pas de nouveau ? Qu'elle n'allait pas encore se réveiller, et ainsi de suite ? Comment être certaine qu'elle était dans la réalité, à cet instant précis ?

Abigaël réfléchit et eut une idée lorsque ses yeux tombèrent sur la petite poupée vaudoue sur sa droite. Elle tira une aiguille, souleva la manche de sa robe de chambre et dévoila son avant-bras gauche vierge de toute trace. Elle hésita, consciente de la folie de son geste, et pour la première fois de sa vie, en ce 6 avril 2015, finit par piquer dans le haut de l'avant-bras. Une petite goutte de sang perla. Or, elle ne saignait jamais dans ses rêves, même lorsqu'on la découpait en morceaux.

Elle était fière de sa trouvaille. Il suffisait d'une petite piqûre pour être certaine de ne plus se laisser berner par ce genre de mésaventure, au cas où cela se reproduirait. Toujours avoir une aiguille sur soi, désormais. Histoire de prendre son cerveau à son propre piège.

Elle essuya le sang et se plongea dans Internet, pour de vrai cette fois. Au bout d'une heure, les termes entrés dans le moteur – « souiller son corps », « terrasser l'ennemi »… – l'avaient menée sur un forum où des gens discutaient de leurs cauchemars. Elle s'intéressa à l'un d'eux en particulier qui parlait d'oppression sur les côtes, de la difficulté à respirer, de l'impossibilité de bouger et de la vision terrifiante d'un monstre assis sur sa poitrine, venu pour « souiller son corps ». Selon ses propres termes, l'homme ignorait qu'il rêvait, sûr et certain d'être réveillé. Il racontait avoir passé la pire nuit de sa vie et avoir eu longtemps, par la suite, la peur de s'endormir. Ça collait pas mal avec les propos de Frédéric au sujet de Victor.

Dans les réponses au message, l'un des internautes lui suggérait de suivre un lien. Abigaël cliqua dessus et arriva sur le site d'un passionné du surnaturel.

Rubrique démonologie.

Un tuyau relié à un radiateur émit un craquement juste à ses pieds et la fit sursauter. Abigaël décida d'aller allumer la grande lampe, non pas par peur, mais… Elle se servit un verre d'eau dans la cuisine et éprouva un léger vertige. Le goût du sel lui revint au fond de la gorge. Elle ne put s'empêcher de jeter de nouveau un coup d'œil au congélateur et de l'ouvrir, juste pour vérifier. Elle se trouva stupide, comme elle trouvait stupide le fait de s'être piquée avec une aiguille. Ses cauchemars empiétaient sur la réalité et commençaient à conditionner ses actions. Il y a cinquante ans, la Veuve folie vous ouvrait grands ses bras pour moins que ça.

Retour au site Internet consacré au surnaturel. Elle tomba sur la rubrique intitulée « L'attaque des invisibles ». Un texte lié aux démons du sommeil : les incubes et les succubes.

Les incubes, des démons mâles, s'en prenaient principalement aux dormeuses, et les succubes aux dormeurs. D'après l'internaute, la croyance en leur existence avait jalonné les époques, de la Grèce antique à aujourd'hui. Visiblement, l'auteur y croyait dur comme fer et citait des dizaines de témoignages récents de personnes qui avaient vu et subi l'attaque de ces démons. Les mêmes symptômes revenaient sans cesse : couchées dans leur lit, les victimes se retrouvaient dans l'impossibilité de bouger, pendant que les démons arrivaient. L'une des seules façons de les combattre était de chanter un hymne juste avant de s'endormir : celui noté dans la maison hantée de Loon-Plage.

Abigaël poursuivit ses recherches et sentit une main sur son épaule. Elle poussa un cri.

— Merde, Fred ! Tu m'as fait peur !

Son compagnon se tenait derrière, les yeux mi-clos, la trace de l'oreiller sur la joue.

— Il est plus de 4 heures du mat, Abigaël… Qu'est-ce que tu fais ?

— J'ai trouvé. Les phrases sur le mur de la maison hantée constituent un hymne qu'il faut chanter juste avant de s'endormir. Il est destiné à chasser les démons du sommeil, les incubes et les succubes.

— Bon Dieu…

— Écoute-moi ! D'après les légendes et les croyances, ces démons apparaissent dès que leurs victimes sont rendues vulnérables par l'endormissement. Ils entrent dans leur chambre, viennent en abuser sexuellement ou alors… regarde, c'est écrit, là.

— Ils appuient sur leur poitrine pour les étouffer.

— C'est exactement ce que tu m'as raconté pour Victor. Des internautes expliquent avoir vécu ce genre d'attaques, les témoignages sont innombrables, Fred. Tu as lu *Le Horla*, de Maupassant ?

— Comme tout le monde.

— Écoute ce que racontait l'écrivain : « Je sens bien que je suis couché et que je dors, [...] je sens aussi que quelqu'un s'approche de moi, me regarde, me palpe, monte sur mon lit, s'agenouille sur ma poitrine. [...] Moi, je me débats, lié par cette impuissance atroce, [...] j'essaye, avec des efforts affreux, en haletant, [...] de rejeter cet être qui m'écrase et qui m'étouffe, – je ne peux pas ! » Certains écrits relatent que Maupassant a vraiment vécu ce genre de choses lors de paralysies du sommeil. Il a vu les démons.

Frédéric se souvenait des yeux de Victor qui voyaient *quelque chose*, de sa poitrine qui se creusait. Il avait lui-même ressenti un frisson et s'était surpris à lorgner dans la pièce pourtant vide. Un démon. Il pointa le doigt vers le lien « Images ».

— Fais-moi voir à quoi ressemblent ces démons.

Abigaël cliqua. Si les succubes avaient l'apparence de femmes aux visages diaboliques, les incubes, eux, revêtaient des formes variées, mais celle qui revenait le plus souvent était un mélange de renard, de singe et de bouc, avec des cornes, des oreilles en pointe... Sur la représentation affichée, il était de taille humaine, assis sur la poitrine d'une femme endormie et il la fixait avec lubricité.

Frédéric se pencha en avant, tandis qu'Abigaël reculait sur son siège, une main sur le front.

— Il a des pieds de bouc... des sabots... et des mains griffues.

— Je l'ai déjà vu, Fred. J'ai déjà vu cet incube.

Frédéric fronça les sourcils.

— Qu'est-ce que tu racontes ?

— Le soir de l'accident. Ma vision hypnagogique...

J'ai vu une espèce d'être hybride traverser la route. Il y avait de la brume, mais… j'ai pensé à un mélange de renard et d'humain, c'était indéfinissable. Maintenant, je suis sûre que c'est ça que j'ai vu. Un incube comme celui-là. Un démon du sommeil.

Ces démons affichés sur l'écran avaient été peints par Gauguin, Courbet ou Abildbaard. Leur présence avait traversé les âges. Chaque fois, il existait des témoignages concrets et sérieux de personnes terrorisées à l'idée de s'endormir, et qui les décrivaient avec une grande précision.

— On s'est plantés. Freddy n'est pas un croquemitaine qui vient chercher des enfants la nuit pour les punir, ça n'a rien à voir. On aurait dû l'appeler Samaël ou Lilu, parce qu'il se prend pour un incube. C'est lui que j'ai vu la nuit de l'accident. Freddy, avec une espèce de masque de renard sur le visage et ses griffes aux mains. Ce n'était pas une vision hypnagogique.

— Tu m'as signalé que ton père n'avait rien vu.

— Peut-être parce qu'il n'était pas attentif et qu'il ne regardait pas vraiment la route. Il était ailleurs, plongé dans ses pensées. Normal, avec ce qu'il s'apprêtait à faire.

Elle se leva, se mit à arpenter la pièce.

— L'incube, répéta-t-elle. Un démon en rapport avec la nuit, les cauchemars. Un buveur de sommeil. Un individu effroyable qui terrorise et empêche de dormir. Voilà ce que Freddy cherche à faire : détruire le sommeil de ses petites victimes. Les terroriser au point de leur faire croire que le démon existe et viendra les chercher si elles s'endorment.

Abigaël ressentit comme un vertige. Frédéric lui attrapa le bras pour lui éviter de tomber.

— Tu ne devrais pas être debout en pleine nuit.

Abigaël transpirait anormalement, elle tremblait aussi.

— Il y a une histoire de peur d'enfants dans la psyché de Freddy. De môme effrayé dont les nuits ont dû être des calvaires. Peut-être qu'il voyait des monstres pendant son endormissement, ou qu'il souffrait d'une maladie liée au sommeil. Des insomnies, des cauchemars à répétition, des paralysies, du somnambulisme. Aujourd'hui, il a décidé de prendre sa revanche sur ces gamins en rendant leurs nuits cauchemardesques. Il anéantit leur sommeil, les confronte au démon qu'il a peut-être lui-même croisé de par sa maladie ou ses troubles. C'est là qu'il faut creuser, sans oublier aussi que Freddy est quelqu'un qui rôde autour de notre enquête, qui connaît les techniques d'investigation.

— Et comment il fait pour les mettre dans cet état ? Un spécialiste du sommeil a dit qu'il n'avait jamais vu une chose pareille.

— Je n'en sais rien. Mais s'il a relâché Victor avant Alice, c'est parce que lui était prêt, et pas elle.

— Prêt à voir le démon ?

— Je crois, oui. Ces gamins, Freddy les marque de son empreinte, comme des objets qui lui appartiendraient. Les tatouages, ces deux traces de sabot sur la poitrine… c'est un sceau, une signature, destiné à effrayer encore plus les mômes, à leur prouver que le démon existe, qu'il viendra les chercher s'ils s'endorment. Victor est là, auprès de sa mère, mais il est encore sous l'emprise de Freddy. Quand il ne dort pas, le gamin passe son temps à avoir peur de s'endormir. Et quand arrivent le sommeil et le monde des rêves… le démon vient le chercher. Freddy a physiquement libéré Victor, mais le môme lui appartient encore.

53

6 décembre 2014
L'ACCIDENT

25 juin 2015
LE LAVOIR EN FLAMMES

20 juin 2015

Après sa visite dans la maison de Josh Heyman sur L'Île-Grande, Abigaël était retournée à l'hôtel de Pleumeur-Bodou avec l'ordinateur portable de l'écrivain, le cahier aux signes incompréhensibles et les deux dessins. Mais cette fois-ci, Heyman avait protégé l'accès aux données de sa machine par un mot de passe.

Abigaël s'était couchée à 1 heure du matin, percluse de douleur : après avoir fait un crochet par une pharmacie de garde, elle avait ajouté une troisième brûlure à son avant-bras, seule entre ses quatre murs, assise sur son lit. Une fois les soins accomplis, elle avait englouti son verre d'eau accompagné de Propydol : ne surtout pas oublier l'étape en Bretagne et ses découvertes. Sur une feuille de papier, elle avait noté la nouvelle phrase à se faire tatouer à son retour à Lille. Une garantie de la réalité.

Le médicament l'avait fait sombrer malgré la brûlure lancinante. Dès le réveil, après sa toilette, en route, direction Nantes. La ville où Arthur, 9 ans, victime Numéro 3, avait disparu le 5 septembre 2014.

Midi sonnait quand elle frappa à la porte d'une belle maison individuelle, à la périphérie de la ville. La femme qui lui ouvrit s'appelait Catherine Willemez. Abigaël connaissait son pedigree par cœur : 40 ans, institutrice, mariée depuis quatorze ans à Benjamin, 52 ans, commercial en systèmes d'alarme. Un fils unique, Arthur. Une famille équilibrée avant la disparition, socialement bien intégrée, avec de bons revenus. Abigaël savait aussi que, lors de sa dernière rencontre avec Catherine, elle était soignée pour dépression et avait cessé son activité professionnelle : difficile d'enseigner à des enfants avec son propre fils disparu.

Et ça ne semblait aller guère mieux aujourd'hui. Le drame du kidnapping avait chassé toute beauté de son visage et éteint ses yeux, devenus deux cailloux morts, d'un bleu passé, trop longtemps noyé sous les larmes.

La présence d'Abigaël surprit Catherine, mais cette dernière savait que si on devait lui annoncer *quelque chose* au sujet d'Arthur, cela aurait eu lieu en présence des gendarmes. Elle la laissa entrer, l'invita à s'asseoir dans un fauteuil et éteignit la télé qui diffusait une émission de cuisine, sans le son. Abigaël posa une pochette à élastiques sur la table basse.

— Je suis désolée pour… (Catherine fit un geste circulaire)… pour tout ce bordel, mais je ne m'attendais pas à votre visite.

Table à repasser au beau milieu du salon, corbeille de linge par terre. Les volets à moitié fermés, noyant l'intérieur d'ombre. Un rideau décroché de sa barre pendait comme un drapeau en berne. Une dizaine de souvenirs d'Arthur – des photos encadrées, des coupes et des médailles de foot, des porte-clés en forme de ballons – remplaçaient la décoration et la porcelaine dans le grand vaisselier. Il aurait aimé être un grand footballeur. Il serait tout au mieux un survivant, comme Victor.

— J'ai cru entendre dire que Victor Caudial allait bien, lâcha-t-elle en s'essayant en face d'Abigaël.

— Disons qu'il va un peu mieux.

Elle mentait. Victor était toujours traumatisé, sous traitement pour réguler son sommeil. L'incube continuait à hanter ses nuits.

— Ça fait un mois qu'il est sorti de l'hôpital et rentré chez sa mère. Le temps de la reconstruction va être long.

Catherine poussa un soupir et se passa une main sur le crâne. Abigaël savait qu'elle était migraineuse depuis l'adolescence.

— Je déteste ce môme. Pas fichu de dire où est retenu mon petit garçon. Sa mère nous a empêchés de lui parler quand on est allés la voir avec mon mari. Une garce égoïste. Comment une mère peut faire ça à une autre mère ?

Catherine Willemez avait sombré du mauvais côté de la frontière. Elle en voulait à la terre entière, comme la plupart des victimes de ce genre de drame. Comme *elle-même*, il y a quelques mois.

— Mon mari y croit encore, lui, dur comme fer. Il me le dit souvent : « Je sais qu'Arthur est vivant… Je sais qu'Arthur est vivant et je te promets qu'il reviendra un jour, comme Victor… C'est lui que le ravisseur doit relâcher maintenant. Peut-être qu'il marchera, comme lui, en pyjama au bord de la route, et qu'on pourra de nouveau le serrer dans nos bras… » Oh, mon Dieu, si vous saviez comme c'est difficile !

— Oui, je sais.

— Non, vous ne savez pas. Vous ne savez rien du tout parce que, vous, vous avez une vie normale.

Abigaël garda quelques secondes le silence.

— Votre mari n'est pas ici ? J'aurais aimé vous parler de l'enquête et vous montrer quelque chose, à tous les deux.

— Il va arriver d'un instant à l'autre. Il rentre rarement le midi, vous avez de la chance.

Catherine haussa les épaules et se leva.

— Café ?

— J'en ai déjà bu deux tasses ce matin. Thé, si vous avez…

— J'en bois jamais. Mais je dois avoir ça quelque part.

Abigaël se leva à son tour, pour ne pas rester seule devant les photos d'Arthur souriant. Catherine fouillait dans les placards.

— Vous savez qu'on ne baise plus depuis des mois ?

— Madame Willemez, je…

— Mon mari se déplace dans toute la France à cause de ses alarmes, il découche souvent dans les hôtels et moi… j'ai mes sources. Ça fait quatre mois que ça dure. Pendant que je lui repasse ses putains de pantalons, il va baiser ailleurs.

Un tic nerveux souleva sa lèvre supérieure, côté droit. Abigaël pensa à un doberman sur la défensive.

— Avec qui, j'en sais rien. Peut-être des prostituées ? Je veux dire, je suppose qu'il baise, parce que, bon Dieu de merde, qu'est-ce qu'il pourrait bien aller foutre dans des hôtels qui, la plupart du temps, sont à seulement dix kilomètres d'ici ?

Tandis que l'eau de la bouilloire chauffait, Catherine Willemez se servit un café d'une main tremblante, en en renversant un peu à côté.

— Et moi, vous savez quoi ? Je ne dis rien. Il baise, ça, c'est sûr, mais c'est parce qu'il a besoin de compenser, je le sais. Je préfère ça plutôt que de le retrouver avec la corde au cou. Vous voyez ce que je veux dire ? Vous êtes psy, hein ? Vous voyez sûrement ce que je veux dire…

Elle servit le thé et rapporta le tout sur la table basse du salon. Elle souriait d'un air étrange à présent, un mouvement de lèvres qui n'avait rien d'heureux, mais davantage la résultante du chaos qui devait régner dans sa tête.

Il y eut un bruit de moteur, puis un claquement de portière dans l'allée du jardin.

— Quand on parle du loup…

Benjamin Willemez entra. Il portait un costume gris anthracite, une cravate bleu ciel et une écharpe à rayures grises autour du cou. Malgré son élégance, il avait le visage laminé, dont chaque ride témoignait de sa souffrance. Il resta immobile dans l'embrasure de la porte en apercevant Abigaël.

— Qu'est-ce que vous faites ici ?

— Il paraît que cette dame à des choses à nous montrer, répliqua sa femme.

Abigaël lut de la méfiance dans l'attitude de Benjamin. D'un geste mille fois répété, il accrocha son écharpe au portemanteau encombré, s'approcha et ne lui serra pas la main. Il adressa un rapide regard à sa femme – qui n'avait rien de chaleureux – et alla se servir un bourbon accompagné d'une poignée de glaçons. Il s'effondra dans le fauteuil, comme vidé de son énergie, et fit tourner la glace dans son verre.

— Dites-moi que vous avez des nouvelles. De bonnes nouvelles.

Abigaël se racla la gorge.

— Vous savez que les gendarmes sont toujours autant mobilisés pour retrouver Arthur. Il y a évidemment des progrès depuis que Victor s'en est sorti, il nous a livré des éléments importants, mais vous n'ignorez pas que ça reste une enquête extrêmement compliquée.

— On se fiche que ce soit une affaire compliquée. Ça fait des mois que vous nous servez le même baratin, à nous et aux autres parents. Qu'est-ce que vous avez à nous apprendre de neuf ? Pourquoi vous êtes venue ?

La mère d'Arthur, vautrée au fond de son fauteuil, n'avait pas touché à son café et s'arrachait les ongles avec les dents, scrutant le nœud de cravate de son mari. Abigaël prit sa pochette à élastiques et en sortit le cahier, ainsi que les deux dessins trouvés au-dessus de l'armoire d'Heyman. Elle tendit au père le premier d'entre eux, celui qui représentait la porte cintrée. La mère jaillit de sa place et s'empara du papier.

— Dites-moi si ça vous suggère quelque chose.

— Rien du tout.

Catherine avait à peine regardé la feuille qu'elle l'avait déjà rejetée sur la table. Son mari chaussa une paire de lunettes et observa le dessin.

— Ça vous parle ?

Il le rendit à Abigaël.

— Non. Pourquoi vous nous montrez ce dessin ?

Sans répondre, Abigaël lui tendit le second, celui de l'enfant au maillot de foot. Benjamin Willemez ne réussit pas à contenir son émotion. Ses yeux se mouillèrent instantanément.

— C'est la tenue d'Arthur le jour de son enlèvement. Où est-ce que vous avez eu ça ?

Abigaël montra une photo de Josh Heyman.

— Ces deux dessins appartiennent à cet homme dont je ne préfère pas vous dévoiler l'identité. Est-ce que vous l'avez déjà rencontré ? Regardez bien.

La photo d'Heyman circula entre leurs mains. Ils secouèrent tous deux la tête.

— Jamais. C'est lui, le kidnappeur ?

— Non.

Le père pointa son index sur le bas du dessin. « Cro-Magnon. »

— Alors, comment il peut savoir ?

— « Cro-Magnon », c'est le surnom que vous donniez à votre fils, c'est bien ça ?

Benjamin Willemez ôta ses lunettes et s'essuya les yeux avec le dos de la main.

— Oui… Catherine le surnommait « mon grand », mais moi, je l'appelais « mon petit Cro-Magnon ».

Abigaël posa ses mains à plat sur le fauteuil pour tenter de contenir l'émotion qui pouvait la submerger à tout moment. Le terme Cro-Magnon avait aussi été utilisé dans le livre d'Heyman pour désigner Quentin, l'un des enfants kidnappés. Elle essaya de respirer calmement. Hors de question de sombrer devant eux.

— Qui savait que vous l'appeliez comme ça ?

— Sûrement quelques personnes à droite, à gauche. Des gens de l'école, des copains à qui Arthur aurait parlé… Il n'y a qu'ici, à la maison, que je l'appelais de cette façon. C'était notre petit truc à tous les deux.

— Possible qu'Arthur ait évoqué ce surnom sur Internet ?

— Il a 9 ans… Enfin, 10 maintenant, répondit sa femme. On venait de lui acheter une tablette, avec contrôle parental. On surveillait. Mais vous le savez déjà. Pourquoi diable il serait allé mettre « Cro-Magnon » je ne sais où sur Internet ?

Catherine se leva de son fauteuil et s'empara des dessins. Elle les regarda encore et encore, puis revint vers Abigaël, lui collant la photo d'Heyman devant les yeux.

— C'est lui, hein ? C'est ce fils de pute qui a fait ça ? Pourquoi vous nous dites pas qui c'est ? Pourquoi vous l'arrêtez pas ?

Abigaël était ailleurs, déconnectée. Elle pensait à Léa, Perlette d'Amour. Au chat dessiné par Gentil et à son hurlement dans la chambre. Trop, bien trop de coïncidences pour que l'écrivain ne soit pas mêlé à toute cette histoire. Catherine se jeta sur elle et l'agrippa par le col.

— Rendez-moi mon enfant !

Benjamin Willemez dut intervenir pour les séparer. Sa femme partit dans une autre pièce, en pleurs, faisant valser le cahier de Nicolas Gentil. Le mari le ramassa et fixa les innombrables symboles dessinés sur le papier. Abigaël, qui réajustait son col, vit à quel point les cercles, les carrés, les triangles semblaient le perturber.

— Ces symboles, ça vous parle ? demanda-t-elle.

Il hésita et rendit le cahier.

— Non. Jamais vus.

— Vous êtes bien certain ? Le moindre indice pourrait nous aider, vous le savez.

— Absolument certain. Qu'est-ce qu'ils représentent ?

— Je l'ignore. Ils étaient aussi sur tout un pan de mur dans sa chambre.

Benjamin la raccompagna vers la sortie.

— Je suis navré… pour ma femme.

— Ne le soyez pas.

— Dites-moi juste qui c'est, ce type. Vous avez la photo, vous avez les dessins. Vous *savez* des choses importantes qui touchent l'intimité de mon fils. Pourquoi vous n'avez pas encore retrouvé les enfants ? Pourquoi vous ne trouvez pas où ils sont enfermés, bon sang ? Avec tous les moyens dont vous disposez, vous devriez y arriver.

— Je suis désolée, je ne peux pas vous en dire davantage.

Abigaël lui tendit sa carte de visite et lui attrapa la main alors qu'il s'apprêtait à la saisir.

— Surtout, si vous avez besoin de me parler…

Elle l'abandonna à ses interrogations, regagna sa voiture et démarra. Elle fixa Benjamin Willemez dans le rétroviseur aussi longtemps que possible, avant de disparaître à un virage, avec la certitude qu'il avait reconnu les étranges symboles dessinés par Nicolas Gentil.

54

Frédéric se précipita sur la porte de l'appartement quand il vit la poignée tourner. Abigaël apparut dans l'embrasure, avec sa valise à la main. Fatiguée. Le retour de Nantes par les petites routes avait été interminable. Elle regarda son compagnon avec gravité puis se dirigea vers le canapé, avant de poser ses affaires et d'ôter son manteau.

— Mince, Abigaël ! Ça t'arrive de répondre au téléphone ? Il est plus de 21 heures ! Je me suis fait du mouron tout l'après-midi. Je pensais qu'il t'était arrivé quelque chose.

Abigaël se laissa choir dans le fauteuil. Frédéric s'installa à ses côtés et lui caressa le dos.

— Tu as les yeux rouges, tu es dans un drôle d'état. Tu m'expliques ?

Comme elle ne répondait pas, il comprit. Il fit glisser sa main vers le bras gauche de sa compagne. Souleva délicatement la manche et constata la présence d'un nouveau pansement. Une troisième brûlure. Trois mutilations successives, positionnées les unes à côté des autres, infligées en moins d'une semaine.

— Mon Dieu…

Abigaël remit sa manche en place et, après une hésitation, baissa son pantalon dans une grimace. Elle décolla très lentement le pansement collé à l'intérieur de sa cuisse droite. Frédéric écarquilla les yeux devant les inscriptions.

Qui est Josh Heyman ?
Découvrir les démons de JH
JH connaît intimement Léa et Arthur. Comment ?

Le dernier tatouage venait d'être fait, la peau autour était rouge. Il se leva, se lissant les cheveux vers l'arrière, et se mit à aller et venir comme un mathématicien qui cherche une solution à un problème complexe.

— Je ne voulais pas te le cacher plus longtemps. À chaque brûlure, j'ai fait un tatouage qui en explique la raison. C'est une double sécurité. Un moyen d'être certaine.

Elle remit le pansement en place et se rhabilla. Frédéric se dirigea vers une bouteille de whisky. Triple dose.

— Et la prochaine étape, qu'est-ce que ce sera ? L'automutilation ? Merde, tu te rends compte ? Ces tatouages, tu vas les porter à vie ! Chaque fois que tu feras ta toilette, chaque fois que… qu'on sera ensemble, ils seront là. Même dans des années, avec les brûlures, ils nous ramèneront sans cesse à cette période sordide. On ne pourra jamais oublier ni mettre cette affaire de côté.

— Le temps n'effacera jamais rien, de toute façon.

Dépité, Frédéric vint s'asseoir à ses côtés, plongea ses lèvres dans l'alcool.

— Qu'est-ce qui s'est passé là-bas, en Bretagne ? Pourquoi t'as écrit une chose pareille ? Que viennent faire Léa et Arthur là-dedans ?

— Après la visite à l'hôpital psychiatrique, je suis allée sur L'Île-Grande du côté nord, là où habite Josh Heyman. Je suis entrée dans sa maison et j'ai découvert quelque chose. Quelque chose qui m'a menée à une situation horriblement paradoxale.

— Attends… Tu veux dire que tu as pénétré chez l'écrivain par effraction ?

— Oui, on peut dire ça. Les portes étaient fermées et…

— Tu m'as affirmé que tu étais à Quimper.

— Je t'ai menti.

Frédéric but une grosse gorgée de whisky. Il fixa un long moment son verre sans rien dire. Abigaël lui passa une main dans le dos, il frissonna mais la laissa faire.

— Josh Heyman, alias Nicolas Gentil, cache un secret, Fred. Un secret qui l'a poussé à se trancher les dix doigts, le soir du 28 mars. Il s'est filmé pendant l'action avec un Caméscope. J'ai pu voir le film, il est sur mon téléphone. Quand on écoute attentivement la bande-son, on a l'impression que quelqu'un d'autre est présent dans la pièce, parce qu'il y a une espèce de gloussement juste avant que la lame de la guillotine tombe sur ses doigts. Gentil détourne les yeux, et murmure un « Pardon » inaudible. Tu veux voir le film ?

— Montre.

Elle lui tendit son portable et démarra la vidéo. Frédéric ne put contenir son dégoût lorsque les doigts se détachèrent de la main. Il rendit le portable à sa compagne.

— Et qui était à côté de lui ?

— Je ne sais pas. Je crois que ce gloussement venait d'un ordinateur portable que Gentil avait branché sur son écran géant.

— Tu as retrouvé l'ordinateur ?

— Gentil l'avait caché au-dessus d'une armoire, dans sa chambre. Imagine, Fred : Gentil raccorde son ordinateur à sa grande télé, se tranche les doigts et, malgré une souffrance qui doit être atroce, prend le temps d'éteindre la télé et de cacher le portable.

— Tes conclusions ?

— Je crois qu'il voulait que quelqu'un le voie s'amputer. Une espèce de mise en scène sordide pour un observateur anonyme. C'est plausible, l'ordinateur portable disposait d'une webcam.

— Mais ça n'explique pas pourquoi il l'aurait relié au téléviseur…

— Je pense que Gentil voulait être vu, mais qu'il voulait aussi voir quelque chose ou quelqu'un sur grand écran, juste avant de passer à l'acte. Et c'est à ce quelqu'un qu'il demande pardon. Il était peut-être en communication avec un autre individu, quelque chose dans le genre.

— Il est où, cet ordinateur ?

— L'accès au système d'exploitation est protégé par un code d'accès. Je l'ai déposé chez Gisèle. Il n'y en a pas deux comme elle pour cracker les codes d'accès.

— Gisèle ? Mais elle est à la retraite.

— Justement, je n'ai pas envie que toute la gendarmerie soit au courant. Je lui ai dit que c'était en rapport avec un truc personnel, sans dévoiler la véritable origine de l'ordinateur. Elle s'est jetée dessus, elle devrait me donner des nouvelles demain.

Frédéric vida son verre d'un trait et le fit claquer sur la table.

— Écoute, Abigaël. Tout ça, c'est du pur délire. Tu pénètres chez un type enfermé dans un hôpital psychiatrique, tu lui voles son ordinateur, tu rentres ici avec une nouvelle brûlure, des tatouages sur ta cuisse qui te font ressembler à une carte aux trésors et maintenant, tu…

Abigaël poussa vers lui le cahier et les trois dessins extraits de sa pochette.

— Tu devrais jeter un œil.

Frédéric soupira et prit le cahier. Les symboles ne lui disaient rien. Puis il retourna le premier dessin. Abigaël lui tendit également *La Quatrième Porte*.

— Tu ne trouves pas que la ressemblance est frappante ?

— Ce dessin a inspiré la couverture du livre d'Heyman, où est le problème ?

Elle désigna du menton l'autre dessin. Frédéric le retourna. Son visage s'assombrit.

— Une silhouette avec un maillot de foot, le numéro 9. Comme Arthur Willemez… Je comprends bien ton désarroi, mais on sait qu'Heyman s'est inspiré de notre affaire pour écrire son livre. Avec le plan Alerte enlèvement, la France entière sait comment était habillé Arthur le soir de sa disparition.

— Oui. Sauf que ce « Cro-Magnon » marqué en bas et qu'on retrouve ici dans le livre (elle ouvrit le roman à la page 387) pour surnommer le petit Quentin, c'est le vrai surnom d'Arthur. Celui que lui donnait son père dans leur intimité. Comme moi avec Léa pour « Perlette d'Amour ».

— Comment tu sais ça ?

— Je suis allée voir ses parents à Nantes.

— D'accord… On n'est plus à ça près, de toute façon. Et le prochain truc que tu vas m'annoncer, c'est que tu as tué Freddy de trois balles dans la tête ?

— Je n'avais pas le choix, je devais en avoir le cœur net. Mais ce n'est pas tout.

Elle lui présenta un dernier dessin.

— Celui-là, Nicolas Gentil l'a fait dans sa chambre, à l'hôpital psychiatrique. Regarde, c'est le tatouage de Léa.

Abigaël afficha une photo sur son téléphone portable et la plaça à côté du dessin que tenait son compagnon.

— C'est ce que m'a envoyé ton frère, hier soir.

— Parce qu'il est dans le coup, lui aussi ?

— Il ne sait rien, j'ai juste demandé la photo sans lui expliquer. Regarde. Le chat sur la cheville droite est rigoureusement identique à celui dessiné par Gentil. La forme, la taille, tout est pareil !

Frédéric compara. Ses mains se mirent à trembler. Cela rassura Abigaël, plus seule devant l'incompréhensible. Le gendarme réfléchit, manipulant le téléphone avec nervosité.

— OK… Essayons d'être rationnels, d'accord ? Ce dessin représente un chat avec des oreilles blanche et noire, et il ressemble beaucoup à celui de Léa. Mais ça reste un dessin. Et puis, le tatouage du chat est un modèle qu'on doit trouver dans toutes les boutiques de tatouage, il n'est pas unique. Des centaines, des milliers de personnes ont peut-être le même.

Abigaël retourna s'enfoncer dans le fauteuil en secouant la tête.

— Non, non. Le chat noir, associé à Perlette d'Amour, caractérise Léa, tout comme le maillot de foot et Cro-Magnon caractérisent Arthur. Deux choses intimes d'enfants kidnappés se retrouvent entre les mains d'un écrivain qui s'est tranché les dix doigts pour se punir. Il demande pardon, il y a sur le film des gloussements qui ressemblent à ceux d'un môme. Merde, Fred, tout a l'air relié, et Gentil est impliqué, j'en suis sûre !

— D'accord... Tu as raison, c'est étrange. Mais pour en revenir à Léa, ça confirme le fait que le romancier l'a croisée à un moment donné. On en a déjà parlé : il est sûrement venu dans le Nord pour mener des recherches, pour se documenter sur son roman. Par je ne sais quelle coïncidence, il aurait approché ta fille pour discuter avec elle ?

— Et il aurait vu le tatouage à sa cheville ? Et il aurait aussi croisé Arthur à Nantes, comme par hasard ? Tu crois vraiment à ce que tu racontes ?

Frédéric lui mit le téléphone portable et une photo médico-légale devant le nez.

— Et qu'est-ce que tu veux que je croie d'autre ? Ça, *c'est* la cheville de Léa. On était tous là, à l'IML, la nuit du 6 décembre 2014. Tu as bien identifié les corps, non ?

— Oui, oui. Mais... le visage était méconnaissable.

Frédéric soupira.

— Alors, c'est ça... Tu n'as pas encore fait le deuil... Tu traques des souvenirs de ta fille, des bribes de ce qu'elle a été. Au fond de toi, il y a de l'espoir.

Mais quel espoir, Abigaël ? Tu connais l'issue, tout comme moi.

— Tu peux dire ce que tu veux, mais tu ne peux pas nier ces dessins ni le fait que Gentil *sait* quelque chose.

— Je ne nie pas, et si Gentil a quelque chose à voir avec notre affaire, crois-moi, on va le découvrir. Mais cette étrange quête que tu poursuis ne te ramènera pas ta fille. Une force essaie de te donner une raison d'exister. Tu poursuis une chimère. Depuis des mois, t'es en train de te détruire, psychologiquement, physiquement, et moi, j'ai l'impression d'être un spectateur impuissant. Qu'est-ce que je peux faire ? Dis-moi ? Dis-moi, et je te jure que je ferai tout mon possible.

Abigaël lui accorda une caresse.

— Aide-moi juste à trouver la vérité.

55

6 décembre 2014
L'ACCIDENT

25 juin 2015
LE LAVOIR EN FLAMMES

11 juin 2015

En ce début de juin, Abigaël ignorait encore qu'elle allait commencer à se brûler avec des cigarettes quelques jours plus tard, à se tatouer, acheter *La Quatrième Porte*, enquêter sur un écrivain nommé Heyman et sombrer progressivement dans une enquête qui allait dépasser tout ce qu'elle pouvait imaginer.

Oui, à ce moment-là, elle ignorait tout cela, elle était assise sur la plage de Malo-les-Bains, le nez au vent, les yeux fixés sur le rivage. Un vent tiède soulevait le sable des dunes dans son dos et faisait onduler sa tunique vert pâle. Pas grand monde au bord de la mer. Une poignée de promeneurs et deux ou trois cerf-volistes.

Derrière ses lunettes de soleil, elle observait une femme et son fils, au loin sur la droite, installés sur une grande couverture bleue. Elle mangeait un sandwich et le gamin observait l'horizon sans bouger, insensible à la belle nature, au ballet des mouettes et à la mer qui roulait timidement ses vagues. Soixante-huit jours après avoir échappé à l'enfer, Victor poursuivait la longue et pénible phase de reconstruction. Cela prendrait sans doute des mois avant qu'il puisse espérer mener de nouveau une vie normale. L'esprit humain est une mécanique formidable et même quand les pièces se grippent ou cassent, il fonctionne encore. Mais quand on frappe sur tous les engrenages à coups de masse…

Le garçon était suivi par la même psychologue depuis le début, une personne avec laquelle il lui arrivait parfois de rire, avant de retrouver ce regard vide qui le caractérisait désormais. Un bon neurologue s'occupait de son sommeil plusieurs fois par semaine. Sans son traitement chimique, Victor serait sûrement déjà mort.

Sa mère avait tout plaqué : sa vie d'avant, sa maison et sa ville, Amboise, où son fils avait été kidnappé. Elle louait un petit appartement à Malo, pas très loin de l'hôpital où l'on soignait Victor, sans doute parce que, pour le moment, elle n'avait nulle part ailleurs où aller. Elle devait d'abord s'occuper de son fils, tout lui donner, être à son chevet quand il criait au milieu de la nuit. Victor était à la fois sa bouée de sauvetage et l'ancre qui la coulait au fond de l'océan.

La mère prit son fils par la main et l'emmena au bord de l'eau. Elle enroula les ourlets au bas de son jean. Il était trop habillé pour la saison, sans doute pour éviter que les regards ne s'attardent sur les vingt-huit taches blanchâtres et indélébiles laissées par le laser.

Tout en les observant, Abigaël tournait et retournait une feuille entre ses doigts, sur laquelle se trouvaient toutes les lettres tatouées sur le gamin. Elle, comme les gendarmes, avait passé des journées entières à essayer de reconstituer un message. Que cherchait à leur dire Freddy à travers Victor ? Pourquoi ne donnait-il plus signe de vie ? Allait-il finir par relâcher un autre enfant ? Quand ? L'attente des parents, des gendarmes, de toutes les personnes mobilisées pour résoudre cette affaire était insupportable.

Dans le creux de sa main, la mère écopa un peu d'eau qu'elle lança en direction de son fils, comme pour l'amuser. Mais Victor restant immobile, elle finit par remballer sa bonne humeur. À la voir se tourner, s'éloigner et poser ses paumes sur son visage, Abigaël comprit qu'elle pleurait.

Deux mois avaient passé depuis la libération de Victor. Deux mois durant lesquels le dossier Freddy n'avait pas beaucoup avancé ou, en tout cas, beaucoup moins que ce que les gendarmes avaient espéré. Ils avaient remué ciel et terre et mené des enquêtes de proximité pointilleuses dans les alentours de Loon-Plage, sans résultat. L'enfant avait bien délivré quelques informations dans les premières quarante-huit heures, puis les souvenirs s'étaient réfugiés derrière une barrière infranchissable. Patrick Lemoine et Frédéric avaient senti ce glissement sournois vers le mutisme : les mots n'étaient plus sortis de la bouche de Victor, comme si on avait éteint un interrupteur dans sa tête. La section de recherches restait en rapport étroit avec la mère. Un jour, peut-être, Victor raconterait plus en détail, mais il allait falloir que le démon incrusté sous son crâne se décide à repartir dans son antre.

En interprétant les propos du gamin, les gendarmes en avaient déduit que les enfants étaient enfermés dans un endroit sans fenêtre, séparés les uns des autres par des cloisons en pierre ou en brique. Ils vivaient sur de la paille et disposaient d'un matelas pour dormir. Certains gendarmes pensaient à une ferme, mais pour d'autres, cela pouvait être n'importe quelle cave aménagée. De temps en temps, apparaissait de la lumière blanche dans la prison. Avec ses mots, Victor racontait avoir marché souvent dans l'herbe, entre des murs, là aussi. Du moins, c'était ce qu'il avait pu percevoir à travers le bandeau que Freddy lui mettait sur les yeux chaque fois qu'il se rendait à l'extérieur pour prendre l'air. Il parlait sans doute d'un jardin isolé, à la campagne…

Le jeune garçon n'arrivait pas à décrire ses camarades d'infortune, ne connaissait pas leur prénom, mais il avait pu toucher leurs visages en silence, quand Freddy les regroupait pour les nettoyer à grandes eaux. L'enfant mangeait des haricots, des raviolis, des saucisses, bref, toutes sortes de conserves qu'on peut acheter dans n'importe quel magasin sans se faire repérer. Il n'avait pas expliqué l'utilité de cette « machine » qui l'effrayait tant.

De son ravisseur, Victor n'avait rien dit, il ne connaissait que sa voix, son odeur, et sa tête de renard. C'était donc bien lui qu'Abigaël avait vu dans les bois la nuit de l'accident, et que son père, Yves, avait failli percuter. Victor avait par ailleurs affirmé que Freddy était seul. Jamais, durant sa détention, le gamin n'avait entendu une autre voix.

Alors, si Freddy n'avait pas de complice, qui était le type au crâne défoncé dans le coffre du Kangoo ? Ces énigmes hantaient Abigaël, de jour comme de nuit.

Grâce à la patience et à l'acharnement de Patrick Lemoine et de Frédéric pendant ces deux jours avant le blocage psychologique, Victor avait réussi à parler du « démon ». D'après lui, tous les Numéros détenus là-bas le craignaient. Tous avaient fini par le voir et l'entendre, dès les premiers signes de l'endormissement. Tous, sauf le Numéro 4, Cendrillon. Parce qu'elle venait d'arriver et que, quand on était nouveau, il fallait du temps et beaucoup d'heures de « machine » avant de voir le démon. Mais Victor savait que le démon finirait par la coincer, elle aussi… Il s'était rappelé ses sabots qui claquaient contre le sol, son souffle bruyant et chaud… Puis la porte qui se mettait à grincer au milieu des ténèbres… Ensuite, il sautait sur leur poitrine. Puis les enfants voyaient toutes les flammes de l'enfer brûler au fond de ses yeux de braise. Et ils avaient beau essayer de hurler, impossible. Ils étaient prisonniers de leur terreur.

Voilà peu de temps, la psychologue de Victor lui avait montré le dessin d'un incube, sans lui dire de quoi il s'agissait. Aucun doute face à la réaction de l'enfant : c'était bien ce monstre aux pieds de bouc qui venait encore l'effrayer de temps en temps. Celui qu'Abigaël avait vu traverser, la nuit de l'accident. Freddy.

L'incube… Le démon du sommeil… Cette bête informe que voyaient certains individus souffrant de la paralysie du sommeil. Toujours la même description, à peu de chose près. L'incube était sans doute la matérialisation de nos peurs et cauchemars les plus profonds, une image générique, peut-être inscrite dans les gènes et créée par notre subconscient.

Abigaël avait estimé que les marques de sabot laissées par Freddy sur la poitrine de Victor – et sûrement des autres captifs – n'étaient là que pour accroître la crédibilité du monstre. Elles concrétisaient leurs horribles visions et rendaient le démon réel.

Au loin, la mère ramassait les fruits de la mer : des couteaux, des coquillages, peut-être quelques os de seiches qu'elle offrirait ensuite aux oiseaux. Elle tournait le dos à son fils, dans la mer jusqu'à mi-mollets. Abigaël serra ses genoux contre son torse, elle ignorait précisément la raison de sa présence ici, à observer secrètement ces existences déchirées. Sans doute parce qu'elle ne comprenait toujours pas les hurlements de Victor lors de leur rencontre à l'hôpital. Sûrement aussi parce qu'elle enviait cette mère ayant retrouvé l'être perdu. Elle aurait tout donné pour qu'on lui rende Léa. Elle se serait tellement battue pour qu'elle vive, pour la protéger.

Pourquoi ne l'avait-elle pas fait ? Pourquoi son propre père la lui avait-il volée ? Abigaël l'ignorait et ne saurait vraisemblablement jamais. Yves était-il un dépressif à tendance suicidaire ? Avait-il suivi un traitement ? Il n'avait jamais consulté le moindre médecin traitant à Étretat, Abigaël avait vérifié. Mais Xavier Illinois, ou qui qu'il fût, avait-il laissé traîner un dossier médical quelque part ? Si oui, impossible de mettre la main dessus. Et si personne n'arrivait un jour à décrypter son fichu message, alors la piste s'arrêterait là. Définitivement. Abigaël se sentait fatiguée. Rongée par toute cette affaire.

Derrière elle, des mouettes s'envolèrent en criant.

Abigaël se retourna, observa le sommet de la dune. Il lui sembla qu'une silhouette se découpait dans la lumière. Le temps qu'elle ajuste ses lunettes de soleil, il n'y avait plus rien. Mais un filet de sable s'écoulait dans la pente. Les mouettes ? Le vent ?

Ou autre chose ?

Depuis des semaines, Abigaël avait en permanence l'impression d'être observée. Elle songeait souvent au *Horla* de Maupassant. Frédéric disait qu'elle se faisait des idées, sans doute avait-il raison. Mais quand même, elle n'avait jamais pu oublier les deux types surgis à son domicile pour la tuer.

Devant elle, Victor avait encore progressé dans l'eau, qui lui arrivait désormais au torse. Abigaël sentit ses poils se hérisser. Chaque cellule de son corps se rappelait le drame de ses 13 ans. Ça s'était passé de la même façon : la mer du Nord, les vagues. Deux, trois brassées, et plus rien. Elle avait coulé, consciente, mordue par le serpent qui l'avait entraînée au fond. Les giclées de sel et de sable dans les yeux. L'eau dans ses narines, à l'assaut de sa gorge. Elle avait essayé de retenir son souffle le plus longtemps possible, jusqu'à cette impression terrible que la poitrine va exploser. Puis il avait fallu ouvrir la bouche, gonfler les poumons. Respirer la mort.

La mère de Victor avançait plus loin, seule, le nez au sol. Une vague submergea une première fois l'adolescent. Abigaël se redressa, en alerte. Malgré le danger, Victor poursuivit sa marche et, comme elle vingt ans plus tôt, disparut soudain de la surface.

Elle se mit à courir en criant, mais la mère ne réagissait pas, le vent contraire couvrant ses hurlements. Les autres promeneurs évoluaient trop loin.

Elle s'arrêta au bord de l'eau, le ciment de la peur coulait dans ses veines, durcissait ses muscles. Un vrai bloc de pierre. Victor réapparut, se débattant comme un diable, avant de sombrer de nouveau.

Abigaël s'effondra, les genoux et les mains dans le sable, comme un enfant en panique. Elle criait, criait, et n'arrivait pas à entrer dans l'eau, la toucher. Pire que du barbelé. La marée montait, les vagues déferlaient, nombreuses, ourlées d'écume. Elle vit une main jaillir de la surface, se contracter dans l'air comme pour attraper de l'oxygène. Une mouette rieuse sembla se moquer, tandis qu'en retrait la mère accourait.

Tout à coup, un autre bras fendit l'écume et attira Abigaël dans les remous. Une poigne de forgeron la plaqua au fond de l'eau et lui tenailla la nuque. Elle ouvrit les yeux et distingua la petite fille sans visage, penchée sur elle.

Elle ne hurla plus que des bulles d'air avant que le liquide pénètre sa trachée et ses poumons.

Encore une fois, elle connut l'horreur de la noyade.

56

Abigaël se réveilla en hoquetant, toussant à s'en arracher le larynx. Couchée dans le sable, à proximité des dunes, les lunettes de soleil en travers du visage.

Le soleil, les vagues, la mort.

Sans réfléchir, elle courut vers le rivage, d'abord à toute vitesse, puis de plus en plus lentement, à mesure qu'elle s'épuisait et cherchait des yeux la mère et l'enfant. Elle aurait mis sa main à couper que la noyade de Victor et la sienne étaient réelles, et qu'on avait cherché à la tuer. Mais ses vêtements auraient été trempés. Il y aurait eu des cris, des gens paniqués, des secours…

Elle se laissa envahir par les larmes, anéantie par ces cauchemars à répétition qui lui pourrissaient la vie. Par tous ces gens, vivants ou imaginaires, qui cherchaient à la tuer, la noyer, l'écraser. Elle ne savait même pas si Victor et sa mère s'étaient trouvés sur cette plage ou si elle avait seulement rêvé d'eux.

La situation avait beaucoup empiré ces dernières semaines. Ses avant-bras criblés de marques d'aiguille témoignaient de la violence de son chaos psychique, de son incapacité à se raccrocher à la réalité, à distinguer les vrais souvenirs des faux. Était-ce à cause de ce fichu Propydol qui provoquait plus de ravages ? Sa façon à elle de manifester un choc post-traumatique lié à l'accident ? Ou toutes ces questions irrésolues, ces ténèbres sur le passé de son père qui déréglaient son esprit et la rendaient folle ?

Emplie de tristesse, Abigaël chercha la feuille avec les vingt-huit lettres. En vain car elle s'était sans doute envolée. Elle reprit la route vers Lille, la rage au ventre, prisonnière de cette maladie qui ne guérirait jamais.

Elle arriva en ville aux alentours de 16 heures. Frédéric allait encore rentrer tard, fatigué par les appels, les fausses alertes, les gens qui dénonçaient leurs voisins en pensant qu'il s'agissait du kidnappeur et leur compliquaient la tâche. Abigaël pensait à lui en permanence, à leur relation, à leur avenir. Elle aimait être à ses côtés, se blottir dans ses bras, mais ne ressentait toujours pas la brûlure de la femme amoureuse au fond de son ventre. Un couple pouvait-il naître et se construire dans la souffrance ? Frédéric en avait déjà tellement supporté.

Comme chaque jeudi, elle passa par sa librairie du quartier. La lecture… Un vrai refuge quand tout allait mal… Le libraire l'accueillit avec le sourire. Ce n'était pas Anthony Creveau, mais l'un de ses collègues, David Lebon. Elle jeta un coup d'œil aux nouveautés et se perdit dans les rayons. Le libraire vint à ses côtés et sortit un livre d'une étagère : *La Quatrième Porte*.

— Sorti fin mars. Je sais que tu aimes bien découvrir les auteurs inconnus. Je pense que ça pourrait te plaire.

Abigaël prit le livre.

— C'est son premier ?

— Son second, visiblement.

Jamais entendu parler ni de l'auteur ni du roman. La couverture, très intrigante, représentait une grosse porte en bois cintrée fermée par un cadenas. Elle lut la quatrième de couverture. Des enlèvements, une enquête policière, un couple de flics.

— Je le prends. Je t'en dirai des nouvelles.

Elle régla, rentra à l'appartement, posa le livre sur le canapé et alla se préparer une tisane. Des tas d'objets hétéroclites encombraient la table de salon. Frédéric avait ce côté vieux jeu qui le poussait à traîner dans les brocantes, à la recherche d'objets qu'il achetait, stockait et revendait ensuite. Une espèce d'obsession irraisonnée de l'accumulation inutile. Il s'apprêtait à faire les puces – en tant qu'exposant – ce week-end-là en compagnie de Gisèle et de son mari. Bien qu'à la retraite, leur ancienne experte *anacrim* avait gardé le contact et se tenait au courant de l'évolution de l'enquête.

On était le 11 juin 2015, il était 18 h 40 quand Abigaël nota dans son cahier le sinistre rêve fait sur la plage de Malo. Comme souvent ces jours-ci, impossible d'en définir le commencement.

Elle relut avec attention les dernières pages de son cahier. Elles lui permettaient de faire la part des choses, de ne pas mélanger les faux souvenirs – ceux issus des rêves – des vrais. Elle avait en tête la citation d'Aragon dans ces moments-là : « Il y a toujours un rêve qui veille. » Ces cahiers lui assuraient un passé. Bien consciente qu'un jour, peut-être, ces années-là s'effaceraient aussi de sa vie à cause du Propydol.

Plus tard, elle attaqua la lecture du livre. L'histoire comportait pas mal de défauts, le style péchait parfois. Malgré tout, très vite, elle ressentit un frisson : l'héroïne, qui physiquement lui ressemblait, avait perdu ses parents dans un accident de voiture deux ans plus tôt. Elle fut soudain happée par le récit et lut une trentaine de pages supplémentaires. Il s'agissait, pour le moment, d'une histoire de disparition, comme il en existait tant dans ce genre de romans.

Frédéric rentra avec des nems et du riz cantonais.

— On mange chinois ou chez toi ?

Il l'embrassa avec le sourire et se dirigea vers la cuisine. Abigaël le voyait rarement arriver d'humeur légère, encore moins sortir de vieilles blagues. Elle avait d'ailleurs longtemps cru que Frédéric était le seul être au monde né sans le sens de l'humour.

— On fête quelque chose ?

Frédéric revint avec deux verres de porto rosé.

— Non. C'est juste que je bosse pas ce week-end et que j'ai envie de penser à autre chose qu'à Freddy.

— C'est bien ce que je disais : on a quelque chose à fêter.

Ils trinquèrent dans la bonne humeur. Abigaël trouvait ces instants beaucoup trop rares, et bien sûr Frédéric n'était pas le seul fautif. Elle aussi avait eu, par le passé, le sens de l'humour. Mais il faisait partie des choses mortes dans l'accident.

— Dis, pour le marché aux puces de ce dimanche, j'ai pris un paquet de livres dans la bibliothèque, dit Frédéric. Il y en a trop. Tu n'y vois pas d'inconvénients ? Je les vendrai deux euros pièce pour les grands formats, et cinquante centimes pour les poches.

— Ça dépend desquels.

Abigaël jeta un œil aux romans choisis par Frédéric.

— C'est vraiment parce qu'il faut faire de la place… Tu sais que j'y tiens, à mes livres.

— Je pensais également aux deux cartons d'affaires de ton père. Ils prennent un peu de place dans la chambre. Il y a des choses dont tu voudrais te débarrasser ?

— Sûrement quelques bricoles, oui.

Frédéric alla les chercher dans la chambre pour faire le tri. Abigaël en sortit la radio, le sextant de marin, quelques bibelots poussiéreux et sans valeur sentimentale.

— Tu peux prendre tout ça.

— Et les bandes dessinées ? Tu les gardes, je suppose.

Abigaël piocha deux ou trois albums. Certains étaient vieux mais pas abîmés.

— Mon père y tenait comme à la prunelle de ses yeux. Je n'ai plus beaucoup de souvenirs, mais je me rappelle sa voix quand il les lisait. Et puis, je crois que c'est ma mère qui les lui avait offertes à Noël, à son anniversaire. Je… ne peux pas m'en débarrasser.

— Bien sûr. On garde.

Abigaël poussa les cartons dans un coin. Quand elle se retourna, Frédéric était déjà en train de poser le roman de Josh Heyman sur la pile de livres à vendre.

— Ah non, pas celui-là. Je viens de l'acheter. Je vais essayer de le lire avant demain soir, comme ça, tu pourras l'embarquer.

58

6 décembre 2014
L'ACCIDENT

25 juin 2015
LE LAVOIR EN FLAMMES

21 juin 2015

« *Bonjour, Abigaël,*
Je m'appelle Ghislain Lopez, passionné de cryptographie. Je suis tombé par hasard sur le message crypté que vous avez posté il y a quatre mois sur le forum. Celui-ci m'a interpellé et, parce que j'aime relever les défis, je me suis penché dessus... »

Les yeux rivés sur sa messagerie électronique, Abigaël manipulait de la main droite son téléphone. En ce premier après-midi d'été, Gisèle ne l'avait toujours pas appelée au sujet de l'ordinateur portable de Nicolas Gentil déposé la veille. Elle ne répondait pas non plus aux multiples appels. Avait-elle trouvé le mot de passe permettant l'accès au contenu du disque dur ?
Abigaël essaya de se concentrer sur l'e-mail.

« ... *Au risque de vous décevoir, et après plusieurs journées de recherches, je n'ai pas réussi à casser le code que vous proposez qui, vu la présence de ponctuation, correspond à un ensemble de phrases. Je pense d'ailleurs que seule la personne qui a crypté ce message est capable de le déchiffrer, simplement parce qu'elle a dû utiliser une clé complexe qu'elle seule détient. On a déjà dû vous le dire*... »

— Sans déconner ? Oui, bien sûr on me l'a déjà dit, maugréa Abigaël, en colère contre ce pauvre internaute qui ne cherchait qu'à l'aider.

Elle soupira et supprima le message, excédée. Mais une pointe de regret la poussa à se rendre dans la corbeille. Après tout, le type avait pris du temps pour lui répondre. Elle s'efforça donc de lire la suite.

« ... *Vous a-t-on déjà parlé du chiffre-livre ? Le principe est relativement simple, et rien de tel qu'un exemple pour comprendre. Supposons que vous souhaitiez crypter la phrase "Bonjour je m'appelle Ghislain" en utilisant le principe du chiffre-livre. Vous choisissez un livre de référence, par exemple la Bible. Pour crypter la lettre "B" de "Bonjour", vous la remplacez par un triplet de nombres utilisés pour localiser n'importe quel mot de votre choix qui commence par "B". Ce triplet indique le numéro de page, le numéro de ligne et la place du mot dans la ligne. Ainsi, B devient 10-8-4, c'est-à-dire page 10, ligne 8, mot numéro 4 : "Bonté". Vous faites cela avec toutes les lettres de votre message à crypter. Vous obtenez alors une série de triplets*

10-8-4 67-3-5 91-11-3... et ainsi de suite. Autant de triplets que de lettres dans votre message d'origine. Et maintenant, qui pourra décrypter le message, à votre avis ? »

La personne qui sait quel livre a été utilisé pour crypter le message et qui possède exactement la même édition ! pensa Abigaël. En effet, il suffisait alors pour chaque triplet de retrouver le mot associé dans l'ouvrage et d'en prendre la première lettre. Intriguée, elle fit défiler le message avec son pavé tactile.

« *... Le problème est que, dans votre cas, il ne s'agit pas de triplets mais de doublets, il manque donc une coordonnée pour localiser la lettre ou le mot dans le livre. Mais je suis néanmoins persuadé qu'il s'agit d'une piste à suivre, parce qu'il y a un autre élément qui me fait penser au chiffre-livre. J'ai remarqué qu'aucun des nombres ne dépasse 48. Aurions-nous affaire à un livre de quarante-huit pages ? Ou l'édition particulière d'un journal ? Un magazine ?* »

Abigaël se recula sur son siège, sonnée. Et si l'évidence avait toujours été sous son nez ? Était-il possible que tout fût aussi simple ? Elle se précipita dans la chambre et tira, de sous le lit, les cartons de son père. Elle en sortit les albums de bandes dessinées de *XIII*, qui correspondaient au premier et deuxième cycle de la série. Chaque tome comprenait exactement quarante-huit pages. Elle étala l'ensemble sur le parquet et posa devant elle le message crypté découvert dans la bouche du poisson-lune.

10-30 9-13 1-45 6-32 12-12 19-40 1-24 4-4 6-35 5-7 9-26 14-23 10-13 15-45 8-18 7-44 5-7 1-48 8-8 9-34,
7-46 16-12 11-15 8-47 7-12 6-7 12-21 7-44 6-35 20-21 7-7 17-44 16-34 7-34 3-41,
…

Si le deuxième nombre du doublet ne dépassait pas 48, le premier, lui, restait toujours inférieur à 23. Exactement le nombre d'albums. Abigaël avait bien compris la mécanique de cryptage : le premier nombre devait correspondre au numéro d'album (entre 1 et 23), et le second à une page particulière dans l'album (entre 1 et 48).

Premier doublet, 10-30. Abigaël s'empara du dixième tome, l'ouvrit à la page 30. Rien de bien flagrant à première vue. Elle se concentra sur les dessins, les bulles, et soudain, elle vit.

Deux lettres, dans deux bulles différentes, étaient légèrement soulignées à l'encre noire : « a » et « l », cette fois-là. Elle eut envie de sauter de joie.

— Bien joué, papa.

Dire que Frédéric avait failli emporter les albums pour son marché aux puces, la semaine précédente. Et que, trois mois plus tôt, l'un de ses deux agresseurs les avait eus entre ses mains. Abigaël se sentit à la fois soulagée et excitée. Des réponses l'attendaient derrière ces dessins et ces bulles. Méticuleusement, elle s'intéressa à chaque doublet de nombres qui, parfois, ne menait qu'à une seule lettre par page et, d'autres fois, à deux ou trois, jamais plus.

Les premiers doublets donnèrent, une fois décryptés,

« *All the leaves are...* ». Le début d'un texte en anglais. Au fur et à mesure que le message prenait forme, Abigaël eut l'impression de le reconnaître.

All the leaves are brown,
And the sky is grey
I went for a walk,
On a winter's day

Un cauchemar… Un cauchemar qui se matérialisait en direct devant ses yeux. Ses doigts se crispèrent tellement sur son crayon qu'elle en cassa la mine.

California dreamin', On such a winter's day

La chanson maudite de son père. Celle juste avant l'accident. Les paroles se mirent à lui vriller les neurones. Abigaël revit alors, devant ses yeux grands ouverts, la berline noire, le visage de son père, cette grande bouche souriante lorsqu'il lui fonçait dessus.

Elle se massa les tempes du plat des mains et regarda avec méfiance autour d'elle. Les perspectives, les couleurs, les formes… Lâcha une BD, pour s'assurer qu'elle tombait bien au sol comme la pomme de Newton. Puis elle se précipita dans le salon et souleva les objets afin de vérifier leur position par rapport aux marques. Mais certains avaient bougé de quelques centimètres. Elle souleva la manche gauche de son sweat, constata la présence des trois brûlures de cigarette. Les tatouages aussi étaient imprimés sur sa cuisse.

Abigaël ignorait quoi faire. Ce message, dont elle avait tant espéré, n'était-il encore une fois qu'une pure invention de son esprit, ou était-il bien réel ? Son père avait-il vraiment crypté les paroles de sa chanson préférée ? Elle n'en pouvait plus. Il fallait qu'elle sache, là, maintenant. Il fallait se shooter à la douleur. Son seul refuge.

— On ne peut pas avoir mal dans les rêves. On ne peut pas, on ne peut pas…

Elle répéta la phrase à s'en brûler la langue, sortit le Zippo qu'elle gardait en permanence sur elle et une cigarette d'un paquet de Frédéric. Embrasement de l'extrémité en aspirant l'air à travers le filtre. Elle se rendit à la salle de bains, s'affronta dans le miroir.

— Es-tu bien certaine ? demanda-t-elle à son propre reflet.

— Oui, je le suis. Vas-y. Envoie la purée.

Elle prit alors son inspiration, mordit dans une serviette en éponge et écrasa le bout incandescent sur sa peau. Quand la chair brunit dans un crissement, l'un de ses ongles se fendit sur l'émail du lavabo. Abigaël tomba en hurlant.

Recroquevillée, elle se sentait impuissante, prisonnière de son esprit. Elle n'en pouvait plus d'osciller entre le monde des rêves et la réalité sans être capable d'en définir la frontière. Où naissait le rêve ? Quand se terminait-il ? « Il y a toujours un rêve qui veille. »

Avec une tristesse de menhir, elle se désinfecta, shootée aux odeurs d'alcool. Elle n'était plus qu'un territoire de feu, de cratères et de cicatrices. Une planète morte, hostile. Elle fit un nouveau bandage en se maudissant. Qu'est-ce qui n'allait pas dans sa tête, dans son corps ? Ces passages à l'acte répétés et intensifs prouvaient que quelque chose ne tournait pas rond ; Abigaël le savait et, pourtant, elle n'y pouvait rien. Elle était comme l'héroïnomane au bord du gouffre, éprouvant le besoin de faire un pas de plus. Encore et encore.

Retour dans la chambre. Puisque tout était bien réel, il fallait désormais affronter une profonde désillusion : même mort, son père avait encore réussi à lui jouer un tour de passe-passe. Ce cryptage stupide, qu'est-ce qu'il représentait ? Un doigt d'honneur à la vie ? Un cadeau empoisonné aux deux affreux qui cherchaient la clé de l'énigme ? Un moyen de leur faire perdre leur temps, de les baiser par-delà la mort ? Ou Yves avait-il tout simplement perdu la boule ?

Elle décida de terminer quand même le déchiffrage. La brûlure l'élançait, l'impression que des ronces poussaient à l'intérieur de sa chair et circulaient dans ses veines.

On such a winter's day (California dreamin') On such a winter's day.

Point final, telles étaient les dernières lignes de la chanson. Il restait néanmoins une vingtaine de nombres sur la droite, il s'agissait à l'évidence du nom du groupe. À bout de nerfs, Abigaël appliqua la méthode de déchiffrage jusqu'à l'ultime codage. Elle avait noté :

50 33 58.30N, 3 11 2.58E
XIII

Cela ressemblait à des coordonnées GPS.

Après trois heures à s'abîmer les yeux sur des nombres et des bulles de bande dessinée, Yves Durnan, ou plutôt Xavier Illinois, lui livrait enfin une partie du secret. Abigaël sentit le coup de fouet de l'adrénaline et se dit que cela avait bien valu une nouvelle brûlure de cigarette. Elle se rua sur son ordinateur, lança une carte interactive, y entra les coordonnées GPS et attendit. Le plan s'ajusta, le logiciel zooma sur un petit bois entouré de champs, à trois kilomètres à peine de l'aéroport de Lille-Lesquin, à vingt minutes d'ici. Pas d'habitation alentour, juste de la verdure et des arbres.

Qu'y avait-il à découvrir là-bas, au milieu de nulle part ? Quelle facette cachée de Xavier Illinois attendait Abigaël, cette fois-ci ? Elle se rappela le mot laissé par son père : « J'espère que tu trouveras la vérité, autant que je souhaite que tu n'y arrives jamais... »

Son téléphone sonna. Gisèle. Abigaël eut l'impression que tout se précipitait, comme un tourbillon qui l'attirait dans ses eaux d'encre.

— Abigaël ! J'ai vu tes coups de fil, mais j'étais sur l'ordinateur que tu m'as confié... Faut que tu viennes. Bon Dieu, j'ai trouvé quelque chose !

59

Gisèle ouvrit à Abigaël avant même que cette dernière pose le doigt sur la sonnette. La gendarme à la retraite habitait une de ces maisons de cité construites dans les années 1970. Elle n'avait jamais été une belle femme mais dégageait une empathie naturelle qui donnait envie de la serrer dans ses bras. Son mari, un sexagénaire tranquille, arrachait des mauvaises herbes dans le jardin. Il adressa un petit signe amical aux deux femmes et reprit ses activités.

— Tsé-Tsé… Entre !

Gisèle avait toujours trop fumé, sa voix et sa gorge en pâtissaient. Elle referma la porte avec précaution, puis emmena Abigaël à l'étage, dans des combles aménagés qui ressemblaient à un musée de la gendarmerie. Planches anthropométriques de visages de meurtriers, képi des années 1940, casque de maintien de l'ordre avec grille de protection, têtes de carnaval de gendarmes du XIXe siècle. En revanche, aucune arme, Gisèle les détestait. Parmi ces antiquités, du matériel informatique dernier cri. L'ordinateur portable de Nicolas Gentil était posé à proximité d'une grosse unité centrale dont on entendait le ventilateur ronfler. Une odeur tenace de tabac froid imprégnait les cloisons.

— Tu es restée très mystérieuse hier, fit Gisèle, mais avant que je t'explique, tu dois me dire où tu as trouvé cet ordinateur.

— Il appartient à un écrivain nommé Josh Heyman qui est à l'heure actuelle dans un hôpital psychiatrique, en Bretagne. L'ordi était caché à son domicile.

— Je vois. Et comment tu t'es retrouvée en contact avec cet écrivain ?

— C'est une longue histoire…

— … Qu'il va falloir que tu m'expliques. Est-ce que cette histoire est liée, d'une façon ou d'une autre, à l'affaire Freddy ?

— J'en ai l'impression. Il y a des hasards trop gros. Heyman, dont le vrai nom est Nicolas Gentil, a écrit un roman policier intitulé *La Quatrième Porte*. J'ai lu ce livre, et même deux fois j'ai bien l'impression, sauf que je ne me rappelle plus de la première lecture. Enfin bref, l'écrivain a utilisé notre affaire Freddy pour bâtir la trame de son histoire. Mais le plus troublant, c'est qu'il a repris, pour l'un des enfants kidnappés dans son livre, le surnom que le père d'Arthur Willemez lui donnait : Cro-Magnon. Et ce n'est pas tout…

Gisèle tira une chaise pour qu'Abigaël puisse s'asseoir. Elle s'installa juste à côté dans un fauteuil à roulettes qui devait être aussi vieux que les têtes de carnaval.

— Raconte.

— C'est lié à ma fille. Josh Heyman souffre d'une dissociation mentale. Il ne communique plus, mais dessine à longueur de journée. Parmi ses dessins, j'ai découvert le tatouage que Léa portait à la cheville, le petit chat avec son oreille blanche et l'autre noire.

Abigaël montra la photo médico-légale de la cheville de Léa à l'aide de son téléphone.

— Celui-là, presque trait pour trait. Et il a utilisé dans son roman l'expression « Perlette d'Amour ». C'était le surnom que je donnais à Léa dans l'intimité.

Gisèle n'était pas du genre à laisser transparaître ses émotions, mais son visage de statue d'île de Pâques s'était assombri.

— Qu'est-ce que tu as découvert ? demanda Abigaël.

La jeune retraitée passa son index sur le pavé tactile de l'ordinateur portable. L'économiseur d'écran disparut. Elle navigua dans les dossiers.

— Tu gardes ça pour toi, bien sûr, mais j'ai récupéré une panoplie de logiciels de la gendarmerie quand je suis partie à la retraite. Tu te doutes bien que je n'avais pas forcément les autorisations. Mon mari, c'est le jardin et, moi... (elle désigna son matériel) tout ça. Jacques croit que je passe mon temps à chercher des recettes de cuisine ou des conneries du genre alors que moi, je fais remonter des infos aux flics, de façon anonyme...

— T'as jamais décroché.

— Tu sais ce que c'est de partir à la retraite sur un échec ? Il n'y a rien de pire. L'impression d'avoir bossé presque quarante ans pour rien. Abandonner les collègues alors que toi, tu te la coules douce dans un fauteuil... Je ne pouvais pas rester comme ça, à cuisiner des tartes aux pommes. Bref, grâce à ces logiciels, j'ai découvert l'existence de dizaines de dossiers cachés dans la machine de ton écrivain.

C'est l'ordinateur d'un pédophile, Abigaël. Il est plein à craquer d'images dégueulasses.

Des frissons parcoururent Abigaël de la tête aux pieds. Gisèle cliqua sur des images au hasard, que la psychologue s'efforça de regarder. De jeunes visages anonymes, de tous les pays, de tous les âges, dans des positions dégradantes, petites victimes de la folie des prédateurs sexuels. L'ancienne gendarme prit un paquet de feuilles de cigarette et du tabac d'une boîte achetée en Belgique.

— Ça te dérange si je fume ?

— Fred fume plus que toi et on vit ensemble…

Gisèle se roula une cigarette avec un doigté de couturière.

— Je suis à des années-lumière d'avoir tout parcouru, mais je dirais qu'il y a là, au bas mot, plusieurs dizaines de milliers d'images à caractère pédopornographique. Le propriétaire de cette bécane, ce Josh Heyman, semble avoir mis le nez là-dedans depuis plus de cinq ans, d'après la date des fichiers les plus anciens. Les images proviennent de tous les pays, de toutes les origines, sans préférence de genre sexuel ni d'âge. Un fourre-tout immonde. Certains pédophiles sont très organisés, ils créent de beaux répertoires, classent par âge, par sexe, par nationalité, mais Heyman, lui, n'a rien trié. Il a accumulé de façon maladive, jusqu'à quasiment saturer son disque dur.

— Il… y a des vidéos ?

— Oui, et un sacré paquet. Des films amateurs, réalisés avec un téléphone portable ou un Caméscope bas de gamme, enfin, pour ceux que j'ai visionnés. Il va falloir un peu de temps pour tout analyser, tout regarder. Parcourir ce genre d'ordinateur, c'est un peu comme tondre un terrain de foot avec un rasoir, si tu vois ce que je veux dire.

Elle alla ouvrir la fenêtre, puis alluma sa cigarette d'une main aux doigts jaunis.

— Je hais ces porcs immondes.

Il régnait une ambiance de vieux capharnaüm sous ces combles. Peu de lumière, une touffeur malsaine, des faces grisâtres de mannequins ou d'assassins qui vous observaient. Un musée de l'horreur poussiéreux.

— Heyman avait un mur de sa chambre et un cahier rempli de symboles tels que des cercles, des carrés, des triangles. Tu as remarqué ce genre de choses dans l'ordinateur ?

— Non. Enfin, pas pour le moment en tout cas.

Une porte claqua. Gisèle jeta un regard par la fenêtre.

— Mince. Jacques est rentré…

Elle alla tourner le verrou, puis revint s'installer sur sa chaise.

— Il ne vient pas ici, mais on ne sait jamais. Il suffirait d'une fois.

Abigaël n'avait pas senti le pédophile derrière le visage gras et visqueux de Gentil. Elle avait sondé son regard sans rien y déceler.

— Il y a cinq ans, tu me dis, pour les images les plus anciennes…

— A priori, oui.

— L'éditeur m'a raconté qu'Heyman avait commencé à écrire son roman aux alentours de mi-2014. Une histoire qui démarre comme notre enquête et qui se termine en boucherie pédophile. Il y a une gradation dans la narration et, de façon intimement liée, dans le comportement du romancier. Vers le milieu du livre, l'écriture devient plus âpre, hachée, et le récit s'enfonce dans l'horreur. On sent une bascule chez Heyman.

— Sans doute la conséquence de tout ça, répliqua Gisèle en désignant l'écran. L'écriture a été un moyen de tout exorciser.

— Oui, mais ça faisait déjà des années qu'Heyman consultait ce genre d'images. Pourquoi aurait-il commencé à dérailler au milieu de l'écriture de son roman, alors que son histoire démarrait de façon plutôt classique ?

— La coupe était trop pleine, justement ?

— Je ne suis pas certaine. Il y a autre chose que tu dois savoir. Juste après la sortie de son livre, l'écrivain s'est tranché les dix doigts avec une guillotine de sa fabrication.

Gisèle tira sur sa clope. Son visage de pierre disparut derrière un écran de fumée.

— Ah… quand même !

— Et il s'est filmé. À un moment donné, on entend comme un couinement, ou des pleurs… Je crois qu'Heyman a tourné les yeux vers cet ordinateur portable branché sur un écran géant. Peut-être qu'il regardait quelqu'un et que quelqu'un le regardait.

— Un enfant ?

— J'aurais tendance à le penser, vu le contenu de son ordinateur. Juste après, il a chuchoté « Pardon » avant que la lame de la guillotine s'abatte sur ses mains.

Gisèle grimaça.

— J'en ai entendu des bien bonnes dans ma carrière, mais là… Dans tous les cas, ce type s'est astiqué devant des photos dégueulasses. Il n'y a pas de pardon qui tienne en ce qui me concerne. Qu'il reste au fond de sa chambre et qu'il n'en sorte jamais. Parce qu'avec ou sans doigts, il recommencera.

Gisèle n'avait jamais mâché ses mots.

— La mutilation s'est passée à la fin du mois de mars, poursuivit Abigaël. C'est sur cette période que j'aimerais que tu concentres tes recherches. Et puis je te dis, il y a eu une véritable bascule dans l'écriture… Vois dans les historiques, les traces, les vidéos, s'il n'y a pas des éléments notables.

Cigarette aux lèvres, Gisèle nota sur un Post-it. Abigaël sentait qu'elle prenait plaisir à se voir confier cette mission.

— OK. Je vais me focaliser là-dessus. Peut-être que le pédo invitait des gamins chez lui, si tu vois ce que je veux dire. Soirée fraises Tagada et bâtons de réglisse. Peut-être qu'il filmait, lui aussi, ou qu'il appartenait à un réseau ?

— Difficile à dire pour l'instant. Tu sais s'il dispose d'un compte Facebook ?

— Je n'ai pas encore eu le temps de jeter un œil précisément, mais j'ai vu ça dans ses favoris, oui.

— Tu peux te connecter ? J'essaie toujours de comprendre comment il a pu croiser la route d'Arthur Willemez et de Léa.

— Ta fille disposait d'un compte Facebook ?

— Je ne lui avais pas donné l'autorisation d'en créer un, mais Léa n'en faisait qu'à sa tête, les quelques mois avant l'accident. On a toujours été fusionnelles, toutes les deux, mais je n'étais plus assez présente, elle me le reprochait sans cesse. Elle a peut-être créé un compte sans que je m'en aperçoive, histoire de me tenir tête. J'ai déjà vérifié s'il n'existait pas de Léa

Durnan, bien sûr, j'ai même essayé quelques pseudos, sans succès.

Gisèle lança un navigateur et se connecta au réseau social.

— Pas besoin d'entrer l'e-mail ni le mot de passe d'Heyman, il les avait mémorisés afin que la connexion soit automatique. Ça va nous faciliter la tâche.

Gisèle arriva sur la page Facebook privée de « Nicolas Gentil ». Les messages étaient peu nombreux, le dernier remontait à l'année précédente, où Gentil discutait avec d'autres profils sur des sujets sans intérêt. La liste de ses amis s'élevait à vingt-deux. Gisèle les parcourut un à un. Rien de suspect, aucun visage connu, que des profils d'adultes lambda.

— Il a peut-être un autre compte Facebook plus fourni ? Fais une recherche sur Josh Heyman.

Cela ne donna rien.

— Non, c'est bien le seul compte, répliqua Gisèle. Comme c'est son ordinateur secret, s'il possédait un compte Facebook caché, c'est sur celui-là que nous serions tombées.

Gisèle réfléchit à voix haute.

— Bon… On sait de par nos recherches que le petit Arthur Willemez n'a aucun compte sur les réseaux sociaux. Le môme n'avait que 9 ans, et on a analysé tous les appareils connectés à Internet chez les parents lorsqu'il a disparu. Si Heyman est entré en relation avec lui avant l'enlèvement, ce n'est pas par ce biais-là.

Elle vida dans une poubelle un cendrier plein à craquer.

— Pas impossible qu'on retrouve son visage parmi les photos ou vidéos de cet ordinateur. Je veux dire…

peut-être que Freddy fait des photos ou des vidéos des enfants kidnappés, les met sur Internet, et que notre pédo est tombé là-dessus ? C'est peut-être là qu'il a entendu cette expression, « Cro Magnon » ? En matant une vidéo ?

Abigaël repensa à sa rencontre avec le père d'Arthur, la veille. À la crispation de son visage lorsqu'il l'avait vue chez elle… À sa réaction face aux dessins et surtout aux symboles sur le carnet de Nicolas Gentil. Elle sentait une connexion, un lien avec ces images d'enfants, mais n'arrivait pas à définir lequel.

— Non, je ne crois pas. Cela ne résout pas le cas de Léa.

— Tu permets que je tente quelque chose ?

Gisèle tapa « Perlette » dans la barre de recherche de Facebook. Une liste interminable apparut. Nom de gîte rural, de magasin de vêtements, de spa… Abigaël secoua la tête.

— Non, non, ça ne sert à rien de chercher. Léa n'aurait pas choisi pour pseudo un surnom qu'elle détestait.

— Rien de tel pour que tu ne la retrouves pas. Pendant ma carrière, j'ai surtout appris que l'évidence était la plupart du temps sous nos yeux.

Gisèle fit défiler l'écran. Soudain, le cœur d'Abigaël se serra.

Le profil de « Perlette d'Amour » s'afficha après un clic.

60

En haut, la photo de Léa. Un selfie où on la voyait assise sur son lit, avec ce grand sourire de princesse où l'on devinait à peine le fil de fer sur ses dents. Elle rayonnait de vie et de jeunesse dans son pantalon à carreaux, celui-là même que Frédéric avait retrouvé dans la penderie. Les cheveux attachés en queue-de-cheval, elle s'était même maquillée, sans doute avec un peu trop de mascara.

Abigaël sentit son monde s'écrouler. Gisèle lui passa une main délicate dans le dos. Elle perçut l'immense tension dans chaque muscle qu'elle effleura.

— Si ça peut te rassurer, Nicolas Gentil n'est pas ami avec elle. Ce serait indiqué ici sur la gauche. Mais les photos que Léa a postées sont publiques, Gentil y avait donc accès comme n'importe quel quidam possédant un compte. Tu veux regarder ?

Abigaël acquiesça en silence. Elle observait à présent des clichés insoupçonnés de sa fille. Léa s'était photographiée avec des copains, copines, au collège, au club de tennis, dans sa chambre, debout sur son lit. Sur l'une d'elles, elle avait fait un gros plan de son tatouage de chat. La légende indiquait « Mon premier tatouage », suivi de commentaires de ses copines, comme « Canon » ou « J'aimerais bien le même mais mon père y veut pas ».

Abigaël s'adossa à sa chaise, soufflée, K.-O. Elle s'était fait avoir par Léa, qui avait été plus maligne et avait trompé sa vigilance. Sa main droite glissa discrètement sur son avant-bras gauche, elle y chercha les cratères, ses petits volcans de réalité. Tout lui paraissait tellement fou et soudain… irréel. Ses yeux revinrent vers l'écran.

— Même sans être ami, Nicolas Gentil a très bien pu consulter le profil de Léa. Il a découvert les photos, en particulier celle avec le tatouage du chat…

— Exactement. Et il l'a redessiné à l'hôpital psychiatrique. Quant au « Perlette d'Amour » présent dans le livre, ça me paraît désormais évident. Tout ça s'est stocké dans sa tête, et ces souvenirs sont ressortis lorsqu'il a écrit son livre. Tu as tes réponses, on dirait.

Certes, mais elle ne s'en sentait pas pour autant soulagée.

— Et… Gentil serait tombé sur le profil de ma fille par pur hasard ?

— Pas forcément par hasard. Tu m'as dit que Gentil s'était inspiré de l'affaire Freddy et même de toi pour écrire son livre. Il savait donc probablement que tu avais une fille. Tu en as déjà parlé dans les interviews ?

— Lors d'un grand portrait qu'ils ont fait de moi, oui, j'ai évoqué Léa, mais sans davantage de précision. Je ne voulais pas l'exposer.

— Tu en as parlé, ça a suffi. Par un moyen ou un autre, le pédo a réussi à trouver son compte Facebook. En tapant « Durnan », peut-être, et en remontant de fil en aiguille différents profils d'amis de Léa où ton nom était évoqué. Pour un prédateur informatique comme lui, de surcroît écrivain menant une enquête, ça ne doit pas être bien compliqué.

— Comment je peux lire les messages de ma fille ? Je veux savoir ce qu'elle racontait.

— Là, c'est privé, par contre. Il faut se connecter à son compte perso. Si tu as moyen de te brancher sur sa messagerie, on peut y arriver. Il suffit de notifier un oubli de mot de passe, et les données seront envoyées sur le mail de Léa.

— Oui. Je sais accéder à son compte Gmail. Je croyais que c'était un moyen de pouvoir tout surveiller, j'ai été bien naïve.

— Tu n'y peux rien. Les jeunes maîtrisent toutes ces technologies beaucoup mieux que nous, ils connaissent toutes les astuces. On peut tous se faire avoir. Regarde, mon mari croit bien que je consulte des fiches de cuisine à longueur de journée !

Au bout de cinq minutes, Gisèle avait exécuté toutes les manipulations nécessaires et s'identifiait en tant que « Perlette d'Amour ». Les messages saisis par Léa apparurent à l'écran. Les billets d'une préadolescente qui parlait fringues, école, petits copains… Elle avait même posté quelques poèmes, on la félicitait, la flattait. Le cœur serré, Abigaël fit défiler l'écran vers les données plus anciennes. Léa saisissait cinq ou six messages par semaine, souvent après les horaires d'école, le temps que sa mère rentre du cabinet de consultation ou de la caserne de gendarmerie. Elle découvrit sa propre photo, « Ma mère, chiante mais sympa ». C'était comme recevoir une gifle de colère, une bourrasque d'émotions en pleine figure.

— Bon sang, comment j'ai pu passer à côté de tout ça ?

— Ça n'aurait rien changé à ce qui est arrivé, Abigaël. Ta fille aurait fini par aller là-dessus, parce que c'est ça, les jeunes, aujourd'hui. Tablettes, téléphones, réseaux. Ça les attire comme des aimants. À nous de nous adapter.

Abigaël regarda le haut de la page. Léa avait quarante et un amis. On voyait les photos des dix premiers, tous très jeunes. Têtes blondes, appareils dentaires, sourires de premier de la classe… Tant de chair fraîche pour les prédateurs comme Gentil. Avec le Net, la pieuvre pédophilie ne trouvait plus de limites à son expansion. Elle continua à faire défiler avec amertume, quand Gisèle lui saisit la main.

— Attends deux secondes, j'ai vu quelque chose.

Gisèle remonta un peu sur la page, s'intéressa à un post dans lequel Léa parlait du film *Titanic* visionné pour la première fois à la télé en octobre 2014. Le texte datait de la même période.

— On l'avait regardé ensemble, je m'en souviens. Je m'étais endormie, comme d'habitude, j'étais crevée.

Gisèle ne l'entendit même pas. Elle pointa la souris sur la photo de l'un des amis qui avait répondu : « Moi, *Titanic*, je l'ai vu la première fois à 8 ans. » En découvrant le visage, Abigaël eut l'impression qu'elle allait tourner de l'œil.

— Putain ! lâcha Gisèle.

L'ami en question était Mathieu Peixoto, 13 ans, un bel adolescent aux yeux d'un bleu profond, aux cheveux noir de jais, un vrai Alain Delon pour midinettes. Des caractéristiques physiques qu'Abigaël et tous les gendarmes de la section de recherches connaissaient bien : la photo était identique à celle utilisée par un certain « Greg Pacciarelli », la fausse identité créée par Freddy pour entrer en contact avec la première kidnappée, Alice.

Gisèle s'enfonça dans son siège, elle aussi assommée par ces découvertes.

— Freddy communiquait avec ta fille.

61

Trois heures plus tard, Abigaël était assise sur l'un des lits de la Veuve folie, le regard ailleurs, les mains ballantes entre ses jambes écartées. Elle se sentait nue comme un nouveau-né, blessée, épuisée par ces journées dont chacune était pire que la précédente.

Sa fille Léa avait été approchée, visée, choisie par Freddy. Il l'avait traquée sur la Toile, retrouvée, s'était glissé parmi ses amis avec la photo d'un adolescent au physique parfait. Comment ne pas craquer quand on a 13 ans, qu'on vous flatte, qu'on vous promet monts et merveilles ?

Il fallait admettre l'évidence : Léa avait fait partie du plan du kidnappeur depuis le début. Que se serait-il passé sans l'accident de voiture ? Léa serait-elle, en ce moment même, entre les mains du monstre qui avait transformé Victor en zombie ?

Cette pensée lui était si insupportable qu'elle avait relégué en arrière-plan la découverte des coordonnées GPS laissées par son père. Il fallait d'abord en savoir davantage sur ce compte Facebook et le contenu de l'ordinateur de Gentil.

Le bruit d'une porte résonna et la fit sursauter.

La Veuve folie aimait jouer avec les peurs. Abigaël avait l'impression que chaque son était amplifié et qu'il venait lui frapper le cerveau avec une violence inouïe. Un atroce mal de crâne.

Frédéric et Patrick Lemoine entrèrent dans la chambre. Les deux hommes sentaient la cigarette, cette odeur infecte, âcre, qui imprégnait jusqu'à la laine de leurs vêtements. Son compagnon lui tendit un gobelet de thé et un Dafalgan. Elle avala le comprimé.

— On a parcouru le compte Facebook de Léa avant de faire partir l'ordinateur dans le service de cybercriminalité, fit Frédéric en s'asseyant à ses côtés. Ils vont tout décortiquer là-bas.

— Je vais me débrouiller avec le juge sur la façon dont il est arrivé entre nos mains. On devrait retomber sur nos pattes sans faire trop de vagues, ajouta Lemoine.

Abigaël but un peu de thé. Sa gorge était râpeuse.

— Que révèle le compte de ma fille ?

— Mathieu Peixoto a créé son profil début septembre 2014, et il est entré la première fois en contact avec Léa fin septembre, le mois de l'enlèvement d'Arthur. Il retenait donc les trois enfants à ce moment-là. Vu les circonstances, il est quasi certain que Léa aurait dû être la quatrième et dernière enfant kidnappée.

Frédéric sentait qu'Abigaël pouvait chanceler à tout moment. Le thé brûlant était une mauvaise idée. Il lui prit le gobelet des mains et le posa sur une petite table de nuit.

— Il a procédé de la même façon qu'avec Alice, expliqua-t-il en parlant le plus calmement possible. Belle photo d'un adolescent charmeur et jovial qui, dans le cas de Léa, prétendait vivre à Paris avec un père médecin et une mère dentiste. Léa l'a accepté en tant qu'ami et, dès lors, il est entré dans sa vie comme un virus. Ta fille ne pouvait rien déceler. Freddy a utilisé la même batterie de photos de l'enfant que pour Alice, ce qui lui a permis d'alimenter son profil et de faire illusion. Ces photos viennent probablement d'une quelconque banque d'images.

Patrick Lemoine s'appuya contre le mur, les mains dans le dos.

— Sa méthode est rodée, c'est celle du prédateur prêt à tout pour s'approprier sa proie. Léa s'est ouverte à lui, petit à petit, par des messages privés de plus en plus explicites…

— Le même genre de messages qu'Alice a écrits à Freddy ? demanda-t-elle en se tenant la tête. Elle… Elle en tombait amoureuse ?

— Il semblerait que oui.

Abigaël chutait dans un trou toujours plus profond. Pourquoi n'avait-elle pas creusé davantage autour de Léa qui était devenue de plus en plus secrète et amoureuse ? Comment avait-elle fait pour ne pas comprendre que Freddy, ce parasite, avait infiltré son foyer et lentement répandu son poison dans le sang de son sang ?

— Et… Léa lui a envoyé des photos par messages privés ?

Lemoine acquiesça.

— Exactement comme pour Alice… Photos d'elle, de ta maison, et même de toi. Freddy connaissait votre lieu d'habitation, il savait exactement à quelle heure et quel jour Léa se rendait à son club de tennis, et à quel moment, toi, tu rentrais du travail. Il existe une conversation où, peu à peu, il amène Léa à révéler que ta maison n'est pas protégée par un système d'alarme. Quatre jours avant l'accident. Il s'agissait d'ailleurs de leur dernier échange sur Facebook. Freddy s'apprêtait à passer à l'acte.

Frédéric prit le relais :

— Il préparait le terrain, il s'apprêtait à frapper ces jours-là, ce qui était cohérent avec le délai de trois mois entre les enlèvements. Quand Léa est morte, il a dû être complètement déstabilisé. Il s'est rabattu sur Cendrillon, sans doute une gamine qui lui ressemble, vu qu'on a retrouvé de longs cheveux blonds comme ceux de ta fille sur l'épouvantail. Ça explique sans doute pourquoi il lui a fallu deux mois supplémentaires avant d'agir de nouveau. La nouvelle victime devait avoir des caractéristiques qui se rapprochaient de celles de Léa. D'une façon ou d'une autre, *quelque chose* relie ta fille aux autres enfants.

— Quoi ? répliqua Abigaël en les regardant tous les deux. Qu'est-ce qui pourrait la rapprocher des autres ? Il n'y a aucun lien !

Patrick se décolla du mur.

— Il semblerait pourtant que si. Pourquoi Victor a-t-il hurlé en te voyant ? Pourquoi a-t-il récité ces phrases incompréhensibles à l'hôpital te concernant ? Et le chat suspendu dans la maison hantée ? Si l'on admet que c'est Freddy qui a accroché la peluche, pourquoi il a fait ça ? Tu as dressé les profils des enfants kidnappés, tu connais le parcours de chaque parent. Il y a forcément un point commun. Avec toi, avec Léa, avec les autres familles.

À cause de la barre sous son crâne, Abigaël n'arrivait plus à réfléchir. Tous ces mots, ces données se télescopaient pour former un grand feu d'artifice intérieur.

— Autre chose, reprit Lemoine. Quand ton père a emprunté la D151 cette nuit-là vers 3 h 40, tu as raconté que le Kangoo était déjà garé sur le bas-côté. On a toujours supposé que Freddy était en train d'installer son épouvantail, que l'accident l'avait interrompu dans son travail. Or, Freddy fabrique toujours son épouvantail *après* l'enlèvement. Léa était la quatrième sur la liste, il avait prévu de l'enlever à cette période-là, mais il n'était pas encore passé à l'acte. En conséquence, il ne pouvait pas être en train de fabriquer un épouvantail la nuit du 6, comme on l'a toujours cru. Il repérait simplement les lieux. Il regardait où il allait clouer son futur chef-d'œuvre.

Il se mit à aller et venir, comme un professeur Tournesol se parlant à lui-même.

— D'abord le repérage, ensuite l'enlèvement de Léa, puis la construction de l'épouvantail quelques jours plus tard. Tout ça, c'est logique. Ce qui reste un gros point d'interrogation, c'est par qui il a remplacé Léa. Sur quelle jeune fille s'est-il rabattu et pourquoi les parents, les oncles, les tantes de cette victime anonyme ne se sont jamais manifestés ? Qui est Cendrillon ?

Abigaël n'avait plus de force pour grand-chose, mais elle trouva les ressources pour parler d'une voix assurée et ne pas trembler :

— Je veux revenir sur l'affaire.

Lemoine paraissait ennuyé. Il sortit une cigarette d'un paquet et la manipula comme si c'était un bâton de majorette.

— Écoute, Abigaël, ça ne dépend pas que de moi et…

— Ne raconte pas de conneries.

Le capitaine de gendarmerie secoua la tête. Il échangea un rapide regard avec Frédéric, qu'Abigaël capta.

— Quoi ?

Lemoine s'éclaircit la voix.

— Frédéric m'a parlé de tes brûlures de cigarette…

Abigaël se sentit trahie. Frédéric voulut ouvrir la bouche, mais elle lui coupa net la parole.

— Qui est allé à la rencontre de Nicolas Gentil ? Qui a rapporté l'ordinateur d'un pédophile lié à notre affaire dans vos services ? Léa aurait dû être entre les mains de ce salopard, Patrick, tu piges ça ? Ma propre fille ! Je veux le coincer et comprendre pourquoi il fait une chose pareille.

Lemoine réfléchit, pesa le pour et le contre.

— Écoute, l'ordinateur de Gentil est entre de bonnes mains. Si nous découvrons des éléments qui ont un rapport quelconque avec ta fille ou avec notre affaire, tu en seras informée illico, promis. Mais pour le moment, rentre te reposer un peu. Tes yeux sont aussi rouges que ceux d'un lapin albinos.

— Me reposer, oui…

Abigaël sortit sans les saluer. Frédéric la rattrapa à l'extérieur et marcha à ses côtés, les mains dans les poches.

— J'y peux rien, Abi. On buvait un coup avec Patrick, l'autre soir, et j'ai eu besoin d'en parler.

— Et qu'est-ce que tu lui racontes d'autre ? La fréquence de nos rapports sexuels ?

— Abi…

— Tu *n'avais pas* à en parler.

Abigaël ne ralentissait pas, bornée comme un taureau. Il lui bloqua le passage, les deux mains en l'air.

— OK, j'ai fait une connerie. Une vraie, bonne, grosse connerie. Mais ça ne t'arrive jamais d'en faire, toi ?

Abigaël s'arrêta. Elle poussa un long soupir.

— J'en ai fait tellement depuis qu'on est ensemble que tu pourrais grimper l'Everest en les empilant les unes sur les autres.

Elle ne put réprimer un fou rire, qui éclata dans sa gorge.

— Voilà que je ris, maintenant. Je suis à cran, j'ai mal à la tête, je viens d'apprendre que Freddy avait décidé de s'en prendre à Léa, et je ris.

Frédéric la serra contre lui.

— Ris, ris tant que tu veux. Ça fait du bien.

Puis, elle passa aux larmes. Frédéric ignorait sur quel pied danser.

— Si c'est vraiment ce que tu veux, je vais convaincre Patrick de te réintégrer, tu peux compter sur moi.

Ils se remirent en route et arrivèrent sur le parking de l'ancien hôpital.

— Je te raccompagne à l'appartement, fit Frédéric. Ce ne serait pas prudent que…

— Ça va aller. Je serais déjà tombée depuis longtemps si j'avais dû faire une cataplexie aujourd'hui.

Ils s'embrassèrent. Abigaël finit par démarrer avec un but bien défini en tête. Une demi-heure plus tard, elle se gara dans une petite rue et entra dans la boutique de son tatoueur. Il la reconnut au premier coup d'œil et lui adressa un sourire.

— Quelle bizarrerie allez-vous encore me demander, cette fois ?

Abigaël sortit de là avec une nouvelle inscription. Quatre phrases ornaient désormais l'intérieur de sa cuisse.

Qui est Josh Heyman ?
Découvrir les démons de JH
JH connaît intimement Léa et Arthur. Comment ?
Léa aurait dû être la 4

Ces tatouages l'enfonçaient vers les abysses, mais ils étaient le gage que ce parcours vers la vérité existait bel et bien. Grâce à eux, Abigaël était certaine d'avoir vécu chacun de ces moments dans le monde réel.

De retour à l'appartement, elle s'allongea sur le lit. On était le 21 juin, et elle n'avait plus qu'une idée en tête : retourner s'installer au volant de sa voiture, brancher son GPS et saisir les coordonnées décryptées dans le mystérieux message de son père. Un autre pan de la vérité l'attendait sans doute.

Mais auparavant, elle bâilla et finit par s'endormir.

62

Il commençait à faire sombre en cette fin du premier jour de l'été. Tandis que les derniers rayons du soleil disparaissaient derrière les nuages, les grosses silhouettes d'acier se dessinaient le long de l'aéroport de Lille-Lesquin. Entre le ronflement des avions et celui des voitures qui traçaient sur l'autoroute A1 pas loin, Abigaël suivait les indications du GPS de façon mécanique, pendant que ses pensées divaguaient. Elle revoyait en boucle les photos de Léa sur Internet, son sourire, la manière dont elle s'était livrée à Freddy…

Après quelques kilomètres en pleine campagne, elle s'arrêta sur le bas-côté, le long d'un champ de maïs. Elle s'engagea à pied au milieu des plants en pleine pousse. D'après l'appareil, il lui restait sept cents mètres à parcourir dans cette direction. Elle atteignit un petit bois de forme carrée d'une trentaine de mètres de côté, à la végétation touffue et anarchique, fit encore quelques pas pour s'enfoncer entre les arbres. Le GPS indiquait qu'elle était arrivée à destination.

Que chercher à présent ? Qu'est-ce que son père était venu faire dans ce coin paumé ? Elle fixa les clôtures de l'aéroport sur l'horizon hachuré par les troncs. Yves avait longtemps travaillé à la direction des douanes de Lesquin, pas loin de là. Un rapport existait forcément.

Elle tourna sur elle-même, indécise. Hormis des arbres et des buissons au milieu de champs, il n'y avait rien. Elle vérifia de nouveau les coordonnées, elle se tenait pourtant pile au bon endroit. Elle scruta chaque centimètre carré de verdure autour d'elle jusqu'à repérer, à quelques mètres, le symbole *XIII* gravé au couteau sur un tronc, à hauteur d'yeux.

Son père était donc bien venu ici, à l'endroit exact où elle se trouvait. Et, selon toute vraisemblance, il avait inscrit ce signe *XIII* à son intention. La phrase laissée dans l'une de ses BD, « J'espère que tu trouveras la vérité, autant que je souhaite que tu n'y arrives jamais... », prenait ici toute sa dimension. Abigaël aurait pu ne jamais découvrir ce lieu.

Elle s'agenouilla au pied de l'arbre et se mit à creuser la terre sans réfléchir. Qu'aurait bien pu faire Yves à cet endroit, si ce n'était enterrer quelque chose ?

Très vite, son intuition se confirma. Ses doigts couverts de terre butèrent contre une surface plane. Une énorme valise noire à coque rigide avec des renforts métalliques. Elle l'extirpa du sol. Ça devait bien peser une trentaine de kilos. Abigaël sentait son cœur battre de plus en plus fort, imaginant toutes sortes de choses à l'intérieur. Elle repensa à l'Indien moustachu et à Zieman, à leur détermination pour récupérer cette valise.

L'ouverture était protégée par un cadenas à quatre molettes de vingt-six lettres chacune. Un dernier obstacle avant la vérité, un ultime tour de passe-passe d'Yves, fin stratège. Sans l'ombre d'une hésitation, Abigaël composa le X I I I.

Un déclic. L'ouverture.

La grosse valise était remplie de petits parallélépipèdes blancs de taille identique, alignés comme des liasses de billets. Chacun d'entre eux avait été emballé avec soin dans du film transparent. Abigaël en sortit un de son compartiment et en arracha l'emballage. Au départ, le pain garda sa forme compacte mais, en grattant un peu, il s'effrita en poudre blanche.

Il y en avait pour une fortune.

Aussitôt, les images se bousculèrent dans son esprit. Elle revit les traces d'aiguille sur les avant-bras de son père, alors qu'il tenait le volant… La fausse identité de Xavier Illinois… Le bateau sur le port du Havre, peut-être utilisé pour le transport… Les deux affreux qui l'avaient agressée, qui fouillaient, qui cherchaient la poudre… Tout était lié à cette fichue valise.

Abigaël lâcha le pain de cocaïne. Alors tout ça pour ça ? Son père, Yves Durnan, était passé de l'autre côté de la frontière ? Un trafiquant de drogue ? Abigaël écrasa deux poings rageurs sur les morceaux de paradis artificiel. Le château de cartes de sa vie déjà fragile s'effondrait définitivement. Yves lui avait pris Léa, et désormais, il lui volait tout le reste.

Au milieu de ces kilos d'or blanc reposait une enveloppe fermée. Elle la décacheta et en sortit plusieurs feuilles manuscrites datées du 4 décembre 2014, l'avant-veille de l'accident. Elles lui étaient adressées.

Elle voulut s'appuyer contre le tronc derrière elle, mais tomba dans le vide. Elle se retourna : l'arbre se trouvait beaucoup plus loin qu'elle le pensait. Sourcils froncés, elle regarda les alentours, soudain en proie au doute. Dans une trouée face à elle, la grande tour de contrôle rouge et blanc, avec son radar en rotation.

Il y eut un petit coup de vent tiède, la lettre frissonna entre ses doigts. Elle souleva la manche de son sweat et constata la présence des brûlures pour se rassurer.

Alors, assise sur la terre, elle lut :

Ma chérie,

Tu dois me prendre pour un monstre, pour la pire des ordures, et tu as toutes les raisons de le penser. J'en suis tellement désolé. J'aurais aimé être en face de toi pour pouvoir tout t'expliquer de vive voix, car c'est une longue, très longue histoire. Mais si tu te retrouves ici, à déterrer cette valise pleine à craquer de drogue, c'est que je ne l'ai pas fait moi-même et que, par conséquent, je dois être mort à l'heure qu'il est.

Je vais tout t'expliquer et, ensuite, tu iras voir la police, tu leur donneras la lettre et les trente-cinq kilos de cette cocaïne ultrapure en provenance du Mexique. Mais auparavant, laisse-moi te féliciter car, si tu te trouves ici, c'est que tu as su remonter la piste que j'avais laissée pour toi et toi seule, au cas où il m'arriverait quelque chose. Je souhaitais que tu viennes ici, un jour, tout comme je souhaitais que tu n'y viennes jamais. Tout était suffisamment complexe pour que ça prenne du temps, que personne ne puisse découvrir cette valise et que, pourquoi pas, tu échoues. Mais tu n'as pas failli.

La clé de bateau dans mes affaires a d'abord dû t'intriguer. Ensuite, tu es allée à Étretat pour récupérer quelques-uns de mes maigres biens, tu as vu ma photo devant le bateau, tu as fait le rapprochement avec la clé... Et puis cette autre photo étrange de poisson-lune, en marque-page de l'une de mes bandes dessinées et à ton intention, a dû également t'interroger. Tu as découvert mon autre identité, tu es allée sur le bateau, tu as mis la main sur le message codé. Je pense que le temps a fait le reste, et il fallait que ce soit long pour que ceux qui peut-être te surveillent abandonnent. Combien de semaines, de mois se sont écoulés, Abigaël, entre aujourd'hui et cette nuit du 6 décembre 2014 ? Je ne le saurai jamais...

Chaque mot frappait Abigaël en plein ventre. Son père lui parlait de la nuit du 6 décembre, alors que la lettre datait de l'avant-veille. Elle avala sa salive comme s'il s'agissait d'une poignée de sable et entendit un craquement, pas loin. Comme celui d'un pied sur une branche. Elle se retourna d'un coup, scruta la végétation qui, progressivement, sombrait dans l'obscurité. Plus un bruit.

Tu sais désormais que je ne suis pas celui que tu croyais. Mais j'ai toujours œuvré pour la bonne cause, Abigaël, tu dois me croire. Tout ceci était nécessaire pour que nous nous reconstruisions, Léa, toi et moi, une nouvelle vie. Changer d'identité, partir, coûte beaucoup d'argent. Cette drogue était notre passeport pour la renaissance et une vie sans danger. Je voulais le meilleur pour nous trois.
Je t'écris cette lettre le 4 décembre, il est un peu plus de 17 heures, il fait noir et froid, et ma main tremble dans l'habitacle de la voiture. Je regarde les avions décoller, ces gens s'envoler vers d'autres horizons, et j'aimerais tellement être à leur place. Je suis au bord d'un champ et je ne vais pas tarder

à aller enterrer la drogue dans ce petit bois, tout là-bas, celui où tu te trouves en ce moment même. J'ai pas mal travaillé au service des douanes de l'aéroport de Lesquin par le passé, tu sais, je connais bien les alentours et je sais que cet endroit fera une bonne planque. J'ai donc repéré ses coordonnées GPS sur une carte, les ai codées, les ai cachées dans le poisson-lune avant de me mettre en route depuis Le Havre. Demain, je serai à vos côtés et, la nuit suivante, on partira tous les trois vers l'Est. Tout est prêt, tout va fonctionner, j'ai confiance. Ça va être difficile, mais on finira par se retrouver, tous ensemble, et j'espère bien écrire cette lettre pour personne d'autre que moi-même. J'ai les larmes aux yeux car j'imagine déjà à quel point l'accident du 6 décembre va laisser une douloureuse empreinte dans ton esprit...

Abigaël frotta ses yeux rougis par les larmes. L'une de ses mains était enfoncée dans la terre, les doigts recroquevillés comme des serres.

... « Va laisser » ou plutôt « a laissé », car cet accident est sûrement loin, maintenant. Je ne sais même plus quel temps employer. Moi, le joueur d'échecs, le fin calculateur, je suis perdu car rien ne s'est encore passé pour moi, mais tout a déjà eu lieu pour toi.
En tout cas, si tu es dans ce bois, dans ton présent à toi, c'est que quelque chose s'est mal passé. Que l'accident ne s'est pas déroulé comme prévu.
Désormais, il est temps que je t'explique tout...

Abigaël était arrivée au bas de la première page. Elle prit la feuille du dessous quand, soudain, elle sentit quelque chose de froid sur sa tempe.

— Là, doucement…

Cette voix, cette odeur de vieille sueur… Abigaël redressa la tête. Une arme, braquée sur elle, dans le poing du type moustachu venu à son domicile quelques mois plus tôt, cette gueule d'Indien qui avait fouillé sa maison. Il était seul cette fois et affichait un sourire d'hyène. Il lui arracha les feuilles des mains, jeta un coup d'œil rapide à la première page et les roula en boule avant de les jeter par terre. Abigaël était acculée contre le tronc d'arbre gravé du signe *XIII*. Elle pensa une fraction de seconde qu'il s'agissait de l'épitaphe de sa propre tombe.

L'homme se pencha vers la valise.

— Enfin. Enfin, enfin, enfin…

Il ramassa le pain de coke déballé, préleva une infime quantité de poudre et la renifla bruyamment. Puis il se frotta le nez.

— Bien pure.

Il rangea le pain à sa place et referma la valise. Un avion survola le bois et vira pour s'aligner avec la piste d'atterrissage. L'Indien le regarda quelques instants, sortit un cigarillo qu'il embrasa avec une allumette. Il prenait son temps, le temps de la jouissance, de la satisfaction. Ses yeux de charognard brillèrent.

— Ces avions, ça me fait penser à la scène de fin dans *Heat*, t'as vu ce film ? Le face-à-face De Niro-Pacino, sur le tarmac de l'aéroport. Une scène d'anthologie.

— Comment vous avez fait pour…

— … Me retrouver ici, avec toi ? Un traceur, sous

ta voiture. Je n'ai jamais été bien loin de toi, pauvre conne ! Merde, tu sais combien de dizaines de millions d'euros il y a là-dedans ? Ça valait bien le coup de garder un œil sur ta petite gueule, non ?

Il s'accroupit devant Abigaël, le revolver sur ses cuisses. Une petite cicatrice en forme d'arc de cercle déformait son menton. D'un geste sec, il lui attrapa les cheveux par-derrière et tira. Son haleine sentait la mort.

— J'ai pas envie de m'encombrer d'un cadavre, j'ai passé l'âge. Tu ne fais pas de vagues, ma grande, et tout ira bien. J'ai la dope, ton père et ta fille sont morts, on va dire qu'on est quittes. Si tu bouges de là avant dix minutes, je te colle une balle au milieu du front. Et si tu cherches à foutre la merde, ce sera le même tarif.

Cigarillo au coin des lèvres, il se redressa en grimaçant. Ses os craquèrent.

— Je me fais trop vieux pour ces conneries…

Dans un soupir, il ramassa la valise et s'éloigna. Abigaël n'arrivait plus à bouger, ne sentait plus ses membres bien qu'elle ne fût pas en cataplexie. Elle trouva la force de demander :

— L'homme qui vous accompagnait, l'autre fois, a dit que j'aurais dû être morte à la place de mon père. Pourquoi ? Qu'est-ce que moi j'ai à voir avec toute cette drogue ?

L'individu à la moustache se retourna à peine.

— Oublie tout ça. Dis-toi que notre rencontre, c'était juste un rêve, et tu vivras beaucoup mieux et plus longtemps…

Il finit par se volatiliser. Abigaël se jeta sur la boule de papier. Elle voulait connaître le fin mot de l’histoire. Elle lissa la feuille, mais ne découvrit aucune écriture : papier vierge. Idem pour les deuxième, troisième et quatrième feuilles. Tous les mots couchés sur le papier par son père n’existaient plus.

Loin devant, les feuilles des arbres se mirent à bruire malgré l’absence de vent. Les branches s’agitèrent, puis s’écartèrent. Après un craquement de bois, une grosse berline noire surgit d’entre les troncs. Le moteur grondait. À travers le pare-brise, Abigaël devina le visage souriant de son père.

Elle hurla.

63

— Ma chérie… ça va ?

Abigaël ouvrit les yeux. Zèbres, lions, girafes. Murs jaune et ocre, odeurs de draps et de transpiration. Elle était trempée, ses vêtements lui collaient à la peau.

— Qu'est-ce… ?

Tête dans un étau, nuque en vrac, elle fixa son environnement sans comprendre. La chambre, l'appartement de Frédéric… Elle bascula sur le côté, regarda l'heure sur le radio-réveil. Il était 21 heures.

— Depuis quand je dors ?

— Je ne sais pas, je viens de rentrer.

Abigaël se redressa avec l'impression de s'arracher du béton.

— Ce n'est pas possible, ça ne peut pas recommencer. J'étais dans un bois pas plus tard que… qu'il y a une minute. Il y avait des bruits d'avion… Je revois une tour de contrôle rouge et blanc… ça devait être l'aéroport de Lesquin. Puis la valise pleine de drogue… la lettre…

Abigaël regarda ses mains, ses ongles. D'une propreté de laboratoire. Frédéric prit le verre d'eau sur la table de nuit et le lui tendit.

— Tiens, bois. Tu as beaucoup transpiré, tu es déshydratée. Je ne t'ai jamais vue dans cet état-là. On dirait que tu as couru un cent mètres.

Frédéric lui toucha le front. Brûlant.

— Je devrais peut-être appeler un médecin.

Abigaël vida son verre d'un trait.

— Pas de médecin, je ne… suis pas malade. Mon père a… a enterré de la drogue dans un bois, c'est sûr. Des kilos et des kilos de cocaïne. C'était un trafiquant, Fred ! Ça explique le bateau, sa double identité, les types venus chez moi, qui cherchaient cette fichue drogue.

Abigaël dut faire un terrible effort de mémoire. Les images s'estompaient peu à peu, tout devenait flou, indistinct. Les souvenirs s'envolaient comme des papillons. Que lui arrivait-il ? Elle ferma les yeux, se concentra, essaya de visualiser les images.

— Dans la valise, il y avait une lettre laissée par mon père à mon intention. Il allait tout me raconter. Il a dit que… que l'accident du 6 était programmé, que… Oh, mon Dieu…

Elle s'assit sur le lit. Frédéric s'installa à ses côtés.

— Ce n'est qu'un cauchemar de plus.

— Non ! C'était réel ! J'étais là-bas ! J'en suis certaine !

— Dans ce cas, dis-moi où, et on y va tout de suite.

Abigaël se leva et fonça vers la salle de bains, où elle s'enferma. Très vite, elle baissa son pantalon, observa le dernier tatouage. « Léa aurait dû être la 4 ». Qu'est-ce que ça signifiait ? Et quand avait-elle fait ce tatouage ? Elle n'en savait strictement rien !

Frédéric frappait à la porte. Elle ouvrit et lui montra le tatouage.

— « Léa aurait dû être la 4 ». Qu'est-ce que ça peut vouloir dire, à ton avis ?

Apparemment, il voyait l'inscription pour la première fois.

— Tu ne t'en souviens pas ? Nos découvertes concernant l'ordinateur d'Heyman ?

— Non. Je… Je me souviens d'être allée chez Gisèle cet après-midi… Je revois les têtes de carnaval dans son bureau, je… me rappelle les odeurs de tabac… Mais… autour, c'est le trou noir.

Frédéric écarquilla les yeux.

— Cet après-midi ? Quel jour crois-tu que nous sommes ?

— Le 21.

— On est le 22 au soir, Abigaël.

Elle resta sans voix. Comment cela était-il possible ? Frédéric vit sa détresse et lui expliqua : les images pédopornographiques découvertes la veille sur l'ordinateur de Gentil, le compte Facebook de Léa, la connexion avec Freddy, qui avait projeté d'enlever sa fille.

Abigaël sombrait au fur et à mesure des révélations.

— Enlever Léa ? Non, Fred. Ce… Ce n'est pas vrai.

— On s'est couchés, hier soir, t'étais très perturbée à cause de ces découvertes, mais tu t'es vite endormie avec ton traitement. Tu avais peut-être déjà fait ce tatouage en rentrant de la caserne, tu ne voulais pas oublier… Ce matin, je suis allé travailler comme d'habitude. Ça allait bien, t'étais encore au lit, mais réveillée. Je t'ai dit que je t'appellerais si on avait du neuf sur le contenu de l'ordinateur de Nicolas Gentil, mais les experts sont toujours dessus. Tu ne te souviens vraiment de rien ?

Elle s'adossa au mur, la tête dans les mains.

— Rien, rien !

Abigaël tremblait de tout son corps. Frédéric lui prit la main.

— Allez viens, il faut que tu manges quelque chose. Tu es toute blanche.

— Je dois noter mon rêve avant que tout ne s'efface.

Abigaël se jeta sur son nouveau cahier de rêves. Elle n'en revenait pas des révélations de Frédéric, de cet après-midi du 21 et cette journée du 22, complètement effacés de sa mémoire. Facebook, Léa, Freddy… Abigaël nota tout ce qu'elle se rappelait. Un bois aux alentours d'un aéroport (Lesquin ?), de la drogue, le moustachu venu chercher la valise… Il avait parlé d'un traceur. Et elle se souvenait de ces quelques mots de son père, qui laissaient supposer que l'accident du 6 décembre était programmé.

Pourquoi, pourquoi, pourquoi ?

Hormis la visite à Gisèle, à quand remontait son dernier souvenir précis ? Elle ne savait plus. La chanson *California Dreamin'* lui trottait dans la tête. Elle alluma l'ordinateur, consulta l'historique Internet, vit les recherches sur les incubes et les succubes. Elle se rappela la souffrance de Victor, le visage gris de Gentil à l'hôpital psychiatrique… Un œil à la boîte mail. Rien de neuf parmi les messages, hormis deux ou trois publicités. Dans la foulée, elle descendit au parking sans avertir son compagnon. Quand Frédéric la rejoignit, elle s'était glissée sous le bas de caisse. Et en sortit les mains pleines de graisse.

— Je voulais vérifier s'il y avait un traceur…

Elle s'excusait presque devant lui. Il remonta sans dire un mot et Abigaël resta là, assise sur le sol du parking, malheureuse. Qu'avait-elle fait toute la journée, alors que Frédéric était au travail ? Était-elle vraiment allée dans ce bois ? Elle regarda ses mains grandes ouvertes, ses ongles noirs de graisse, ceux avec lesquels elle avait gratté la terre et déterré la drogue.

Elle eut une ultime idée, se redressa, fouilla dans l'habitacle. Le GPS, dernier trajet : rien de récent. Une envie l'obsédait : écraser l'extrémité brûlante d'une cigarette sur son bras. Pour se faire mal. Pour se prouver qu'elle existait. Elle remonta à l'appartement et jeta un œil à son agenda, qui ne lui apprit rien de plus. Frédéric était assis à table, un bac de glace entre les mains. Il ingurgitait le caramel comme un boulimique, sans goût, raclant les coins du bac pour ne pas perdre un gramme de sucre. Il n'allait pas bien, Abigaël le voyait. Elle s'approcha, hésita à l'enlacer, se retint.

Elle mangea de façon mécanique, obnubilée par ses pensées, et ces trous noirs qui habitaient son esprit, engloutissaient ces souvenirs, laissant place à des rêves effrayants et d'une réalité saisissante.

— Je ne suis pas folle, Fred.

Mais Frédéric ne répondit pas et partit vomir aux toilettes. Elle l'entendit cracher ses tripes et ressentit une immense peine. Combien de temps tiendraient-ils encore, tous les deux ? Ils passèrent le reste de la soirée éloignés l'un de l'autre, tous deux tourmentés par leurs démons. Seul un coup de téléphone mit fin, à 22 heures, à l'océan de silence. À l'autre bout du fil, Lemoine demandait de venir rapidement.

Ils avaient trouvé quelque chose dans l'ordinateur de Gentil.

64

— Venez. C'est sur l'écran que ça se passe.

Patrick Lemoine était assis avec Gisèle devant un ordinateur portable dans la salle Merveille 51. Faible lumière, luminosité de l'écran qui créait d'impressionnantes zones d'ombre sur le visage du capitaine. Les gobelets de café vides et les cigarettes écrasées s'accumulaient sur la table et dans les cendriers.

Frédéric et Abigaël vinrent se camper à leurs côtés. Sur l'écran de l'ordinateur du chef, ils découvrirent une pièce éclairée par une ampoule. Un mur de brique dans la pénombre. Et devant, une piscine gonflable circulaire, aux parois translucides, d'environ un mètre de profondeur. Le genre d'objet qu'on installe au fond du jardin pour les enfants. Juste à la surface de l'eau, flottait un épais disque en Plexiglas recouvert de mousse, d'un mètre de diamètre, soutenu par un piquet de la même matière. Accroché au piquet, sur « l'île », une boîte noire qui affichait en gros, dans un rouge luminescent, un symbole en forme d'étoile, ainsi qu'une caméra.

— Qu'est-ce que c'est que ce truc ? demanda Frédéric.

— On ne sait pas encore précisément, répliqua Lemoine. Mais Victor avait parlé d'île, d'eau, de noyade. On pense que c'est la machine qui l'effrayait tant.

Abigaël observa plus en détail. Depuis le plateau circulaire au milieu de la surface liquide, des gaines électriques serpentaient jusqu'au sol et se perdaient dans l'ombre. Étaient posés à côté de la piscine une pile de pyjamas, des oreillers, ainsi que des serviettes en éponge.

— J'ai déjà vu ce symbole en forme d'étoile, fit-elle en désignant l'afficheur rouge. Il était copié sur des pages et des pages sur un cahier de Nicolas Gentil, avec des carrés, des triangles…

— C'est une webcam qui filme et qui nous retransmet l'image ? demanda Frédéric.

— Il semblerait que oui.

— Comment vous êtes arrivés sur ce site ?

— Dans les recoins de l'ordinateur de Gentil, nos experts ont trouvé une adresse Internet – une adresse IP – qui mène à cette webcam. Elle est positionnée en hauteur, dans l'un des angles de la pièce. Pas de fenêtre, des briques, un sol en terre battue semble-t-il.

À l'écran, tout était statique, silencieux. La surface de l'eau ressemblait à un miroir d'argent. Lemoine désigna un listing posé sur la table juste devant lui, constitué de centaines, de milliers de lignes.

— C'est l'ensemble des connexions de Gentil à cette adresse IP. Elles étaient mémorisées dans l'ordinateur. La toute première connexion remonte à septembre 2014, et la dernière à mars de cette année. Gentil est allé sur ce site tous les jours, et même plusieurs fois par jour, pendant plus de six mois.

Pas une seule fois il n'a manqué le rendez-vous. Le 25 décembre, il était là. Le jour de l'an aussi…

— Cette période correspond à peu près à la date d'écriture et de sortie de son livre, nota Abigaël.

Dans la barre de navigation, l'adresse Internet se résumait à une succession de chiffres et de points. Lemoine ouvrit un nouveau navigateur Web qu'il positionna à côté du premier, tapa la même adresse et ajouta : « /1hd3h5dfg ». Il expliqua, avant de valider :

— Cette adresse aussi était dans la mémoire de son ordinateur. Gentil n'a pas pu arriver sur ce site par hasard. D'après nos experts, il pourrait avoir trouvé cette adresse sur un forum, mais c'est peu probable. Ils pensent plutôt qu'elle lui a été fournie.

— Par Freddy ? questionna Frédéric.

— C'est là toute la question. On ignore encore si Freddy et Gentil sont un jour entrés en contact, et surtout, si c'est le cas, pour quelle raison.

Lemoine appuya sur la touche « Entrée ». Une autre webcam filmait. Noir absolu, mais deux petites lumières très rapprochées scintillaient et bougeaient parfois, comme deux lucioles synchronisées.

— Il y a quelqu'un… Quelqu'un qui porte des lumières sur le visage, on dirait.

— C'est ce à quoi j'ai pensé, répliqua Lemoine. On dirait des lunettes lumineuses. On a le son dans cette pièce, on entend parfois des bruissements de paille, des gémissements. Je crois que c'est l'endroit où a été séquestré Victor. Les enfants se tiennent dans des pièces voisines qui doivent être semblables à celles-ci.

Frédéric avait les poings serrés, posés devant lui sur la table.

— On peut retrouver l'origine de l'ordinateur qui diffuse ces horreurs ?

— Nos experts planchent là-dessus, mais ça a l'air très compliqué. Freddy s'y connaît. Je vous passe les détails techniques, mais le système est protégé. Les premières investigations mènent à des serveurs des pays de l'Est.

— Tu crois que… des gens regardent ?

— Hormis nous, personne pour le moment, d'après les gars de la cybercriminalité. Ils surveillent les connexions à l'adresse IP. Grâce à leurs outils, ils sauront si des gens se rendent à cette adresse. Mais selon toute vraisemblance, ces images sont forcément à destination de quelqu'un. Et Gentil faisait partie du lot.

Abigaël essayait de réfléchir à voix haute.

— Peut-être que ces caméras permettent aussi à Freddy de surveiller les enfants tout en étant au travail. Même de loin, il garde un œil sur eux. Il ne les lâche pas d'une semelle. Il est probable que d'autres caméras filment les autres pièces, les autres enfants. Les experts vont pouvoir retrouver les adresses des autres webcams si elles existent ?

— Ce n'est pas simple, mais ils y travaillent.

— Je suppose que Freddy a un moyen de savoir qu'on l'observe ? demanda Frédéric.

— Si nous le pouvons, alors lui aussi.

Frédéric se releva, nerveux. Il imaginait bien Freddy derrière son ordinateur, à détecter leur connexion, à les imaginer pénétrer son univers dément. Et si tel était le cas, ça ne l'inquiétait pas puisqu'il ne coupait pas l'accès au site.

— Peut-être que ça ne le dérange pas d'être

observé, fit-il. Peut-être même que ça lui plaît, que ça décuple son sentiment de supériorité.

Il fit quelques pas dans la pièce pour refroidir la coulée de lave qui bouillait dans ses artères.

— Les enfants que l'on cherche depuis plus d'un an sont quelque part de l'autre côté de cet écran, dit Abigaël. Qu'est-ce qu'on peut faire pour les retrouver ?

— En l'état, rien pour le moment, répliqua Gisèle de sa voix de stentor. Les experts sont à l'affût, ils enregistrent tout ce qui se passe sur les écrans, essaient de remonter la trace. On peut espérer très fort que Freddy se présente dans la salle où il y a cette machine, qu'il s'expose à ces caméras, qu'on voie enfin son visage.

Abigaël s'empara de la liste des connexions au site de Nicolas Gentil.

— Il faut qu'on comprenne comment Gentil est arrivé sur ce site. Il faut de nouveau l'interroger, accéder à son passé psychiatrique, comprendre qui il est et comment il est entré en contact avec Freddy. En l'espace de six mois, il a dû entendre ou voir des choses. Il pourrait nous aider.

— On va mettre tout ça en place le plus vite possible, répliqua Lemoine. Gentil a compris depuis bien longtemps que ces enfants étaient ceux liés à notre affaire. Et au lieu de nous le signaler, il a tout gardé pour lui pendant des mois. Il s'est nourri de leur souffrance pour écrire sa putain d'histoire.

Abigaël observa la dernière ligne.

— Son ultime connexion date du jour où il s'est coupé les doigts. Le 28 mars dernier, à 21 h 10. Il avait branché son ordinateur sur son écran géant, et…

et il était devant l'un de ces enfants. C'est à lui qu'il demande pardon. Pardon de n'avoir rien dit. Pardon de ne pas l'avoir aidé.

Abigaël observa la pièce obscure avec les deux lueurs. Pensa aux petites victimes. La pièce numéro 4 devait être juste à côté. Une caméra permettait-elle aussi d'observer son occupante anonyme ? Qui remplaçait Léa ? Abigaël aurait tout donné pour pouvoir observer deux secondes le visage de Cendrillon.

La lumière dans la pièce de la piscine s'éteignit, tandis que la caméra restait active. L'écran diffusait une espèce de neige grossière. Les enquêteurs retinrent leur souffle, mais plus rien ne se passa. Presque minuit. Patrick Lemoine se leva et alluma une cigarette au seuil de la pièce.

— On dirait bien que Freddy est allé se coucher. Je crois qu'il ne se produira rien cette nuit. Rentrez chez vous vous reposer un peu, il y aura toujours quelqu'un devant l'écran, de toute façon. On se tient au courant s'il y a du neuf. Ça risque de bouger pas mal dans les heures à venir. Il va falloir toute votre énergie.

— On est dans l'antre du monstre et tu voudrais qu'on parte ? répliqua Frédéric. On reste.

65

Abigaël sursauta au claquement d'une porte. Coup de fouet dans l'organisme, adrénaline, réveil, scan de l'environnement. La Veuve folie… Au-dessus d'elle, l'ampoule protégée par une grille grésillait.

Elle se redressa, dans cette moiteur caverneuse. Mains sur ses brûlures, rituel de vérification. Réalité. Elle avisa sa montre : 3 h 50. Elle s'était endormie une quinzaine de minutes.

Frédéric et Patrick étaient encore rivés à l'écran à son retour dans la salle Merveille 51. Dans la cuisine, Gisèle faisait couler le café.

— Tu as pu récupérer un peu ?

Abigaël trempa ses lèvres dans le breuvage que lui servit Gisèle.

— Ça va… Mais toi, tu ne devrais pas être auprès de ton mari à l'heure qu'il est ? Il va finir par avoir du mal à croire que tu consultes des recettes de cuisine…

— Je lui ai dit qu'on avait besoin de moi pour une urgence, que ce serait la dernière fois, bref, le truc qui finit forcément en engueulade. Mais c'est pas grave, on en a vu d'autres en trente ans de mariage.

Elle désigna du menton la salle de travail, le regard nostalgique.

— T'as beau dire, mais c'est ici que je me sens bien, avec eux. Quand on met nos tripes sur la table. Ce job, j'ai vraiment du mal à m'en défaire. Il est inscrit dans mon ADN, tu comprends ?

Elle apporta des tasses pleines aux hommes.

— Des nouvelles ? demanda Abigaël en s'approchant de l'écran.

— Oui, oui, répliqua Patrick. J'ai eu un appel de nos experts il y a dix minutes. Quelqu'un s'est connecté aux deux adresses du site à 3 h 45. D'abord, la connexion vers la piscine. Ensuite, vers l'autre pièce.

Elle fixa l'écran. Il ne se passait toujours rien de l'autre côté des webcams.

— Nos hommes sont en train de tracer l'endroit d'où vient la connexion, ce n'est pas le plus long. Ce qui prend du temps, ce sont les autorisations qu'on doit obtenir pour remonter à l'internaute de façon très précise. Nowicki a lancé les demandes. Si tout fonctionne bien, si la connexion n'est pas sécurisée, on peut espérer des résultats dans les heures à venir.

— Ça bouge ! fit Frédéric.

Grand silence. Tous retenaient leur souffle. Bruit de porte dans la pièce où était retenu l'enfant. Les deux points lumineux semblèrent voler dans l'obscurité, puis disparurent du champ de la caméra. Claquement de verrou. Après deux minutes, la lumière s'alluma dans la pièce de la piscine. Un enfant apparut.

— Il met un certain temps pour passer d'une pièce à l'autre, souffla Frédéric de peur que Freddy ne l'entende. Peut-être dans le sous-sol d'une grande maison... Ou une dépendance...

Le môme portait un pyjama identique à celui trouvé sur Victor. Amaigri, les joues creuses, comme aspirées de l'intérieur. Il portait des espèces de lunettes artisanales et lumineuses sanglées à sa tête par un système de lanières.

— On dirait Arthur, lâcha Lemoine en fronçant les sourcils.

Abigaël observa chaque détail. C'était bien d'Arthur qu'il s'agissait, le dernier petit kidnappé qui rêvait de devenir joueur de football. Comme Victor, il n'était plus que le fantôme de lui-même. Une autre silhouette s'avança dans le champ, attrapa le môme par le poignet. Le gamin poussa un petit gloussement, mais se laissa faire.

— C'est lui. C'est Freddy.

Abigaël se sentit comme électrisée lorsque Freddy fit front à la webcam. Il portait un costume qui ressemblait à une longue robe noire en lambeaux, avec la tête coiffée d'un masque de renard effrayant, au long museau roux et blanc, et dont les poils descendaient jusqu'au cou. L'une de ses mains portait un gant avec de courtes griffes, acérées comme des poignards. On aurait dit du métal.

Les gendarmes et Abigaël n'en perdaient pas une miette. Fixer cet écran, ce pauvre môme et le monstre qui l'accompagnait, c'était recevoir un couteau dans le ventre et regarder le sang couler, sans pouvoir empêcher la vie de vous glisser entre les doigts. Arthur, c'était un éclat de vie cerné de ténèbres.

Freddy ôta les sangles autour du crâne d'Arthur, puis les lunettes spéciales. L'enfant cligna des paupières puis, d'un geste qui paraissait coutumier, s'empara d'un oreiller avant de prendre place sur le disque au-dessus de la piscine. Il s'y allongea, pile sous un Caméscope qui le filmait probablement.

— Il sait ce qu'il faut faire, constata Abigaël. Il connaît la procédure par cœur. Cet endroit, c'est un lieu d'expérimentation, de conditionnement.

Il était exactement 4 heures lorsque Freddy appuya sur un bouton fixé au boîtier situé au-dessus de l'île. L'étoile luminescente se transforma en triangle après une poignée de secondes. Puis la lumière de la pièce s'affaiblit, devint douce, accompagnée d'une musique faite de bruits de cascade et d'orage lointains. Freddy avait disparu du champ visuel.

— Qu'est-ce qu'il fout ? demanda Frédéric.

— Il crée une ambiance calme, genre salle de détente : les sons hypnotiques, les légères variations de lumière qui se reflètent sur l'eau. Regardez, Arthur s'assoupit déjà.

En effet, le môme s'endormit presque instantanément, et tout l'écran sembla se figer. Seul le symbole luminescent changea au bout d'une dizaine de minutes. Le triangle devint cercle.

— Ce sont des séquences de ce boîtier que Gentil a recopiées sur un cahier et sur un mur de sa chambre, déclara Abigaël. Chaque jour, il était derrière son écran, comme nous en ce moment. Il observait tout ce qui se passait dans cette pièce. Et il notait les symboles.

— Pourquoi ces symboles changent ? Qu'est-ce qu'ils veulent dire ?

— Je n'en sais rien.

Lemoine s'était levé pour répondre à un appel. Il allait et venait, derrière eux, téléphone à l'oreille.

— L'observateur anonyme est toujours connecté, fit-il en raccrochant. Ce salopard d'internaute vicelard est en train de regarder ce qui se passe.

Frédéric enchaîna les cigarettes, le café coulait dans les gorges pour chasser la fatigue. Ils étaient tous comme des poissons rouges tournant dans un bocal, à affronter la réalité à travers un prisme. L'homme qu'ils traquaient depuis si longtemps se trouvait juste là, de l'autre côté de la vitre, et ils ne pouvaient rien faire pour l'atteindre.

Au bout de vingt minutes, l'île se mit à pencher doucement, actionnée par un piston. Freddy apparut à côté de la piscine. Avec l'inclinaison croissante, le corps d'Arthur glissa et finit par tomber dans l'eau. Le gamin se réveilla en criant face à l'immonde tête de renard. Épouvanté, il but la tasse et faillit se noyer. Abigaël partit vomir aux toilettes. Lorsqu'elle revint, l'île se redressait tandis qu'Arthur hurlait.

La consternation et l'effroi frappaient les visages des deux hommes et des deux femmes qui essayaient de comprendre la raison d'un tel acharnement. Personne ne parlait, quelques échanges de regards perdus qui finissaient par revenir vers l'écran. Tenu fermement par Freddy, Arthur sortit de la piscine, se déshabilla, s'essuya, tout en grelottant. Guidé par les gestes secs de son bourreau, il enfila un autre pyjama, saisit un nouvel oreiller et reprit sa position recroquevillée sur l'île. Il essaya de garder les yeux ouverts, de lutter contre le sommeil.

Frédéric ne tenait plus en place. Il se leva, se mit à déambuler à l'instar de son chef. Pendant qu'il ne regardait pas, le symbole changea deux fois de suite en moins de dix secondes. Carré, cercle. Arthur se rendormit de longues minutes. Progressivement, son corps se relâchait, le sommeil venait le chercher, l'engloutissait vers les abysses.

Puis encore, l'île qui penchait, la chute dans l'eau, le réveil, les cris, la présence de Freddy. Malgré l'angoisse de la noyade qui lui vrillait le ventre, Abigaël se tourna vers les gendarmes.

— J'ai l'impression que Freddy essaie de contrôler le sommeil d'Arthur. Les lunettes avec les lumières orientées vers les pupilles sont là pour l'empêcher de s'endormir tant que son kidnappeur ne l'a pas décidé. Freddy l'amène dans cette salle, lui ôte les lunettes. Arthur est tellement épuisé et soulagé de ne plus avoir de lumière dans les yeux qu'il s'endort sur-le-champ. Freddy le laisse alors s'enfoncer dans les différentes phases du sommeil. Sommeil lent, lent profond, profond. Mais il le réveille quand tous les muscles se relâchent, juste avant l'entrée dans le sommeil paradoxal. Regardez la caméra présente juste au-dessus : Freddy doit surveiller les mouvements de paupières d'Arthur. Et à mon avis, dès qu'elles se mettent à bouger très vite, Freddy déclenche la bascule de l'île, ce qui réveille l'enfant.

— C'est dément, fit Patrick. Pourquoi il fait ça ?

— À chaque nouvel endormissement, l'organisme essaie de compenser le manque de sommeil paradoxal en réduisant les autres phases préliminaires. Les phases de sommeil lent profond, puis lent vont finir par disparaître au profit du sommeil réparateur et essentiel à la vie. Je pense que… qu'après plusieurs semaines de cet horrible traitement, le cerveau d'Arthur ne sait plus très bien où il en est. Il a un tel besoin de sommeil profond et paradoxal qu'il déclenche la paralysie avant même qu'il ne s'endorme.

— Exactement ce qui s'est passé avec Victor quand on l'a retrouvé. C'est donc comme ça que Freddy transforme leur sommeil. Un traitement digne d'une expérimentation nazie. À force de terreurs et de privations, les hallucinations se multiplient. L'incube finit par apparaître.

Derrière son écran, Patrick n'en pouvait plus. L'impuissance le dévorait. Et le temps passait, et Arthur sombrait, et le cycle recommençait. Comme en phase avec le gamin, Abigaël n'arrivait plus à lutter, sa tête vacillait, le serpent avait faim.

— Désolée, il faut que… que je…

Elle ne termina pas sa phrase et s'endormit assise sur sa chaise, la tête sur ses bras étalés devant elle. Frédéric écrasa sa cigarette.

— Quand elle tombe comme ça, même une bombe ne pourrait pas la réveiller. Je la ramène à l'appartement, il faut qu'elle se repose. Dans une demi-heure, je suis de retour.

— Tu veux de l'aide pour la transporter jusqu'à la voiture ?

— Merci, mais je devrais me débrouiller.

Il passa le bras de la jeune femme autour de son cou et disparut dans les couloirs.

Après une demi-heure, il revint avec un paquet de

café neuf, des biscuits et des canettes de Coca. Gisèle était partie se reposer dans une chambre.

— J'en ai profité pour vider les placards. (Il montra l'écran.) Alors ?

— Viens voir.

Arthur était réfugié dans l'angle d'un cachot, sans lunettes, les genoux pliés contre son torse. Il fixait l'ampoule du plafond avec de la terreur dans les yeux. La pièce se résumait à un cube de béton d'environ trois mètres sur trois, sans fenêtre, au sol recouvert de paille. Dans un coin, un matelas, une bouteille d'eau, un seau en métal.

— Exactement tel que Victor a décrit les lieux, dit Patrick.

Les deux gendarmes n'en pouvaient plus, leurs corps étaient crispés, traversés de nœuds. Ils allumèrent une énième cigarette pour décompresser un peu. Frédéric avait utilisé le Zippo d'Yves, récupéré sur le bureau de son salon. Il le manipula dans sa main.

— Abigaël s'est réveillée quand on est arrivés à l'appartement. Et elle a encore essayé de se brûler. À 4 heures du matin, tu te rends compte ? Elle voulait être sûre que « tout était vrai », garder une trace de ces heures passées à observer un pauvre môme en train de se faire torturer. J'ai dû lui arracher ce fichu briquet des mains, elle ne voulait pas le lâcher. J'ai tout embarqué avec moi. Mes cartouches de cigarettes, mes briquets, mes allumettes.

Il observa le fou gravé dans le métal, l'air triste.

— Je ne t'ai pas dit, mais…

— Mais quoi ?

— L'intérieur de sa cuisse est couvert de tatouages

récents. Elle a fait ça en cachette avant de me le révéler, il y a quelques jours.

— Quel genre de tatouages ?

— Des phrases en rapport avec sa fille, avec Freddy, avec l'écrivain, du type « Qui est Josh Heyman ? » ou encore « Découvrir les démons de JH ». Elle utilise son corps comme une sorte de… parchemin. Chaque jour, j'ai l'impression que ça empire. Ses pensées noires, la fréquence des brûlures et des piqûres d'aiguille. C'est toute cette histoire qui lui monte à la tête.

— Qu'est-ce que tu comptes faire ?

Frédéric haussa les épaules.

— Qu'est-ce que tu ferais, toi, à ma place ?

— Je sais pas, j'ai des mômes, une femme que je connais depuis plus de vingt ans, c'est un peu différent. Mais si ce genre de chose lui arrivait, je crois que… que ça me rendrait complètement marteau. Je ne peux pas l'imaginer se brûler avec des cigarettes. Ce serait pas Hélène, ça. Mais si vraiment elle le faisait, j'aurais peur que… qu'elle aille plus loin. Qu'elle finisse par se faire vraiment mal. Avec des couteaux, des lames, tu vois le genre ? Je ne suis pas médecin, mais ça m'a l'air bien grave, quand même, ce qui est en train de se passer avec Abigaël. Je serais toi, je l'emmènerais consulter un psy.

— On en a déjà parlé. Elle refuse.

Frédéric hocha le menton vers le visage d'Arthur.

— Je sais que c'est pas bon pour elle de voir ces horreurs. Penser à ces enfants lui rappelle sa fille en permanence. Elle est prise dans une spirale autodestructrice. C'est pour ça que j'aimerais que tu me rendes un service.

— Je t’écoute.

— Il faudrait qu’elle n’accède plus aux dossiers, ni qu’elle entre ici comme bon lui semble.

— La retirer de l’enquête, tu veux dire ?

Frédéric acquiesça. Patrick Lemoine réfléchit quelques instants.

— Très bien. Si c’est mieux pour elle.

66

Au milieu de la matinée, Abigaël sortit du débit de tabac avec un paquet de cigarettes et un nouveau Zippo entre les mains. Elle devait sentir la présence du feu à proximité pour se rassurer et réagir aux événements cruciaux. Il fallait qu'elle s'accroche à la réalité, ses cicatrices la portaient vers l'avant, l'aidaient à tenir et se battre. Certes, Frédéric veillait sur elle, mais il ne l'empêcherait certainement pas d'aller au bout de sa quête en la privant de ce petit objet de fumeur.

Elle rentra à l'appartement et s'installa au bureau, le nouveau briquet posé devant elle.

Coup d'œil sur son écran allumé : un mail était arrivé. Il provenait d'un certain Ghislain.

« *Bonsoir Abigaël,*
Je n'ai pas eu de nouvelles de votre part, mais avez-vous pu finalement déchiffrer votre message crypté grâce au chiffre-livre ? Tenez-moi au courant. Je vous l'ai dit, votre problème m'intrigue.
Bien à vous,
Ghislain (forum cryptographie) »

Aucun souvenir de ce Ghislain ni d'avoir un jour entendu parler de chiffre-livre. Elle fouilla dans les éléments reçus, envoyés, dans la corbeille de sa messagerie, mais ne décela nulle trace d'un échange avec lui. Elle lui répondit en lui demandant de renvoyer les informations et attendit derrière son écran. La réponse n'arriva pas, malheureusement.

Une fois prête, elle se mit en route pour la caserne. La barrière ne s'ouvrit pas lorsqu'elle se présenta devant le poste de sécurité de la Veuve folie. Elle baissa la vitre et fit un petit signe au planton, qui s'avança.

— Je suis désolé, mais vous n'avez plus l'autorisation d'entrer.

— Vous devez vous tromper. Vous pouvez vérifier ?

Le gendarme ne daigna pas consulter ses papiers.

— Je sais qui vous êtes, madame Durnan, et je vous dis que vous n'avez plus l'autorisation d'entrer.

— Et je peux savoir qui a ordonné une chose pareille ?

— Le capitaine Lemoine.

C'était forcément une erreur. Abigaël fit marche arrière, se gara un peu plus loin et décrocha son téléphone. Mais ni Frédéric ni Patrick Lemoine ne répondirent. Elle laissa des messages. Pourquoi Lemoine l'aurait-il brusquement écartée ? Certes, elle n'était pas revenue de façon officielle sur l'affaire, mais quand même…

Une fois de retour à l'appartement, elle hésita à se connecter au site de Freddy, elle avait mémorisé l'adresse Internet et brûlait de savoir ce qui se passait.

Mais elle se résigna, afin de ne pas saper le travail des gendarmes en créant une nouvelle connexion.

Consultation des mails. L'internaute du forum de cryptographie, Ghislain, ne lui avait toujours pas répondu. Elle se mit à tourner en rond. Elle n'en pouvait plus d'attendre, de rester cloîtrée ici, à ne rien faire. Dernier recours : un coup de fil à Gisèle, qui décrocha son téléphone.

— Patrick m'a vraiment écartée de l'affaire ? demanda-elle de but en blanc.

— Oui. Il dit que tout ça, ça te…

— Il est à côté de toi ?

— Parti avec Frédéric il y a une demi-heure.

— Où ça ?

— Patrick m'a demandé de…

— Où ?

— Je te fais confiance, Abi, et je ne t'ai rien dit. Les équipes informatiques savent que la connexion Internet fantôme provient du réseau d'un téléphone portable en partage avec un ordinateur, et qui est toujours connecté au site de Freddy. L'antenne relais est située à l'est de Saint-Omer. Ils sont en train d'affiner pour localiser le téléphone. Ils pensent qu'ils auront l'information dans deux heures. Je ne peux pas t'en dire plus, je suis…

Abigaël avait déjà raccroché. Saint-Omer. Encore une ville qu'elle connaissait bien, parce qu'elle y avait passé une partie de sa scolarité en pension. Le collège privé Saint-Julien, un ensemble de bâtiments gris et austères entourés de marais… Un endroit évoqué dans son portrait fait par la presse et qui avait fermé ses portes en 2001, à cause de problèmes de financement. Son quotidien jusqu'à la fin de la troisième.

Les souvenirs de cette période n'étaient plus très nets, mais résistaient au trou noir dans sa mémoire.

Comme pour la maison abandonnée de Loon-Plage, il ne pouvait pas s'agir d'un hasard. L'enquête la ramenait chaque fois sur les traces de son enfance. Les cauchemars, le sommeil… Abigaël y voyait là une équation à multiples inconnues impossible à résoudre.

Un quart d'heure plus tard, elle quittait Lille en direction du Pas-de-Calais, sans arme, sans savoir ce qui l'attendait, avec ses seules interrogations. Un type s'était peut-être connecté au site de Freddy pour observer un enfant en souffrance depuis un endroit qui lui était familier.

Elle roula pied au plancher, radio éteinte, essayant de contrôler ses pensées, de refouler toute émotion qui pourrait réveiller le serpent. Elle compta les bandes blanches sur la route. Autoroutes, nationales. Au bout d'une heure, le paysage changea, tandis que le soleil était à son zénith. La végétation chassa le béton et la brique, la nature envahit l'espace. Face à elle, des arbres au feuillage d'émeraude, des canaux noirs qui miroitaient sous le ciel bleu pâle. L'humidité saturait l'air, des grappes d'insectes bourdonnaient plus loin, troublant l'horizon. L'Audomarois, c'était le bayou du Nord. Abigaël se rappelait vaguement les allers-retours entre Loon-Plage et Saint-Omer, le week-end. Son père, qui l'abandonnait à l'internat avant de disparaître durant toute la semaine, parfois plus. La rigueur de l'enseignement et ses nombreuses punitions, à chaque endormissement en classe. Ici, elle avait appris ses leçons à coups de bâton sur les doigts.

Elle bifurqua sur une route bordée de langues d'eau, d'arbustes touffus, à un kilomètre à peine de la ville, puis aperçut au loin l'établissement à la grille d'entrée mangée par les ronces. Elle se gara sur le bas-côté et sortit, coupée du monde.

Le cadenas du portail était rouillé et ouvert. Forcé, ou pas ? Abigaël écarta un vantail et se faufila dans l'interstice. Tellement étrange de remettre les pieds dans ce lieu du passé, presque irréel. Trop calme, trop silencieux. Deux, trois oiseaux, perchés haut dans les branchages, comme les gardiens d'un vieux temple. Les mauvaises herbes avaient profité des craquelures dans l'asphalte pour pousser de façon désordonnée au milieu de cette cour où, jadis, avaient joué des enfants. Abigaël pensa aux *Oiseaux* d'Hitchcock. Il régnait ici le même genre d'atmosphère que dans le film, juste avant que les volatiles attaquent l'école.

Elle se glissa derrière l'un des murs de brique de l'ancien bâtiment administratif et rédigea un SMS pour Patrick Lemoine et Frédéric : « Suis à mon ancienne école privée de Saint-Omer/Clairmarais. Suis en danger. » Elle n'envoya pas ce message et garda le téléphone en main, prête à appuyer sur « OK » à tout moment. Elle sentait, partout autour, comme une main crochue prête à l'étrangler. Une espèce d'incube en chlorophylle, de Horla végétal qui jaillirait du fond de la forêt.

Pourtant, rien n'indiquait une présence humaine. Si quelqu'un était là, n'y aurait-il pas une voiture garée alentour ?

Les quatre bâtiments principaux se situaient autour d'un grand parc où ne survivaient que des vestiges de bancs, de vieux buts de foot rouillés, de terrains de basket aux paniers en lambeaux. Abigaël longea la cantine, lorgna par les fenêtres grises de crasse ou brisées. Des dizaines de chaises entassées en mikado au milieu, entre les tables retournées ou plaquées contre les parois. Des tags, ici et là, des sigles, des dessins tordus, des gueules de chiens, des serpents, des pentacles. Elle accéléra le pas, observa dans les coins et recoins. L'immobilité des choses mortes avait quelque chose de terrorisant.

Puis elle s'avança vers l'internat des filles. Une grande mâchoire de requin avait été peinte autour de l'entrée. Abigaël monta avec retenue les marches en béton. Porte ouverte récemment : les orties devant le seuil avaient été piétinées.

Elle resserra sa poigne sur son téléphone portable quand la mâchoire l'avala.

Il faisait beaucoup plus frais à l'intérieur du bâtiment. Devant elle se déployait le grand couloir austère et sans âme… Le carrelage craquelé… Les chambres, de part et d'autre, vidées de leurs meubles… Abigaël entendait au fond de sa tête les pas lourds de la surveillante… Les rires dans les pièces adjacentes, les pleurs parfois, surtout les siens. Les années passées ici n'avaient pas été heureuses, et sa narcolepsie n'y avait pas été pour rien : « paresseuse », « affabulatrice », des qualificatifs crachés par toutes les bouches… Son fardeau quotidien.

Elle observait à droite, à gauche, en marchant vite, étranglée par l'angoisse du passé. À un moment, elle s'arrêta : que faisait-elle dans cet endroit abandonné depuis des années ? Complètement improbable. Un scénario digne de l'un de ses pires cauchemars.

Elle voulut relever la manche droite de son sweat, mais une sonnerie de téléphone la glaça. Ça provenait de la salle des douches, à l'autre extrémité du couloir.

Elle retint son souffle, immobile, avec l'impression que, si elle faisait le moindre pas, le monde entier l'entendrait. La sonnerie cessa enfin. Personne n'avait répondu.

Elle laissa s'écouler une ou deux minutes puis s'approcha à pas de loup, évitant les morceaux de verre qui jonchaient le sol. Son pouls s'était accéléré, ses sens bouillaient. Son corps en alerte préparait déjà la fuite. Elle inspira fort, bascula dans la pièce et s'immobilisa net, comme si elle avait percuté une vitre invisible.

Des centaines de feuilles de journaux recouvraient chaque centimètre carré du carrelage. Méticuleusement scotchées entre elles et contre les plinthes, jusqu'au seuil des douches aux portes volatilisées. Un vrai travail de psychopathe.

La plupart de ces doubles pages montraient le même visage : le sien. Il s'agissait du grand portrait pour la presse, répliqué à l'infini. Abigaël se tenait face à des centaines de copies d'elle-même.

La vague d'émotion qui la submergea fut d'une telle force que la jeune femme sentit ses jambes se dérober. Son téléphone portable lui échappa des mains et s'écrasa sur le carrelage. Elle eut à peine le temps de penser *cataplexie* que, à l'instar de son appareil, elle tomba les genoux en premier, puis l'épaule gauche qui percuta violemment la surface, suivie par la tête. Bruit sourd sous son crâne, côté tempe gauche. Une douleur l'irradia. Elle était désormais incapable de bouger le moindre muscle.

À la merci de n'importe qui.

67

Abigaël gisait, devant le téléphone inconnu posé à quelques mètres, à proximité d'un cahier fermé et d'un ordinateur portable allumé. Sa joue avait raclé le sol, ses narines reniflaient la poussière. Ses yeux ne pouvaient pas rouler dans leurs orbites – les muscles oculaires jouaient aux abonnés absents – et étaient rivés sur l'écran de l'ordinateur qui montrait Arthur, enfermé dans sa pièce faiblement éclairée. Le gamin était assis sur son matelas, les genoux contre le torse, triste et immobile. Il tourna la tête dans sa direction et quelque chose changea dans l'expression de son visage. Il y apparut de la surprise.

Abigaël eut alors une certitude : il la voyait. La webcam de l'ordinateur devait être activée. L'enfant recula dans un coin et se recroquevilla. Il ne la lâchait plus des yeux. Abigaël se rappelait parfaitement les cris de Victor lors de leur rencontre. À l'évidence, Arthur aussi avait peur d'elle.

Elle tenta de rester calme, de faire le vide dans sa tête. Il fallait que son cerveau comprenne qu'elle ne dormait pas, qu'il la débarrasse de cette paralysie du corps. La cataplexie pouvait durer une, deux, dix minutes, il n'y avait pas de règles, il n'y en avait jamais eu.

À l'écran, Freddy apparut, d'abord de dos. Un dos large, massif. Il portait son masque de renard, sa cape sordide, son gant avec les griffes. Il regarda dans la même direction que le gamin. Vers Abigaël. Sa tête s'inclina alors vers la gauche, puis s'approcha de l'écran qui devait se trouver dans la cellule d'Arthur. Puis il se redressa et se mit à aller et venir au fond de la cave. Nerveusement.

Dans le cachot de son corps, Abigaël luttait. Son téléphone portable la narguait, à dix centimètres de son nez. Il suffisait d'appuyer sur l'écran pour envoyer le SMS aux gendarmes, mais, même ça, elle n'en avait pas la force. De l'autre côté de la caméra, Freddy était aussi immobile qu'elle. Il la fixait. Sa grosse truffe noire de renard devait être collée à la webcam, car elle occupait la quasi-totalité de l'écran.

Soudain, Abigaël perçut le bruit d'un moteur de voiture. Un ronflement lointain qui s'infiltrait au plus profond de son organisme, qui faisait vibrer le carrelage sous sa joue meurtrie. Son cœur monta dans les tours. Elle sentait la peur l'ensevelir, son cerveau lui ordonnait de fuir autant qu'il la paralysait. Paradoxe insupportable qui lui déchirait le corps et la conscience.

Le véhicule arrivait à présent dans la cour. Le grondement du moteur cessa. Une portière claqua de l'autre côté du mur. Une seule personne. Il ne pouvait donc pas s'agir des gendarmes.

C'était lui. Le propriétaire de l'ordinateur.

Abigaël n'arrivait même pas à déglutir. Ses doigts pesaient des tonnes, une chape de béton la clouait au sol. Son souffle s'accélérait, la panique la gagnait, elle était comme une méduse gisant sur le bord de la plage. Incapable de se défendre. Freddy s'était plaqué contre l'écran pour mieux voir, pour la sentir. Avait-il entendu la voiture arriver, lui aussi ? Elle pouvait deviner, dans les trous sombres du masque de renard, la noirceur de ses yeux et la couleur de sa haine.

Un bruit résonna dans le couloir de l'internat. Au moment où une porte lointaine claqua, Abigaël sentit un frémissement de mouvement dans ses mains. L'influx nerveux se propagea jusqu'à ses épaules, qu'elle put faire rouler. La marée se retirait. Elle sentait à peine ses jambes lorsque deux chaussures apparurent juste devant ses yeux. L'une d'entre elles s'abattit sur son visage, l'écrasant contre son propre portrait sur le papier journal.

Puis une voix jaillit de l'ordinateur. Celle de Freddy.

— Cogne-la.

Abigaël voulut hurler, mais un râle à peine audible sortit de sa gorge.

— Cogne-la, j'ai dit ! s'écria Freddy d'une voix plus ferme.

Alors ce fut la douleur sur le crâne. Puis le noir.

68

Flou… Focalisation… La surface des murs ondoyante, puis lisse… Un homme de dos, agenouillé devant l'ordinateur, dans une position de prière… Posé à ses côtés, sur les journaux, un grand couteau de cuisine ensanglanté.

Abigaël ressentait une douleur lancinante à la tête, aux épaules. Partout. Elle avait été transportée dans un coin, placée en position assise, ses mains et ses pieds attachés avec du fil électrique poussiéreux. L'homme avait serré si fort que le câble lui tailladait les chairs. Dans sa bouche, un chiffon à l'odeur de gasoil, qui lui permettait à peine de respirer. Nausées, estomac noué. Plusieurs tours de ruban adhésif lui écrasaient les joues et la bouche. Elle baissa la tête, scruta son ventre, ses jambes, ses bras. D'où venait le sang sur le couteau ? Où l'homme l'avait-il frappée ? Des images terribles lui vinrent en tête : on l'avait anesthésiée, on lui avait volé un organe puis recousue. Elle voulut déglutir et se mit à tousser.

L'individu avait le dos arrondi, des épaules tombantes, les cheveux courts. Une veste verte chiffonnée sur les épaules. Une physionomie qui disait quelque chose à Abigaël. Cette silhouette, elle l'avait déjà croisée.

Quand l'homme tourna la tête dans sa direction, elle sentit une boule d'effroi exploser dans son ventre. Elle le connaissait, elle lui avait rendu visite voilà quelques jours à peine.

Cet homme qui pleurait son fils. Le père d'Arthur.

Ses yeux étaient baignés de larmes. Chemise ouverte, débraillée, trempée de sel et de sueur. Devant lui, sur l'écran de l'ordinateur, seul Freddy profitait du spectacle : Arthur avait disparu de la pièce.

— Il voulait que ce soit comme ça, murmura Benjamin Willemez. Il voulait que ce soit ici, avec les journaux, et moi au milieu. Il voulait qu'on...

Son visage était d'un blanc cadavérique, et ses globes oculaires injectés de sang. Il se redressa avec difficulté et se tourna vers Abigaël, les bras écartés, les paumes orientées vers l'avant. Deux entailles traversaient ses poignets, deux grands sourires profonds aux lèvres cerise.

Il se vidait de son sang.

— ... qu'on me retrouve mort au milieu de tous ces articles. C'était la seule possibilité.

Son téléphone portable sonna de nouveau. Benjamin tressaillit et fixa l'engin, s'essuyant le front avec son avant-bras imbibé d'hémoglobine.

— C'est ma femme... Oh, mon Dieu !

— Tu la fermes ! cria Freddy de l'autre côté de l'écran. Et regarde-moi !

Le père d'Arthur porta ses mains ouvertes à son visage, le sang éclaboussa sa chemise. Il fixait toujours Abigaël.

— Vous lui direz que, quoi qu'il ait pu se passer, quoi qu'elle pense, je l'aimais. Que…

La voix de Freddy, encore, qui ordonnait et menaçait. Benjamin se mit à trembler et se tourna vers lui. Les ordres de Freddy, toujours :

— À genoux.

L'homme obéit, hypnotisé par l'écran. Le sang coulait sur son pantalon, jusqu'à former une petite flaque à ses pieds. Abigaël tenta de se défaire de ses entraves, en vain. Elle suppliait à travers son bâillon. Le père d'Arthur allait mourir devant elle.

Mais Benjamin n'entendait plus rien, sa tête dodelinait, la vie le quittait. Il peina à tendre une main vers l'écran.

— Je suis tellement désolé d'avoir attendu si longtemps, murmura-t-il.

Il vacilla, bascula sur la gauche, s'effondra. Dans un ultime effort, il se mit en position fœtale. Son corps fut pris d'un soubresaut, puis plus rien. Abigaël fixa l'écran, cet homme monstrueux qui, à son tour, la dévisageait, caché derrière son masque. Cette gueule démente de bête sauvage. Cette mâchoire entrouverte, aux canines acérées. Le démon voleur de sommeil.

— Ton tour, bientôt, fit Freddy d'une voix grave.

Puis il se leva et disparut du champ. Quelques secondes plus tard, l'écran devint noir, tandis que le sang de Benjamin Willemez était peu à peu absorbé par les feuilles de journaux, avec ce feulement presque imperceptible du papier qui boit.

Et, tandis qu'elle entendait d'autres moteurs de

voiture, que des portières claquaient et que des bottes militaires écrasaient le verre brisé en se précipitant dans l'internat, Abigaël regarda les yeux morts du père d'Arthur, sûre d'une chose : il ne s'était pas suicidé.

69

Elle était appuyée contre une voiture de gendarmerie dans la cour de l'école. Un pansement recouvrait une partie de son crâne, là où le père d'Arthur l'avait cognée. Pas de blessure sanguinolente, juste deux grosses bosses, dont l'une due à sa chute. Les cimes des arbres feulaient autour d'elle, et les oiseaux étaient toujours là, imperturbables, perchés sur les branches. Frédéric lui apporta un gobelet d'eau, tandis que des hommes en uniforme entraient et sortaient de l'internat.

Elle but à grandes gorgées pour chasser le goût infect du gasoil au fond de sa gorge. Son compagnon lui passa une main dans la nuque, mais elle s'écarta imperceptiblement.

— J'ai eu si peur. Qu'est-ce qui t'a pris d'agir en solo, bon sang ? Tu aurais pu te faire tuer.

— Mais ça n'est pas arrivé. Freddy ne souhaitait pas me voir mourir. Pas ici, pas de cette façon.

Abigaël avait croisé ses bras, la tête baissée, hantée par le souvenir des dernières paroles de Freddy : « Ton tour, bientôt. »

— Tu m'en veux ? fit Frédéric.

— Pourquoi je t'en voudrais ? Avec Patrick, vous m'avez écartée de l'affaire.

— Ne jette pas la faute sur Patrick, l'initiative vient de moi. Je voulais juste te protéger. Il faut croire que j'ai bien raté mon coup.

Patrick Lemoine les rejoignit.

— Je viens d'apprendre que Freddy avait coupé tous les contacts, son site est devenu inaccessible, annonça-t-il. Page noire, *nada*. Plus aucun moyen de le tracer ni de surveiller d'éventuelles connexions.

Il protégea l'extrémité de son briquet d'une main et alluma une cigarette de l'autre. Abigaël observa la flamme qui se débattait dans l'air, les lèvres pincées, et fit glisser ses doigts sur le briquet neuf au fond de sa poche. Sentir son métal froid la rassura.

— Faut que tu nous expliques ce qui s'est passé, dit le capitaine de gendarmerie. Comment tu t'es retrouvée ici avant nous ? Comment tu as su ?

Abigaël livra un récit détaillé des dernières heures. Sa tentative de les joindre par téléphone, l'appel à Gisèle, l'évocation de Saint-Omer, le souvenir de cette école privée, le rapport avec son adolescence…

— Benjamin Willemez ne s'est pas suicidé.

— Il présente deux entailles au niveau des poignets, faites avec un couteau de cuisine qui porte encore l'étiquette du prix. Si ce n'est pas un suicide, qu'est-ce que c'est ?

— Une exécution. Il obéissait aux ordres.

— Aux ordres ?

— C'est Freddy qui lui a ordonné de venir dans mon ancienne école, de disposer tous ces vieux journaux me concernant au sol et de s'ouvrir les veines.

Freddy était aux premières loges, il a voulu jouir de sa mort en direct.

Elle regarda son gobelet vide entre ses mains, songeant à chaque instant qu'elle venait de vivre. Puis releva un regard déterminé vers les deux gendarmes.

— On a cherché au mauvais endroit. Les enfants ne sont que les instruments de sa vengeance. C'est aux parents qu'il s'attaque en s'en prenant à leur progéniture. Ce sont eux, la cible.

— Précise, fit Lemoine.

— Il les tient en laisse, les détruit à petit feu, jour après jour. D'abord le kidnapping, puis les épouvantails pour montrer son pouvoir de vie ou de mort, puis l'interminable attente, et…

Elle inclina la tête, comme si un sac de nœuds venait de se défaire d'un coup sous son crâne.

— Il y avait un cahier dans la pièce, pas loin de l'ordinateur. Qu'est-ce qu'il y a dessus ?

— Je l'ignore, répliqua Patrick. Les techniciens sont en train de figer la scène de crime et…

— Je voudrais le voir. S'il contient bien ce à quoi je pense, alors… Oh, mon Dieu !

Elle vacilla, dut s'appuyer de nouveau contre le véhicule. Frédéric ouvrit la portière.

— Assieds-toi.

— Ça va aller. Le cahier, Patrick, s'il te plaît…

Il alla le récupérer auprès d'un technicien, après avoir enfilé une paire de gants en latex. Abigaël fit de même. Puis prit le cahier et le feuilleta.

— Regardez, les symboles sont là, sur des pages et des pages. Des ronds, des carrés, des étoiles, comme sur le mur et le cahier de Gentil.

— Qu'est-ce qu'ils signifient ?

— Quand je suis allée voir la mère d'Arthur, elle était persuadée que son mari la trompait. Il se rendait d'hôtel en hôtel, il dormait souvent à quelques kilomètres seulement de chez lui plutôt que de rentrer à la maison. Mais ce n'était pas à cause d'une femme, c'était parce que Freddy le forçait à se connecter à son site en pleine nuit, et à regarder son fils dépérir. Benjamin ne pouvait pas se poster devant son écran chez lui. Il fallait qu'il soit seul, isolé.

Patrick écrasa du talon sa cigarette à peine entamée. Il ne sentait même plus le goût du tabac et son envie de fumer avait été coupée net. Abigaël caressait sans s'en rendre compte son avant-bras gauche.

— Freddy le contraignait à regarder chaque fois qu'Arthur était placé sur l'île dans la piscine. Dès que le symbole changeait, Benjamin Willemez devait le noter sur son cahier, afin de n'en louper aucun. Une véritable torture pour un père : voir son fils dans de telles conditions et ne pas pouvoir détourner la tête. Puis, je suppose que Benjamin transmettait les séquences de symboles à Freddy, peut-être par mail ou en postant un message sur Internet. S'il manquait un symbole, s'il y avait une erreur quelconque, il devait y avoir des représailles. Une punition sur Arthur, des menaces de mort.

Frédéric et Patrick gardaient le silence et écoutaient avec attention. Abigaël était plongée dans ses déductions :

— Benjamin a dit : « Je suis tellement désolé d'avoir attendu si longtemps » avant de mourir. Je crois que Freddy attend un acte de leur part, il attend que…

Elle claqua des doigts et arpenta le macadam craquelé.

— Victor… On n'a jamais compris pourquoi Freddy l'avait relâché en premier. Qu'est-ce qu'on sait de Béatrice Caudial, sa mère ?

Patrick se rappelait cette femme venue voir son fils à l'hôpital, lorsqu'ils avaient retrouvé Victor. Un véritable zombie. Autant démolie que son enfant.

— Tu crois qu'elle aussi, elle se rendait sur ce site ? Que Freddy la contraignait à regarder Victor enfermé dans la salle de la machine et qu'elle devait noter les symboles ?

Abigaël secoua la tête.

— Pas elle, non. Mais rappelez-vous : Béatrice Caudial, caissière de supermarché. Mère seule vivant avec Victor, son unique enfant. Jamais mariée, pas d'hommes dans sa vie d'après ce qu'elle nous a raconté. Elle a eu Victor très jeune. Elle est un peu paumée, facile, ça s'est passé pendant l'été : Béatrice a 18 ans, une jeune fille jolie, très frivole et qui a tendance à aller voir un peu n'importe où, pour reprendre ses mots. Incapable, donc, de mettre un visage sur le père de Victor. On n'a pas creusé à fond cet épisode de sa vie, on aurait dû.

— Pourquoi ? Où est-ce que tu veux en venir ? demanda Frédéric qui ne tenait plus en place.

— Je pense que Nicolas Gentil est le père de Victor.

70

Il y eut un grand blanc après la déclaration d'Abigaël. C'était le genre de révélation qui, pour un gendarme, donnait l'impression d'avoir foiré l'enquête depuis le début.

— Rappelez-vous. Nicolas Gentil commence à se connecter au site juste après l'apparition de l'épouvantail lié à Victor, en septembre 2014. Sur son ordinateur, on découvre qu'il dispose de deux adresses Internet : celle de la salle qui contient la machine et celle qui filme la cellule du gamin. Tous les quatre jours, Freddy le force à se connecter et à assister au calvaire de son fils, en le contraignant à noter les symboles. Que lui fait croire Freddy ? Qu'il va finir par libérer le gamin si Gentil ne dit rien à personne et respecte les règles. Que, s'il parle, il tue Victor, il le mutile à l'image de l'épouvantail qu'il vient de livrer. Gentil est seul, isolé sur son île. Personne à qui parler. Il est plongé dans l'écriture d'un roman qui l'aide à exorciser les terribles visions que Freddy lui inflige. Comme une mise en abyme, c'est de notre enquête qu'il s'inspire pour raconter son histoire. Écrire l'aide à tenir le coup, mais chaque mot l'enfonce davantage dans les ténèbres et la folie. S'il désobéit, Dieu seul sait ce que Freddy le forcera à regarder… Puis vient le moment où Freddy fixe une condition à Gentil : s'il veut que son fils soit libéré, il doit se couper les dix doigts. C'est le contrat. C'est la punition. Qu'y a-t-il de pire pour un écrivain ?

Patrick Lemoine acquiesça avec conviction.

— Gentil se mutile fin mars, Victor est libéré début avril. Ça colle.

— Et toutes ces photos et vidéos pédopornographiques sur son ordinateur portable ? demanda Frédéric. Quel est le lien ?

— Il n'y en a pas, répliqua Abigaël. Nicolas Gentil avait cette perversion depuis plusieurs années. En Bretagne, son médecin m'a signalé que l'écrivain avait déjà un passé psychiatrique plutôt fourni. C'est là qu'il faut fouiller en priorité. Accéder, coûte que coûte, à son dossier médical. Et aller interroger la mère de Victor sur ce fameux été où elle est tombée enceinte. Si elle, elle ignore que Gentil est le géniteur de Victor, Freddy, lui, le sait.

— Sa connexion tous les quatre jours… Quatre enfants kidnappés… Tu penses que…

— … que Freddy s'occupe d'un enfant différent chaque nuit, oui. Il a établi un planning parfaitement rodé. Nicolas Gentil regardait les images des webcams… Benjamin Willemez regardait… Il y a fort à parier que l'un des parents d'Alice se connecte secrètement, lui aussi, au site depuis des semaines… Et très bientôt, ce parent va se retrouver dans la même situation que Benjamin Willemez et Nicolas Gentil. Freddy lui demandera de passer à l'acte.

— Dans ce cas, l'un des parents de Cendrillon

aussi. C'est peut-être pour cette raison qu'il ne s'est jamais manifesté : Freddy le lui a interdit dès le début.

Abigaël observa le dortoir des filles. Le soleil avait commencé à décliner et disparaissait juste derrière la cime des arbres. Les ombres dévalaient, larges et froides, comme des croquemitaines géants.

— Freddy voulait qu'on découvre le père d'Arthur ici, dans mon ancienne école, avec l'ordinateur contenant l'adresse de son site Internet et les centaines de pages de journaux qui me concernent. Notre kidnappeur ne se cache plus, il se dévoile, révèle son intimité, ses secrets. On est entrés dans une nouvelle phase. D'un autre côté, il souhaite que… que toute l'attention se reporte sur moi. Il a voulu enlever Léa, il n'a pas pu, mais cela n'a rien changé à son plan initial.

Elle secoua la tête.

— Je n'ai rien à voir avec les autres parents, je ne les connais pas mais, comme eux, j'ai dû me trouver sur le parcours de Freddy. À des moments différents, dans des lieux différents, mais il devait être là, chaque fois. On a tous un rapport avec son passé. Avec notre propre passé…

— Tu l'as dit toi-même, l'autre fois : Freddy a dû avoir une enfance où les tourments et les cauchemars ont joué un rôle important, fit Lemoine. Un enfant blessé, martyrisé. Un môme qu'aucun d'entre vous n'a pu sortir de son ornière. Tu as souligné l'autre fois qu'il souffrait peut-être d'une maladie du sommeil, comme toi. Tu l'as forcément croisé à un moment de ta vie.

Abigaël avait déjà envisagé cette hypothèse.

— Ça s'est peut-être passé avant mes 13 ans, avant que j'arrive dans ce collège. Le problème, c'est que je ne me rappelle plus rien. Vous le savez tous, mes souvenirs sont en vrac à cause de mon traitement.

— Freddy est obsédé par toi au point de se procurer par centaines des journaux contenant ton portrait et de contraindre un homme à les scotcher dans ton ancienne école. Il y a aussi le chat de Léa, suspendu dans la maison de Loon. Il t'en veut à mort. Je sais que tu as des problèmes de mémoire, mais la solution est quelque part dans ta tête, Abigaël.

Il regarda l'heure, puis se tourna vers Frédéric.

— Tu files interroger la mère de Victor, qu'elle nous raconte tout ce qui s'est passé l'été où elle est tombée enceinte. Je mets des hommes sur le reste et m'occupe personnellement des parents d'Alice. Et Abigaël vient avec toi. (Il désigna le crâne d'Abigaël.) Enfin, si tu t'en sens capable.

— Oui, ça va.

— Toi et les autres parents, vous avez peut-être oublié Freddy, mais lui, non, ajouta Lemoine. Je veux que tu regardes cette femme au fond des yeux et que tu creuses dans ton propre passé. Un fait insignifiant pour vous peut prendre des proportions démesurées chez un psychopathe. Retrouve sa trace au fond de ta tête, Abigaël, et vite !

71

Ils avaient fait le trajet en moins d'une heure. Frédéric avait conduit sans quitter la route des yeux. Abigaël le sentait tracassé, pas dans son assiette. Peut-être parce que, comme elle, il n'avait rien vu venir et était passé à côté des motivations profondes de Freddy. Toute cette énergie pour rien…

Depuis un moment, Abigaël fouillait dans les recoins de sa tête. *Quelque chose en rapport avec le sommeil… Une souffrance de jeunesse… Un enfant différent des autres…* Alors qu'ils descendaient de voiture, elle demanda à son compagnon :

— Est-ce que mon père t'avait parlé d'un centre du sommeil au milieu des montagnes ? Un endroit où je serais allée pour me faire soigner dans ma jeunesse ? Sans doute avant l'âge de 13 ans ?

— Jamais. Tu as le souvenir de ce genre d'établissement ?

— Non, mais une image m'est revenue l'autre fois, en allant à l'hôpital psychiatrique où est enfermé Gentil. Le curieux sentiment de connaître un lieu entouré de neige et qui serait un centre du sommeil. Je l'ai déjà vu dans mes cauchemars, je l'ai déjà matérialisé dans les montages photo qu'on m'a volés, j'en suis sûre.

— Où tu serais allée ? Tu y aurais croisé Freddy ?

— Je te l'ai dit, je n'en sais rien.

— C'est bien que tu m'en parles, j'essaierai de creuser cette piste. Si tu es passée par ce genre d'endroit, il doit y avoir des traces quelque part.

Ils entrèrent dans un immeuble. L'appartement de Béatrice Caudial se situait au deuxième étage, à proximité du port de plaisance de Dunkerque. Frédéric s'était assuré par téléphone que la mère de Victor pouvait les recevoir. Elle les accueillit dans un salon modeste, très peu décoré, non pas par manque de goût mais probablement d'envie. Même si les gendarmes prenaient souvent des nouvelles du jeune rescapé, Abigaël demanda comment il allait.

— Sur les conseils de la psychologue, je l'ai inscrit à des cours de musique. Il y passe deux heures, trois fois par semaine, répondit la mère. Il adore ça. Il a jeté son dévolu sur la contrebasse, j'ignore pourquoi, mais il ne vit plus que pour cet instrument. Il se sent bien là-bas. Il y est lui-même.

Elle regarda l'heure.

— Je vous avais prévenu que, d'ici trois quarts d'heure, je vais devoir aller le chercher. Je ne le laisse plus jamais seul dans la rue.

— Ne vous inquiétez pas, répliqua Frédéric. Nous sommes venus vous voir pour un point bien précis. Réfléchissez, et dites-nous si le nom de Nicolas Gentil vous dit quelque chose.

Béatrice était assise au bord de son fauteuil, penchée vers l'avant. Abigaël observait chaque changement d'expression, chaque geste. La mère de Victor leva les yeux vers la gauche, faisant appel à ses souvenirs, puis secoua la tête.

— Non, rien du tout.

Abigaël avait affiché une photo de Josh Heyman/Nicolas Gentil sur son téléphone, qu'elle tendit à son interlocutrice. Cette dernière fronça les sourcils, réfléchit longuement.

— Maintenant que vous me le montrez, j'ai l'impression de… de l'avoir déjà vu. Un vague souvenir. Qui est-ce ? C'est lui qui a enlevé les enfants ?

— Non, ce n'est pas lui. Mais on a toutes les raisons de penser que vous avez croisé Nicolas Gentil lors de l'été 2002, celui où vous êtes tombée enceinte de Victor…

Béatrice fixa de nouveau la photo. Elle prit son temps avant de répondre.

— Oui, oui, je me rappelle, maintenant. J'ai été monitrice de colonie trois semaines à Caylus. C'était dans le Tarn-et-Garonne, je crois. Il faisait partie de l'équipe des cuistots. Bon Dieu, oui, c'est bien lui. On…

Elle mit une main devant sa bouche, comme si elle avait une révelation.

— Vous pensez qu'il pourrait être le père de Victor ?

Abigaël récupéra son téléphone.

— Et vous ?

Béatrice joignit ses mains puis les coinça entre ses jambes. Elle était nerveuse et avait le regard fuyant. Abigaël ajouta :

— Quand on est venus vous voir après l'enlèvement de Victor, quand on a demandé qui était le père, vous nous aviez confié avoir eu des relations avec plusieurs hommes cet été-là, et ne plus savoir. Vous avez connu des hommes durant la colonie, et en dehors, peut-être. Et Nicolas Gentil était de ceux-là.

— Oui, j'ai eu plusieurs relations, la plupart très courtes. Je sortais beaucoup, c'étaient les vacances. Et puis, je vous l'ai expliqué, je… j'aimais coucher avec des garçons, sans forcément faire très attention. Mais il n'y a eu que lui pendant la colonie. On est restés ensemble quelques jours. Une petite semaine, je dirais.

— Les autres étaient au courant ? Les autres moniteurs, le personnel, les enfants ? demanda Frédéric.

— Les enfants n'avaient que 5 ans. Mais oui, tout le monde savait, bien sûr. Vous imaginez bien comment ça se passe, dans les colonies…

Frédéric se recula sur son siège, une main au menton.

— Parlez-nous de Nicolas Gentil.

Béatrice secoua la tête.

— Je ne sais plus. Je ne le connais pas, je ne l'ai jamais revu.

— Écoutez, madame Caudial. Des éléments d'enquête nous portent à penser très fortement que le kidnappeur de Victor savait que Nicolas était son père. L'enlèvement était destiné à l'atteindre, lui. À lui faire mal, à le détruire moralement et physiquement. À chaque enlèvement, nous croyons que ce sont les parents, en tout cas l'un des deux, qui est visé, parce qu'il a croisé, à un moment donné, le kidnappeur, et qu'il lui a fait mal.

Béatrice Caudial eut les larmes aux yeux.

— Mon Dieu !

— Celui qui a retenu votre fils dix mois était

forcément au courant de votre relation avec Nicolas Gentil. Il devait être présent à la colonie de vacances. Il a dû se passer quelque chose là-bas. Quelque chose de grave. Essayez de vous rappeler... Les autres moniteurs, le personnel. Rien ne vous avait marquée ?

Elle secoua la tête.

— Tout est beaucoup trop loin. Je suis désolée.

— Vous avez parlé d'une relation de moins d'une semaine, dit Abigaël. Qui a rompu ? Lui ou vous ?

La question déstabilisa Béatrice quelques instants.

— Euh... C'est moi... C'est moi qui ai tout arrêté.

— Pourquoi ?

— Nicolas Gentil me mettait mal à l'aise... Il devait avoir 20 ou 21 ans, et il était très costaud pour son âge... Une vraie force de la nature. Personne dans l'équipe n'osait lui chercher des noises... C'était la façon dont il regardait les enfants qui me dérangeait...

Abigaël et Frédéric échangèrent un rapide regard, ils pensaient aux images pédopornographiques sur l'ordinateur. Béatrice Caudial continua :

— J'avais déjà remarqué ça quand il les servait à la cantine. Il passait souvent sa main sur celle des mômes, garçons comme filles. Que des petits trucs comme ça, même quand il était en pause ou au repos. Toujours proche des gamins. Dans une colonie, c'est normal, vous me direz, parce qu'on vit tous ensemble, mais... c'était différent pour lui.

Elle se leva et alla allumer la lumière. Le ciel s'était obscurci avec des murs de nuages qui arrivaient de l'ouest. Elle revint s'asseoir.

— Vous voulez dire qu'il ressentait de l'attirance pour ces enfants ? fit Abigaël.

— Je crois que oui. Un soir, je l'ai surpris à proximité du dortoir des garçons, il y avait une allée d'arbres, et il était embusqué là-dedans, avec vue directe sur les chambres. J'étais sûre qu'il matait. Il m'a toujours affirmé le contraire, qu'il aimait bien venir fumer là, mais j'avais un trop gros doute. Alors j'ai rompu avec lui, et je l'ai menacé. Je lui ai dit que s'il recommençait…

— Quelqu'un d'autre était-il au courant ?

— Non, non. Je l'ai dit à personne parce que, visiblement, il a arrêté ses conneries après mes menaces.

Elle fixa une photo de Victor accrochée au mur.

— Nicolas Gentil m'était sorti de la tête. Je crois que… qu'au fond de moi, je ne voulais surtout pas de lui comme père de mon enfant. Alors, je l'ai oublié. Et maintenant…

Elle poussa un long soupir.

— Qu'est-ce qu'il est devenu ? Vous dites que le kidnappeur s'en est pris à lui ? Qu'il a enlevé MON fils à cause de lui ? Vous pensez que… que tout pourrait être lié à la colonie de vacances ? À ces histoires avec les enfants ?

— Pas tout, mais une partie, répliqua Frédéric en sortant un calepin. Il nous faut toutes les informations qui concernent cette colonie de vacances. Lieu, date, tout ce que vous pouvez.

— Je dois bien avoir une vieille fiche de paie quelque part.

Elle disparut dans une autre pièce et revint quelques minutes plus tard avec le papier en question, qu'elle tendit au gendarme. Il se leva et lui donna une carte de visite.

— Vous l'avez déjà, mais si des choses vous reviennent au sujet de cette colonie, appelez-moi tout de suite. C'est très important.

72

À presque 23 heures, la salle Merveille 51 était en effervescence. La plupart des gendarmes rayonnaient d'une énergie nouvelle, ça se lisait sur leurs visages. Patrick Lemoine avait passé l'après-midi au téléphone, épaulé par d'autres équipes d'enquêteurs, à coordonner les différentes actions suite à leurs découvertes dans l'école abandonnée proche de Saint-Omer. Face à une dizaine de gendarmes et Abigaël, il établissait un bilan.

— C'est certainement la journée la plus fructueuse que nous ayons eue depuis le début de cette affaire. Mais une journée qui marque également une urgence : Freddy précipite les choses et, jusqu'à preuve du contraire, il retient toujours trois enfants.

Devant un tableau, il pointa une grande feuille blanche noircie de toutes les informations en leur possession.

— Nous avons désormais la certitude que Freddy utilise les enfants pour manipuler l'un des parents et le pousser à accomplir un acte grave qui peut aller jusqu'au suicide ou à l'automutilation. Nous avons tenté de joindre les parents d'Alice Musier. C'est le père qui a répondu. La mère est injoignable, son téléphone portable est coupé. D'après lui, elle est en déplacement à Paris depuis trois jours. Nous avons joint sa société : Carine Musier est censée être en congé pendant quinze jours. Le père l'ignorait, évidemment. Il signale des absences répétées ces dernières semaines, un comportement étrange de son épouse. Il la sentait au bout du rouleau et se demandait comment elle tenait encore. J'ai envoyé le Furet et Nowicki chez les Musier, et j'ai mis des équipes techniques sur le coup pour retrouver la mère. Mais si elle s'est bien protégée – visiblement c'est le cas car la géolocalisation de son téléphone est impossible –, ça peut prendre un moment. Il est évident qu'elle est en contact avec Freddy, qu'il l'a isolée et qu'il cherche à la faire passer à l'acte dans peu de temps.

Il regarda ses notes, puis fit un signe de tête à Frédéric, assis en bout de table. Abigaël se tenait à sa gauche.

— À toi.

Frédéric se leva.

— Tout indique que Nicolas Gentil, l'écrivain qui s'est amputé des dix doigts et qui est actuellement en hôpital psychiatrique, est le père de Victor. C'est à lui que Freddy s'est attaqué en enlevant le môme, comme il s'en est pris au père d'Arthur, en les forçant à regarder leur enfant se faire voler leur sommeil ou torturer. On a discuté avec la mère de Victor, on pense que la haine de Freddy envers Nicolas Gentil est née dans un centre de vacances du Tarn-et-Garonne en 2002. Gentil y était commis de cuisine et manifestait déjà une attirance pour les jeunes enfants.

— J'ai discuté au téléphone avec son psychiatre,

qui s'est montré collaboratif compte tenu de l'urgence de la situation, précisa Lemoine. Pour faire vite, après la mort de ses parents dans un crash d'avion, l'écrivain a été recueilli par son oncle et a subi des attouchements, d'où des problèmes psychiatriques qui vont marquer son adolescence. Un parcours malheureusement classique. Continue, Frédéric.

— Je me suis renseigné sur le centre de vacances dont les coordonnées étaient indiquées sur la fiche de paie de Béatrice Caudial. Il n'existe plus mais j'ai réussi à récupérer le numéro du directeur de l'époque. Je l'ai eu en ligne il y a deux heures. Il m'a révélé un problème survenu, cette année-là. Quelques semaines après la fin de la colonie, un parent s'est manifesté, son fils aurait subi des attouchements de la part de Nicolas Gentil. L'affaire n'est pas allée en justice, mais probable que cet enfant n'était pas le seul. À cet âge-là, les enfants ne parlent pas beaucoup et n'ont pas forcément conscience de la gravité des faits.

— Possibilité que Freddy soit l'un de ces petits vacanciers qui auraient été les victimes des attouchements de Gentil ? demanda un gendarme.

— Très peu probable, répliqua Abigaël. Les enfants avaient environ 5 ans, ce qui donnerait à Freddy un âge de 18 ans aujourd'hui. Il est beaucoup plus mûr, il est de ma génération, comme Carine Musier ou Nicolas Gentil. S'il était présent à la colonie, il faisait plutôt partie de l'équipe d'encadrement. Il a peut-être vu ou subi, lui aussi, quelque chose de la part de Gentil.

— L'ancien directeur de la colonie travaille maintenant à la mairie de Lyon, il s'est débarrassé de ses dossiers sur les équipes d'encadrement il y a longtemps, poursuivit Frédéric. Mais dès demain, il va faire des recherches pour nous ressortir au plus vite une liste du personnel présent en août 2002. Je lui ai dit que c'était ultra-urgent.

Lemoine acquiesça. Abigaël se leva et prit la parole.

— Cela reste à vérifier, mais je pense que Nicolas Gentil ne connaissait pas l'existence de son fils avant cette affaire. En tout cas, Béatrice Caudial ne l'a plus jamais vu après cette rencontre en colonie, elle l'a même complètement zappé de sa mémoire. Pourtant, Freddy a forcé l'écrivain à accomplir un acte horrible, sans doute pire que la mort : se couper les dix doigts. Gentil est pédophile, il souffrait probablement beaucoup de sa perversité. Les images dans son ordinateur étaient complètement désordonnées, il accumulait maladivement, il ne devait pas prendre de plaisir. Je pense que, quand Freddy lui a montré Victor à l'écran et lui a révélé qu'il était son fils, l'écrivain a développé une forme de compassion presque immédiate envers cet enfant. Et comme pour se purger du mal qui l'habitait, il a mis un point d'honneur à sauver son fils. Quand il dit « Pardon », c'est à tous les enfants dont les photos sont stockées sur son ordinateur qu'il s'adresse…

Elle se rassit. Patrick Lemoine la remercia et pointa quatre noms sur son tableau, suivis d'un gros point d'interrogation.

— Nicolas Gentil, Benjamin Willemez, Carine Musier, notre « parent inconnu » pour Cendrillon et… Abigaël Durnan.

Tous les regards se tournèrent vers la jeune femme.

— Vous savez tous qu'elle est impliquée dans cette affaire, que sa fille Léa aurait dû faire partie des enfants kidnappés en étant la quatrième, continua Patrick. Si l'accident de voiture a changé la donne et contraint Freddy à enlever une autre jeune fille, il n'a pas modifié ses motivations fondamentales. Ni sa haine. Il faut remonter dans le passé de chacune de ces personnes. Retrouver les endroits où ils ont vécu, les établissements qu'ils ont fréquentés, la liste de leurs petits copains, jusqu'à la couleur des yeux de leur dentiste. Je veux tout savoir, à partir du jour où ils sont sortis du ventre de leur mère. Il y aura forcément un point commun. Frédéric, tu es le mieux placé pour t'occuper du passé d'Abigaël.

Le capitaine de gendarmerie fixa son tableau, l'air satisfait, avant de taper dans ses mains.

— Parfait. J'ai à peu près tout dit. L'étau se resserre. On reste tous dispos et joignables. On va bientôt coincer ce fils de pute.

73

Il était tard, cette nuit-là, dans l'appartement, quand Abigaël s'installa au bureau, armée de ses dossiers, juste éclairée par une veilleuse. Avec Frédéric, ils avaient grignoté sur le pouce, et son compagnon était seulement en train de se doucher.

Elle se retrouvait impliquée à fond. Les secrets de l'histoire se cachaient quelque part dans sa tête, dans un bloc de neurones détruit ou juste endormi par le Propydol. À défaut de se rappeler, elle avait prévu d'aller consulter son dossier médical dès le lendemain matin, afin de savoir si elle avait mis les pieds dans un centre du sommeil au milieu des montagnes, durant son enfance.

En attendant, elle ouvrit les rapports sur les parents des enfants kidnappés. Des pages et des pages d'informations à leur sujet récoltées au cours de l'enquête, venues nourrir l'immense masse ayant trait au dossier Freddy. Elle se sentait comme Sherlock Holmes avec sa loupe : elle savait exactement quoi observer. Le passé de Benjamin Willemez et de Carine Musier, à savoir le père d'Arthur et la mère d'Alice.

Elle se focalisa donc sur Carine Musier, qui ne

donnait plus signe de vie. Trente-cinq ans, née à Paris, infirmière, mariée depuis douze ans au même homme. Ils vivaient à Suippes, à proximité de Reims, lieu de l'enlèvement de la gamine, Alice, la première des disparus, alors qu'elle rentrait de son club de danse.

Abigaël parcourut avec attention diverses autres informations sur le parcours de Carine, quand son regard s'arrêta sur la ville où elle avait fait son école d'infirmière, entre 1999 et 2001 : Montauban, dans le Tarn-et-Garonne. Le même département que celui où Nicolas Gentil et sans doute Freddy avaient participé à leur colonie de vacances, l'été 2002.

Un point commun. Une trace, dans le passé, où Nicolas Gentil et Carine Musier avaient séjourné dans la même région, à des époques très proches. Carine était restée à Montauban jusqu'en 2003, où elle avait fait la connaissance de son futur mari, alors en déplacement. Ils étaient tombés amoureux, elle l'avait suivi à Reims.

Abigaël s'intéressa ensuite au père d'Arthur et tourna les pages qui le concernaient. Benjamin Willemez, commercial en systèmes d'alarme, n'était pas de leur génération. Un fils, Arthur, né sur le tard après un remariage à l'âge de 40 ans. Avant de se recycler dans les systèmes d'alarme, Benjamin avait été directeur de DDASS pendant plus de dix ans, jusqu'en 2000. Nouvelle femme, nouveau métier, changement de lieu aussi… Il avait exercé son métier de directeur à Bordeaux. Pas dans le même département que les deux autres parents, mais pas loin : encore le Sud-Ouest.

Trois des quatre parents des enfants kidnappés s'étaient retrouvés à moins de deux cents kilomètres d'écart, à la fin des années 1990, début des années 2000. Abigaël n'avait aucun souvenir d'être un jour allée dans cette région, elle avait toujours vécu à Loon-Plage, dans le Nord, suivi sa scolarité et fait ses études à proximité. Mais peut-être qu'elle y était allée avant le collège et qu'elle ne s'en rappelait plus ?

Elle afficha une carte de France sur l'ordinateur. Observa le relief plissé, à la frontière entre la France et l'Espagne. Les Pyrénées… Pouvait-il s'agir de ces montagnes aux sommets coiffés de neige visualisées dans son étrange souvenir ? Y existait-il un centre du sommeil où elle aurait pu passer du temps ?

Abigaël fit une recherche sur Internet, tapa « centre du sommeil », « Pyrénées », « montagnes ». Les innombrables résultats défilèrent : journée du sommeil en Midi-Pyrénées, réseaux de cliniques, programmes de recherches… Elle fouina sans trouver son bonheur, puis se dit qu'elle attendrait le lendemain, que son dossier médical contiendrait peut-être l'information. Elle était fatiguée, éprouvée par un mal de crâne depuis sa chute et son agression. Un mail arriva sur sa messagerie.

« *Abigaël,*
Désolé de vous répondre si tard, mais j'étais en déplacement toute la journée. Curieux que vous disiez ne jamais avoir reçu mon mail, car ma messagerie contient un accusé de réception ; vous l'avez donc ouvert... Mais je vous le transfère de nouveau ci-dessous. Bonne réception, et tenez-moi au courant, cette fois.
Ghislain »

— ------- Message original --------
Sujet : Votre message codé
Date : Dim, 21 juin 2015 13:21:51
De : Ghislain Lopez < Ghislain.Lopez@gmail.com>
Pour : Abigaël Durnan <Abigaeldurnan@free.fr>

Avant de lire la suite, Abigaël constata que le message datait du 21 juin, en début d'après-midi. Elle n'avait que de vagues souvenirs de cet après-midi-là. Les combles, chez Gisèle… Les têtes de carnaval… La chaleur étouffante… Elle s'était réveillée le 22 au soir. Entre les deux, le trou noir.

« *Bonjour, Abigaël,*
Je m'appelle Ghislain Lopez, passionné de cryptographie. Je suis tombé par hasard sur le message crypté que vous avez posté il y a quatre mois sur le forum. Celui-ci m'a interpellé et, parce que j'aime relever les défis, je me suis penché dessus… »

Elle le lut jusqu'au bout. Le chiffre-livre… Un ouvrage, des pages qu'on utilisait comme des repères… Les nombres du code qui ne dépassaient jamais 48… Elle eut soudain un déclic : elle pensa à la collection de bandes dessinées de son père. Était-il possible qu'Yves ait utilisé *XIII* pour coder son fameux message ? Tout pouvait-il être aussi simple, aussi évident, et se résoudre grâce à cet internaute ?

Abigaël se précipita dans la chambre de Frédéric, tira les deux caisses rangées sous le lit avec une curieuse impression de déjà-vu, et qui, à peine saisie, s'échappait de sa mémoire. Elle avait déjà fait ce geste, inscrit quelque part dans ses neurones.

Elle fouilla parmi les objets de son père mais ne trouva pas les albums de bandes dessinées. Pourtant, elle était certaine de les avoir mis là et avait dit à Frédéric de ne surtout pas les vendre à son marché aux puces. Les avait-il déplacés ? Elle chercha dans la bibliothèque, en vain. Regarda partout autour. Les objets, les meubles. Souleva la manche de son sweat pour vérifier la présence des brûlures.

Où se nichaient ces fichues bandes dessinées ? Elle revint lire le message de Ghislain Lopez. Si elle avait vraiment reçu ce mail le 21 juin, où était-il passé ? Il avait disparu de sa boîte de réception. Était-ce Frédéric qui l'avait supprimé ?

Abigaël fit un douloureux et inutile effort de mémoire. Dans son cahier de rêves, elle relut son dernier songe avec attention. « Il y avait devant moi une valise pleine de drogue... » « Cocaïne... » Abigaël ne se souvenait plus de rien, à peine d'avoir rêvé. C'était comme si tout s'effaçait progressivement de sa mémoire. Comme si ce rêve, dans quelques jours, ne lui appartiendrait plus. « Le bruit des avions... » « Une tour de contrôle rouge et blanc, juste devant, entre les arbres. »

Et si elle avait déjà lu le mail de Lopez, compris le code de son père et réussi à décrypter son message ? Et si c'était la réalité ? Et si elle était réellement allée dans ce bois pour y déterrer une valise pleine de drogue, le 21 ou le 22 juin ? Mais dans ce cas, ne se serait-elle pas fait un tatouage ou une brûlure pour en garder la trace ?

Elle enrageait de ne disposer d'aucun moyen de

vérifier. Aucune possibilité de s'assurer que *ça* avait vraiment existé.

Au claquement de la porte de la salle de bains, elle supprima le message de l'internaute et revint sur les pages Internet. Frédéric se planta derrière elle. Sa peau sentait bon, et il avait lissé ses cheveux noirs en arrière.

— Tu peux y aller, la place est libre.

Il l'enlaça. Abigaël sentit les poils de ses avant-bras se dresser. C'était comme si un signal d'alarme s'était déclenché en elle.

— Tu as trouvé quelque chose dans le passé des parents ?

— Peut-être que oui. Un point commun géographique, entre 1990 et 2000. Le père d'Arthur était directeur d'une DDASS à Bordeaux. La colonie était à une centaine de kilomètres, tout comme Montauban, la ville où la mère d'Alice a fait ses études d'infirmière.

— Freddy serait passé par l'établissement de Benjamin Willemez à cette époque-là ?

— Ça correspondrait bien à son profil. Un enfant sans repères, sans base familiale fixe. Un enfant de la DDASS.

— Et toi, là-dedans ?

— Je ne sais pas. Je cherche un centre du sommeil dans les Pyrénées, ce qui créerait un nouveau point commun. J'ai toujours cette image incrustée dans ma tête.

Frédéric se dirigea vers la cuisine.

— Je vais préparer une tisane. Il est tard, il faut qu'on récupère un peu. Demain, à la première heure, on se penche là-dessus.

Abigaël se leva et, avant de se rendre dans le couloir, demanda :

— Au fait, tu sais où sont les bandes dessinées de mon père ?

Frédéric avait la main plongée dans un placard.

— Je les ai vendues, avec tous les vieux objets d'Yves que tu m'as donnés, comme le sextant. Pourquoi ?

— Je t'avais dit de ne pas les vendre !

Frédéric écarquilla les yeux, des sachets de tisane dans les mains.

— Tu plaisantes ? Tu ne m'as jamais dit une chose pareille, bien au contraire : tu voulais t'en débarrasser parce qu'elles appartenaient à ton père, justement. Bon sang, Abigaël, même ça, tu ne te le rappelles pas ?

Malgré ses mains qui tremblaient, Abigaël essaya de sourire. Frédéric ne la lâchait pas des yeux.

— Excuse-moi, j'avais oublié…

Elle se rendit à la salle de bains et ferma la porte à clé, chancelante. Elle appuya ses deux mains sur le lavabo, la tête entre les épaules, convaincue que Frédéric lui mentait.

74

Enfermée dans la salle de bains, Abigaël leva les yeux vers l'armoire à pharmacie fermée. Sortit la clé du tiroir, déverrouilla, ouvrit la porte et la poussa sans prendre garde à bien l'enfoncer. Cette dernière finit par se rouvrir au bout de quelques secondes. Combien de fois Abigaël avait-elle retrouvé cette porte entrouverte, pourtant certaine de l'avoir correctement fermée ? Combien de fois avait-elle mis cela sur le compte de sa mémoire, de ses rêves ?

Et si Frédéric avait fourré son nez là-dedans ? Et si…

Non, elle ne pouvait pas y croire. Il ne s'agissait que de terribles coïncidences. Pourquoi Frédéric lui mentirait-il pour les bandes dessinées ? Était-il possible qu'elle ait, encore une fois, tout imaginé ?

Elle resta longtemps immobile, le regard rivé sur les flacons de Propydol. Cette drogue utilisée par son père à son insu pour l'endormir avant l'accident. Ce médicament capable, à l'instar de la drogue du violeur, de provoquer des trous noirs si on en prenait une trop grande quantité.

Et si Frédéric l'avait droguée, lui aussi ?

Non, elle déraillait. Dans quel but aurait-il fait une chose pareille ? Il l'avait sortie de l'ornière, aidée à remonter la pente, avait sacrifié son temps afin qu'elle puisse simplement vivre. Et il l'aimait, l'aimait vraiment. Sans lui, elle ne s'en serait jamais tirée.

Mais Abigaël n'en démordit pas, pensant à ces dernières semaines où sa mémoire l'avait abandonnée, où rêves et réalité s'étaient confondus. Les réveils inopinés dans une salle d'attente, ou sur la plage… Les journées complètes qui disparaissaient de sa tête. L'impression que la vérité lui échappait chaque fois qu'elle l'approchait d'un peu trop près.

Dans la pharmacie, encore deux flacons neufs en stock, et un autre entamé. Elle hésita longuement avant de s'emparer de ce dernier, de vider le contenu dans le lavabo puis, avec le compte-gouttes, de le remplir d'eau à peu près au niveau d'origine. Son geste lui faisait mal mais… elle voulait être certaine.

Elle inscrivit, sur la notice de la boîte de Dafalgan, le contenu du flacon « 237 gouttes, le 23 juin », la replia et la cacha au fond de son emballage. Remit le flacon de Propydol bien en évidence dans l'armoire. Referma et replaça la clé dans le tiroir.

Soudain, la poignée tourna. Abigaël sursauta.

— Depuis quand tu t'enfermes ? demanda Frédéric en frappant doucement sur la porte.

Direction la douche, le robinet tourné à fond.

— Je n'ai pas fait attention. Je suis sous l'eau, j'arrive, je n'en ai pas pour longtemps.

— Je serai dans la chambre.

Elle se glissa vite sous l'eau tiède. Se savonna et pensa encore à l'hématome sur son omoplate. Il résultait forcément d'un contact physique, d'un choc.

Et si certains de ses rêves n'en étaient pas ? Et si elle avait *vraiment* été frappée dans le dos ? Et si elle avait *vraiment* voulu se rendre à Quimper en train – pour rencontrer Gentil une première fois –, mais qu'on l'ait droguée avec une dose de Propydol suffisante pour provoquer l'oubli ? Et si elle était *vraiment* allée dans le bois déterrer la valise de drogue ?

Des pensées si terribles qu'Abigaël en avait mal au crâne. Non, impossible, pas Frédéric… Elle se trompait.

Et, comme une évidence, elle pensa alors aux tisanes qu'il préparait tous les soirs depuis qu'elle s'était installée chez lui. Au soin particulier qu'il prenait à ce qu'elle les boive.

Et si c'était pour cette raison qu'il la voulait à ses côtés ?

Il fallait qu'elle se calme et gagne la chambre sans que Frédéric se doute de rien. Elle devait paraître normale, seul moyen de savoir. Puis elle eut une autre inquiétude : Frédéric avait déjà préparé les tisanes. Et il était venu dans la salle de bains. Par conséquent, il avait peut-être pris une dose de Propydol pour la mélanger à la boisson.

Et peut-être que de nouveau elle se réveillerait sans savoir. En ayant oublié ses recherches et que la vérité sur l'affaire Freddy était là, toute proche. En ayant même oublié que Frédéric la droguait. Et alors, il lui raconterait ce qu'il voudrait. Et tout recommencerait de zéro.

Qui sait si cela s'était déjà produit ?

L'impression d'être Sisyphe poussant son rocher vers le haut, avant que celui-ci retombe. Un éternel recommencement.

Elle laissa couler l'eau, s'enveloppa dans une serviette, s'essuya rapidement pour chasser sa chair de poule. Très vite, elle ressortit la notice du Dafalgan caché dans l'armoire, y ajouta des instructions, puis en déchira un morceau vierge et y inscrivit : « Urgent. Prends la notice du Dafalgan dans l'armoire à pharmacie et lis-la. »

Ensuite, elle le plia et le glissa dans sa culotte.

Elle regarda autour, vérifia de n'avoir commis aucune erreur. Bon Dieu ! Elle avait failli oublier... Elle mit de l'eau dans son gobelet et la versa dans le lavabo : pas de prise de Propydol ce soir, mais il fallait lui faire croire que le verre avait été utilisé.

Une longue inspiration. Lorsqu'elle ouvrit la porte de la salle de bains, Frédéric se tenait juste derrière et la fit sursauter.

— Oh, tu m'as fait peur !

Il la regarda d'un drôle d'air, puis jeta un coup d'œil dans la salle de bains. Vers le lavabo.

— Tu as été drôlement longue.

— La journée l'a été tout autant. Ça m'a fait du bien de rester sous l'eau chaude.

Elle s'efforça de lui sourire, puis se dirigea vers la chambre, écrasée par le poids du regard de Frédéric dans son dos. Paranoïa ou réalité ? Les tasses de tisane fumante les attendaient sur les tables de nuit. Abigaël sentit sa gorge se serrer mais ne dit rien. Peut-être avait-elle fait une bêtise en lui parlant des bandes dessinées. À présent, elle était persuadée qu'il épiait chacun de ses gestes.

Une simple hésitation, une variation dans le rituel, et il saurait.

À moins qu'elle ne se fût trompée. Elle l'espérait de tout son cœur.

Frédéric gagna sa place et, assis sur le lit, prit sa tasse. Il but une gorgée, comme pour l'encourager à faire de même.

— Je crois que tu tiens quelque chose de vraiment solide avec cette histoire de centre du sommeil, dit-il. Si j'arrive à retrouver son nom et la période où tu étais là-bas, il y aura moyen de se procurer une liste de patients parmi laquelle se trouvait peut-être Freddy. On recoupe ça avec la liste du personnel du centre de vacances. Peut-être qu'une identité ressortira. On le tiendrait, Abigaël, on tiendrait enfin Freddy. Tu te rends compte ? On pourrait coincer ce salopard.

Son regard s'évada quelques instants. Il fixa le mur, droit devant. Abigaël n'arrivait plus à l'imaginer autrement que comme l'homme qui cherchait à lui nuire. Mais il lui semblait tellement sincère.

Elle attrapa sa sous-tasse. Elle choqua légèrement la porcelaine lors du mouvement. Frédéric ne la quittait pas des yeux.

— Tu as l'air nerveuse. Tu ne vas pas passer la nuit devant l'ordinateur, j'espère ? Tu as pris ton médicament ?

— Bien sûr.

Elle devait se calmer coûte que coûte. Et boire sa tisane, parce qu'elle était censée s'endormir bientôt. Frédéric lorgna ses jambes fines et fuselées sous sa nuisette. Il approcha sa main de son entrecuisse, Abigaël se raidit.

— C'est du grand n'importe quoi, ces tatouages. Tu n'avais pas besoin de ça. J'étais là, moi.

— Je sais, mais…

— Quand tout sera terminé, on les fera disparaître, d'accord ?

Elle acquiesça.

— Oui. Promis.

— Embrasse-moi.

Elle plaqua ses lèvres contre les siennes et ne ressentit que du dégoût, puis s'efforça de lui sourire. Ses grands yeux de chat la terrorisaient. Elle se réfugia dans sa tasse et but une gorgée de tisane. Puis deux, puis trois. Se coucha sur le côté… La main de Frédéric sur son épaule, qui pouvait, pendant son sommeil, venir serrer sa gorge et la tuer… Elle ferma les yeux, se concentra sur le papier caché dans sa petite culotte et espéra, en cas de perte de mémoire, qu'elle le retrouverait. Parce que, si ce n'était pas le cas…

Après quelques minutes, tout se mit à tourner sous son crâne. Des nuages de phosphènes explosaient sous ses paupières, des vagues de lumières giclaient. Un voyage violent, radical, les effets d'une dose importante de Propydol, sans aucun doute.

Abigaël eut le temps de penser que l'homme à ses côtés était sans doute un monstre.

Puis, alors qu'elle sombrait, l'oubli s'insinua dans chaque cellule de son organisme.

75

Abigaël émergea avec l'impression d'avoir avalé une poignée de gros sel. Elle crevait de soif et son haleine sentait la vodka. Draps trempés. Elle peina à s'arracher de l'étau du sommeil et tâtonna sur le côté. Place vide. Le réveil indiquait 13 h 22.

Elle voulut se lever mais ressentit une vive douleur au niveau du ventre. Nuisette collée à sa peau, auréolée de taches rougeâtres. Du sang. Elle hurla en essayant de décoller le tissu du bout des doigts. L'impression qu'on lui enfonçait un scalpel dans la chair. Que lui arrivait-il ?

Elle se dirigea au ralenti vers la salle de bains, incrédule, et humidifia le tissu pour le séparer plus facilement de sa peau. Puis souleva son vêtement avec délicatesse.

Elle faillit tourner de l'œil. Son abdomen, quadrillé de fines entailles. Quand s'était-elle infligé un tel supplice ? Pourquoi ? Et surtout, pour quelle raison n'en gardait-elle aucun souvenir ?

Mâchoires serrées, elle se déshabilla. Frédéric était-il au courant de ces mutilations ? Pourquoi empestait-elle l'alcool ? Elle attrapa des compresses, du désinfectant et des pansements, et se soigna du mieux possible. Elle regarda l'intérieur de sa cuisse, les tatouages, « Léa aurait dû être la 4 ». Il n'y en avait pas de nouveau qui aurait pu expliquer la raison de ces marques.

Les aiguilles, les brûlures de cigarette, et maintenant, les mutilations à l'arme blanche. Escalade dans l'horreur. Souvenirs en vrac. Perdue, elle se jeta sur son téléphone portable. Composa le numéro de Frédéric, qui ne lui répondit pas. Elle lui laissa un message, paniquée : « Frédéric, je dois comprendre ce qui m'arrive. S'il te plaît, rappelle-moi vite ! C'est URGENT ! » Dans la foulée, elle essaya de joindre Patrick Lemoine et Gisèle. Aucune réponse.

Lorsqu'elle ôta sa culotte également ensanglantée, elle vit un petit papier tomber par terre. Il était plié et venait de l'intérieur de son sous-vêtement.

Urgent. Prends la notice du Dafalgan dans l'armoire à pharmacie et lis-la.

Son écriture… Un message destiné à elle-même, caché au cœur de son intimité. Pourquoi ? Abigaël n'y comprenait rien. Elle trouva la boîte de médicaments et découvrit un texte écrit de sa propre main en tout petit :

~~*237 gouttes, le 23 juin.*~~
Sommes le 23 juin, 23 h 47.
La bouteille de Propydol entamée contient 237 gouttes d'eau.
Ce qui suit est la stricte vérité : si tu lis ce texte sans comprendre, si tu ne sais plus, ne te souviens

plus, c'est que Frédéric te drogue avec le Propydol, et ce depuis longtemps. Je ne sais pas depuis quand ni pourquoi, à toi de le découvrir.
Mais rappelle-toi, le double rêve imbriqué avec le train. Je crois que tu voulais vraiment aller à Quimper voir Gentil, mais Frédéric a volontairement tout effacé de ta tête. Il en est peut-être de même avec la valise de cocaïne de papa. Tout cela a peut-être existé. Concernant Quimper, il y a forcément une trace de l'achat du billet de train, je n'ai pas eu le temps de vérifier. Cherche et trouve.
Autre chose à ne pas oublier : consulter ton dossier médical. Es-tu allée dans un centre du sommeil avant tes 13 ans dans les Pyrénées ou ailleurs dans les montagnes ? Si oui, probable que tu y aies rencontré Freddy, et que lui aussi souffrait d'un trouble du sommeil... Il t'en veut à mort, comme il en veut aux autres parents.
Tu n'y comprends certainement pas grand-chose, mais agis. C'est la priorité absolue !

Abigaël resta immobile, abasourdie, vidée. Elle dut s'asseoir et se relire plusieurs fois. Frédéric… Elle ne pouvait pas y croire. L'auteure de ces mots – son autre elle-même d'avant la nuit – s'était trompée, forcément. Était-ce la raison de ses mutilations ? Une volonté de graver sur son corps la présence d'un danger ?

Ce qui suit est la stricte vérité...

Fébrile, elle se dirigea vers l'ordinateur, alluma, consulta la date. Le 25 juin. Deux jours après avoir écrit sur la notice. Deux jours de vide. Deux jours d'oubli, durant lesquels il avait pu se passer n'importe quoi.

Son téléphone sonna. C'était lui. Explosion d'adrénaline et de stress. Réfléchir, vite. Il fallait absolument répondre. Forte inspiration, décrochage. D'après le fond sonore, Frédéric était en voiture.

— C'est moi. J'ai eu ton message. Qu'est-ce qu'il y a d'urgent ?

Abigaël trouva ses mots. Dire la vérité, sans révéler qu'elle savait…

— Je me suis réveillée et j'ai retrouvé mon corps criblé de blessures. Qu'est-ce qui s'est passé ?

— Tu ne sais plus toi-même ?

— Non.

— J'ignore ce qui s'est passé exactement. Je t'ai retrouvée dans cet état hier soir. J'ai voulu t'emmener à l'hôpital, mais tu as refusé, tu es devenue quasiment hystérique et tu m'as même menacé avec mon rasoir. Tu avais beaucoup bu, Abigaël, tu n'étais plus toi-même. Tu disais que… que tu voulais revenir sur l'affaire, que tu ne supportais pas qu'on t'écarte.

— Qu'on m'écarte ?

— On préfère te tenir loin de ça avec Patrick. Cette affaire te détruit. Il faut que tu te fasses soigner en priorité, ou je vais finir par te retrouver… (Un court silence.) Enfin bref, quand je t'ai retrouvée dans cet état, j'ai désinfecté tes plaies, ça ne saignait plus trop, c'était superficiel, heureusement. Ensuite, tu t'es couchée.

— Fred, je… je me souviens de rien !

— Quels sont tes derniers souvenirs ?

— Nous, devant l'ordinateur de Nicolas Gentil dans la salle Merveille 51… Freddy, qui vole le sommeil des enfants sur cette île étrange dans une espèce de piscine… Plus rien ensuite.

— Bon Dieu, Abigaël, c'était il y a deux jours ! Il s'est passé tellement de choses depuis. Tu ne te souviens pas non plus du cadavre de Benjamin Willemez ?

Abigaël gardait le contrôle pour ne pas hurler. Non, elle ne se souvenait de rien. Elle se sentait nue, bafouée, trahie. Violée jusque dans ses souvenirs. Retour dans la salle de bains, où elle trouva le rasoir coupe-choux dans son tiroir. Propre, replié.

— Non, non. Explique-moi tout ce qui s'est passé. Où en est l'enquête ? Raconte-moi… s'il te plaît…

— Plus tard. Reste à l'appartement, d'accord ? Surtout, ne sors pas. Je vais revenir dans une heure. On va trouver une solution.

Il raccrocha. Abigaël fixa longuement son téléphone. Il fallait se ressaisir et vérifier jusqu'au bout les inscriptions de la notice. Elle disposait d'une heure.

Avait-elle vraiment acheté des billets de train pour Quimper ? Comme elle n'avait pas encore reçu son relevé de compte de juin, elle se connecta au site de la banque et vérifia les débits, ligne par ligne. Difficile de se concentrer, sa vue se troublait parfois parce que des traces de Propydol devaient encore traîner dans son organisme.

Soudain, son cœur se souleva : un mouvement bancaire à l'ordre de la SNCF, le samedi 13 juin, d'un montant de 242,90 euros. Le 13 juin… Elle réfléchit, regarda ses notes. Son double rêve imbriqué avait eu lieu l'avant-veille de son rendez-vous chez la neurologue… Le 15 juin, donc. Mais entre le 13 juin et le 15, aucun souvenir.

Abigaël essaya d'y voir clair : elle comptait donc se rendre à Quimper le 13 juin. Une seule raison à ce déplacement : le livre d'Heyman. Elle avait dû le lire auparavant et découvert le terme de « Perlette d'Amour ». Elle avait donc contacté l'éditeur parisien. Mais si elle était déjà allée dans la petite maison d'édition, pourquoi ne lui avait-on pas dit qu'on l'avait déjà rencontrée une première fois ?

Abigaël eut un déclic : elle ne s'était pas rendue sur place. Téléphone en main, elle appela Ludovic Chatillon, l'éditeur.

— Monsieur Chatillon, c'est Abigaël Durnan, la psychologue qui travaille sur l'affaire du kidnappeur d'enfants. Vous vous rappelez ? Je suis venue vous voir dans votre maison d'édition il y a quelques jours, au sujet de Nicolas Gentil.

— Ah oui, madame Durnan. Je me souviens de vous.

— Est-ce que j'étais déjà venue dans vos locaux avant notre rencontre ? J'ai eu quelques problèmes de mémoire ces derniers temps et il est très important que je le sache.

— Non, mais j'ai discuté de votre visite avec mon collègue lors de son retour de congé, et il m'a dit que vous l'aviez appelé pour lui poser exactement les mêmes questions qu'à moi ! Il a fini par vous révéler que Gentil était dans un hôpital psychiatrique en Bretagne. C'était quelques jours avant que vous veniez me voir.

— Quand exactement ?

— Euh… Attendez deux secondes, ne quittez pas…

Abigaël l'entendit sortir du bureau, puis revenir.

— C'était le vendredi 12 juin au matin.

Abigaël le remercia et raccrocha. Nouvelle pierre à l'édifice, qui lui permettait de retracer le cheminement de ces jours oubliés : elle avait acheté, certainement sur le conseil de son libraire, le livre de Josh Heyman, le 11 juin. Était rentrée ici, l'avait lu dans la foulée, avait alors découvert le surnom de sa fille, « Perlette d'Amour ». Dès lors, elle avait mené l'enquête. Le lendemain, elle avait joint l'éditeur, obtenu des informations sur Nicolas Gentil et projeté d'aller en Bretagne, à sa rencontre, le samedi. Mais elle n'y était jamais allée, le psychiatre breton ne l'avait jamais vue.

Quelqu'un l'en avait empêchée. Frédéric.

Abigaël dut s'asseoir. Les dominos tombaient les uns après les autres. Face au patchwork de Post-it et de graphiques, elle repensa au cambriolage, au vol de ses cahiers et de ses montages photo : Frédéric était arrivé le premier sur les lieux, il avait prévenu les policiers. Et s'il était le responsable ? S'il avait forcé la serrure de son propre appartement et volé ses cahiers pour la déstabiliser ? Pour effacer tous les indices ?

Elle songea aussi aux meubles, aux bibelots, à ces objets qui changeaient de place, ces mouvements étranges mis sur le compte de ses rêves, de sa narcolepsie. Mais c'était lui. Chaque fois.

Frédéric cherchait à la décrédibiliser. À la rendre folle. Peu à peu, avec la patience d'une araignée guettant sa proie, il l'emmenait aux portes de la maladie mentale. Elle posa une main sur son ventre meurtri, pensa au rasoir. Elle imaginait Frédéric penché sur elle, tandis que la drogue agissait. Il avait soulevé sa nuisette et entrepris de la taillader.

Un dingue.

« Il faut que tu te fasses soigner en priorité, ou je vais finir par te retrouver… », venait-il de lui dire au téléphone. « Par te retrouver morte ? » Alors, elle sut. Frédéric allait tout faire pour qu'elle passe pour une folle, une suicidaire.

Abigaël se sentait incapable de réfléchir. C'était bien trop d'un coup. Elle n'avait été qu'une marionnette. Dire que cet homme-là l'avait touchée, qu'elle s'était confiée à lui, avait pleuré dans ses bras toutes les larmes de son corps. Depuis quand la droguait-il ? Pourquoi l'avait-il empêchée d'enquêter ? Pour quelle fichue raison ne lui avait-il pas permis de rencontrer Nicolas Gentil la première fois ?

De quoi avait-il peur ?

Il lui restait une demi-heure avant son retour. Abigaël se concentra sur les organigrammes et les axes temporels collés au mur, ces sacs de nœuds de l'affaire et de l'accident. Se focalisa sur les éléments importants. Elle repensa à l'épisode du bateau, à cette ombre qui avait descendu l'escalier et l'avait agressée au Taser avant qu'elle se réveille dans sa voiture, les souvenirs en vrac. Frédéric avait grandi dans une famille de marins, il devait être capable de piloter un bateau. Et sa présence sur le navire bleu et blanc en même temps qu'elle impliquait qu'il l'avait suivie jusqu'à Étretat. Qu'il la surveillait. Qu'il avait peur qu'elle redécouvre quelque chose là-bas. Frédéric avait peut-être un rapport avec les activités de son père. Avec l'accident. Cela pourrait expliquer pourquoi il l'avait aussi probablement droguée après la découverte de la valise de cocaïne.

Frédéric devait cacher un secret en rapport avec son père.

Un secret à protéger coûte que coûte.

Elle remonta encore l'axe temporel jusqu'au tout début. Une autre image lui revint en tête : le visage de Frédéric, devant elle, alors qu'elle se réveillait à l'hôpital Roger-Salengro, le matin après l'accident. Il avait été là dès les premières heures. Comment avait-il été alerté, alors que la brigade chargée de l'accident était celle de Saint-Amand, et non celle de Lille ? Abigaël ne se souvenait plus de ses propos, mais d'après lui, *on* l'avait prévenu de l'accident, donc il s'était précipité sur les lieux et ensuite à l'hôpital.

Qui ça, *on* ? Comment Frédéric avait-il pu arriver aussi vite ?

Elle se sentit mal, prisonnière de toutes ces hypothèses aussi folles les unes que les autres. Frédéric était-il lié à l'accident ? Avait-il été sur place, lui aussi, en cette nuit du 6 décembre ? Tant et tant de questions sans réponses.

Que faire, maintenant ? Elle alla s'habiller, puis boire un verre d'eau dans la cuisine. Il allait falloir noter tout ça quelque part au cas où sa mémoire lui jouerait des tours. Qu'elle se fasse un nouveau tatouage, mais qu'y inscrire ? « Frédéric est un monstre » ? Inenvisageable.

Elle imagina Frédéric découvrant qu'elle savait… Et la forcer à boire la potion de l'oubli… Elle frissonna, rien qu'à l'idée qu'il l'avait déjà fait les jours derniers.

Soudain, par la fenêtre, elle aperçut une ambulance passer à faible allure dans la rue perpendiculaire à l'impasse, avant de disparaître. Tous les signaux se mirent à clignoter et Abigaël resta collée à la vitre, avec l'angoisse au bord des lèvres.

Une minute plus tard, deux baraqués en blouse blanche apparurent dans l'impasse et se précipitèrent vers l'immeuble, suivis de Frédéric. Les trois hommes couraient.

Ils venaient la chercher.

76

Moins d'une minute pour réagir. Elle attrapa ses clés de voiture et se rua à l'extérieur de l'appartement. Seul moyen de fuir : descendre la centaine de marches de l'escalier. Se jeter dans la gueule du loup.

Elle dévala d'un étage et se glissa dans le couloir, plaquée contre la porte d'un voisin du dessous. La seconde d'après, les trois hommes attaquaient leur ascension, sans prononcer un mot, essayant de se faire le plus discrets possible. Abigaël retint sa respiration. Dans sa tête, des images de camisoles, d'injections, des filets de bave sur des lèvres. Des ombres, sur sa gauche. Des pas qui s'éloignent. Des bruits sourds, juste au-dessus de sa tête. Elle se précipita dans la cage d'escalier, descendant aussi vite que possible. Un cri, tandis qu'elle évoluait entre le deuxième et le premier étage :

— Elle est en bas !

Abigaël gémissait, tant les coupures sur sa poitrine la faisaient souffrir. Dans le feu de l'action, ses plaies la tiraillaient. Mais elle tint bon et déboula dans la cour. Au bout de l'impasse, elle tourna à droite, à fond, déjà à bout de souffle, non pas à cause de l'effort, mais de la peur : celle de se retrouver entre les quatre murs d'une chambre d'hôpital psychiatrique. Celle de crier une vérité que l'on transformerait en mensonge, parce que, c'est évident, les fous mentent. Remontée des pavés de la rue Danel, traversée au feu vert en provoquant des coups de klaxon. Un rapide regard en arrière. Frédéric la traquait à une cinquantaine de mètres, vif, tendu, le visage en souffrance : sa douleur à l'épaule devait le tarauder. Un flux de voitures venait de l'arrêter dans sa course, il hurla après les chauffeurs. Abigaël bondit sur la terre rouge du Champ-de-Mars, déverrouilla sa voiture garée plus loin d'une pression sur un petit boîtier et se rua sur le volant.

Démarrage dans la seconde, accélération droit devant elle, sans réfléchir. Frédéric tenta de lui bloquer le passage, puis s'écarta en criant. Plus loin, les deux types se positionnèrent devant la barrière automatique, à la sortie du parking. Eux aussi se jetèrent sur les côtés à l'arrivée du bolide. La barrière blanche et rouge fendit son pare-brise avant de se casser en deux. Puis le pare-chocs heurta deux plots en plastique. Abigaël tourna dans le boulevard Vauban, le remonta à vive allure et s'aventura dans différentes petites rues, tantôt à droite, tantôt à gauche, pour être certaine de les semer.

C'était fait. Du moins pour l'instant.

Sur une petite place, derrière le marché populaire de Wazemmes, elle se gara entre deux camionnettes et souffla un grand coup. En fuyant, en manquant d'écraser ces infirmiers, elle n'avait fait qu'empirer la situation. Où aller, à présent ? À qui parler, expliquer qu'elle n'était pas folle et que Frédéric cherchait à la détruire ? Le gendarme allait se démener pour la retrouver. Prévenir les commissariats, les collègues, en prétendant qu'elle était dangereuse. Là-dessus, elle pouvait compter sur lui.

Elle souleva son sweat à manches longues dans une grimace. Du sang traversait ses pansements. Elle n'avait pas de papiers d'identité ni même d'argent pour s'acheter de quoi se soigner. Une vraie fugitive.

Coup d'œil circulaire. Une pharmacie à une dizaine de mètres sur sa gauche. Elle sortit prudemment de sa voiture, entra dans l'officine. Quatre, cinq personnes faisaient la queue. Elle repéra les bandages et les antiseptiques sur un présentoir. Elle se servit et retourna dans la file d'attente. Profitant de l'inattention des pharmaciens occupés avec les autres clients, elle sortit et se mit à courir. Quelques secondes après, elle démarrait et disparaissait du quartier. Elle viendrait rembourser ses médicaments plus tard.

Désormais, Abigaël n'avait plus le choix. Elle devait fuir et se cacher. Et ne compter que sur elle-même. Mais où aller ? Sa maison d'Hellemmes pouvait être un point de chute, mais c'était trop risqué : les flics l'attendraient là-bas.

Le téléphone au fond de sa poche vibra. Un message :

« *Le chemin vers la vérité a commencé. Tu as trois heures pour te rendre à l'ancien triage-lavoir de Péronnes-lez-Binche, Belgique. Parle de ce message à quiconque, et je tue les enfants. Si je vois l'ombre d'un flic, je tue les enfants. Je le ferai sans hésitation.*
Freddy. »

77

Abigaël n'avait plus peur.

Elle n'avait plus grand-chose à perdre. Plus de passé, pas de futur. Elle se sentait prête à entrer dans le jeu de celui qui avait voulu lui voler sa fille et qui, d'une certaine façon, avait œuvré pour détruire sa vie.

Sur une autoroute belge… Les deux mains crispées sur le volant… Une fraction de seconde, elle avait imaginé que Frédéric puisse être Freddy. Qu'il puisse avoir enlevé et retenu les enfants quelque part, installé des épouvantails, les avoir détruits psychologiquement. Ça s'était déjà vu, des flics assassins, tueurs en série, kidnappeurs, pères de famille, déjouant toutes les statistiques criminelles et menant la double vie parfaite. Mais en y réfléchissant bien, ces hypothèses ne tenaient pas. Selon ses tout derniers souvenirs, Frédéric s'était trouvé dans la salle Merveille 51 lors de l'apparition de Freddy, de l'autre côté de l'écran, avec son masque de renard. Non, elle était persuadée que Frédéric traquait pour de bon le kidnappeur et allait au bout de ses forces pour le retrouver. Sur ce point, au moins, il était sincère.

Elle relut pour la énième fois le SMS. Numéro

d'envoi inconnu. Comment Freddy s'était-il procuré son numéro de portable ? Quelqu'un de proche… qui connaissait son passé… Au courant des techniques de police… Freddy gravitait dans son monde, il ne se trouvait jamais bien loin.

« Le chemin vers la vérité a commencé. » De quelle vérité parlait-il ? Abigaël ne savait pas, ne savait plus, Frédéric lui avait bousillé la mémoire. Heureusement, elle avait noté des pistes à suivre sur la notice du Dafalgan.

Es-tu allée dans un centre du sommeil avant tes 13 ans dans les Pyrénées ou ailleurs dans les montagnes ? Si oui, probable que tu y aies rencontré Freddy…

Elle se gara dans la campagne belge, appela sa neurologue et lui demanda de consulter son dossier médical : était-il fait mention d'un séjour dans un centre du sommeil durant sa jeunesse ?

Après quelques minutes et plusieurs clics de souris, la spécialiste fut en mesure de lui répondre :

— C'est bien le cas, effectivement. Vous avez séjourné trois semaines au Val du Bel-Air, un centre situé près de Bagnères-de-Bigorre, dans les Pyrénées. C'était en 1994, vous aviez…

— Douze ans. Qu'est-ce qu'on sait de ce centre ?

— Hmm… Il est spécialisé dans le traitement des troubles infantiles les plus graves du sommeil, l'un des seuls en France. Il est très réputé et peut accueillir une quarantaine de jeunes patients pour des séjours de trois à quatre semaines. Visiblement, vos parents avaient pris votre maladie très au sérieux. Excusez-moi, mon rendez-vous arrive et je n'ai pas grand-chose à vous dire de plus sur cet établissement. Je peux vous donner les coordonnées du directeur actuel du centre, si vous le souhaitez.

— Oui. Un numéro où le joindre, s'il vous plaît.

Abigaël nota les informations, la remercia et raccrocha. Son père l'avait donc envoyée dans un centre du sommeil pour enfants, à l'autre bout du pays. Freddy était probablement passé par là, lui aussi, il y a plus de vingt ans. Il avait croisé la route d'Abigaël, il s'était produit quelque chose de grave pour qu'aujourd'hui il s'en prenne à elle et vole le sommeil de ses prisonniers. De quelle maladie avait-il été atteint ? Insomnie ? Paralysie du sommeil ? Somnambulisme ? En souffrait-il encore aujourd'hui, comme elle avec la narcolepsie ? Était-il torturé par les démons de la nuit ?

Elle composa le numéro du directeur du centre pyrénéen, qui ne décrocha pas. Elle laissa un message explicite : psychologue spécialisée en criminologie, elle travaillait sur le gros dossier des kidnappeurs d'enfants dont il avait forcément entendu parler, et elle avait besoin qu'il la rappelle de toute urgence.

Elle redémarra, se concentra de nouveau sur la route. D'après le GPS, il ne restait que quelques minutes. Alentours gris et déprimants, dignes de *Germinal*. Par le passé, cette région de Belgique avait connu un formidable essor industriel grâce au sol charbonneux. Aujourd'hui, tout était mort. Des champs de céréales mangeaient l'horizon. Freddy pouvait la voir arriver à des kilomètres. La raison du choix de cet endroit, sans aucun doute.

Après presque deux heures de route, l'immense triage-lavoir se profila enfin, cerné de broussailles et d'arbres qui poussaient en pagaille. Une cathédrale sans vie, aux centaines de carreaux grisâtres à l'assaut du ciel entre les piliers de béton. L'ersatz d'un vieil immeuble de Gotham City, version charbon et mine. Abigaël se gara devant une clôture qui annonçait des travaux à venir : on voulait probablement restaurer l'édifice qui tombait en ruine. Devoir de mémoire.

Elle franchit les barrières et balaya du regard les alentours : aucun véhicule en vue, mais Freddy aurait très bien plus se garer plus loin, là-bas, derrière les murs d'arbres ou les nuages de broussailles.

Elle entra, sur ses gardes. D'immenses cônes de béton sortaient du plafond, leur gueule noire grande ouverte comme s'ils s'apprêtaient à cracher la mort. Ici, des petites mains avaient lavé, trié, conditionné des monceaux de charbon extraits des mines pour les vendre. Partout, de la poussière de schiste, de la crasse huileuse, des ténèbres. Abigaël imaginait des raclements de gorge causés par la silicose, des chariots à roulettes qu'on tirait, des gueules noires usées, courbées sous le poids de leurs sacs. Elle roula des yeux, déambula entre ces cônes inversés, s'enfonçant plus profondément dans le bâtiment, sans savoir quoi chercher.

Elle emprunta le seul escalier en bois qui escaladait en zigzag la haute structure. Des marches minuscules qui craquaient, juste une rambarde, les grandes vitres sales d'un côté, le vide de l'autre. Ça sentait fort l'essence. Ses pas résonnaient, l'acier vibrait, le lavoir respirait avec peine, comme un mineur à bout de souffle. Abigaël évolua ensuite dans un labyrinthe de poutrelles de bois, d'étroites plates-formes grinçantes, de passerelles inclinées. Treuils rouillés, monte-charge hors d'usage, cuves démesurées, entonnoirs gigantesques. L'impression d'être Ellen Ripley dans *Alien*.

Elle ne comprenait pas : qu'est-ce qu'elle fichait ici, dans ce décor de film de science-fiction ? Sur son téléphone portable, pas de réseau. Étrange. Un oiseau noir surgit en hauteur et fit claquer ses ailes dans le vide, avant de disparaître derrière un gros X métallique.

— Où est-ce que tu es ? Qu'est-ce que tu me veux ?

Abigaël n'eut pour toute réponse que le silence. L'impression que quelque chose clochait. Elle renouvela ses cris et réalisa que sa voix n'avait pas d'écho. Elle n'y connaissait rien en acoustique, mais n'y aurait-il pas dû y en avoir un dans ce genre d'édifice ?

Un doute l'envahit. Doucement, elle releva la tête vers le gros X métallique où s'était niché le volatile. À proximité, trois piliers en béton tombaient vers le rez-de-chaussée. En y regardant bien, on pouvait y voir un « XIII » géant.

Impossible.

Abigaël secoua la tête, c'était le genre de situation où l'on voyait des coïncidences partout. Elle ferma, rouvrit les yeux, ce XIII ne se détachait plus de son regard. Non, ça ne pouvait pas être un nouveau rêve. Elle tourna sur elle-même, scrutant chaque détail et aperçut quelque chose suspendu par une chaîne au-dessus d'un entonnoir géant et rendu presque invisible par le contre-jour.

Elle s'approcha. Il s'agissait d'un vieux Caméscope, situé à plus de deux mètres de hauteur. Abigaël ne bougea plus, releva la manche de son sweat, regarda chaque brûlure… Elles étaient là, toutes les cinq, à leur place. Mais peut-être que ça ne signifiait plus rien, que son esprit les avait intégrées dans le monde onirique, qu'il cherchait encore à la tromper. Abigaël sortit le briquet de sa poche et le maintint dans le creux de sa main. Prête à s'infliger une nouvelle torture, s'il le fallait.

Avec prudence, elle escalada le bord en métal de l'entonnoir géant en s'y mettant à califourchon. Si elle glissait, la grosse bouche noire l'avalerait et elle se fracasserait vingt mètres plus bas, éjectée par les gros cônes. En se penchant et tendant le bras, elle put atteindre du bout des doigts la caméra et l'attraper. Mais même en forçant, impossible de la détacher de la chaîne et du cadenas qui l'emprisonnaient.

Il s'agissait d'un modèle numérique assez ancien, dont il ne restait que deux boutons : enregistrement et lecture. Les autres avaient été arrachés, volontairement semblait-il. Freddy lui indiquait la marche à suivre. Elle déploya le petit écran à cristaux liquides, mit l'engin sous tension et démarra la lecture.

78

Une phrase apparut sur le Caméscope : « Regarde jusqu'au bout si tu veux sortir d'ici. » Elle s'effaça au bout de trois secondes. Écran noir. Abigaël avala sa salive avec peine, s'attendant au pire. Elle pensait à Nicolas Gentil et à ses doigts tranchés… À Benjamin Willemez et à ses veines tailladées… Quel sort lui réservait Freddy ?

Un visage familier se dessina sur la surface de pixels : celui de Carine Musier, la mère d'Alice. Elle pleurait, son rimmel coulait sur ses joues en longues traînées noires. Elle semblait assise à l'arrière d'une voiture. Partout autour, Abigaël devinait des arbres, le véhicule devait être garé en forêt. L'image était constellée de petites taches sombres, et Abigaël se dit que l'écran qui filmait cette femme – un ordinateur, une tablette – était peut-être plaqué contre le pare-brise depuis l'extérieur.

Les lèvres de Carine bougeaient, mais le son avait été coupé. À qui s'adressait-elle ? À Freddy ? À sa fille Alice ?

Abigaël entendit un bruit lointain qui provenait du bas du lavoir. Elle se raidit et lorgna autour d'elle, resserrant son briquet. Freddy se cachait-il là, quelque part ? L'observait-il en ce moment même ? Retour vers l'écran. Carine Musier prenait un bidon et répandait le contenu partout.

Pas ça…

Dans tous les cas, ce qui allait se passer avait déjà eu lieu, puisque Abigaël visionnait un enregistrement. Plus rien à faire pour aider Carine. La mère d'Alice leva un briquet devant elle, sa bouche tordue en une grimace. Elle suppliait et suppliait encore. Et comme si la vidéo prenait réellement vie, Abigaël sentit une odeur de brûlé. À une vingtaine de mètres sur sa gauche, une fumée grise s'élevait.

Sans perdre une seconde, elle sauta du bord de l'entonnoir, traversa une passerelle et se rua vers l'escalier. Mais un dragon de feu était en train de le dévorer et de se précipiter dans sa direction. Abigaël se rappela sur-le-champ les odeurs d'essence… Les marches étaient imprégnées de liquide inflammable. Et désormais, le rideau infranchissable se dressait là, entamant son grand ballet destructeur.

Abigaël courut dans toutes les directions, chercha une autre issue. Monte-charge hors service. Fenêtres qui donnaient sur un à-pic vertigineux. L'escalier était la seule façon de redescendre. Elle se mit à hurler. Personne ne viendrait la secourir.

Elle allait brûler vive.

Retour en courant vers l'entonnoir. *Regarde jusqu'au bout si tu veux sortir d'ici.* Freddy voulait qu'elle assiste à la mort horrible de Carine Musier. Qu'elle n'en perde pas une miette. Elle escalada le rebord, attrapa le Caméscope qui tournait sur lui-même au bout de la chaîne et découvrit l'horreur à l'état pur. Elle vit la femme brûler vive dans sa voiture, ses poings s'écraser sur les vitres, ses cheveux s'embraser, sa peau cloquer sous l'effet de la chaleur et les flammes victorieuses danser autour d'elle avant que l'écran devienne noir. Trois minutes de supplice abominable.

Ces mêmes fichues flammes qui, à une vingtaine de mètres, progressaient. Bientôt, elles l'encercleraient, la croqueraient comme la mère d'Alice. Abigaël fixait l'écran, attendait une solution qui ne venait pas. Elle manipula son briquet. Le salut viendrait peut-être de là : elle faisait juste un mauvais rêve. Pour une fois, Abigaël voulut y croire.

Elle s'apprêtait à faire jaillir la flamme quand, soudain, l'écran afficha une pièce plongée dans la pénombre. Un matelas, un seau en métal, de la paille, des murs tapissés de journaux avec son portrait… Il s'agissait de l'un des cachots des enfants kidnappés. Elle comprit mieux la réaction et les hurlements de Victor à l'hôpital. Lui aussi avait dû y être enfermé et avait associé son visage à l'enfermement, à la souffrance.

Elle perçut deux bouts de pieds nus dans la paille, en bas, à droite de l'écran : quelqu'un se trouvait dans un angle mort de la pièce. Une autre victime. Arthur ? Alice ? Les secondes défilaient, le bâtiment gémissait de part en part, la fumée s'enroulait au plafond, léchait les fenêtres. Abigaël aurait aimé accélérer la vidéo, mais Freddy avait tout prévu. Il fallait qu'elle regarde chaque image, chaque détail.

Puis, tout à coup, une silhouette de dos apparut là où se trouvaient les pieds. Une fille, semblait-il, grande, avec de courts cheveux blonds, une longue nuque. Elle portait cet ignoble pyjama dans lequel on avait retrouvé Victor. Abigaël comprit : face à elle se tenait Cendrillon. Freddy avait décidé de la lui présenter.

Elle leva subitement la tête. Depuis le X métallique, une comète vivante traversa l'espace dans un froissement d'ailes effroyable. La boule de feu alla s'écraser non loin, et quelques plumes carbonisées tombèrent dans l'entonnoir.

Retour au film. Cendrillon était toujours de dos au fond du cachot, immobile, les bras le long du corps. Comme obéissant à un ordre, elle se retourna doucement et, face à la caméra, fixa l'objectif de son profond regard bleu.

Aussitôt, Abigaël sentit sa respiration se bloquer, son corps se ramollit d'un coup. Son buste bascula vers l'avant et s'écrasa sur l'épais rebord de l'entonnoir. Choc frontal, craquement dans la tête. Impossible de bouger, elle se tenait comme un chat alangui sur un mur de pierres chaudes, bras et jambes pendant de chaque côté du bord.

Dans une sorte d'équilibre improbable.

De l'autre côté de l'écran, elle avait eu le temps d'apercevoir le visage de Cendrillon.

C'était celui de sa fille.

Léa.

79

Deux minutes. Deux minutes de paralysie absolue, où Abigaël n'arrivait plus à voir l'écran, seulement la surface floue du rebord métallique. Elle avait mal vu, Léa ne pouvait pas être vivante. Autour, des craquements, des sifflements. Le feu jouait, narguait. Une fois qu'elle eut recouvré l'usage de ses muscles, elle ne pensa plus à la douleur et se tourna vers le moniteur.

Nouveau choc. Léa était toujours là, immobile, les yeux rivés sur elle. Abigaël écrasa deux doigts sur le visage pixélisé de sa fille.

— Léa, Léa ! Parle-moi !

Celle-ci semblait lui répondre, avec ses yeux embués de larmes et ses lèvres qui bougeaient imperceptiblement. Abigaël crut y lire « maman ». Puis la jeune fille baissa la tête, s'avança et disparut du champ.

— Non ! Léa !

Abigaël hurla à la mort, appelant sa fille, même si elle savait qu'il s'agissait d'un enregistrement et que Léa ne pouvait pas l'entendre. Elle s'acharna sur l'appareil, essaya d'appuyer sur le bouton cassé de rembobinage, en vain. L'image restait fixe. Elle lâcha le Caméscope, se redressa, titubante, sonnée, presque groggy, manquant de déraper vers la bouche de l'entonnoir. Ses doigts accrochèrent le rebord, elle se glissa de l'autre côté et chuta.

Elle resta couchée par terre, s'y sentant bien. Léa ne pouvait pas être revenue d'entre les morts. Tout ça n'était qu'un rêve, une construction de son esprit. Il n'y avait pas de Léa, tout comme il n'y avait pas de feu ni de lavoir.

Rien d'autre qu'un mauvais tour joué par son cerveau.

Et elle allait le prouver.

80

La douleur provoquée par la brûlure de la cigarette qu'elle écrasa sur son bras fut si fulgurante qu'elle lui vrilla chaque nerf. Lorsqu'elle rouvrit ses yeux baignés de larmes, elle se trouvait toujours au milieu du lavoir embrasé. Une grosse poutre s'effondra, vraiment pas loin, soufflant une chaleur de fourneau. Abigaël chevaucha de nouveau l'entonnoir et attrapa le Caméscope du bout des doigts. Inscrit sur l'écran : « Ta seule place est au fond du trou… »

Elle maudit Freddy de toutes ses forces. Alors elle allait crever de cette façon ? Carbonisée et seule au monde ? Elle s'accrocha à l'image de Léa. Sa fille, vivante… Sa fille qui avait besoin d'aide. Bon Dieu…

Les diables couraient à quelques mètres, voraces et rieurs. Abigaël plongea son nez sous son sweat en toussant et essaya de réfléchir aussi vite que possible. « Ta seule place est au fond du trou… » Elle comprit. La grande bouche noire, au fond de l'entonnoir… C'était sans doute par là qu'il fallait passer. Elle essaya d'arracher le Caméscope de sa chaîne afin de récupérer le film, la preuve que Léa était en vie, qu'elle n'était pas folle. Elle n'y parvint pas.

L'image de sa fille allait brûler avec tout le reste.

Abigaël se laissa glisser dans la pente, allongée, comme sur un toboggan. Le trou l'avala, elle chuta d'un mètre dans le noir avant qu'une courbe lui évite de se rompre les os et l'entraîne plus bas à grande vitesse. Encore une chute – interminable celle-là –, la lumière soudaine, son corps projeté sur un tas noirâtre de poussière de charbon. L'atterrissage fut sans douleur, bien que raide. Abigaël se redressa et se traîna jusqu'à la sortie, boitillant, le torse parsemé de taches de sang, d'entailles et de charbon mêlés.

Elle regagna sa voiture, roula en rase campagne sur quelques kilomètres, croisa des camions de pompiers qui filaient à vive allure et emprunta un chemin de terre, où elle s'arrêta. Ses os, ses muscles, sa chair lui faisaient mal. Son esprit aussi. *Léa.* Qu'allait-il se passer maintenant ? Qu'est-ce que Freddy attendait d'elle ? Quand reprendrait-il contact ? Dans un jour, dix jours, un mois ?

Elle pleura un long moment, au point d'avoir mal au crâne. Léa, vivante, debout et droite. Six mois d'enfermement, de souffrances… Elle imagina sa fille à la place d'Arthur, sur l'île, tombant dans l'eau chaque fois qu'elle dormait et se réveillant face à la tête de renard. Léa, seule dans le froid et le noir… Abigaël se repassait en boucle chaque seconde où elle avait pu voir le visage de sa fille sur ces quelques centimètres d'écran. Il fallait qu'elle s'accroche à ces images, qu'elle y croie : elle avait VU Léa !

Et pourtant, elle était allée dans la salle d'autopsie pour l'identifier, elle avait observé son cercueil s'enfoncer dans les entrailles du funérarium. Et ce tatouage à la cheville sur le cadavre ? Et la clé de la valise, dans sa poche ?

Elle éprouvait l'envie de crier ses découvertes aux gendarmes, d'appeler Lemoine pour tout lui expliquer. Impossible. On la recherchait, on ne l'écouterait pas raconter cette histoire incroyable. Les morts ne peuvent revenir à la vie.

Son téléphone portable sonna. Frédéric… Le monstre… Elle éteignit et sortit la carte SIM de son compartiment. Ils ne la localiseraient pas. Puis elle tendit ses bras sur son volant, le regard dirigé vers cette campagne jaune et ondoyante. C'était la tempête sous son crâne, les gros nuages noirs des événements s'enchevêtraient pour former un orage monstrueux. Dans ce chaos, Abigaël entrevit pourtant des morceaux de réponses aux questions qui la hantaient depuis des mois.

Si Léa n'était pas morte, alors qui était celle qui avait été découverte écrasée contre un arbre ? Quelqu'un avait remplacé le corps, un individu capable de reproduire le tatouage sur un cadavre anonyme et de lui fracasser le visage pour qu'Abigaël fût incapable de le reconnaître.

Tant de choses s'éclairaient, à présent : le fait que le prétendu cadavre de Léa, dans la voiture, ne présente pas de traces de Propydol, alors que, Abigaël en était désormais certaine, Léa avait été droguée. Elle se rappela aussi la lettre découverte dans les bois : « … je vais bientôt mourir. […] Je t'aime, ma petite maman. » Freddy avait dû forcer Léa à lui écrire ce mot. Parce qu'il avait assisté à l'accident. Et que lui aussi, il avait décidé de jouer avec elle. De la rendre folle. Bien plus pervers que de lui demander de se mutiler ou de se suicider.

Abigaël poussa plus loin encore son raisonnement : si on avait remplacé le corps de Léa, on avait peut-être également échangé celui de son père. À l'IML, Abigaël avait vu un corps portant les habits d'Yves, de sa corpulence, avec les mêmes marques de piqûres aux avant-bras. Mais là non plus, impossible de reconnaître le visage.

Peut-être que personne n'était mort la nuit de l'accident.

La perspective d'un tel scénario lui donnait le vertige.

L'impression d'être absorbée par un tourbillon, tandis que les pièces du puzzle s'assemblaient dans sa tête. Il fallait absolument qu'elle vérifie quelque chose. Que les masques tombent. Elle remit le contact et prit la route.

Direction l'institut médico-légal de Lille.

81

Garée discrètement le long d'une route, Abigaël avait la morgue en ligne de mire. Elle attendait que le frère de Frédéric sorte pour pénétrer dans son bureau. Elle connaissait bien les lieux : après avoir franchi l'accueil, on pouvait aller à peu près n'importe où, des salles d'autopsie aux bureaux de l'étage que le personnel ne fermait jamais à clé. Elle savait exactement où étaient rangés les rapports d'autopsie d'Hermand Mandrieux et, surtout, les radiographies de chaque cadavre qui transitait par l'IML.

Le légiste pouvait finir tard. Seul son véhicule restait sur le parking. En attendant, Abigaël essaya de recontacter le directeur du centre du sommeil pyrénéen. Cette fois, à son grand soulagement, il décrocha. Elle expliqua qu'elle l'avait déjà appelé quelques heures plus tôt au sujet du kidnappeur d'enfants. Il y eut un silence qui l'inquiéta.

— Monsieur ?

— Oui, oui, je suis là, et j'ai bien eu votre message, en effet. C'est vous qui avez été l'une des patientes de notre centre en 1994 ? Abigaël Durnan ?

Elle s'étonna, ne lui ayant jamais laissé entendre une chose pareille sur le répondeur.

— Comment êtes-vous au courant ?

— Un gendarme m'a appelé, il n'y a pas plus tard qu'une heure. On en est venus à parler de vous.

— Il s'appelait Frédéric Mandrieux ?

— Oui, c'était lui.

Abigaël sentit sa poitrine se serrer. Frédéric suivait sa piste. Il avait dû contacter sa neurologue ou aller la voir. Elle l'avait alors aiguillé vers le centre du sommeil.

— Qu'est-ce qu'il voulait ?

— Une liste de patients présents dans l'établissement à la même période que vous. Il pense que l'homme que vous traquez dans cette terrible affaire de kidnapping y a séjourné, lui aussi. D'ordinaire, je ne transmets pas ce genre d'informations par téléphone, mais…

— Mais ?

— Je vais devoir réexpliquer ce que j'ai déjà dit à votre collègue ?

— S'il vous plaît.

— Il y a environ un an et demi, un fait divers sordide a fait la une des journaux régionaux. On a retrouvé le cadavre de mon prédécesseur, Pierre Mangeain, attaché contre un arbre au fond d'une forêt des Pyrénées.

Abigaël n'avait jamais entendu parler de cette affaire.

— Tué de quelle façon ?

— … Il avait été à moitié dévoré par des bêtes sauvages, le corps couvert de coups de griffes et de morsures animales. Il y en avait partout, mais plus particulièrement sur le visage. Les experts ont estimé qu'elles devaient appartenir à un renard ou à un animal de cette morphologie.

Un renard… Abigaël imagina Freddy dans les bois noirs, infliger des blessures à l'homme attaché pour le faire souffrir. Elle le voyait frapper avec son gant sur le torse, les joues. Lui déchirer les chairs avec de vraies mâchoires de renard. Restait à comprendre le mobile d'un tel acharnement.

— Il y a eu des pistes ?

— Aucune, l'affaire n'a jamais été élucidée. Les flics ont pensé à toutes les hypothèses, du pur psychopathe à une histoire de vengeance. Certains dossiers du centre du sommeil ont été étudiés, mais ils ne sont pas remontés jusqu'à 1994, c'était il y a plus de vingt ans. Bref, tout cela pour vous dire que votre collègue gendarme m'a affirmé qu'il y avait un lien avec son affaire. Que celui qui avait tué mon prédécesseur était l'homme qui retenait ces enfants, et qu'il y avait un rapport avec le centre et l'année 1994.

— Vous lui avez donc fourni la liste des patients de cette année-là ?

— Oui. Je ne viole pas le secret professionnel, les dossiers médicaux de ces enfants n'existent plus, on n'a plus grand-chose avant 1999. On a eu des inondations dans la salle des archives à cause d'une crue historique. Tout ce que j'ai pu lui fournir, ce sont des noms et des photos sur de petites fiches. Seuls les patients masculins l'intéressaient. Il y en avait vingt-trois.

— Pouvez-vous me citer leurs noms ? fit-elle.

— Pourquoi ne voyez-vous pas cela avec votre

collègue ? Je m'apprêtais à scanner les fiches et les lui transmettre par mail.

Abigaël ferma les yeux, la main au front.

— C'est compliqué, il est en intervention pour le moment et j'ai un besoin urgent de ces noms, moi aussi.

— Très bien.

Il s'exécuta et lui dicta la liste. Abigaël se concentra sur chaque identité, mais aucune ne lui parlait.

— Ce mail que vous allez transmettre à mon collègue, vous pouvez me l'envoyer également de façon séparée ?

Abigaël comptait sur les photos, peut-être y reconnaîtrait-elle un visage ?

— Pourquoi séparé ? finit-il par demander. Votre appel me paraît de plus en plus étrange. Je…

— Ma fille fait partie des victimes du kidnappeur. L'un des individus que vous avez sous les yeux est celui qui retient mon enfant depuis plus de six mois. Il exerce une vengeance, vous comprenez ? Il s'en prend à ma fille pour m'atteindre moi. Je vous en prie, envoyez-moi ces fiches.

Un court silence.

— Vous les aurez d'ici une heure.

— Merci infiniment. Une dernière chose. Est-ce que vous avez fait part du message que j'ai laissé sur votre répondeur à ce gendarme ?

— Oui, je le lui ai signalé, bien sûr. Deux personnes qui m'appellent à un quart d'heure d'écart pour la même raison…

Abigaël lui communiqua son adresse mail, le remercia et raccrocha. Désormais, Frédéric savait qu'elle enquêtait de son côté. Il devait se douter qu'elle avait découvert une partie de la vérité le concernant. Qu'elle n'avait peut-être pas tant perdu la mémoire que cela. Était-ce la raison de son appel ? Le silence devait le rendre dingue.

Plus de 20 heures. Abigaël regarda l'institut médico-légal. Puisque Frédéric était au courant, cela ne servait plus à rien d'agir en secret, il fallait changer de plan, y aller la tête dans le guidon. Soumettre à Hermand Mandrieux l'idée qu'elle avait en tête.

Elle traversa la route en courant et arriva sur le parking du bâtiment. Elle entra, passa devant l'accueil déserté, emprunta l'escalier. Trois secondes plus tard, elle se tenait devant le bureau du médecin légiste. Il était debout et empilait quelques feuilles, s'apprêtant à partir.

Abigaël se positionna sur le seuil.

— Tu m'accordes deux minutes ?

82

Ses vêtements étaient maculés de poudre de charbon et de taches de sang. Elle avait les yeux rouges et dégageait une odeur de fumée à chaque geste. Hermand Mandrieux l'observa avec surprise.

— Bon Dieu, Abigaël, qu'est-ce qui se passe ? Tu es blessée ?

Elle épia chacune de ses réactions.

— Ça va aller, rien de grave. J'aurais besoin que tu rouvres un dossier pour moi. C'est très important.

Après un temps d'hésitation, le médecin légiste acquiesça, posa sa paperasse et retourna derrière son bureau. Il appuya sur le bouton d'alimentation de son ordinateur, manipula quelques secondes son téléphone portable et le posa à ses côtés.

— Je t'écoute.

— Ça concerne le cadavre retrouvé dans le coffre du Kangoo.

Hermand haussa un sourcil.

— Qu'est-ce que tu veux savoir, exactement ?

— J'aimerais voir les radiographies, notamment au niveau du tibia gauche. Tu peux me montrer celles qui sont stockées sur ton ordinateur ou celles qui se trouvent juste là, derrière toi, dans l'un de ces dossiers.

Hermand Mandrieux n'était pas du genre à laisser transparaître ses émotions, mais Abigaël le sentit soudain plus nerveux. Il se recula sur son siège, marqua un court silence puis revint vers l'avant. Il souleva une pile de dossiers, en chercha un en particulier et le poussa vers son interlocutrice.

— Voici une copie du rapport d'autopsie. Tout y est. Vas-y, jette un œil.

— Ce n'est pas le rapport que je veux. Ce sont les radiographies. Celles dont je pourrai récupérer les originaux dans les dossiers du radiologue si je le veux vraiment. À moins que lui aussi ne soit impliqué ?

— Impliqué ? Qu'est-ce que tu racontes ?

Abigaël ouvrit le rapport médico-légal et se rendit à la partie concernant l'analyse du squelette. Elle le parcourut rapidement des yeux, puis le referma et le claqua devant elle. Hermand Mandrieux se mit en travers de son chemin lorsqu'elle se dirigea vers le fond du bureau. D'un geste vif, elle s'empara du coupe-papier sur le bureau et l'appuya sur sa poitrine.

— Si tu ne me laisses pas passer et consulter ces fichues radios, je te plante ça dans le bide. Je te jure que je le ferai.

Mandrieux comprit qu'elle ne plaisantait pas, qu'elle n'était pas dans son état normal. Il s'écarta.

— Ne fais pas ça.

Elle garda un œil sur lui et se mit à fouiller dans les dossiers suspendus et rangés avec soin. Elle ne mit pas longtemps à trouver le bon, qu'elle posa sur le bureau et consulta.

— Je me souviens bien de cette nuit où nous

sommes venus assister à l'autopsie, avec Frédéric. La jambe gauche du cadavre était détachée du reste du corps et tu l'avais mise à l'écart sur l'autre table d'autopsie… Peut-être parce que j'aurais pu voir la cicatrice sur le tibia ?

— Qu'est-ce que tu racontes ?

— Ça sentait tellement mauvais que je suis sortie avec Patrick Lemoine, mais Frédéric est resté seul avec toi. Qu'est-ce que vous vous êtes dit ?

Silencieux, Hermand fixait Abigaël froidement, immobile au milieu de la pièce, les bras le long du corps. La jeune femme trouva les radiographies, en leva quelques-unes devant la lumière. Son cœur se brisa lorsqu'elle découvrit, sur celle du tibia gauche, une pièce de métal rectangulaire.

— C'était lui… Le cadavre dans le coffre, c'était mon père…

Elle se laissa tomber dans le fauteuil du médecin, anéantie.

— Il a eu cette blessure lors d'une banale intervention. C'est à ce moment-là qu'il a connu Frédéric. Ils ont passé du temps ensemble à l'hôpital et…

Ses mains se mirent à trembler. Elle les plaqua sur ses cuisses.

— Frédéric t'a demandé de cacher la présence de cette broche avant qu'on arrive dans la salle d'autopsie, c'est ça ? Alors, tu as… décroché la jambe du reste du corps. Mon Dieu… Me dis pas que c'est lui, Hermand. Me dis pas que c'est Frédéric qui a tiré une balle dans la tête de mon père et qui lui a défoncé le crâne à coups de cric, avant de le balancer vulgairement au fond d'une rivière.

Hermand s'approcha.

— Tu ne vas pas bien, tu ferais mieux de…

— Les deux cadavres qui ont remplacé ma fille et mon père, ils venaient de tes putains de tiroirs de morgue, hein ? Ma Léa est entre les mains de Freddy depuis plus de six mois ! Et toi, tu le savais !

Le légiste n'était plus que l'ombre de lui-même. Il soupira longuement, comme résigné.

— Qu'est-ce que tu sais ?

— Que mon père fuyait des types qui cherchaient à lui faire la peau. Qu'il était un trafiquant de drogue, et que plus de trente kilos de cocaïne étaient enterrés dans un bois pas loin d'ici. Qu'il nous a droguées, Léa et moi, la nuit de l'accident. Qu'on a voulu faire croire à tout le monde que mon père et ma fille étaient morts…

Le médecin resta inerte quelques secondes.

— Ça ne te servira sans doute à pas grand-chose si je te dis que je suis hanté par cette histoire, que je n'en dors plus la nuit, que… chaque jour où je vois un flic entrer ici, j'ai une trouille bleue qu'on vienne pour m'annoncer que tout est terminé, et que, en même temps, j'ai envie de tout raconter. Parce que je n'en peux plus.

Il secoua la tête.

— Cette histoire a tellement mal tourné… C'était juste une question de temps. Et on dirait bien que le moment est venu.

Il fixa longuement un cadre sur le bureau. Puis ses yeux revinrent vers son interlocutrice.

— Je vais te raconter la vérité.

83

— Tout a commencé le soir du 4 décembre, deux jours avant l'accident. Mon frère est venu me voir en salle d'autopsie. Il y avait beaucoup de boulot, on avait reçu vingt-six corps au début de la semaine, suite à un incendie domestique déclaré dans une tour de Lille-Sud. Un vrai carnage. Des enfants, des parents, surpris pendant leur sommeil par les gaz toxiques. Il y a eu des brûlés, mais la plupart ont été intoxiqués. Des familles entières ont été transférées ici. Frédéric avait été mis au courant de ce drame, puisque les équipes de gendarmerie étaient intervenues sur les lieux. Quand il est arrivé, cette nuit-là, il m'a demandé une chose terrible. Il voulait que je lui fournisse deux corps pour le lendemain soir.

Ses yeux semblèrent s'égarer au fond de sa conscience. Abigaël eut l'impression qu'il revivait l'instant.

— L'un devait être grand, au moins un mètre quatre-vingts, robuste, la soixantaine. Et l'autre, une jeune fille, 13, 14 ans, blonde si possible… Quand il m'a montré la photo pour que je me fasse une idée, j'ai reconnu ta fille. Bon Dieu, Abigaël, tu dois me croire si je te dis que je ne voulais pas l'entendre, que j'ai failli en venir aux mains avec lui. Oser me demander une chose pareille… Est-ce qu'il était devenu fou ? Et qu'est-ce qu'il magouillait ? C'est là qu'il a fait entrer ton père. Un type imposant dont Fred m'avait beaucoup parlé. Une sorte de Pygmalion. Bref, tout ce qui allait avoir de terribles conséquences s'est passé ce soir-là, dans la salle d'autopsie. J'ai écouté ton père qui m'a raconté son histoire. Il m'a expliqué que ta vie et celle de ta fille étaient menacées. Que vous étiez susceptibles de devenir les victimes collatérales de ses affaires s'il ne disposait pas de ces deux cadavres avant le lendemain soir.

— Mais… pourquoi ?

— Tu as déjà dû entendre parler du cartel mexicain de Chapolas, une organisation criminelle ultraviolente qui arrose de cocaïne le monde entier. Ils ont une branche en Europe, dont les points d'entrée principaux sont l'Espagne, la Suède, les Pays-Bas et la France. Il y a quelques années, ils ont dépêché des membres de leurs groupes sur place pour développer leur business. D'anciens militaires, des flics corrompus, des mercenaires du crime originaires d'Amérique centrale… De vraies bêtes sauvages qui inondent nos quartiers de ce poison.

Il avait retrouvé son calme. Les mots sortaient tout seuls.

— Ton père n'a jamais démissionné des douanes, enfin, en tout cas, pas de la façon dont tu le crois. Il travaillait encore pour eux mais, tout le monde, y compris ses collègues, sa famille, même une partie de sa hiérarchie, devait croire que c'était terminé…

Il y a donc eu une fausse démission, une couverture. Au départ, ton père avait pour mission de s'infiltrer dans l'organisation et de transmettre des renseignements en haut lieu. Les douaniers savaient que le port du Havre servait de plaque tournante. En apparence, ton père profitait d'une préretraite à Étretat. Officieusement, des fonctionnaires bien placés du ministère de l'Intérieur lui avaient créé une identité, un passé peu reluisant et fourni un bateau, saisi sur une autre affaire, pour qu'il devienne Xavier Illinois, petit délinquant notoire impliqué dans quelques coups.

— Continue, lâcha-t-elle froidement.

— … Ton père, sous sa nouvelle identité, a réussi son infiltration. Je ne connais pas tous les détails, mais sous le couvert d'une société de transport touristique, il a monté quelques petits trafics afin de se faire repérer par le cartel. Puis il a commencé à travailler pour eux. Il convoyait de la drogue qu'il récupérait au large et livrait au port à des intermédiaires. Mais après quelques mois, un ordre venu d'en haut lui a demandé de lâcher cette opération pour une raison que j'ignore. Yves a refusé, il s'est mis en porte-à-faux avec son seul contact au ministère de l'Intérieur et il a démissionné pour de bon, cette fois. Il n'était plus douanier mais voulait aller au bout, faire tomber cette partie du cartel, parce qu'il s'en sentait capable… Alors, il a continué à « aviser » les douanes – un aviseur est une espèce d'indic –, mais il n'était plus protégé si ça tournait mal. Il pouvait être arrêté et même tué par ses anciens collègues dans le cas d'opérations d'interpellation. Aux yeux de la loi, d'infiltré, il était devenu un véritable trafiquant de drogue…

Abigaël revoyait son père, amaigri, usé, avec ces marques d'aiguille aux bras. Il avait probablement dû pousser loin son personnage d'infiltré.

— … Le cartel Chapolas est l'un des plus violents et sanguinaires de la planète, poursuivit le légiste. Sais-tu comment ils punissent leurs adversaires et ceux qui les trahissent ? Ils les laissent en vie, mais ils torturent et tuent toute leur famille de la façon la plus effroyable qui soit. Une autopsie, à côté, c'est de la rigolade. Ton père m'a montré des vidéos de ce qu'ils ont fait sur Internet, parce que en plus, ces fous furieux postent ça pour que tout le monde voie. Même moi, j'ai eu du mal. Et tu as beau fuir à l'étranger, te cacher, être protégé, ils te retrouvent toujours. Il n'y a pas de solution. Et c'était ce qui vous attendait, Léa et toi, si on n'avait rien fait. La pire des morts…

Abigaël en voulut aux douaniers, aux lâches qui avaient abandonné son père, à l'administration. Qu'avait été Yves pour eux ? De la chair à canon ? Un pion qu'on manipulait et qu'on jetait après usage ?

— … Ton père, sous sa couverture, n'avait qu'un point faible : Léa et toi. Il a dû faire une connerie à un moment donné. Vous appeler alors qu'il ne fallait pas, laisser une trace de votre existence, une photo. Dès que le cartel a compris que ton père n'était pas Xavier Illinois, vos jours étaient comptés. Ces gens-là ne tuent pas tout de suite, ils prennent plaisir à prendre leur temps, comme des orques tournant autour de leurs proies.

Il désigna du menton les dossiers, derrière Abigaël.

— On avait des corps à profusion à cause de l'incendie, et plutôt en bon état pour la plupart car, comme je te l'ai dit, ils avaient été intoxiqués et non brûlés. Les adultes de l'âge et de la physionomie d'Yves, ce n'était pas ce qui manquait, à quelques kilos près. Pour la gamine, ça a été un sacré coup de chance. Il y avait une môme blonde de 12 ans, parmi les victimes, elle devait être mise en bière le 5 décembre au matin…

De nouveau, il prit la photo encadrée de ses enfants. Contempla leur visage dans un soupir.

— Tu sais comment ça fonctionne, Abigaël. Les policiers viennent faire les scellés à la morgue en bas, en présence des pompes funèbres. Je me suis arrangé pour être seul avec le cercueil juste après la pose des scellés, une dizaine de minutes, avant que les pompes funèbres les embarquent, ce n'était pas compliqué. Frédéric m'avait fourni un bâton de cire et un tampon à scellés de la police nationale. J'ai ouvert les cercueils… Sorti les corps… Refait les scellés. Personne n'a fait attention. Le cercueil de la gamine qu'ils ont embarqué était lesté d'un sac de béton que j'avais préalablement dissimulé dans les tiroirs, et celui de l'homme, de trois sacs. Les cadavres qui auraient dû se trouver dans les cercueils sont retournés au fond de leurs tiroirs de morgue. C'était aussi simple que ça.

Abigaël l'écoutait avec dégoût et colère, mais s'efforçait de ne rien dire pour ne pas l'interrompre.

— Ton père avait pensé à tout, un vrai stratège. Il a déployé une carte de la région sur la table d'autopsie, il a montré l'endroit exact où aurait lieu

« l'accident » : le virage dans cette fameuse route en travaux, quelques kilomètres après la sortie d'Orchies, au niveau de la borne kilométrique 12. Il était allé là-bas dans l'après-midi pour étudier la façon dont il s'y prendrait. Son idée, c'était de projeter le véhicule contre un arbre, avec les deux cadavres de l'incendie à l'intérieur. Puis il devait emmener Léa avec lui et disparaître plusieurs mois en Espagne, le temps que les choses se tassent avec les hommes du cartel. Ensuite, il t'aurait contactée. Vous auriez probablement dû quitter le Nord, mais vous auriez été en vie.

— Mais… pourquoi Léa ? Pourquoi il voulait la prendre avec lui ?

— S'il avait été la seule victime de l'accident, ça aurait paru suspect aux yeux du cartel. Ils sont rompus à toutes les techniques de ceux qui essaient de passer entre les mailles du filet. Lui mort, et toi et ta fille qui en réchappent, comme par hasard ? Ça aurait été trop gros. Ta douleur, Abigaël… Ton chagrin était l'assurance dont avaient besoin ces types pour être certains que ce qui s'était produit était la réalité. Que ton père et ta fille étaient morts. Ils n'avaient donc plus aucune raison de s'en prendre à toi.

Abigaël se rappelait les mots de son agresseur : « Tu devrais être morte à l'heure qu'il est. Mais c'est ton père qui s'est fracassé à ta place. Il s'en est bien tiré, cet enfoiré. Et toi aussi. » Elle ferma les yeux. Tout bouillait à l'intérieur. Ces hommes du cartel avaient été là à l'enterrement, ils avaient rôdé autour de sa maison, avaient vérifié qu'Yves n'avait pas essayé de les duper.

— Mais là où ton père s'est gouré, c'est que ces hommes de l'organisation n'ont jamais lâché, à cause de cette drogue qu'ils voulaient à tout prix récupérer. Ce pactole de poudre blanche mis de côté pour assurer la planque et vous construire une nouvelle vie. Un type comme lui n'aurait pas eu de mal à la refourguer et à en tirer des millions d'euros…

Lorsque Abigaël releva les paupières, les larmes étaient là.

— Les analyses ADN… murmura-t-elle. Il y a eu des comparaisons au laboratoire, le gendarme Palmeri de la brigade accident était sur place avec son collègue lorsque tu as fait les prélèvements sur les cadavres. Tout cela était rigoureusement encadré. Vous ne pouviez pas tricher.

— Si, bien sûr que si, il suffisait d'anticiper. Tu passes ta brosse à dents dans la bouche d'un cadavre, tu mets un peu de ses cheveux dans ta propre brosse à cheveux, tu enfermes le tout dans ta valise… Quand on connaît les procédures, on peut toujours tromper le système, aussi performant soit-il. Ton père est revenu ici, la veille de l'accident, aux alentours de 17 heures, avec les brosses à dents et la brosse à cheveux de ta fille. On a fourré les brosses à dents dans la bouche des morts…

Abigaël se rappelait : son père avait prétendu être allé à Lille en fin d'après-midi, le 5. En fait, il était venu ici, avec les affaires de Léa, les avait imprégnées des traces des cadavres et les avait remises en place dans les valises.

— … On a marqué le cadavre de l'adulte de traces d'aiguille aux bras, parce que Yves en avait. On lui a rasé les cheveux comme ton père. Et pour le tatouage de chat sur le corps de la gamine, Frédéric l'a fait réaliser par une personne de confiance en bas, à la morgue. Il n'y avait évidemment aucune rougeur indiquant qu'il était récent, puisque les cadavres ne marquent plus.

— Et le Kangoo ?

— La nuit du drame, Frédéric ne voulait pas utiliser son véhicule personnel, trop risqué. Dans ces moments-là, on a toujours peur d'avoir une panne, un accident. Au moins, en cas de pépin, il pouvait abandonner la voiture volée. Et puis, il fallait un véhicule utilitaire afin de pouvoir y dissimuler aisément deux cadavres. Il a volé un Kangoo en banlieue, et il est venu avec, la nuit du 6, ici, à l'IML. Il était aux alentours de 1 heure du matin, il n'y avait plus personne, je m'étais assuré que le garçon de morgue ne serait pas là. On a chargé les deux corps à l'arrière, et Frédéric est parti… J'ai prié pour que tout fonctionne comme prévu, qu'il n'y ait aucun problème. Quand il m'a appelé vers 5 heures pour me dire que tout s'était bien passé, ça a été un énorme soulagement. La suite était limpide. Je recevais les corps de l'accident le lendemain, je faisais les autopsies en respectant toutes les procédures…

Pour la première fois, Abigaël vit les yeux de son interlocuteur devenir humides.

— … Et je te laissais croire au pire. Tu étais là, en face de moi, complètement anéantie. Et tu identifiais des étrangers comme étant ton père et ta fille. Ça a été pour moi l'un des moments les plus difficiles de ma carrière, je te l'assure, mais je me disais que tu les reverrais bientôt, que vous auriez une vie heureuse, tous les trois.

Il renifla pour s'empêcher de craquer devant elle.

— Mais le plus horrible était à venir, quand, quatre mois plus tard, est arrivé le cadavre retrouvé nu dans le coffre du Kangoo…

84

— … Ce jour-là, fin mars, je n'ai pas fait le rapprochement tout de suite avec le Kangoo que Frédéric avait volé le 5 décembre. Il m'avait toujours dit avoir brûlé la voiture du côté de Tourcoing, que ton père avait emmené ta fille à l'abri en Espagne, et qu'il lui passait un coup de fil de temps en temps pour signaler que tout allait bien. Et puis, le cadavre putréfié du coffre est arrivé quatre mois après l'accident, autrement dit, une éternité. Mais deux heures avant que vous ne débarquiez cette nuit-là, mon frère m'a appelé en catastrophe : il ne fallait surtout pas signaler la présence de la broche sur le tibia. Alors, j'ai immédiatement compris que Frédéric m'avait menti et que ce corps, c'était Yves, ton père.

Abigaël se rappelait cette nuit-là : pour la première fois depuis leur cohabitation, Frédéric et elle avaient couché ensemble. Il y avait eu ensuite le coup de fil de Lemoine annonçant la découverte du cadavre dans le coffre. Elle avait dû se rendormir et, quand elle avait rejoint Frédéric dans la salle de bains, il lui avait annoncé son départ pour l'IML. Il avait dû appeler son frère dans cet intervalle de temps.

— Qu'est-ce qui s'est passé la nuit du 6 décembre ?

— Frédéric m'a tout expliqué quand il est resté seul avec moi et que vous êtes sortis avec Patrick. La nuit de l'accident, Léa et toi étiez droguées au Propydol. Frédéric attendait dans le Kangoo, les deux cadavres dans le coffre, à une centaine de mètres du virage... Tu as mis très longtemps à t'endormir, leur plan a failli capoter à cause de ça. Yves a freiné au dernier moment, à quelques mètres de l'arbre, avant que tu sombres enfin...

Abigaël vivait en temps réel ce qu'il lui racontait. Elle voyait encore le tronc grossir juste devant le capot de la voiture, alors que, en réalité, elle ne l'avait jamais percuté.

— ... Ensuite, mon frère et ton père ont commencé à dérouler la partie la plus délicate de leur plan : simuler l'accident. Frédéric m'a raconté ce qui s'est passé : il fallait vous sortir de la voiture, toutes les deux, emmener Léa à l'arrière du Kangoo, la déshabiller pour vêtir le cadavre, faire de même avec les vêtements d'Yves, puis transférer les deux cadavres du Kangoo à la Volvo... Ton père avait même pensé à prendre le doudou de ta fille dans sa valise, parce qu'il savait que ce serait dur pour elle, à son réveil, quand il lui expliquerait qu'elle ne te reverrait pas avant quelques mois et qu'il faudrait changer de vie. Ce doudou, c'était votre seul lien, à toutes les deux. Un objet auquel Léa pourrait se raccrocher dans les moments difficiles.

Hermand serra les mâchoires et fixa la surface de son bureau, la tête rentrée dans les épaules.

— Ils n'ont plus surveillé Léa, ils l'ont laissée là, à l'arrière du Kangoo, parce qu'il fallait passer à la partie la plus délicate : mettre en scène l'accident. Coincer la pédale d'accélérateur de la voiture d'Yves avec la troisième vitesse enclenchée, et la laisser filer avec les deux cadavres à bord, en espérant qu'elle roule droit et frappe l'un des arbres au niveau du virage. Ce fut le cas. Les corps ont traversé le pare-brise à plus de quatre-vingts kilomètres / heure et sont allés percuter un arbre de plein fouet. Puis il fallait te déposer, toi, à côté de la voiture accidentée. Te... blesser au visage, à la poitrine, sinon ça aurait paru trop suspect.

Abigaël imagina le délire : son propre père, penché sur elle, lui tailladant le front, les joues, les lèvres avec du verre. Frédéric, la cognant à la poitrine pour provoquer des hématomes qu'on associerait au choc... Deux barbares qui peaufinaient leur macabre scénario.

— Il fallait aussi s'arranger pour que les cadavres soient méconnaissables. Tout cela leur a pris plus d'une demi-heure, ils ne pouvaient pas se permettre de commettre la moindre erreur, car ils savaient qu'il y aurait une enquête pointilleuse, des analyses, des relevés. Quand ils sont revenus au Kangoo, je te laisse imaginer. Ça a été la catastrophe, l'incompréhension. Léa et ce fameux chat en peluche avaient disparu. À la place, posée sur le plancher, il y avait la photo d'un môme enfermé dans une espèce de cachot : le petit Arthur...

Abigaël arrivait à peine à visualiser l'horreur de cette mise en scène abominable et de la situation dans laquelle s'étaient retrouvés son père et Frédéric. Ce que le médecin lui racontait dépassait tout ce qu'elle avait pu imaginer.

— Ton père avait vu le visage de ce môme sur le mur de ton bureau, quelques heures auparavant. Il a tout de suite compris que Léa venait d'être kidnappée sous leur nez par Freddy. Il est devenu comme fou, il voulait appeler la police pour qu'on cerne la zone au plus vite, pour qu'on retrouve sa petite-fille. Il avait laissé son téléphone portable dans le Kangoo en se changeant. Il est allé le rechercher, s'est assis à la place passager pour passer son coup de fil. Frédéric est arrivé à ses côtés et lui a dit de ne pas faire ça, parce que sinon, c'était la prison pour nous tous. À un moment donné, il a sorti son arme, il voulait juste raisonner ton père, lui faire peur. Mais il y a eu un mauvais geste, un accident, et le coup est parti. Tu peux croire ce que tu veux, Abigaël, penser que Frédéric est un monstre, mais je te jure qu'il ne me mentait pas quand il disait que c'était un accident. Il chialait comme un gosse… Tu connais la suite de l'histoire.

Oui, elle connaissait la suite. Frédéric avait défiguré son père et avait largué la voiture dans une rivière. Un prédateur prêt à aller au bout de l'horreur pour sauver sa peau.

Abigaël, psychologue criminologue censée lire dans l'esprit des gens, n'avait pu décrypter celui de l'homme qui avait partagé quatre mois de sa vie. Elle se rappelait toutes ces fois où Frédéric était venu la consoler… Les fêtes passées ensemble, elle en train de pleurer toutes les larmes de son corps, et lui qui savait que Léa se trouvait entre les griffes de Freddy. Toute cette glace qu'il ingurgitait et vomissait ensuite, comme pour se purger des horreurs enfermées dans sa tête.

Le légiste, face à elle, avait baissé les armes.
— Voilà, je t'ai tout dit. Il n'y a de toute façon plus rien qui pourrait racheter ce qu'on a fait.
— Si, fit une voix dans le dos d'Abigaël. L'oubli. L'oubli peut tout racheter.

85

Abigaël sentit tous ses muscles se raidir. Le canon d'un pistolet s'écrasa sur sa nuque. Elle voulut se retourner, mais Frédéric appuyait au point de lui faire mal. Hermand Mandrieux ne bougeait plus, lui non plus, tétanisé par la présence de son propre frère.

— T'as bien fait de me prévenir, lâcha Frédéric à l'intention d'Hermand. Mais bordel, t'étais pas obligé de tout lui raconter !

Hermand prit son téléphone portable sur le bureau et coupa une communication en cours. Abigaël comprit : il avait réussi à composer le numéro de son frère, quand elle était arrivée, et Frédéric avait tout entendu de leur conversation.

— C'était le seul moyen de la retenir, lâcha-t-il d'une voix fatiguée. Et puis, qu'est-ce que ça change ?

Hermand fixa Abigaël, puis dirigea ses yeux vers le cadre de ses enfants.

— Me regarde pas comme ça. Je suis désolé… Mais je ne veux pas que mes enfants grandissent sans père.

— T'es certain qu'il n'y a plus personne dans l'IML ? demanda Frédéric.

Le légiste observa son frère d'un œil assassin.

— Qu'est-ce que tu vas faire ?

— T'occupe pas. Va en bas, assure-toi que personne n'entre…

Hermand hésita, évita de croiser les yeux d'Abigaël, puis quitta la pièce en claquant la porte derrière lui. Frédéric fondit sur la jeune femme, lui enserrant la gorge avec son bras droit. De l'autre main, il dévissa un petit flacon et le porta à la bouche de la jeune femme.

— Tu vas boire.

Abigaël eut beau se débattre, Frédéric était bien trop fort. Il lui avait bloqué la tête et les mâchoires. Quelques secondes plus tard, elle avait avalé la totalité du flacon. Frédéric relâcha la pression. Il passa une main sur son front, il suait à grosses gouttes.

— C'est sur le bateau que j'aurais dû en finir avec toi. Tu m'as foutu dans une sacrée merde.

Abigaël toussa.

— Combien… Combien de Propydol tu m'as donné…

— Assez pour que tu oublies ces deux ou trois derniers jours.

Frédéric consulta les mails sur son téléphone portable. Il actualisa toutes les dix secondes sa connexion au serveur.

— Quand est-ce que ce crétin de directeur va m'envoyer ce mail avec les visages ?

Il revint vers Abigaël.

— Tu ne m'as pas laissé le choix, tu comprends ? Je t'aimais, Abigaël, je t'aimais vraiment et j'étais prêt à tout pour toi. À accepter ta maladie, à te soutenir. On aurait pu avoir une vie simple et heureuse. Mais il a fallu que tu te mettes à fouiner de tous les côtés. Ça devenait bien trop dangereux. C'est pour ça que je t'ai suivie quand tu es allée à Étretat. Je voulais être là si tu découvrais quelque chose au sujet de ton père. Quand tu t'es rendue sur le bateau, j'étais juste derrière. J'ai donné un peu de fric au type de la capitainerie pour qu'il prétende ne jamais t'avoir vue, et le tour était joué.

— Quand… Quand as-tu commencé à me droguer ?

— Il n'y a pas si longtemps. C'était avec cette histoire du livre d'Heyman. C'était très expérimental mais ça a marché, ça a complètement effacé les derniers jours de tes souvenirs. Mais ton cerveau déglingué a voulu résister, il a fallu que tu fasses ces putains de rêves qui, chaque fois, te remettaient sur la piste. Alors, j'ai continué à diluer du Propydol dans les tisanes, en plus de ton traitement, pour t'embrouiller. Ça a fonctionné. Tu as commencé à mélanger très fort le réel et l'imaginaire, tu perdais pied. Ça te décrédibilisait auprès des équipes. Il fallait qu'on pense, à terme, que tu avais tout imaginé ou agi sans en avoir conscience : la lettre dans les bois, le bateau de ton père, le chat que Freddy avait suspendu dans la maison abandonnée…

Abigaël ne trouva plus la force de répondre, tandis que le gendarme consultait de nouveau son téléphone. Enfin, le message qu'il attendait arriva. Il avait pour objet : « Les patients masculins du Val en 1994. » Frédéric l'ouvrit. Les photos, les identités des patients et leurs troubles du sommeil se succédaient. De jeunes visages imberbes, innocents, la plupart âgés de 12 ou 13 ans.

— Où est-ce que tu te caches, Freddy ?

Abigaël essayait d'entrevoir une solution pour fuir, mais il la surveillait du coin de l'œil. Dans moins de cinq minutes, elle s'endormirait, oublierait tout. Il n'y avait aucune parade, cette fois-ci. Le poison était déjà en train de se glisser dans ses veines. Frédéric fit défiler les fiches scannées, jusqu'à ce que son regard s'arrête sur l'une d'entre elles. L'enfant s'appelait Jacques Lambier, 12 ans, les yeux noirs très rapprochés. Si l'identité ne lui disait rien, le visage lui parlait. Il le scruta en détail.

Oui, il connaissait ce garçon devenu homme.

— Putain, c'est pas vrai. Lui !

Il resta là, abasourdi, puis finit par ranger son téléphone et s'agenouilla devant Abigaël.

— Freddy était là depuis le début, autour de nous, et on n'a rien vu. On n'a rien vu, Abigaël !

— Dis-moi au moins qui il est…

— À quoi bon ? Tu vas oublier.

Il lui saisit le menton et la regarda au fond des yeux.

— Je n'ai jamais voulu que ça se termine de cette façon. Mais tu ne m'as pas laissé le choix. Je vais retrouver Freddy, et je vais le flinguer. Puis Léa…

— Non !

— Je le ferai pas de gaieté de cœur, crois-moi, mais c'est le seul moyen de protéger le secret. Personne ne doit retrouver ta fille, tu comprends ? Parce que si on comprend qu'elle est vivante, on aura le même raisonnement que toi. Mon frère sera piégé, et moi aussi.

Il fit glisser le canon de son arme sur le front d'Abigaël.

— Quand tu te réveilleras, tu seras entre les murs d'un hôpital sans aucun souvenir. Ou alors, peut-être que tu te seras planté un couteau dans le ventre, et que je te découvrirai comme ça en rentrant du travail…

Abigaël lui agrippa soudain les bras et se jeta sur lui. Elle le déséquilibra, il chuta. Ils roulèrent au sol, mais Frédéric eut rapidement le dessus et lui assena un coup à la tempe gauche.

Abigaël ne bougea plus. Un immense bourdonnement dans sa tête, puis les ténèbres.

86

L'odeur tenace de cuir et de tabac froid… La danse des ombres autour d'elle… Le feulement du vent dans les arbres…

L'impression que ses paupières étaient collées à la glu. Quelque chose pulsait sous son crâne. Des sachets de punaises qu'on agitait. Elle porta une main à son œil gauche, gonflé, et récolta un peu de sang.

Elle se redressa doucement. Seule, à l'arrière de la voiture de Frédéric, au milieu d'un bois, semblait-il. L'horloge du tableau de bord indiquait 23 h 10. Quelques heures après que Frédéric l'eut assommée.

Abigaël se souvenait de tout : les découvertes concernant le centre du sommeil de Bel-Air, les confidences d'Hermand Mandrieux dans son bureau, l'arrivée de Frédéric… Il avait dû prendre le flacon rempli d'eau dans l'armoire à pharmacie à la place du Propydol.

Elle repensa aux derniers mots de Frédéric, à ses yeux de fou, et au carnage qu'il s'apprêtait à faire. Il n'épargnerait personne pour sauver sa peau. Peut-être même qu'il liquiderait tous les enfants, témoins de l'existence de sa fille.

Elle chercha son téléphone pour prévenir les secours, en vain. Elle était dans une forêt inconnue, sans doute pas loin de l'habitation de Freddy. Une fois dehors, elle observa les alentours. La forêt de ténèbres, la pleine lune qui jouait avec les feuillages et dessinait des spectres lugubres. Abigaël repéra d'infimes lumières qui palpitaient, au loin, entre les troncs. Elle ouvrit le coffre, prit une manivelle en métal et se dirigea en courant vers les lueurs.

L'habitation se détacha à l'orée du bois, isolée, enclavée entre les arbres et les champs. Un corps de ferme en U, avec ses vieilles briques, sa toiture en mauvais état, une végétation envahissante. Abigaël accéléra le pas. L'accès à la cour centrale était protégé par un portail fracturé. Elle se faufila dans l'ouverture, cramponnée à son arme qui lui parut bien dérisoire.

Un 4 × 4 ainsi qu'une petite fourgonnette – peut-être celle utilisée pour les enlèvements – dormaient le long d'une vieille grange. Des rais de lumière filtraient à travers les volets fermés de la bâtisse principale, face à elle. À droite comme à gauche, de nombreuses dépendances. Où était Frédéric ? Avait-il réussi à surprendre Freddy ? Avait-il déjà commis son massacre ?

Les enfants… Sauver les enfants… Ils pouvaient être n'importe où, mais Abigaël se rappelait les cellules indépendantes, la paille au sol, les murs en béton… Sans bruit, elle se dirigea vers un bâtiment tout en longueur, sans fenêtre, qui ressemblait à une écurie. L'épaisse porte en bois était munie d'un cadenas ouvert. Quelqu'un était donc venu récemment à l'intérieur. L'espace d'un instant, Abigaël fut traversée d'images démentes : les enfants agenouillés les uns à côté des autres, les mains liées dans le dos. Le couteau qui leur tranche la gorge. Leur sang qui coule dans les abreuvoirs. Et les gueules sombres de Frédéric et de Freddy, penchées au-dessus d'eux.

Elle ôta le cadenas le plus silencieusement possible et se faufila dans l'ouverture. Bouffée d'obscurité en pleine figure. Direction le fond du bâtiment en tâtonnant avec, pour seul guide, un infime trait de lumière lunaire au sol. Odeurs de renfermé, puis d'urine. Contre les murs, des silhouettes de fourches, de pelles, de faucilles. Ses tibias heurtèrent des ballots de paille stockés le long d'un mur.

— Il y a quelqu'un ? chuchota-t-elle. S'il vous plaît, répondez. Je vais vous sortir de là.

Elle attendit sans obtenir de réponse. Soudain, trois coups de feu successifs résonnèrent dans la nuit. Ils provenaient du corps de ferme. Abigaël perçut des froissements de paille, puis d'infimes couinements, à quelques mètres. Elle pensa à des souris prises dans un piège.

— Léa ! Léa, tu es là ? C'est moi ! C'est maman !

Cette fois, elle ne chuchotait plus. Les quelques secondes qui s'écoulèrent lui parurent une éternité.

— Maman ? C'est toi ?

Raz-de-marée d'émotion. Abigaël lutta pour rester droite sur ses jambes. Léa et Arthur criaient à présent et la suppliaient de les aider. La jeune femme se dirigea vers les voix à tâtons : du béton, du bois, du métal. Ses mains tombèrent sur un premier loquet. Elle posa la manivelle et fit basculer le lourd verrou sur le côté. Une odeur rance de nourriture lui retourna le ventre. Elle sentit alors une masse lui percuter la jambe droite et courir dans l'obscurité. Arthur.

— Sauve-toi, murmura Abigaël. Sors et cours dans le bois sans t'arrêter.

Léa n'arrêtait pas de la supplier de la libérer. Abigaël déverrouilla la porte voisine. Alice gémissait, recroquevillée dans un coin. Abigaël avança, se baissa et lui attrapa les mains.

— Faut que tu coures, Alice. Sauve-toi aussi loin que tu peux. Allez !

Mais Alice ne bougeait pas, elle restait prostrée au sol, malgré tous les efforts d'Abigaël pour l'arracher à sa prison. La jeune femme ressortit et posa ses deux mains sur le loquet voisin, comme une naufragée s'agrippe à une bouée de sauvetage. De l'autre côté de la porte, il y avait toute sa vie. Son passé, son présent et son futur.

Elle ouvrit. Sa fille, sa petite fille qu'elle croyait morte s'effondra dans ses bras. Abigaël avait l'impression de vivre le plus beau des rêves et le pire des cauchemars. Léa était à bout de forces, il fallait la soutenir. Une fois qu'elle eut extrait sa fille de la geôle, Abigaël exhorta Alice à les accompagner, en vain : l'adolescente ne voulait pas quitter son cachot. Abigaël ne pouvait pas porter les deux jeunes filles.

— Je vais revenir te chercher.

Sa fille serrée contre elle, elle fonça vers la sortie. Elles se trouvaient à quelques mètres à peine de la liberté quand une grande lumière illumina l'ensemble de l'écurie.

Une ombre noire se tenait debout devant la porte d'entrée du bâtiment, un fusil à la main. Et, sur le disque de lune en arrière-plan, se découpait une tête de renard.

87

Planté devant la porte, Freddy pointait le fusil à double coup dans la direction d'Abigaël et de Léa. Une tache pourpre marquait la manche gauche de son tee-shirt. Il avait été blessé au bras, ou à l'épaule. Il agita le canon de son arme.

— Contre le mur. Tout de suite.

Abigaël sentit les tremblements de sa fille. Elle recula de quelques pas et obtempéra. Assise dans la poussière et la paille, elle enlaça Léa pour la protéger. Freddy s'approcha à trois mètres d'elles. Il cassa son fusil, y chargea une deuxième cartouche. Puis s'assit à son tour, l'arme posée entre ses jambes et dirigée vers les filles. Il était trop loin pour qu'Abigaël puisse tenter quoi que ce soit. Si elle lui sautait dessus et, même s'il la ratait, il abattrait Léa comme un lapin.

Piégées, à sa merci.

Freddy ôta son masque et le jeta sur le côté. Abigaël n'en crut pas ses yeux. L'individu qu'ils traquaient depuis plus d'un an était Nicolas Thévenin, le garçon de morgue de l'IML. Cet homme effacé, taiseux, croisé tant et tant de fois.

— Ce fils de pute a tué mon chien.

Abigaël caressait la tête de sa fille. Cet homme avait toujours évolué dans leur environnement. Au plus près de leur enquête. Il venait probablement de tuer Frédéric d'un coup de fusil, il n'hésiterait pas à finir le travail.

— Tu ne te souviens pas de moi quand j'étais petit ?

Abigaël avait beau chercher au plus profond de sa mémoire, elle ne voyait pas.

— Non, bien sûr que non, continua Freddy avant qu'elle réponde. Je ne suis personne pour toi. 1994… Le centre du sommeil dans les Pyrénées… Le petit Jacques Lambier… Un môme qui ne dormait que deux heures par nuit… On a été voisins de chambre durant ton séjour. Ça te revient, maintenant ?

Abigaël secoua la tête.

— Je suis tellement désolée mais, non, je ne sais plus. Je ne sais plus…

— Je vais te rafraîchir la mémoire. Benjamin Willemez, le père d'Arthur, m'a mené la vie dure au foyer de la DDASS. Un type ignoble avec les jeunes. Il ne m'a pas épargné. Il n'a jamais supporté que je puisse me lever la nuit et perturber les autres. Il croyait que je cherchais à lui tenir tête, à le provoquer. Certains adultes sont tellement butés… Mais moi, je ne le faisais pas exprès. Je n'étais pas fatigué, je n'ai jamais été fatigué. La nuit, j'avais besoin de vivre, de bouger, comme en plein jour. Il m'a persécuté, puni, humilié sans cesse, avant de m'envoyer là-bas, au Val du Bel-Air, cet endroit où on était censé réparer mon sommeil.

Il considéra longuement le sang sur le bout de ses

doigts, frotta son pouce contre son index, comme lorsqu'on veut faire une boule de chewing-gum.

— Un an… J'ai été le joujou de Pierre Mangeain, le directeur, pendant un an, alors que je n'aurais dû rester là-bas que trois semaines. Mais Mangeain était fasciné par mon trouble. Un môme qui ne dort presque pas et qui, pourtant, grandit normalement. Tu imagines tout ce qu'on peut gagner sur une vie, avec si peu de temps passé au lit ? Toutes ces choses qu'on peut réaliser en plus quand on ne dort pas ? J'ai découvert, il n'y a pas si longtemps, que Mangeain avait écrit un livre. Je l'ai lu. Ce salopard a toujours eu une obsession : réduire le temps de sommeil à son minimum sans perdre en facultés intellectuelles. Il a travaillé avec des épidémiologistes, des neurologues et même l'industrie pharmaceutique pour percer les secrets du sommeil. Tu savais ça ?

Abigaël secoua la tête.

— Il était persuadé qu'on pouvait survivre, se développer normalement en dormant un minimum. Bien sûr, il ne me cite jamais dans son livre, parce que ce porc n'a jamais essayé de me soigner. Au contraire. J'ai été son jouet d'expérimentation. Son cobaye. Au fond, il était dix fois pire que Willemez. C'est pour ça que je lui ai réservé un traitement spécial…

Il ramassa de la paille au sol. La serra entre ses poings, aussi fort qu'il le pouvait.

— Il y avait cette pièce, au sous-sol de l'institut, où il m'emmenait deux fois par semaine. Toutes ces électrodes et ce plateau circulaire… J'étais le seul à y aller, il avait construit ça pour moi, il me l'a avoué quand je l'ai torturé et tué… Il me forçait à rester debout là-dessus, éveillé, avec des fils partout, me répétant que c'était pour me guérir. Le plateau basculait dès que je m'endormais. Mangeain n'essayait pas de prolonger mon sommeil, il cherchait au contraire à le réduire. À faire de moi un être qui ne dormirait quasiment plus. Un éveillé perpétuel.

Il sembla se perdre dans ses pensées. Ses yeux roulaient dans leurs orbites, par petits mouvements rapides et saccadés. *Nystagmus*, pensa Abigaël.

— Toi, tu venais d'arriver, et moi, ça faisait six interminables mois que j'étais dans cette prison. Nos chambres étaient voisines. Je ne parlais à personne, Mangeain me l'interdisait, j'avais peur de lui. Une fois, t'es tombée par terre devant moi, dans le couloir. J'ai cru que t'étais morte. Tes yeux étaient fixes, et ton bras faisait un angle bizarre par rapport au reste de ton corps. Tu t'es remise à bouger, au bout d'une minute, tu m'as dit que c'était normal, que ça t'arrivait souvent. Tu m'as montré quelques cicatrices. On est devenus amis, on bavardait tous les soirs en cachette. De toi, de ton père, de ta mère décédée, de ta vie dans le Nord. Et moi, je te parlais de ma souffrance. La prison dans laquelle je me trouvais à l'institut, cette pièce bizarre où je passais mes nuits. Tu as promis que tu m'aiderais quand tu sortirais, que tu parlerais, que tu reviendrais me chercher. On s'est coupé le bout du pouce avec un morceau de métal, et on a mêlé nos sangs pour sceller ta promesse. J'y ai cru, Abigaël. Chaque jour après ton départ, je regardais par la fenêtre et je t'attendais. Mais je ne t'ai plus jamais revue. Pas un signe, pas une lettre, rien. Tu m'as oublié, tu m'as abandonné. Tu ne valais pas mieux que les autres.

— J'habitais à l'autre bout de la France. J'étais

malade, comme toi. J'en ai sûrement parlé à mon père, j'ai dû tout faire une fois dehors pour t'aider. Mais on n'était que des enfants, des mômes paumés qui se font des promesses. Le centre était l'un des plus réputés de France. Qu'est-ce qu'on pouvait faire contre des adultes ?

— Et alors ? Tu crois que ça excuse tout ? J'ai encore passé six mois dans cet enfer après ton départ. J'étais seul, je t'en voulais à mort, j'en voulais à Mangeain et à Willemez de m'avoir envoyé là-bas. Après avoir été le joujou de Mangeain, je suis retourné au foyer pendant deux ans, je dormais encore moins qu'avant. Willemez m'en faisait baver encore plus et moi, ça me rendait fou, ces nuits sans dormir, sans fermer les yeux. Un jour, j'ai fugué sans papiers. Je n'avais plus de racines, plus d'existence. Je me suis retrouvé dans des hôpitaux, des centres sociaux, j'ai donné une fausse identité, on m'a refait des papiers. J'ai trouvé des petits boulots dans les cantines scolaires, les centres de vacances. Je bougeais tout le temps. J'avais 15 ans quand j'ai rencontré Nicolas Gentil en colonie. On bossait tous les deux dans les cuisines. J'ai vite senti qu'il était pas net. Tout le monde en avait peur, mais personne ne disait rien. Le dernier soir, il m'a coincé dans les bois et m'a forcé à le sucer. Il a éjaculé dans ma bouche.

Il cracha. Abigaël recevait ses paroles en pleine figure comme des rafales de clous.

— Chaque fois que j'y pense, j'ai le goût de son sperme au fond de ma gorge… J'ai mis du temps à me reconstruire, mais j'y suis arrivé. J'ai trouvé un job d'homme de ménage dans un hôpital, j'y ai rencontré la mère d'Alice. On est tombés amoureux, on devait même se marier. Pour une fois dans ma vie, je me sentais bien, en paix. J'étais quelqu'un. Mais quatre mois après notre rencontre, elle m'a plaqué comme un malpropre pour un autre. Je voulais pas la laisser, je traînais en bas de chez elle, je la suivais. Un jour, elle a appelé les flics. Interdiction formelle de l'approcher. Si je l'approchais encore, c'était la taule. J'ai regardé chaque trait de son visage quand elle a brûlé dans sa voiture, il y a trois jours.

Le sang coulait le long de son bras gauche. Il y porta sa main droite et appuya avec une grimace.

— Je suis parti le plus loin possible… Vers le nord. Je ne savais pas faire grand-chose, alors j'ai bossé dans des abattoirs, des boucheries, avant d'être embauché comme garçon de morgue. Faut croire que la viande froide m'attire. Les choses mortes, elles peuvent pas te faire de mal.

Il ricana. Léa tressaillit.

— Et là, je t'ai vue, Abigaël… C'était il y a trois ans. Tu travaillais sur une affaire de meurtre. Tu ne m'as pas reconnu, j'avais la barbe, les lunettes, vingt ans de plus. J'ai découvert qui tu étais devenue, j'ai vu ton portrait dans le journal. Une belle et brillante psychologue, spécialisée dans les affaires criminelles. Tu avais réussi, malgré ta maladie. Une vie agréable, une fille… Moi, je n'avais pas eu cette chance. Chaque fois que je me reconstruisais, on me détruisait… Quand on dort moins de deux heures par nuit, on a le temps de réfléchir à tout ça, tu sais. Au sens de la vie. C'est la nuit que les idées sont les plus noires et que jaillissent les monstres et les démons. Hein, Numéro 4 ?

Léa se blottit davantage contre sa mère. Freddy

partit d'un rire qui se transforma en un long raclement de gorge.

— Te voir, ça a ravivé toute cette merde en moi. Comment t'appellerais ça ? Les traumatismes de l'enfance ? J'ai vite pensé à vous faire du mal, à toi, aux autres. Des idées fixes que je n'arrivais plus à m'ôter de la tête, surtout la nuit. Vous deviez payer, tous les quatre. Je voulais vous faire souffrir comme vous m'aviez fait souffrir. Vous détruire au cœur même de votre humanité. J'ai cherché les autres, je les ai retrouvés, c'est tellement facile avec Internet aujourd'hui. Tu tapes les noms, les villes, en quelques clics, tu as les adresses, les photos de famille. Ce que les gens peuvent être naïfs et inconscients... J'ai enquêté un peu. Vous aviez tous des enfants. C'était là que je devais frapper. Vous les prendre, les détruire pour vous détruire. Tu connais la suite... Alice, Victor, Arthur et Léa. L'ordre des enlèvements était important. Partir du plus récent, et remonter dans le passé. C'était toi, finalement, la première à m'avoir vraiment fait mal.

Il considéra longuement la jeune fille de 14 ans.

— Je devais venir la chercher chez vous, à Hellemmes, pendant que tu serais encore et toujours au travail. Tout était prêt. Mais mes plans ont changé au dernier moment. Un coup du destin.

Il fouilla dans sa poche, sortit un petit appareil et le lança devant Abigaël.

— Dictaphone... Planqué sous la table d'autopsie depuis plus de deux ans... Des heures et des heures de conversations. Y a-t-il un meilleur endroit pour se tenir au courant des enquêtes ? Pour connaître les techniques de la police ? La manière dont ils procèdent pour te coincer ? L'ADN, les empreintes, la toxico, les fichiers... J'ai tout appris en écoutant, j'ai bâti mes plans grâce à vous tous... La salle d'autopsie, c'est comme une place de marché, c'est là que toutes les informations transitent sur toutes les affaires. Vous coincez les assassins parce que, la plupart du temps, ils agissent dans la précipitation. Mais si on laisse le temps passer entre deux actions, ça vous déstabilise complètement, vous ne comprenez plus. C'est pour ça que j'ai fait courir trois mois entre les enlèvements. Chaque fois, vous repartiez de zéro. Et moi, ça me permettait de bien réfléchir et de ne pas me faire repérer. Il fallait que je prenne des congés pour chaque kidnapping. Le temps de me déplacer, d'observer, d'agir, de préparer mes épouvantails... Ils vous ont bien déstabilisés, hein, mes épouvantails ? Surtout le dernier, celui avec les longs cheveux blonds. Ceux de ta fille.

Abigaël caressait Léa, aux portes de l'inconscience. Même blessé, Freddy jouissait de la situation.

— Grâce à mes enregistrements, j'ai pu me tenir au courant de l'évolution de *mon* affaire, savoir où vous en étiez dans l'enquête, vous entendre raconter à quel point les parents souffraient. C'était moi qui nettoyais la merde dans la salle, tous les jours. J'en profitais pour récupérer le dictaphone et le remplacer par un autre avec une batterie chargée. Je n'en perdais pas une miette. La nuit, chez moi, j'écoutais les conversations, les petits secrets de chacun. Ça m'instruisait, ça m'occupait. Ça donnait un sens à ma vie. Tu devines alors ma surprise, quand j'ai écouté la conversation entre ton père, le légiste et le gendarme. L'accident qu'ils prévoyaient, le vol des corps, le lieu et l'heure où ça devait se produire… Tu imagines, Abigaël ? C'était… prodigieux. Je l'ai écoutée trois ou quatre fois, cette conversation, tellement c'était incroyable. Et j'ai eu une idée… Me mêler à leur secret. J'avais là la possibilité de te faire souffrir encore plus et de tenir ce salopard de gendarme par les couilles. De vous rendre tous dingues. Ça pimentait sacrément le jeu.

Il s'appuya sur une main en gémissant. Il se mit à genoux, le poing sur l'arme, et parvint à se lever. Abigaël comprit que c'était la fin.

— Tu m'as aperçu, la fameuse nuit du 6 décembre, je crois. J'étais embusqué dans les bois en attendant que l'accident se produise. J'ai vu le Kangoo se garer plus loin, les phares éteints. Il fallait que je sois à proximité du véhicule, je savais que ton père et le gendarme y déposeraient le corps endormi de ta fille et que je devais agir vite. J'ai voulu traverser dans l'obscurité mais ton père a surgi à ce moment-là. J'ai plongé dans les fourrés, vous vous êtes arrêtés. Tu es sortie, je t'ai sentie toute proche de moi… Et puis, vous avez redémarré. La machination de ton père et du gendarme s'est mise en marche. Le faux accident… Ta fille inconsciente, amenée dans le Kangoo juste devant moi. Pendant qu'ils s'occupaient de l'accident, je l'ai embarquée, j'ai disparu dans les bois et j'ai rejoint ma voiture que j'avais cachée de l'autre côté de la forêt. Je te raconte pas la suite.

Il souleva son fusil avec difficulté et mit en joue Abigaël.

— Tu es la dernière des quatre. J'aurais aimé te faire crever d'une autre façon, j'avais prévu de t'enfermer dans un cube de verre et de te regarder te noyer, lentement, mais… je suis plus en grande forme et il faut aller vite, maintenant. On va tous se retrouver en enfer.

Léa se mit à hurler, lovée contre le ventre de sa mère. Abigaël fermait les yeux et serrait sa fille de toutes ses forces. Freddy ajusta sa visée.

Son index n'eut pas le temps d'appuyer sur la détente. Il venait de s'effondrer au sol.

Alice se tenait debout, juste derrière, la manivelle en fer serrée entre les deux mains.

Elle se rua sur le corps immobile et frappa, frappa, frappa…

88

On such a winter's day (California dreamin')
On such a winter's day

Abigaël bascula sur le côté et tâta le dessus de la commode, à demi consciente. Elle mit quelques secondes à sortir du sommeil et à se rendre compte qu'elle était dans un lit. Et cette musique… Elle allait se lever quand un bras passa au-dessus de son épaule et vint lui serrer la poitrine. Elle poussa un hurlement.

— Je te fais si peur que ça ?

Abigaël resta tétanisée dans son lit. La voix… L'odeur de la peau, imprégnée de tabac… Ça n'était pas possible. Pas lui. Pas Frédéric.

Il se serra contre elle, comme pour l'emprisonner.

— Tu as encore fait un cauchemar, on dirait. Tu es trempée.

Abigaël se mit à trembler. *Non*... Elle parvint à se glisser sur le côté et tomba lourdement. Sa tête lui tournait, les murs dansaient autour d'elle. Un mot résonna sous son crâne : Propydol. Elle se redressa illico et tituba jusqu'au salon. La porte d'entrée était verrouillée, la clé n'était nulle part. La vision trouble,

Abigaël chercha sur le bureau, la table, les meubles, revint vers la porte et essaya de forcer.

— C'est ça que tu cherches ?

Lorsqu'elle se retourna, Frédéric se tenait à l'entrée du salon. Il agitait la clé du bout de ses doigts, tel un gardien de prison pervers.

— M'approche pas ! s'écria Abigaël.

Elle s'empara de la paire de ciseaux posée sur le bureau. Frédéric avançait au ralenti, les mains ouvertes devant lui en signe d'apaisement.

— Ne fais pas de bêtise, Abi, d'accord ? Tu pourrais te blesser. Tu n'es pas dans ton état normal.

Abigaël se trouvait acculée dans un coin, face à l'impossible. Frédéric était mort ! Elle jeta un œil vers son avant-bras gauche. Tout y était : les piqûres d'aiguille, les six brûlures de cigarette. Alors, elle souleva le bas de sa nuisette. Sur sa cuisse, un pansement récent. Dessous, un nouveau tatouage, le cinquième.

Tu as tout inventé

Elle se laissa choir contre le mur. Plus la force de se battre. Elle releva son regard triste vers Frédéric.

— C'est toi. C'est toi qui as fait faire ce tatouage sur mon corps.

Il s'orienta vers le meuble du salon.

— Non, Abigaël, c'est toi. C'est toi qui t'es rendu compte que rien de ce que tu avais imaginé n'existait. Tu t'es mise à raconter des choses bizarres, dénuées de sens. Que j'avais quelque chose à voir avec toute cette histoire. Que ta fille était vivante. Tu ne te rappelles vraiment plus ou tu fais semblant ?

Abigaël ne savait plus, ne comprenait plus. Où était

le rêve ? La réalité ? Qu'est-ce qui était vrai ? Qu'est-ce qui était faux ? Frédéric ouvrit le tiroir.

— Tout va bien se passer, d'accord ? Je vais juste prendre mon téléphone. Tu es encore en pleine crise, je vais appeler les secours, ils vont te prendre en charge. Parce que tu risques de te faire mal avec cette paire de ciseaux.

— Comment tu as fait... Comment tu as réussi à t'en sortir ?

Il n'y avait plus rien dans la voix d'Abigaël. Que des sonorités mortes. En guise de téléphone, Frédéric s'empara de son pistolet et le braqua sur elle.

— Tu sais quoi ? Je ne suis pas en train de te parler en ce moment même. Non, non, je suis encore dans mon lit. En me réveillant, je vais me rendre compte que la place à mes côtés est vide. Alors, je vais venir ici et te retrouver morte, ces ciseaux enfoncés dans ton ventre. Tu te seras suicidée.

Il s'approcha, toujours avec son arme braquée, et arracha la paire de ciseaux des mains d'Abigaël. Puis il s'agenouilla. Ensuite, il écrasa les pointes de métal au niveau de son foie.

— Quand on est malin, on peut toujours s'en sortir.

Et il vrilla les lames dans sa chair jusqu'à la garde.

89

— … man… Maman ? Ça va ?

Une douce odeur de café avait chassé celle du tabac froid. Abigaël ouvrit les yeux sur le visage de Léa. Sourire, chaleur. Elle se redressa et mit quelques secondes à quadriller son environnement. Elle serra sa fille dans ses bras, longtemps.

— Il était encore là ? demanda Léa.

— Oui. Dans un rêve imbriqué. Je me suis réveillée dans le lit de son appartement, alors qu'en fait, je dormais encore.

Abigaël s'enfouit dans une grosse robe de chambre en coton et se dirigea vers la fenêtre. À l'extérieur, les montagnes arrondies du Connemara et, à leurs pieds, le bleu azur d'un lac. D'instinct, elle palpa chaque petit cratère sur son avant-bras droit.

— Elles étaient à gauche, murmura-t-elle.

Léa s'approcha, elle aussi, de la fenêtre et se positionna juste à côté de sa mère.

— Qu'est-ce que tu dis ?

— Dans mon rêve, les brûlures de cigarette étaient à gauche. Et je ne m'en suis pas rendu compte. J'aurais dû, Léa ! J'aurais dû. Ça m'aurait évité de…

Elle porta les mains à son ventre, au niveau du foie. Léa se serrait contre elle. La jeune fille aimait regarder ces grands espaces, cette explosion de couleurs à nulle autre pareille. L'Irlande, c'était la terre de ses grands-parents, patrie des contes et des légendes. En cette fin novembre, les températures fendaient la pierre. Seul un vieux chien et son Irlandais de maître se promenaient sur la berge du lac, là-bas, au loin.

— Tout ça finira bien par s'arrêter un jour. Pour nous deux…

Abigaël l'espérait de tout cœur. Quatre mois avaient passé depuis l'affreuse nuit dans l'écurie, mais tout était encore tellement à vif. Même en fuyant loin du Nord et en essayant de se reconstruire une nouvelle vie avec Léa, Frédéric et Freddy continuaient à hanter leurs nuits à toutes les deux. Sur le territoire de l'imaginaire, les monstres demeuraient immortels.

Ce fameux soir d'horreur, le corps de Frédéric avait été découvert dans la chambre de Freddy, avec deux balles en pleine poitrine. Manque de chance pour lui, le kidnappeur avait été alerté de sa présence par une alarme silencieuse installée à l'entrée de la ferme. Quand Frédéric avait surgi, Freddy l'attendait de pied ferme.

L'enquête de gendarmerie avait éclairé les derniers points d'ombre. La « machine » avait été installée dans une remise, à quelques mètres des écuries. Dans cette ferme coupée du monde, un Horla d'un nouveau genre avait voulu boire le sommeil de quatre enfants innocents. Il y était arrivé, en partie.

Patrick Lemoine avait demandé à changer de service, une fois l'enquête bouclée. Finie, la section de recherches pour lui. Les révélations sur Frédéric l'avaient profondément meurtri, et il essayait à présent de sauver ce qu'il restait de son couple. Quant à Gisèle, elle était repartie s'enfermer sous ses combles, noyée dans ses volutes de fumée et entourée de ses têtes de carnaval, traquant sans relâche les pédophiles et autres bandits du Net. La famille Merveille 51 n'existait plus que sur le papier.

Plus tard, Abigaël et Léa allèrent marcher au bord du lac, bien couvertes, bonnets, écharpes et gants en laine. Des moutons se dispersaient comme des flocons de coton sur les pentes grises. Abigaël avait toujours aimé ces paysages hors du temps et loin des hommes. Qu'il pleuve, qu'il vente, c'était leur rituel depuis leur emménagement à un jet de pierre de Letterfrack, sur la côte ouest de l'île. L'été prochain, leur grande maison serait transformée en un bed & breakfast qui pourrait accueillir jusqu'à une dizaine de voyageurs.

Léa ne reprendrait l'école qu'en janvier. Quant aux autres enfants, Arthur, Alice, Victor… chacun essayait de se reconstruire à sa façon.

Elles progressèrent dans le silence. Ne rien dire, penser à l'avenir, se tenir la main et n'entendre que leurs pas s'enfonçer dans la végétation.

Abigaël savourait chaque minute passée avec sa fille, espérant que ces souvenirs-là éviteraient de se perdre dans les replis de son cerveau. Elle avait confiance en la science et les médecins. En ces terres celtiques, on savait aussi traiter la narcolepsie. D'ici à quelques semaines, elle suivrait un nouveau traitement sans Propydol, cette molécule qui lui ravageait la mémoire. Un jour, elle couperait elle-même la tête de ce fichu serpent d'un grand coup de sabre.

Un oiseau s'envola, juste devant elles, et alla

effleurer la surface de l'eau, avant de vriller ses ailes dans un rayon de soleil. Mère et fille s'arrêtèrent pour contempler la vallée ondulante, les monts aux pentes douces, profitèrent une dernière fois de la belle lumière d'automne puis firent demi-tour. Elles voyaient le feu brûler dans l'âtre de la cheminée.

Très vite, leurs silhouettes rétrécirent puis disparurent, figeant le paysage comme dans la toute dernière image d'un rêve, cette faïence de couleurs et de tons qui persiste sur les rétines juste avant que les paupières se lèvent.

Et qu'une autre histoire commence.

Vous voici donc au terme de cette histoire. Ou presque. Pour ceux qui veulent aller jusqu'au bout, vous avez la possibilité de télécharger le chapitre 57 grâce à un code à 7 chiffres qui a été clairement cité par l'un des personnages dans l'histoire. Avez-vous eu une lecture attentive ?

Donc, une fois munis de ce code, rendez-vous à l'adresse suivante : www.rever-franck-thilliez.fr

Ce téléchargement vous permettra également d'accéder à une table des matières qui vous présentera les chapitres dans l'ordre chronologique de l'histoire. Vous verrez, par exemple, que le prologue actuel devient le chapitre 80, ou que le chapitre 1 se transforme en numéro 38. Cela permettra aux plus pointilleux d'entre vous de mener l'enquête, d'aborder l'histoire sous un jour nouveau, de percevoir les petits détails qui vous auraient échappé. Et, peut-être, de comprendre comment j'ai pu construire ce roman.

Je vous souhaite une belle fin d'aventure et vous donne rendez-vous l'année prochaine.

Remerciements

L'écriture de ce roman a été possible grâce à l'aide de quelques personnes que je tiens à remercier. Les habitués d'abord : le Dr Gilles Tournel, le chef d'escadron Frédéric Evrard, Karim Maachi pour ses précieux conseils en termes de police scientifique, les nombreux gendarmes que j'ai pu croiser à Villeneuve-d'Ascq.

Un grand merci au Pr Christelle Charley Monaca, qui m'a accueilli à l'unité des troubles de la veille et du sommeil, et qui a répondu à mes nombreuses questions.

Mes remerciements également à Stéphane Welti, qui m'a éclairé sur cette étrange et complexe maladie qu'est la narcolepsie et m'a permis de créer la singulière Abigaël.

Merci aux équipes d'Univers Poche, qui ont encore une fois fait un travail remarquable ; à vous tous, chers lecteurs, qui me suivez, toujours plus nombreux, et à ma famille pour son soutien.

Rendez-vous l'année prochaine !

Découvrez dès maintenant
le premier chapitre de

Sharko

le nouveau roman de
FRANCK THILLIEZ

chez Fleuve Éditions

FRANCK THILLIEZ

SHARKO

PROLOGUE

Océanopolis de Brest, mars 2015

L'homme avait trouvé son maître sur l'échelle des prédateurs : le requin, fruit de millions d'années du travail de la nature, remarquable conclusion d'une évolution sans faille. Une machine aux multiples rangées de dents, à la silhouette aérodynamique parfaite, capable de sentir une goutte de sang diluée dans une piscine olympique. Un générateur de peur.

La peur… Elle aussi, rescapée du fond des âges, gardienne de la survie des espèces. En ce moment même, elle saisissait à la gorge le jeune Lucas, ridicule petit bonhomme sous les grands ventres blanc et gris qui glissaient au-dessus de sa tête. Cette peur, c'était la première fois qu'il la ressentait avec une telle intensité, comme si de minuscules archers tendaient chacun de ses muscles pour qu'il prenne ses jambes à son cou. Même protégé par des vitres en méthacrylate de plus de vingt centimètres d'épaisseur, l'enfant se serrait contre la cuisse de son père, chez qui les terreurs de jeunesse avaient laissé place à la fascination depuis longtemps.

Tout comme les visiteurs à ses côtés, Philippe aimait défier les monstres, en sécurité dans l'une des attractions principales de l'aquarium Océanopolis. De ce fait, il approchait son visage au plus près de la vitre, ses yeux enfoncés dans ceux glacés des requins-zèbres, taureaux, marteaux et tigres. Ces derniers étaient les plus impressionnants de tous. Certes, l'animal n'était pas le grand blanc créé par Spielberg, mais il n'avait rien à lui envier : quatre mètres, cinq cents kilos, des centaines de dents recourbées pouvant déchiqueter un être de la constitution de Lucas en trois coups de mâchoires.

Une clameur s'éleva dans la foule lorsqu'un chapelet de bulles perturba l'apparente quiétude du colossal aquarium. C'était pour *ça* qu'ils se réunissaient tous ici : vivre la peur par procuration. Un saut infernal dans la grande émotion du danger.

La silhouette d'un plongeur se dessina au fond du bassin, slalomant entre les rochers à grand renfort de lents battements de palmes. Il s'approcha de la vitre, adressa un signe d'amitié au public et appuya sur un bouton du cadran fixé à son poignet. Philippe reconnut un appareil utilisé pour mesurer le rythme cardiaque. L'homme-grenouille alla collecter des dents dispersées au sol, sous l'œil attentif d'un collègue dont on devinait à peine l'ombre à la surface du bassin, six mètres plus haut. Présent pour la sécurité. Au cas où.

Lucas renforça son étreinte autour de la jambe de son père.

— Il est fou ! Ils vont le manger !

Philippe ne releva pas – ce faux suspense qui terrifiait son fils l'amusait. Il savait que les prédateurs naviguaient repus, qu'ils ne développeraient aucune forme d'agressivité envers le soigneur. Pourquoi trembler ? Triste spectacle, en définitive, que ce plongeur nageant avec des requins gavés et dont la plupart ne présentaient aucun danger.

Il observa d'un œil discret les visiteurs à proximité. Pourquoi s'agglutinaient-ils tous là, si nombreux, à observer cet homme en tenue ridicule ramasser de stupides morceaux d'émail ? N'entretenaient-ils pas l'espoir, comme lui, qu'il se passe *quelque chose ?* À bien y regarder, les prédateurs ne paradaient pas qu'à l'intérieur de l'aquarium.

Traversé par un bref courant de honte, Philippe prit son fils par la main.

— On y va. On va aller manger une glace.

Lucas apprécia la proposition. À 7 ans, il préférait sans commune mesure les boules vanille aux requins. Ils firent à peine trois pas qu'une nouvelle clameur agita la foule.

— Le couteau !

Philippe se retourna. Une femme ventousée à la paroi translucide avait crié. Dès lors, on se mit sur la pointe des pieds pour mieux voir. Que se passait-il ? Le jeune homme et son fils se frayèrent un chemin vers leur place déjà comblée. Debout au fond du bassin, le plongeur avait sorti un couteau à lame crantée du fourreau accroché à sa cuisse. Un geste anormal qui provoqua des mouvements chez son collègue, en hauteur, bien au sec de l'autre côté d'un jeu de vitres.

S'agissait-il là d'un numéro ? Le professionnel restait sur place, l'œil rivé sur les chiffres affichés sur sa montre, son couteau dans la main, tandis que les squales imperturbables ne montraient pas d'agressivité.

Les nuages de bulles jaillis du détendeur, réguliers, témoignaient d'une absence de panique. Lucas tirait sur le bras de son père pour partir, mais Philippe résistait. Les yeux bleus du plongeur, grossis par le verre du masque et les vitres, le subjuguaient : ils reflétaient une grande paix intérieure.

Puis, toujours avec cette même exquise lenteur, le soigneur ôta le gant de sa main gauche et s'entailla la paume avec générosité. Des arabesques pourpres ondulèrent dans l'eau. Alors que les vrais cris d'alerte et les propos incrédules se multipliaient (« C'est un spectacle ? » ou « Il s'est vraiment blessé ? »), la pression augmenta autour de Philippe et de son fils, désormais écrasés contre la vitre. L'enfant pleurait. Les gens s'amoncelaient, les nouveaux arrivants – ceux qui provenaient de la pièce adjacente – voulaient leur part du gâteau. Une femme oppressée se sentit mal et invectiva tous ceux qui piétinaient dans son dos. On s'écarta pour la laisser sortir.

Un signal, dans la tête de Philippe, lui ordonnait de fuir avant le point de non-retour, mais une autre force, un faisceau d'instincts primitifs plus forts, le paralysait. Un homme avec la main en sang, des requins autour : il devait connaître la suite. Le plongeur les rassura tous d'un signe clair, pouce et index joints en un cercle. Tout allait bien, il savait ce qu'il faisait, et il n'y avait aucun danger.

Les requins s'agitèrent manifestement. Leurs ombres noires se découpèrent avec plus de précision dans la lumière du dessus de l'aquarium. Philippe fut surpris par leur nombre : il en avait compté cinq ou six depuis son arrivée, mais plus d'une douzaine nageaient désormais dans un espace restreint à la verticale du plongeur, comme si les parois du bassin s'étaient rapprochées.

Un adolescent, à la droite de Lucas, immortalisait l'instant avec son téléphone. Deux, trois perches à selfies s'élevèrent dans la foule, en prolongement des cerveaux curieux, afin que tout le monde puisse jouir de l'étrange spectacle. Cette manie de tout filmer. D'ici une heure, à l'évidence, les vidéos ou photos circuleraient sur Internet et seraient largement visionnées.

— Reculez ! Reculez !

Un homme en short et tongs, un talkie-walkie dans une main, perça la nuée humaine. Il portait un badge à l'effigie de l'aquarium sur son tee-shirt blanc, marqué du dessin d'un dauphin. Le visage grave, il entama une série de gestes techniques devant la paroi. Il ne fallait pas être spécialiste pour comprendre qu'il ordonnait au soigneur de remonter dans les plus brefs délais.

Mais ce dernier secoua la tête, bien décidé à ne pas bouger. Encore une fois, il signifia sa maîtrise de la situation et déporta son regard vers son cardiofréquencemètre.

Ce fut un requin-zèbre qui vint le premier explorer l'origine du sang. L'onde provoquée par son passage si rapide déséquilibra le plongeur, qui ôta ses palmes et s'ancra au sol sur les deux genoux. Le sang continuait à s'épancher de sa plaie. Les déplacements des squales se faisaient de plus en plus saccadés, leurs silhouettes se vrillaient, leurs yeux ronds et blancs presque aveugles s'agitaient de droite à gauche.

Les « Qu'on le sorte de là ! » et les « Faites quelque chose, ils vont le dévorer ! » se multipliaient, mais personne ne quittait son poste. La pièce était saturée, jusqu'aux entrées et sorties latérales, bouchées elles aussi. Philippe prit son fils dans ses bras et le plaqua contre lui, le visage tourné vers la foule. S'il devait surgir un drame, il ne fallait surtout pas que Lucas le voie.

Le responsable à leurs côtés dictait des ordres dans son talkie-walkie. Il leva les yeux. Une pluie de têtes de poissons, de calmars et d'abats se déversa depuis la surface de l'eau. Tout là-haut, le personnel jetait des seaux de nourriture dans l'espoir de détourner l'attention des requins, d'étourdir leur odorat surdéveloppé. L'œil vitreux d'une ex-dorade coula le long de la paroi. La foule se tut. Les visiteurs commençaient *vraiment* à prendre la mesure de ce qui se déroulait devant leurs yeux : un homme devenu fou risquait bien de se faire déchiqueter.

La nourriture n'y changea rien : une folie tout animale régnait dans le bassin, comme une contamination au sang humain, chaud et à l'odeur enivrante. Les bêtes avaient conservé leurs instincts de chasse, de survie, ces mêmes instincts primitifs qui poussaient les requinstaureaux à s'entre-dévorer dans l'utérus maternel, pour que seul le plus fort naisse.

Et le plus fort régnait là, dans ce bassin, avec ce souvenir de cannibalisme enfoui dans les abysses de son cerveau reptilien. Manger pour survivre. Manger pour se reproduire et perpétuer l'espèce. Manger, parce que c'était inscrit dans les gènes de tous les êtres vivants.

Un requin-tigre lança la première attaque. Il effleura sa proie et bifurqua soudain pour arracher net la main entaillée. Le masque du plongeur disparut derrière des bulles de douleur et, dès lors, il essaya de regagner la surface en mouvements confus, comme s'il réalisait tout juste l'imminence de sa mort. Il parcourut trois mètres à la verticale, puis fut tiré vers la gauche par une mâchoire accrochée à son mollet.

Le reste ne fut que boucherie.

La hargne sanguinaire des requins ébranla la masse de curieux agglutinés. Cris, pleurs, évanouissements. Ceux aux premières loges voulaient fuir, comme si les squales allaient briser les vitres pour les dévorer eux aussi, mais ceux du fond, qui ne voyaient rien, faisaient barrière. Embarqués par une vague de spectateurs, Philippe et Lucas se retrouvèrent comprimés là, incapables de s'échapper. Le gamin vit un chausson en néoprène couler juste devant lui, un pied arraché encore à l'intérieur.

Quand la salle put enfin être évacuée, seules demeuraient la bouteille d'oxygène jaune du plongeur enfoncée dans le lit de sable, pas loin de sa tête, et une farandole de lambeaux de matière en suspension dans l'eau à peine trouble. Les six litres de sang de ce qui fut un corps de soixante-douze kilos, dilués dans la masse liquide de l'aquarium, ne se voyaient même plus. Un escadron de requins avaient repris leur danse tranquille, leurs congénères les plus rassasiés s'étaient réfugiés dans un coin, à l'abri, derrière des rochers. Une journée ordinaire pour eux, pimentée par un petit extra.

En dépit des traumatismes psychologiques qu'affronteraient Philippe et Lucas dans les semaines à venir, une image resterait gravée à tout jamais dans la mémoire du père : le regard du plongeur juste avant l'attaque des dents de la mer.

Celui du défi.

1

Athis-Mons, banlieue sud de Paris
Environ six mois plus tard, septembre 2015

— Il faut savoir que ton oncle s'était aménagé un bureau sous les combles, c'était son territoire et je n'y allais presque jamais. Il y avait tellement de maquettes d'avions là-haut que tu ne pouvais pas circuler sans en écraser une. Pas grand-chose d'autre ne comptait en dehors de son métier et de ses avions.

Les avions… Lucie Henebelle se rappelait bien ces petits morceaux de souvenirs. Quand elle était toute jeune déjà, Anatole en fabriquait avec du papier, du carton ou même du contreplaqué. Il emportait ces merveilles sur les plages du Nord et les projetait depuis le sommet des dunes de Malo-les-Bains, devant sa nièce à couettes blondes, folle de joie. Le temps avait passé. Trente ans plus tard, Anatole était mort, terrassé en pleine nuit par une crise cardiaque.

Régine lui tendit une pochette à élastiques. Alors que son mari avait été du genre compact et enrobé, elle était tout en verticalité, avec un front haut et des cheveux aux amples boucles irrégulières. Elle claudiquait et se déplaçait alourdie d'une canne depuis une dizaine d'années, ce qui ne l'empêchait pas de conduire ou de vadrouiller partout dans le quartier. Ici, tout le monde la connaissait.

— Ce que tu as entre les mains était caché au fond d'un tiroir verrouillé, dans les combles. Ça concerne sa dernière affaire, la disparition de Laëtitia Charlent, une jeune femme de 20 ans.

Lucie n'en avait jamais entendu parler. Elle vivait à une demi-heure de la petite cité résidentielle d'Athis, mais venait rarement rendre visite à cette partie de la famille. Ses jumeaux, son rythme de fou à la police criminelle du Quai des Orfèvres, les soucis quotidiens à gérer. Elle fit claquer les élastiques de la pochette. À l'intérieur s'accumulaient une vingtaine de photocopies de procès-verbaux, des imprimés de casier judiciaire, des pages extraites d'un dossier de procédure pénale, une multitude de clichés en vrac. Sur les premiers d'entre eux, on distinguait une jeune métisse aux allures de garçon manqué, visage lumineux, cheveux noirs en frisettes de mouton, un piercing agrémenté d'un diamant au nez.

— C'est elle, la disparue. Laëtitia Charlent. Elle est belle, hein ? Et lui, la sale gueule sur les autres photos, là-derrière, c'est Julien Ramirez.

Lucie scruta les traits de l'individu d'une trentaine d'années, cheveux bruns ondulés, visage de silex aux arêtes tranchantes. En effet, il avait une sale gueule, avec son menton en galoche, ses joues crevassées qui arrondissaient une bouche en cul de poule, sans oublier ses yeux de loutre noirs et luisants. Son casier judiciaire mentionnait une peine de prison à Fleury, de 2008 à 2012 pour agression, détention d'arme illégale et tentative de viol. Une copie du dossier saisi par le greffier lors du procès était jointe.

— Il habite entre Longjumeau et La Ville-du-Bois, dans une maison isolée en retrait de la RN20, proche du bois, poursuivit la tante. Tu sais, pas très loin de l'antenne-relais téléphonique qui borde la nationale. C'est à tout juste quinze kilomètres d'ici.

Régine lui tendit un bloc de silicone bleu, qui était posé sur la table où fumaient deux tasses de café.

— Environ une semaine avant que ton oncle décède, ce kit de silicone est arrivé à son nom par la poste. Anatole m'a expliqué l'avoir commandé sur Internet, et que c'était pour ses maquettes d'avions. Mais il a menti.

Lucie constata, en effet, l'empreinte d'une clé sur l'une des faces du bloc. Sa tante sortit de sa poche la pièce métallique qu'elle fit coïncider avec l'empreinte.

— Ce bloc, il l'a utilisé pour mouler cette clé. Son bon de retrait au Carrefour de La Ville-du-Bois était dans la pochette à élastiques. Je suis allée dans la galerie marchande du magasin, avant-hier, avec le papier, en échange duquel le technicien m'a donné cette clé et rendu le silicone. D'après ce qu'il m'a raconté, Anatole avait déposé le moule trois jours avant son infarctus, le… 7 juillet, exactement.

— Il y a deux mois et demi.

— Déjà, oui. Anatole n'a pas eu le temps d'aller récupérer la clé. J'avais peur qu'après tout ce temps ce soit cuit, mais, Dieu soit béni, le gars l'avait mise de côté. Il est quasi certain qu'il s'agit du double d'une clé d'entrée. Et moi je confirme : c'est chez Ramirez que ton oncle voulait pénétrer. Je ne sais pas comment il a réussi à mouler la clé de ce type. Peut-être en fouillant dans son fourgon, ou en se faisant passer pour quelqu'un qu'il n'était pas. Après tout, Ramirez n'a jamais su qu'Anatole enquêtait sur lui.

— Comment tu sais que ce double est bien celui de ce… Ramirez ?

— À cause des autres photos, là-dessous. Regarde.

Tous les clichés, pris de nuit, étaient de mauvaise définition. Anatole avait mitraillé sans flash, embusqué semblait-il derrière des arbres. Sur le papier glacé, on distinguait une camionnette disposée de telle façon que ses portières arrière ouvertes se trouvaient à un mètre à peine de l'entrée d'une habitation. De toute évidence, le dénommé Ramirez transférait des sacs ou des objets lourds de l'intérieur de la maison vers le véhicule.

— Ce sont la maison et la camionnette de chantier de Ramirez. La date à l'arrière des photos indique qu'elles ont été tirées une semaine avant que ton oncle fasse la demande de moulage. À cette période, Anatole me faisait croire qu'il passait ses soirées au club de billard. Il rentrait deux fois par semaine aux alentours de 1 heure du matin. Mais j'ai réalisé hier, en découvrant tout ça, qu'il m'avait menti. Il surveillait Ramirez, la nuit.

Lucie but une gorgée de café, chahutée par les différentes révélations de Régine, qui l'avait appelée la veille et lui avait demandé de passer pour évoquer des découvertes faites au sujet d'Anatole. De là à imaginer que cela la mènerait à une affaire criminelle…

— Il faut que tu m'expliques plus précisément, ma tante, parce que je ne comprends pas grand-chose à ton histoire. Visiblement, il s'agit d'une disparition. Une victime, Laëtitia Charlent. Un suspect, Julien Ramirez.

Mais ce dossier caché, ces photos, cette clé : mon oncle menait une enquête officielle, ou pas ?

— Officielle au tout début, mais avec cette pochette, cette clé, je me rends compte qu'il ne m'a pas tout dit et est allé beaucoup plus loin. Je vais te la faire courte. Il y a environ quatre mois, mi-mai, Laëtitia Charlent, placée depuis dix ans chez les Verger, une famille d'accueil, ne rentre pas du centre pour jeunes où elle passait ses après-midi. Ce centre se trouve à trois ou quatre kilomètres d'ici. Le commissariat d'Athis est averti, ton oncle mène les premières recherches de proximité avec ses collègues. Laëtitia est instable, elle a menacé à plusieurs reprises les Verger de ficher le camp. Alors, peut-être qu'elle est chez une amie, une connaissance, un foyer des environs ? Mais au bout de trois jours de recherches infructueuses, une procédure est ouverte pour disparition inquiétante et est confiée au truc pour les disparitions, là, à Paris.

— L'office central chargé des disparitions inquiétantes de personnes. L'OCDIP.

— Oui, c'est ça, l'OCDIP. Tu sais mieux que moi combien ils gèrent de disparitions par an, tes collègues. Des milliers. Le dossier s'empile avec les autres, ils ne se bougent pas les fesses pour retrouver Laëtitia. Elle est majeure. Une gamine d'origine réunionnaise qui se retrouve abandonnée dès la prime enfance, qu'on balade de foyer en foyer avant de la placer, qui menace à plusieurs reprises de disparaître… Comment ne pas privilégier la piste de la fugue ?

Régine but une gorgée de café.

— Tout ça, ça le mettait en rogne, Anatole. Il venait de prendre sa retraite mais on connaissait cette famille, ils font partie de l'association pour le Téléthon où je les vois encore plusieurs fois par semaine. Des gens bien qui se sentent toujours responsables de ce qui est arrivé. Et puis moi, je l'aimais bien, Laëtitia, c'était vraiment une bonne gamine. Enfin bref, tu connais ton oncle, il avait quarante ans de métier derrière lui et il détestait les échecs. Et puis, il disait toujours qu'on ne passe pas instantanément de « flic » à « non-flic » parce qu'on prend sa retraite. Flic un jour, flic toujours…

À 42 ans, Lucie n'avait *que* dix-huit ans d'ancienneté mais déjà l'impression que son job avait contaminé l'ensemble des cellules de son organisme et colonisé tous les espaces de sa vie privée. Pour sûr, son cerveau devait avoir la forme d'un flingue. Et vivre avec Franck Sharko, vingt-sept ans de Criminelle au compteur, n'arrangeait rien.

— Alors, mon oncle a continué à fouiner de son côté. Il a mené sa propre enquête.

— Exactement. Il gâchait ses journées à interroger les voisins, tout seul. À la longue, je n'ai plus supporté son entêtement, on se disputait souvent. C'était sa retraite, et il l'avait méritée ! Il n'en a même pas profité.

Elle tira un mouchoir d'une boîte et versa quelques larmes. Lucie ne se rappelait plus l'année de leur mariage, mais elle les avait toujours connus à deux, depuis sa prime jeunesse.

— Mais son acharnement a fini par payer. Au bout de trois semaines, deux témoignages différents se sont recoupés et ont mis en évidence la présence d'une camionnette de chantier grise. Quelques jours avant la disparition de Laëtitia, elle se trouvait tantôt dans une rue adjacente à celle de la famille d'accueil, tantôt à deux pas du centre pour jeunes. Un gros sigle sur la carrosserie annonçait « bâtimat ». Anatole n'a pas eu de mal à retrouver l'entreprise : c'était celle de Julien Ramirez, un artisan auto-entrepreneur spécialisé dans la rénovation d'habitations.

Elle écrasa son index sur la face en papier glacé de Ramirez.

— C'était lui au volant ces fois-là, Lucie. Ton oncle, bien qu'à la retraite, a demandé à un collègue du commissariat de lancer une recherche et il a découvert que Ramirez avait déjà été condamné à de la prison pour agression et tentative de viol de 2008 à 2012. Dès lors, il a tout de suite signalé ça aux Parisiens chargés de l'enquête. Tu penses bien qu'ils n'ont pas apprécié sa démarche de cow-boy… Peu importe : le fait est que Ramirez a été interrogé en tant que témoin. Mais ils n'avaient rien contre lui, il n'a pas été inquiété.

— Comment il a justifié sa présence à proximité des lieux de vie de Laëtitia ?

— À cette période, il faisait du porte-à-porte pour faire la pub de son entreprise, il distribuait ses coordonnées. Les voisins ont pu confirmer. Ramirez n'avait aucun lien avec Laëtitia, personne ne les avait jamais vus ensemble. Et surtout, un client a été formel : au moment de l'enlèvement, il repeignait une façade à trente kilomètres de là. De ce fait, tes collègues parisiens n'ont même pas déclenché de perquisition, et Ramirez n'a jamais été placé en garde à vue. Tout ça, ça lui a mis un sacré coup, à Anatole.

Dans un soupir, elle remplit la tasse de café de Lucie, qui la remercia d'un geste.

— Je pensais qu'il avait tout abandonné, qu'il

s'était résigné, jusqu'à ce que je trouve cette pochette et cette clé. Tu verras, il y a même une copie d'un morceau de dossier de procédure pénale du procès de 2008. Des expertises psychiatriques et tout. J'ai jeté un œil, ce Ramirez était un malade de la pire espèce.

Lucie repéra l'épais document.

— Le tribunal de grande instance de Bobigny… Comment il l'a obtenu, ce dossier ?

— J'en sais rien, je le découvre en même temps que toi. Par des contacts, sans doute, il connaissait du monde. Tu vois, il s'est acharné dans son coin, pour Laëtitia. Il a aussi surveillé Ramirez pour essayer de comprendre. Il me disait que ce type n'avait pas agi seul… Qu'il avait peut-être surveillé la gamine, mais pas procédé à son enlèvement. Qu'il avait forcément un complice.

Régine lui attrapa la main droite et la serra dans les siennes.

— Je sais bien que ça fait quatre mois que Laëtitia a disparu, mais peut-être qu'elle est encore en vie, Lucie. Peut-être que ce salopard la retient dans une cache au fond de sa cave ou ailleurs pour lui faire subir je ne sais quelles horreurs. On ne te voyait plus beaucoup, mais ton oncle a toujours eu de l'affection pour toi. T'es la fille de sa sœur, il s'est bien occupé de toi et de ta mère quand ton père est mort. Et puis, il était fier que tu sois flic au 36.

Elle fixa Lucie sans plus rien dire.

— Ma tante… Qu'est-ce que tu veux que je fasse, exactement ?

— Que tu jettes un œil à ses recherches, que tu te forges ta propre opinion. Et que, si tu sens que ça peut aller plus loin, alors… je ne sais pas, relancer une enquête sérieuse au 36 ?

— C'est plus compliqué que ça, tu sais bien.

— Oui, oui, mais si je te confie cette histoire, c'est parce que j'ai confiance en toi. On ne peut pas laisser sciemment quelqu'un comme Ramirez en liberté. Tes collègues du service des disparitions ne se bougent pas et, crois-moi, si j'étais encore en mesure de botter les fesses de cette ordure de Ramirez, je le ferais.

Lucie réfléchit quelques secondes.

— Personne n'est au courant ? Pas même ma mère ?

— Il n'y a que nous deux.

— Bien certaine ? Tu n'en as pas parlé dans le quartier ? Ni à tes amis des associations ?

— Je te dis que non.

Lucie sonda sa tante au fond des yeux. Elle vida sa tasse de café, prit la pochette et se leva.

— Très bien, je veux bien jeter un coup d'œil. Mais tu ne dois en parler à personne. Pas à maman, et surtout pas à Franck, je ne veux pas l'impliquer là-dedans pour le moment, il est sur un gros dossier. Ça nous concerne, toi et moi. Tu sauras tenir ta langue ?

Sa tante passa ses doigts sur sa bouche, comme pour se coudre les lèvres. Puis elle se leva à l'aide de sa canne et vint se serrer contre elle.

— Merci, Lucie. Tu n'as pas changé. Je savais bien que je pouvais compter sur toi.

Composition et mise en pages
Nord Compo à Villeneuve-d'Ascq

Imprimé en Espagne par
Liberdúplex
à Sant Llorenç d'Hortons (Barcelone)
en avril 2017

POCKET – 12, avenue d'Italie – 75627 Paris Cedex 13

Dépôt légal : mai 2017
S27654/01